LE SECRET DE LA MANUFACTURE
DE CHAUSSETTES INUSABLES

ANNIE BARROWS

LE SECRET
DE LA MANUFACTURE
DE CHAUSSETTES INUSABLES

roman

*Traduit de l'anglais (États-Unis) par Claire Allain
et Dominique Haas*

NiL

Titre original : THE TRUTH ACCORDING TO US
© Annie Barrows, 2015
Traduction française : NiL Éditions, Paris, 2015

ISBN : 978-2-84111-872-4
(édition originale : ISBN 978-0-385-34294-0 The Dial Press, an imprint of
Random House, a division of Random House LLC, New York)

À Jeffrey

Arbre généalogique de la famille Romeyn

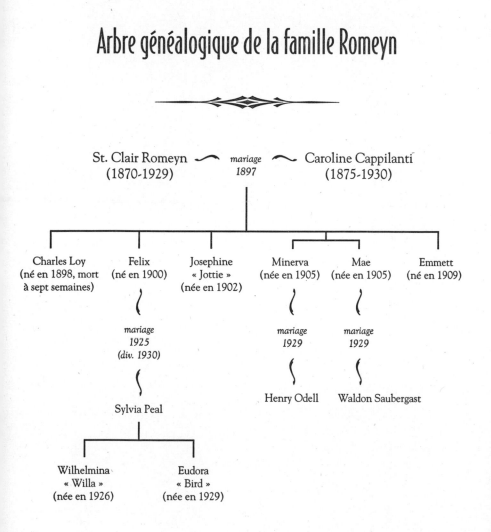

St. Clair Romeyn
(1870-1929)

mariage
1897

Caroline Cappilanti
(1875-1930)

Charles Loy
(né en 1898, mort
à sept semaines)

Felix
(né en 1900)

Josephine
« Jottie »
(née en 1902)

Minerva
(née en 1905)

Mae
(née en 1905)

Emmett
(né en 1909)

mariage
1925
(div. 1930)

mariage
1929

mariage
1929

Sylvia Peal

Henry Odell

Waldon Saubergast

Wilhelmina
« Willa »
(née en 1926)

Eudora
« Bird »
(née en 1929)

1

En 1938, l'année de mes douze ans, ma ville de Macedonia, en Virginie-Occidentale, célébra son cent-cinquantenaire – un terme que j'associai longtemps à une espèce d'oiseau. Notre école commémora l'événement comme elle le faisait toujours pour ces grandes occasions : à l'aide de tableaux vivants, un pour chaque moment clé de notre histoire. Il n'y en avait pas beaucoup, à peine assez pour faire participer les huit niveaux de l'école, mais nos professeurs firent de leur mieux pour les exploiter au maximum. Sans la guerre civile américaine, je ne sais pas comment ils s'en seraient sortis. Quand la Virginie fit sécession, la Virginie-Occidentale entra dans une colère noire et retourna aussitôt dans le giron de l'Union. Seuls quatre petits comtés – dont le nôtre – osèrent faire un pied de nez au reste de l'État et revendiquer leur appartenance à la Confédération : un affront qui fut lourd de conséquences en matière de routes pavées et d'écoles. Nichée dans un creux entre les rivières Potomac et Shenandoah, Macedonia était un point de jonction tant pour les généraux que pour les trains, si bien que, lorsque Lee rengaina son épée à Appomattox, la ville avait déjà changé de mains quarante-sept fois successives, dont six fois en un seul jour. Nos professeurs se firent une joie de créer une scène montrant des citoyens en train de hisser des drapeaux confédérés par leurs cheminées sur le passage des troupes de l'Union pour les faire disparaître dès leur départ. Les élèves du cours moyen et les sixièmes héritèrent des scènes de guerre, et les cinquièmes et quatrièmes se partagèrent les restes, vu qu'il ne se passait rien à Macedonia après 1865, en dehors de l'explosion de la rotonde et de l'ouverture de la bonneterie Les Inusables Américaines. Certes, la moitié de la ville travaillait dans cette manufacture et l'autre moitié regrettait de ne pas y travailler, mais il n'y avait rien à la bonneterie qu'on puisse transformer en tableau séduisant. Finalement, les professeurs firent d'une pierre deux coups : ils demandèrent aux cinquièmes de parcourir la scène en secouant des chaussettes au-dessus de leurs têtes et firent entonner l'hymne américain aux quatrièmes, alignées en arrière-plan. En 1938, les quatrièmes touchaient enfin le gros lot, parce que, cette année-là, Mme Roosevelt avait traversé notre ville. Elle s'était arrêtée sur la place principale, avait bu à notre fontaine d'eau sulfureuse, avait fait une grimace et était repartie. C'était plus qu'il n'en fallait pour monter un tableau; sauf qu'au lieu de grimacer, notre Mme Roosevelt déclarait : « Les gens de Macedonia ont bien de la chance de pouvoir savourer les bienfaits d'une eau minérale salutaire. » Ma sœur, Bird, et moi avions ri si fort, à ce moment-là, qu'on nous avait envoyées dans le couloir.

Quand le rideau était retombé sur nos tableaux et qu'on nous avait reconduits à nos classes, je m'étais dit que la célébration du cent cinquantenaire était derrière nous. N'avions-nous pas couvert cent-cinquante et un ans d'histoire en pile vingt-trois minutes ? Mais, moins d'une semaine plus tard, lors de la parade du jour des Décorations, je me rendis compte que nous n'en étions qu'au début des cérémonies. Et je mis encore plus longtemps à comprendre que tout avait commencé ce jour-là. Que c'est ce matin-là, pendant le défilé, que la terre se mit à trembler et à s'ouvrir pour libérer tout ce qui allait en jaillir au cours de l'été. Que c'était là que j'avais entendu parler de Layla Beck pour la première fois, que je m'étais interrogée sur mon père pour la première fois, que j'avais compris qu'on me mentait, et que j'avais décidé de tourner le dos à mon enfance. Depuis, bien sûr, je me suis souvent demandé si ma vie et celles de mon père et de ma tante Jottie auraient été différentes si j'étais restée à la maison. C'est ce qu'on appelle une énigme de l'histoire, et ce genre de chose peut vraiment vous rendre dingue si vous n'y prenez pas garde.

Jottie et moi étions serrées comme des sardines sur le trottoir, avec le reste de la ville, pour regarder la parade. D'ordinaire, le défilé du jour des Décorations ne présentait pas grand intérêt : juste un échantillon de vétérans sinistres accompagné de la fanfare du lycée. Mais cette année, en l'honneur du cent-cinquantenaire, on nous avait promis un moment unique, un véritable spectacle. Et il fut à la hauteur de nos attentes. Les Sœurs unies de la Confédération ouvrirent fièrement le cortège, suivies de près par les Dames de la grande armée de la République. Puis, la fanfare du Rotary – composée de quatre trompettes seulement – égrena des airs patriotiques ; véritable gageure qui eut un effet effroyable sur la brigade montée à dos de poneys. Deux filles avec des costumes minuscules s'avancèrent, envoyant des bâtons en l'air, comme dans les films, sauf qu'une seule réussissait à rattraper le sien. Les anciens combattants apparurent juste devant le char de carnaval, un camion à l'arrière duquel se tenaient la Princesse Pomme et ses bourgeons souriants. Le maire suivait dans sa grosse voiture verte, saluant la foule, et dans son sillage, M. Parker Davies, vêtu d'une culotte courte et armé d'une épée pour ressembler au général Magnus Hamilton, fondateur de Macedonia – ce qui me rappela une question que j'avais toujours voulu poser.

« Pourquoi l'a-t-il appelée Macedonia ? » demandai-je à ma tante Jottie, la poussant gentiment du coude.

Elle plongea ses yeux marron dans les miens.

« Le général était un grand admirateur des vertus macédoniennes.

— Hein ? C'est quoi les vertus macédoniennes ?

— On ne dit pas *hein*. La férocité et la détermination. »

La Princesse Pomme passa en tressautant. Elsie Averill en robe blanche. Une dame se pencha par-dessus mon épaule pour mieux la voir, et un gros effluve de Jungle Gardenia me chatouilla les narines.

Je me serrai tout contre Jottie.

« Est-ce qu'il les possédait ? »

Elle suivit un instant Elsie du regard.

« Est-ce qu'il possédait quoi ? chuchota-t-elle.

— Jottie ! Le général Hamilton. Est-ce qu'il possédait les vertus macédoniennes ?

— Le général ? Un jour, il a tranché les orteils d'un soldat pour empêcher le pauvre homme de déserter. À toi de me le dire, Willa : c'est de la férocité, de la détermination, ou de la folie pure et simple ? »

Je me mis à imaginer M. Parker Davies brandissant son épée sanglante, un orteil planté sur sa pointe. Oui, on pouvait sans nul doute appeler ça de la férocité.

« Et moi ? demandai-je, pleine d'espoir.

— La férocité et la détermination, vraiment ?

— Ce sont des vertus, non ?

— Sans conteste. Avec de la férocité, de la détermination et une pièce de cinq *cents*, tu peux t'offrir une tasse au Pickus Café. »

Elle rit en voyant ma grimace. Le cortège effectua un demi-tour, dans la plus grande confusion, avant de remonter Prince Street.

Je me sentais de taille à tenter la détermination.

C'était au tour de la chambre de commerce de Macedonia d'aborder le virage : huit hommes portant des chapeaux et des pardessus terre de sienne identiques. On aurait dit une série de poupons assortis, mais avec des mines embarrassées. Jottie secoua son petit drapeau.

« Hourra ! Hourra pour nos braves gars de la chambre de commerce ! »

Tous firent mine de ne pas l'entendre, sauf un.

« Jottie ? » dit-il, se tournant vers nous.

Ma tante retint son souffle et deux pastilles roses apparurent sur ses joues. Elle leva la main, la laissa retomber, puis, se ravisant, lui adressa un petit salut. Il n'en fallut pas davantage à l'homme ; un grand sourire illumina son visage, et, oubliant le défilé, il lui lança :

« J'espérais bien te voir ici, Jottie, je me disais que je pourrais... »

Quelqu'un buta contre lui l'obligeant à reprendre sa marche mais il se retourna sans cesse pour faire signe à ma tante.

« Qui était-ce ? – N'obtenant aucune réaction, je la poussai un peu : – Qui était-ce, Jottie ?

— Sol, répondit-elle. Sol McKubin. »

Elle ouvrit son sac et se mit à fouiller à l'intérieur.

« J'avais un mouchoir, là-dedans, ce matin. »

Et le sujet aurait été clos si je n'avais pas entendu ce petit rire dans mon dos. C'était Mme Jungle Gardenia.

« *Ouf*, c'est une bonne chose que ce vieux Felix ne soit pas là », marmonna-t-elle.

Quoi ? Je me retournai, me demandant qui était cette femme qui connaissait mon père.

Elle ne ressemblait pas aux connaissances de Papa. Elle portait une robe de jeune dame, bien que n'étant manifestement pas une jeune dame, et son visage était tout poudré de blanc. Remarquant que je la dévisageais, elle joua de ses sourcils dessinés au crayon dans ma direction et je me détournai prestement.

« Qui est Sol McKubin, Jottie ? »

Elle loucha vers le trottoir opposé.

« Ce n'est pas Mlle Kissining, là-bas, de l'autre côté de la rue ? »

Je suivis son regard. Il n'y avait pas plus de Mlle Kissining que d'enfant Lindbergh.

«Tu as la vue qui baisse, Jottie...», commençai-je, méprisante, quand la fanfare du Rotary sonna la note finale de «L'hymne de la bataille pour la République».

La parade était terminée.

Ça ne me dérangeait pas. Mon moment préféré venait après. Je pris la main de Jottie pour suivre le flot de marcheurs.

C'était comme un deuxième défilé ; toute la ville grouillant dans Prince Street, le véritable attrait de la journée : on s'interpellait, on s'arrêtait pour discuter, on se rassemblait en petits groupes pour échanger des avis sur les poneys, les majorettes, le char ou la voiture du maire. Je raffolais de ces promenades en ville avec ma tante Jottie. Seule, je n'étais qu'une enfant, et les adultes m'ignoraient. Sauf, bien sûr, quand ils s'arrêtaient pour me gratifier d'un bon conseil, comme : «Attache tes chaussures avant de tomber sur ces belles dents que tu as là» ; mais la plupart du temps, j'étais aussi insignifiante qu'un ver de terre. Une quantité négligeable, comme on disait dans les livres. C'était une tout autre histoire quand je marchais à côté de Jottie. Les adultes me saluaient poliment et j'aimais ça. C'était très agréable. Mais, ce que j'aimais par-dessus tout, quand je marchais au bras de ma tante, c'était sa manière de me raconter – du coin des lèvres pour que personne n'entende – l'histoire secrète de chaque homme, chaque femme, chaque chien et chaque parterre de fleur que nous croisions. Ces moments-là étaient un pur délice pour moi. Pourquoi ? Parce qu'alors, je n'avais pas seulement l'impression qu'elle me considérait comme une adulte : j'avais l'impression qu'elle me considérait comme sa confidente.

Nous remontions tranquillement la rue quand M. Tare Russell apparut dans son fauteuil roulant. Ce n'est pas qu'il était vieux, mais il avait un problème de santé qui l'obligeait à se laisser pousser partout avec une couverture sur les genoux.

16

«Jottie Romeyn, hoqueta-t-il, dès qu'il nous vit. Viens ici que je me repaisse de ta vue!»

Il adressa un geste impatient à son domestique noir afin qu'il le pousse plus vite. Ça ne me semblait pas juste; le pauvre homme paraissait beaucoup plus vieux et plus faible que M. Russell.

«Tare! s'exclama Jottie. Qu'est-ce qui t'amène ici? Je n'aurais jamais pensé que tu viendrais voir le défilé!

— Devoir civique. Qui oserait manquer la parade du cent-cinquantenaire de Macedonia?»

Jottie lui sourit.

«J'avoue m'être posé la même question toute la matinée, Tare. Comment as-tu trouvé la Princesse Pomme et ses bourgeons?»

Au lieu de répondre, il enchaîna aussitôt :

«Je pensais que Felix marcherait avec les anciens combattants. Mais je ne l'ai pas vu.

— Il est en voyage d'affaires.

— Depuis le début de la semaine, trouvai-je utile d'ajouter.

— Les affaires, répéta M. Russell, les lèvres pincées. Bah. Felix travaille comme une vieille mule, pas vrai? – Soudain, il se tourna vers moi, l'air furieux. – Dis-lui de ne pas oublier ses vieux amis, quand il rentrera. Dis ça à ton papa, veux-tu?» gronda-t-il.

Je reculai d'un pas.

«Oui, m'sieur.»

La petite main de Jottie enveloppa la mienne.

«Bien sûr qu'on le dira à Felix, l'assura-t-elle, joviale. On lui dira dès son retour!

— Ramène-moi à la maison, aboya-t-il, agitant la main en direction du vieux domestique noir. Tu vas me laisser cuire ici comme un œuf?»

Jottie me serra gentiment la main, tandis qu'ils s'éloignaient.

«Allez, on va faire un peu de lèche-vitrines, proposa-t-elle. Imagine qu'on a dix dollars chacune et juste un après-midi pour les dépenser, sinon, on perd tout.»

Aussitôt dit, aussitôt fait. Nous étions en train de discuter de la possibilité que je lui emprunte deux de ses dollars imaginaires pour m'acheter une robe rose quand nous nous trouvâmes nez à nez avec Marjorie Lanz. Elle habitait en bas de notre rue et parlait sans arrêt.

«Comment va, Jottie? cria-t-elle de l'intérieur de la boutique Vogel's Shoes. Regarde-moi ces sandales.»

Elle sortit pour nous rejoindre, une chaussure jaune à la main.

«Tu as aimé la parade, j'ai trouvé Elsie très jolie, mais le Rotary pourrait faire peau neuve, tu ne penses pas? Où sont Mae et Minerva? Oh, salut, mon chou, dit-elle, me remarquant soudain. Quel adorable petit bouchon.»

J'étais trop grande pour être un adorable bouchon, mais je hochai la tête poliment.

Elle se mit à balancer la chaussure d'avant en arrière, tout en continuant à babiller. M. Vogel s'était posté à l'entrée de sa boutique, prêt à l'alpaguer si elle s'avisait de filer avec sa sandale.

«J'ai entendu dire que tu t'étais trouvé un nouveau pensionnaire, Jottie, c'est bien, avec toutes ces chambres vides que tu as.»

Je décochai un regard à ma tante. C'était la première fois que j'entendais parler de ce nouveau pensionnaire.

«Qui vas-tu avoir, Jottie? J'espère qu'il aura plus de peps que ce Tremendous Wilson, je ne sais pas comment tu as pu supporter cet homme. C'est quelqu'un de sympathique?»

Elle la dévisagea, intéressée. M. Vogel l'imita. Et moi aussi.

Jottie hésita, puis se pencha en avant et murmura :

« Mon nouveau pensionnaire est un représentant du gouvernement des États-Unis, lui confia-t-elle en regardant M. Vogel. C'est tout ce que je suis autorisée à révéler.

— Ooooh, fit Marjorie tortillant la sandale dans ses mains. C'est un *secret* ? »

Jottie hocha la tête, l'air grave, comme si elle regrettait de ne pouvoir lui en dire davantage et s'adressa à M. Vogel :

« C'est une bien belle chaussure que vous avez là, monsieur Vogel. Est-ce qu'elle existe en bleu ? – L'homme secoua la tête. – Comme c'est dommage. Eh bien, Marjorie, nous ferions mieux de filer, Willa et moi. Il faut qu'on prépare la chambre de ce nouveau pensionnaire. Le gouvernement des États-Unis n'aime pas beaucoup le désordre. – Elle baissa les yeux sur moi. – Il faut que ça brille comme un sou neuf. Pas vrai, Willa ? »

J'acquiesçai par pure loyauté et attendis que nous soyons trois vitrines plus loin pour lui demander :

« C'est vrai qu'on va avoir un nouveau pensionnaire ?

— Oui, mam'zelle.

— Et il appartient vraiment au gouvernement ? »

Elle me sourit.

« Non. Parce que ce n'est pas un *il*.

— Une dame ?

— Oui. Une dame.

— Une dame du gouvernement ?

— J'ai l'impression que tu ne me crois pas du tout, s'étonna-t-elle en haussant un sourcil.

— Si, dis-je lentement. Mais comment se fait-il que je ne sois pas au courant ? »

Elle écarta quelques mèches de mon front d'une main légère.

« Je pensais que tu étais au courant. Tu ne m'as pas vue sortir toutes ces affaires du placard ? Tu étais assise sur le lit pourtant. »

J'essayai de me souvenir, en vain. J'étais sans doute en train de lire.

Je passais le plus clair de mon temps à lire.

C'est alors que je me rendis compte que j'ignorais un tas de choses. Cette idiote de Marjorie Lanz en savait davantage sur ma vie que moi-même. Des dames parfumées et poudrées que je ne connaissais même pas semblaient savoir sur mon père des choses dont je n'avais pas idée. Quelle humiliation, quand on y réfléchissait. Étais-je encore un bébé condamné à vivre dans une ignorance crasse ? Non ! J'étais une personne, une personne à part entière, et j'avais le droit de savoir des choses !

« Tu aurais dû me prévenir, insistai-je, vexée.

— Si tu veux être mieux informée, mon chou, il va falloir que tu commences à faire un peu plus attention à ce qui t'entoure. À tendre un peu l'oreille », répliqua Jottie en me tapotant la joue.

J'ouvris la bouche pour rétorquer : « Mais je suis ta confidente ! », et me ravisai aussitôt. Je n'étais peut-être pas du tout la confidente de Jottie, en fin de compte. Peut-être que je m'étais bercée d'illusions. Je réfléchis un instant. Cet homme à la parade, M. McKubin, celui qui avait fait rougir Jottie : elle ne m'avait rien confié sur lui. Elle n'avait même pas répondu à ma question à son sujet ; la vue de Mlle Kissining l'avait distraite. Sauf que – je la regardai, les yeux écarquillés – peut-être qu'elle n'avait pas été distraite du tout ; peut-être qu'elle l'avait évoquée pour *me* distraire !

Ça alors !

À bien y réfléchir, toute cette matinée avait été ponctuée de silences. De mystères même. *Une bonne chose que ce vieux Felix ne soit pas là.* Qu'est-ce que ça signifiait ? Et M. Russell – pourquoi s'était-il mis en colère quand il avait appris que mon père était en voyage ? Et qui était cette nouvelle pensionnaire qui travaillait pour le gouvernement ? Les mystères abondaient, mais le plus mystérieux dans tout cela, c'était que Jottie ne m'avait parlé d'aucun d'eux.

J'avais été dupée.

Moi qui pensais être sa conseillère, la personne en qui elle avait confiance, la dépositaire de ses pensées les plus intimes. C'était faux. J'avais été trompée. Tenue à l'écart. Endormie, écartée. Mais c'était terminé ! Je résolus de changer. Là, à cet instant précis, je pris solennellement la décision d'être attentive à ce qui m'entourait et de m'appliquer à découvrir toutes les vérités que les adultes essayaient de me cacher. Je saurais tout ce qu'il y a à savoir, me promis-je intérieurement. J'irai au fond des choses. À dater de tout de suite.

Je hochai la tête, la mâchoire crispée pour marquer ma détermination quand on tira sur ma manche. C'était Bird, ses boucles collées au visage par la sueur.

« Trudy Kane va refaire son numéro de danse. Je veux aller la voir mais Mae dit qu'elle aura une attaque si elle doit supporter la vue de Trudy Kane une fois de plus, alors il faut que tu m'accompagnes. »

Bird essayait d'apprendre les claquettes en regardant Mlle Trudy Kane. Elle était déjà capable d'exécuter un Buffalo sur une bassine retournée. Elle me tira par le bras.

« Viens. »

Je questionnai notre tante du regard. Elle fit oui de la tête.

« Je ne vois pas comment je pourrais tendre l'oreille quand je passe toutes mes saintes journées à suivre Bird partout, lui fis-je remarquer, amère.

— Ce qu'il faudrait, c'est que tu cultives un peu de ces vertus macédoniennes. Avec un rien de férocité et de détermination, tu découvriras tout ce que tu veux savoir, et même davantage », dit Jottie en souriant.

Bird me secoua encore le bras, mais je restai collée au sol. Jottie avait raison. Les vertus macédoniennes, c'était exactement ce dont j'avais besoin.

2

17 mai 1938

Rosy,

Pardonne-moi, je te prie – ne peux pas venir au déjeuner.
Père sur le sentier de la guerre : Nelson, paresse, asile pour
les pauvres, *et caetera*. Parle de travail d'un ton menaçant.
Dois rester à la maison et tricoter des chaussettes pour faire
bonne impression.

Layla

Ben,

Layla a besoin d'un emploi. Puis-je te l'envoyer ?
Affect^{ment},

Gray

19 mai 1938

Sénateur Grayson Beck
Bureau du Sénat
Washington, D.C.

Cher Gray,

Non.

Salutations,

Ben

———<◇>———

20 mai 1938

M. Benjamin Beck
WPA/ Federal Writers' Project
1734 New York Av. NW
Washington, D.C.

Cher Ben,

Ta réponse me déçoit. Elle trahit un manque d'esprit fra-
ternel, en plus d'une piètre mémoire. Fais appel à tes souvenirs, Ben. Remonte à l'année 1924. Je ne pensais pas qu'il
serait utile un jour de te rappeler le temps, l'argent et les
relations que j'ai vouées à ton salut, et ce, *sans poser de question* cet été-là, mais manifestement, je me trompais. Peut-
être que cette cellule de prison est devenue un lieu sacré
dans ton souvenir, ou peut-être crois-tu que la clémence du
juge lui a été inspirée par tes nobles idéaux. Ne te berce
d'aucune illusion. Tu m'es redevable.

Quand dois-je te l'envoyer ? Mardi à deux heures ?

Gray

21 mai 1938

Sénateur Grayson Beck
Bureau du Sénat
Washington, D.C.

Cher Gray,

Mardi à deux heures, c'est parfait. Quel emploi veux-tu
que je lui confie ?

Ben

23/5/38

Ben,

Je me fiche comme d'une guigne de l'emploi que tu lui
confieras. Je ne veux plus la voir ici, ni subvenir à ses
besoins.
Affect^ment

Gray

[télégramme]

23 mai 1938

Charles : Prière de me retrouver à 11 : 32 ce
soir. Dois te parler. Situation désespérée.
Une solution possible. Baisers.

Layla

✦

25 mai 1938

Layla,

J'ai été attristé de te voir pleurer quand je t'ai raccompagnée. Tu es méconnaissable quand tu te laisses aller aux larmes. Je ne parle pas de ton visage – ta beauté est pour moi ton attribut le moins intéressant – mais de ton esprit et de ton âme. Tu redoutes le travail ; tu le crains, mais cette terreur n'est qu'une illusion de ta classe. Le travail est noble. Il t'offre la dignité ; il élève l'esprit. Je ne peux imaginer meilleur destin pour toi que celui d'avoir à faire l'expérience directe des effets transcendantaux du labeur ; toi, qui a été abreuvée des platitudes et superficialités de ta classe en même temps que du lait de ta mère, te dois d'éliminer ces vérités factices dans lesquelles tu as baigné toute ta vie et faire cause commune avec les travailleurs et les travailleuses de ce pays. Embrasse les bienfaits du travail, Layla. Passé une période de choc prévisible, je suis certain que viendra le temps où tu découvriras la véritable camaraderie dans une poignée de main calleuse franche et sincère ; le labeur offrira de nouvelles nourritures à ton esprit sous-utilisé et des objets méritants vers lesquels diriger tes émotions incontrôlées. En renaissant des cendres de ta vie dégénérée, tu considéreras tes rêves nuptiaux banals pour ce qu'ils sont vraiment : une parodie bourgeoise, un rituel clinquant qui n'a pas de place dans le Futur des Travailleurs.

Et, sachant qu'avec ton talent pour les mauvaises interprétations, tu risques de me trouver peu explicite : ma réponse est non. Et au revoir.

Charles

M. Benjamin Beck
WPA/ Federal Writers' Project
1734 New York Av. NW
Washington, D.C.

Cher Ben,

Prenons un instant pour discuter de tout cela calmement,
entre nous, sans sentir le fouet de Père claquer au-dessus de
nos têtes. J'ignore comment il te tient, Ben, mais ce doit être
un bien affreux secret pour que tu en sois réduit à m'engager
– au sein de la WPA[1] qui plus est. As-tu assassiné
quelqu'un ? Si c'est le cas, il doit exister un meilleur moyen
d'expier ta faute que de me faire intégrer le Federal Writers'
Project[2], ce qui constitue presque un autre crime en soi. Je
comprends bien la situation, Père te tord le bras et tu dois
me donner un travail. Je comprends et je compatis. Mais,
entre nous : Père sera pleinement satisfait si tu me trouves
un petit poste de secrétaire, et moi aussi. En m'offrant une
situation temporaire au sein de ton bureau, tu satisferas aux
exigences de Père et retrouveras ainsi l'usage de ton bras.
Rien ne t'oblige à pousser les choses à l'extrême. Je fais allusion à la Virginie-Occidentale. La Virginie-Occidentale est
une solution extrême.

---

1. La Work Progress Administration, puis Work Projects Administration,
est une agence gouvernementale instituée dans le cadre du New Deal, en
1935. Elle avait pour but d'employer des chômeurs et autres victimes de la
Grande Dépression pour mener à bien la politique de grands travaux visant à
redresser le pays.
2. Le Federal Writers' Project était l'un des divers projets de la WPA, il
consistait à encourager les artistes en employant des auteurs pour rédiger des
ouvrages subventionnés.

Et ostentatoire, qui plus est.

Crapuleuse.

Et méchante.

Hier, après m'être remise du premier choc que m'a occasionné ta lettre, je me suis rendue à la bibliothèque pour m'informer sur le Federal Writers' Project (Tu vois ? Je sais où se trouve la bibliothèque) et j'ai découvert que tes arguments en faveur de la Virginie-Occidentale (fleur de l'État : le rhododendron) sont complètement erronés. Oui, je suis née à Washington D. C., mais il est ridicule de prétendre que je serais ravie de travailler dans l'État le plus proche de mon lieu de naissance. C'est un mensonge, et tu le sais.

Connais-tu la devise de cet État ? *Montani semper liberi* : les montagnards sont toujours libres. Est-il nécessaire d'en dire davantage ? Si Père et toi vous imaginez qu'en m'envoyant dans un État montagneux, vous me transformerez en jeunesse au teint frais, bondissant sur les hauteurs rocheuses en socquettes, vous êtes dingues. Vous me poussez juste vers l'alcool, et en Virginie-Occidentale, on ne trouve sans doute guère qu'un tord-boyaux de contrebande qui me rongera les entrailles et me rendra aveugle.

Non seulement je serai malheureuse, mais je serai mauvaise. La pire enquêtrice de l'histoire du Federal Writers' Project – pire même que ce staliniste morphinomane de soixante-dix ans dont tu m'as parlé. Tu m'imagines en train d'interroger des épouses de fermiers et des mineurs ? Poser des questions pleines de tact au sujet de leurs ablutions et de leurs poux ? Compter les cochons, les chiens et les bébés ? Franchement, Ben, ils sortiront leurs fusils dès qu'ils me verront approcher et je ne les blâmerai pas.

Réfléchis, s'il te plaît. Tu es mon oncle. Tu es supposé me gâter, je suis censée être le soleil de ta triste existence de célibataire. Peut-être n'ai-je pas été à la hauteur de ma

27

tâche, dernièrement, mais donne-moi une chance. Accorde-moi juste cette dernière faveur : retire-moi du Federal Writers' Project et offre-moi un travail au sein de ton bureau ; je te jure que je serai la meilleure secrétaire que tu aies jamais eue. J'arriverai au bureau à huit heures (du matin !). Je taperai jusqu'à m'user les doigts jusqu'aux os. Je serai adorable au téléphone. Je m'intéresserai à des sujets sérieux. Je te ferai honneur.

Mais, je t'en prie : ne m'envoie pas en Virginie-Occidentale.

Ta nièce aimante et généralement obéissante,

Layla

---

28 mai

Layla,

Te rends-tu compte qu'un quart des actifs de ce pays est sans travail ? Te rends-tu compte que chaque semaine je reçois des douzaines de lettres d'hommes et de femmes consciencieux et instruits qui m'implorent de leur offrir un poste, n'importe lequel, au sein du Federal Writers' Project ? Ces gens sont désespérés, Layla. Ils sont sans emploi depuis si longtemps qu'ils ont oublié ce que c'était que travailler, ils ont vendu tous leurs biens pour une bouchée de pain, ils dorment le ventre vide – sous un toit, pour les plus chanceux, ou dehors pour autres – et se réveillent affamés. Ils portent les mêmes vêtements depuis des années, et les nettoient à l'éponge, chaque soir, parce que le tissu partirait en lambeaux s'ils s'avisaient d'utiliser une planche à linge. Leurs enfants sont maladifs parce qu'ils ne mangent pas assez et sales parce qu'ils n'ont pas d'endroit où se laver. Je te parle de gens qui n'ont jamais songé à mendier, et qui pourtant se retrouvent à devoir me supplier de leur donner un emploi qui ne leur rapportera même pas assez pour apaiser leur faim.

Je découvre qu'il y a un poste disponible dans le cadre du Federal Writers' Project de Virginie-Occidentale. Je t'ai, au mépris de tout bon sens, offert cette position. Estime-toi heureuse ou va au diable.

Ben

◄◇►

30 mai 1938

Mlle Layla Beck
c/o Mr Lance Beck
Département de chimie
Université de Princeton
Princeton, New Jersey

Ma très chère Layla,

Je dois dire que c'est très peu charitable de ta part d'être allée pleurer sur l'épaule de Lance et de me laisser me débrouiller seule avec ton père, sachant dans quel état il se trouve : j'ose espérer que tu ne comptes pas retrouver cet abominable Charles Antonin, car, s'il venait à l'apprendre, ton père serait encore plus furieux qu'il ne l'est déjà. Rien de ce que je peux lui dire ne l'infléchit, je suis désolée mais il va falloir que tu acceptes ce petit poste poussiéreux que t'a trouvé Ben. Je sais ce que tu penses – et imagine ce que *je* ressens à l'idée de te savoir parmi ces mineurs malpropres – mais je crains que ton père n'en démorde pas, ma chérie. Il dit que si tu persistes à refuser d'épouser Nelson – je ne te

29

fais pas la leçon, je te rapporte seulement ses paroles – alors tu devras affronter les dures réalités de la vie. J'ai sangloté à l'idée que tu allais à coup sûr attraper la teigne, ce qui n'a fait qu'exacerber sa colère. Il estime qu'il est temps que tu comprennes ce que tu es en train de ficher en l'air ; s'il faut que tu attrapes des vers pour cela, il n'y voit pas d'inconvénient (je ne l'ai pas dit à Papa, mais je ne pense pas qu'il y ait de véritables vers dans la teigne).

Je n'aurais jamais cru que ma propre fille serait un jour allocataire du gouvernement. Je pourrais *étrangler* Ben pour ça.

Ta mère aimante

P.S. : Lucille a vu Nelson chez Bick samedi. Il paraît qu'il a une mine *affreuse*, qu'il est absolument inconsolable, maigre comme un clou. Tu ne peux pas taxer d'insincérité un homme qui a perdu autant de poids. Songes-y, jeune demoiselle.

6 juin 1938

Mlle Rose Bremen,
« Les Vagues »
Gurney Street
Cape May, New Jersey

Ma très chère Rose,

Ta lettre est arrivée comme le pardon du roi après la chute de la tête guillotinée dans la paille. Merci pour ton offre généreuse, mais la sentence a été exécutée, et je devrais arriver à Macedonia, Virginie-Occidentale, mardi prochain

pour commencer à travailler pour le Federal Writers' Project.
J'ai prononcé mon vœu de pauvreté, hier, et je suis officiellement allocataire du gouvernement.

Je ne saurais t'expliquer comment c'est arrivé puisque je
n'ai pas encore compris moi-même, vraiment pas. Cela fait
des années que je suis un être frivole et mon père n'avait
jamais paru s'en soucier le moins du monde. Il semblait
même ravi de mon succès dans ce domaine : je l'ai entendu
se vanter une fois que sa fille était invitée à toutes les réceptions, des Adirondacks aux Appalaches. Tout allait *très bien*
avant que Nelson n'entre en scène et que la situation se renverse alors d'un coup. Ils se sont mis dans la tête que je
devais l'épouser, tous deux, Mère et Père. J'ai cru qu'ils plai-
santaient. Cet être si manifestement, totalement abominable. Ils le voyaient bien, mais ils s'en moquaient. Nelson !
L'héritier de Citronella, extrêmement riche, mais également
vénal, ennuyeux et plus superficiel que la rosée du matin.
Sans parler de son rire geignard et de sa ridicule petite moustache – j'aimerais mieux embrasser une anguille. Sa plus
grande ambition est d'être pris pour Errol Flynn. Je le
connaissais depuis dix minutes à peine que je le méprisais
déjà ; et s'il était capable de penser à quelqu'un d'autre que
lui-même, le sentiment aurait été réciproque. Je pensais que
mon père et ma mère se rendaient compte que cet homme
était une calamité ambulante, je m'attendais à ce qu'ils
éclatent de rire en apprenant qu'il m'avait fait sa demande.
Comme je me trompais ! Ils espéraient que je répondrais oui,
comme une fille bien sage. Père était aveuglé par le prestige
de Citronella (il se présente à nouveau l'année prochaine),
Mère était aveuglée par Père, et Lance a refusé de s'intéresser
à des choses aussi triviales. Je ne savais pas quoi faire, et
quand Père a exigé une explication, j'ai paniqué et commis
l'erreur fatale : je lui ai dit que je ne pourrais jamais respecter

un homme qui ne travaillait pas. Je n'avais pas fini ma phrase que je regrettais déjà mes paroles. Le visage de Père est devenu violet – j'ai cru qu'il faisait une crise d'apoplexie – et je suis sûre qu'on l'a entendu jusqu'au Capitole. Il s'est emporté contre les gens plus prompts à critiquer qu'à faire leur autocritique, ces incarnations de la paresse et du gaspillage qui n'apportaient qu'angoisse et honte à leurs parents. Et ce n'était qu'un échauffement. Il est monté en puissance et a parlé de ces hommes qui se font seuls, des livreurs de journaux dans la neige, d'Abraham Lincoln, de *Brother can you spare a dime?*[1], des familles fuyant les tempêtes de poussière de l'Oklahoma, des travailleurs immigrés qui fabriquaient la Model T's; jusqu'à ce que je n'en puisse plus et que je crie que j'allais prendre un travail, devenir une femme indépendante et lui faire manger son chapeau.

Et le pire restait à venir. Après son départ en trombe de la maison, je me suis dit que si je faisais profil bas, il oublierait tout ça, comme à son habitude. Si bien que, comme une idiote, je suis allée faire un tour à New York, et quand je suis rentrée, deux jours plus tard, m'attendant à un accueil chaleureux, Père a aboyé : « Tu as un entretien avec Ben à deux heures. » Tu te souviens de Ben, n'est-ce pas? Son jeune frère potentiellement socialiste, sorte de grand manitou du Federal Writers' Project. Ce que j'avais considéré comme un cessez-le-feu n'avait été pour mon père qu'une opportunité d'huiler son mousquet, et avant même que je comprenne ce qui m'arrivait, je me suis retrouvée dans le bureau de mon oncle où j'ai dû montrer mon niveau d'alphabétisation en lisant le journal à voix haute à une assistante blasée. Je me rends compte à présent que j'aurais pu saboter mon entre-

---

1. Chanson populaire pendant la Grande Dépression, considérée comme de la propagande anticapitaliste par les Républicains.

tien, mais je ne l'ai pas fait; et comme tu le sais, je suis un *as* de la dactylographie. À la fin de l'après-midi, je suis repartie plutôt contente de moi. Je me suis dit : «Très bien, je vais leur montrer à qui ils ont affaire.» Je serai la secrétaire de Ben. Je m'y croyais déjà – je me voyais dans la peau d'une de ces secrétaires décoratives (si tu vois ce que je veux dire), élégante dans une robe noire avec des poignets en organdi blanc bien amidonné pour mettre en relief des doigts parfaitement manucurés, passant en revue le courrier : la compétence incarnée. «Je ne sais pas ce que je ferais sans elle», dirait affectueusement Ben à mon père, qui répondrait affectueusement : «Comment ai-je pu vouloir la voir épouser ce misérable pleutre de Nelson ? Elle avait raison et j'avais tort.»

Tu connais la suite. Je n'ai pas eu le choix, Rose. Il a fallu que j'accepte ce travail. Père m'a coupé les vivres et la Grande Dépression n'est pas un mythe. Les opportunités sont rares et mes économies s'élèvent à vingt-six dollars en tout et pour tout. Que pouvais-je faire d'autre ? Mère pense qu'il se calmera d'ici Noël, mais c'est encore bien loin. Je ne sais pas comment je vais tenir tous ces mois. Je me vois d'ici, arpenter Macedonia, Virginie-Occidentale, sous une chaleur torride, pour aller recueillir les vagues réminiscences d'une communauté de vieux péquenots édentés. Je les entends déjà me répondre : «Oh, ça devait être en 95 ou 96, le ver a tué toutes nos vaches et on n'a pas eu un bout de viande à se mettre sous la dent pendant dix ans, tous les enfants souffraient de rachitisme...» Je me demande bien ce que le gouvernement veut faire des témoignages de ces gens-là.

Le pire, c'est que père est toujours si furieux qu'il faudra que je *vive* de mon salaire, ce qui signifie que je devrai loger dans une chambre miteuse située dans la maison d'une «famille respectable de Macedonia». Famille respectable et maison sans doute encroûtée de poussière de charbon, de sorte que la faim ou les puces auront raison de moi en quelques semaines. Tu pourras lire cette lettre à mon enterrement ; je regarderai mon père, rongé par le remords, de l'au-delà – ce qui signifie, j'imagine, que je serai en enfer. Mais je m'y sentirai comme à la maison, après Macedonia.

Une dernière chose que je ne t'ai pas dite : tout est terminé entre Charles et moi. Merci de ne pas m'envoyer de lettre de condoléances. Je ne le supporterai pas.

Affectueusement,

Layla

P.S. : Dans le feu de notre première dispute, Père m'a traitée de « parasite du corps social ». As-tu jamais entendu accusation plus injuste ? J'ai passé ce dernier printemps à ourler des torchons pour les pauvres méritants et à lire de la littérature exaltante à des veuves de la Confédération, le dernier vendredi de chaque mois. Comment peut-on me taxer d'être un parasite ?

❖

13 juin 1938

Cher Charles,

À présent que j'appartiens au prolétariat, ne penses-tu pas que tu pourrais

❖

34

13 juin 1938

Charles, très cher,

La semaine dernière j'ai prononcé mon vœu de pauvreté
– d'un cœur sincère, qui plus est. Pour résumer l'affaire, mon
père m'a coupé les vivres dans un accès de rage, je n'ai plus
un sou en poche, et demain, je commencerai à travailler
pour le Federal Writers' Project du WPA. Je pars pour
recueillir les témoignages de villageois de Virginie-
Occidentale. Je suis désormais un membre de ton cher
prolétariat (du moins, je pense l'être), serais-tu disposé à
commuer mon bannissement en quarantaine serais-tu
disposé à me voir serais-tu disposé à

13 juin 1938

Cher Nelson,

Il faut absolument que je vous parle d'un petit incident
amusant : vous vous souvenez de Mattie, notre domestique ?
Ce matin, en époussetant votre portrait – sur mon bureau –
elle a déclaré : « Je ne vois pas ce qu'il trouve à cette Olivia
de Havilland toute maigrichonne. » J'étais plongée dans la
plus grande perplexité, quand je me suis rendu compte
qu'elle vous prenait pour Errol Flynn ! N'était-ce pas
adorable ?

Cela fait des *siècles* que Mère et Père espèrent votre
Vous n'êtes pas venu voir votre pauvre petite amie à

14 juin 1938

Cher frère,

Il est 3 h 14 et je n'arrive pas à me résoudre à aller au lit. Une fois que je serai là-bas, rien ne se dressera plus entre mon destin et moi. Ma valise fatidique est bouclée, de même que ma fatidique boîte à chapeau et ma malle fatidique. Mattie a repassé mon tailleur blanc pour le train, il scintille comme la pleine lune, étalé sur ma chaise, impossible à ignorer. J'ai passé une soirée abominable. Mère a insisté pour que nous dînions à la maison, mais comme Père refuse toujours de me parler et que j'étais trop accablée, elle a jacassé – à propos d'azalées ? de robes de soirée ? – pendant une bonne heure. Son dernier morceau de jambon avalé, Père a bondi sur ses pieds et est sorti – il m'a tapoté la tête au passage. Je me suis retenue de pleurnicher comme un bébé.

Oh, Lance, je vais me retrouver toute seule, je n'ai jamais été seule de ma vie. Même lorsqu'ils m'ont envoyée dans l'institution de Mlle Telt, tout le monde savait que j'étais la Fille du Sénateur Beck. Je ne pense pas que ce titre produise le moindre effet dans les bourbiers de Macedonia, Virginie-Occidentale. Comment devrais-je réagir ?

Layla

P.S. : Pourrais-tu essayer, une fois de plus, de trouver un peu de place pour moi dans ton cœur ? S'il te plaît, Lance ? J'ai réfléchi à ce que tu m'as dit et la plupart de ces choses étaient justes, mais je suis certaine de pouvoir me bonifier avec tes conseils fraternels. Tu veux bien être mon modèle, dis ?

3

Des années plus tard, Bird prétendrait avoir su dès le début que Layla Beck nous attirerait des ennuis. « À la minute où je l'ai vue, dirait-elle, pointant un doigt vers le ciel, j'ai su que c'était un oiseau de mauvais augure. » Par moments, ma sœur parle comme un vieillard.

Pour ma part, je n'ai rien vu venir. Je n'étais pas avec Bird quand elle a vu Layla Beck pour la première fois. J'étais à plat ventre dans le caniveau, des marques de pneus à l'arrière des genoux – preuve, selon ma sœur, que Layla Beck était un oiseau de mauvais augure ; preuve, selon moi, que Bird n'était qu'une chipie.

Nous devions aller la chercher à la gare ferroviaire ensemble et la ramener chez nous. Si elle était arrivée par le train de 10 h 43, ou par celui de 12 h 10, ou même celui de 17 h 25, nous n'aurions jamais été jugées dignes de lui servir de comité d'accueil. Nos trois tantes – Jottie, Minerva et Mae – seraient allées la chercher elles-mêmes, avec leurs chapeaux et leurs gants du dimanche. Mais Mlle Layla Beck arriva par le train de 14 h 05, en plein cœur de la sacro-sainte sieste familiale. Si bien qu'elles se réunirent pour discuter et nous annoncèrent qu'accueillir cette jeune dame constituerait une bonne initiation à la vie en société pour ma sœur et moi.

Soucieuse de notre apparence, Jottie nous ordonna d'aller nous laver les genoux et brossa les boucles de Bird. Elle entreprit ensuite de natter mes cheveux ; tâche surhumaine à laquelle elle finit par renoncer, comme à chaque fois. J'avais les cheveux raides et glissants. Néanmoins, nous étions bien mises, ou au moins propres, quand nous sortîmes pour aller à la rencontre de Mlle Layla Beck, qui devait arriver de Washington peu après. Nos tantes nous firent signe de la main avant de se retirer. Jottie pour rejoindre son fauteuil dans le salon, Minerva et Mae pour aller se jeter sur le lit de la chambre qu'elles partageaient à l'étage lorsqu'elles séjournaient avec nous, et respirer au même rythme, comme le font tous les jumeaux.

C'était à Bird et moi que revenait la tâche de faire bonne impression, nous avait prévenues Jottie. Je lui avais répondu que je ferai de mon mieux, mais qu'elle ne devait pas se bercer d'illusions, ce qui l'avait fait rire.

Dehors, un silence de mort et la chaleur régnaient. Les oiseaux avaient abdiqué pour la journée et des volutes de vapeur chatoyantes s'élevaient des pelouses voisines. Rien ne bougeait. Les dames et les petits bébés se reposaient, et les jeunes Lloyd – qui ne se calmeraient que le jour de leur mort – étaient allés traîner quelque part. Tous les hommes travaillaient, à l'exception du père Pucks, qui ne parlait que pour nous dire de disparaître, et de M. Harvill, qui enseignait au lycée et était en vacances, lui aussi.

Bird et moi avancions dans Academy Street en silence. Je suppose que pour un visiteur, les maisons de notre rue se ressemblaient toutes : elles étaient toutes grandes, toutes en briques blanches. Mais quand on les regardait à travers le verre poli de l'habitude, elles étaient très différentes les unes des autres. On devinait sans mal où habitaient les jeunes Lloyd à voir la corde élimée qui pendait de leur érable. La balançoire s'était renversée quand ils étaient montés dessus tous les trois avec Dicky Ritts

38

en plus. La terrasse du père Pucks était vide parce qu'il s'imaginait que des voleurs emporteraient son rocking-chair s'il le laissait là. Il le poussait dehors chaque soir pour profiter de la fraîcheur, mais ne sortait jamais celui de la mère Pucks, qui devait rester assise à l'intérieur. La maison des Casey était au coin de la rue, désertée et triste. M. Casey était tombé malade et il était mort. Mme Casey et leurs enfants avaient dû partir vivre chez son frère. Parfois, le dimanche, elle revenait arroser ses pivoines. Mais ça ne servait pas à grand-chose ; elles mouraient quand même.

Je jetai un regard de côté à Bird. Elle se concentrait sur ses pas. La chaussée avait ramolli, nous choisissions précautionneusement notre chemin, comme des chats. Nous aurions pu longer les barrières, mais nos tenues en auraient pâti et il fallait que nous soyons présentables pour accueillir Mlle Beck.

« Willa ! »

C'était Mme Spencer Bensee, derrière sa pergola de vigne grimpante. Les raisins avaient un goût affreux, mais la pergola était jolie et elle passait un temps fou là-dessous – à songer aux roses d'antan, à en croire Jottie.

« Bonjour, madame Bensee. Il fait chaud, n'est-ce pas ?

— Vous devriez faire la sieste, vous deux. Jottie est au courant que vous courez je ne sais où par cette chaleur ? demanda-t-elle d'un ton sec.

— Oui, m'dame », fis-je.

Ce que les enfants doivent supporter, parfois.

« Pfff, souffla-t-elle, sceptique. Puis, s'attendrissant, elle lança : tu es jolie comme un cœur aujourd'hui, Bird. »

Ma sœur ne répondit pas. Pas même quand je lui donnai un coup de coude. Rien à faire, j'avais beau me montrer aimable et polie, c'était toujours envers Bird qu'on était aux petits soins. À cause de toutes ses boucles dorées qui la faisaient ressembler aux gentilles fillettes des livres. Elle n'était pas particulièrement gentille, elle pouvait même être franchement odieuse quand elle voulait, mais elle était mignonne comme ces petites filles sur les cartes de Noël.

« Au revoir, madame Bensee ! Il faut qu'on aille à la gare ! hurlai-je pour qu'elle ne remarque pas l'impolitesse de ma sœur. Tu ne pourrais pas être aimable, sifflai-je entre mes dents quand nous fûmes assez loin. »

Bird haussa les épaules.

« Je suis aimable.

— Non, tu ne l'as pas été à l'instant.

— Elle guette les gens depuis cette tonnelle pour leur sauter dessus et les tuer. »

Arrivées dans Race Street, nous devions traverser le Garage de l'Union et tourner à l'angle. Une chanson s'échappait d'une radio et quelqu'un frappait sur du métal avec un truc en métal. C'est la raison pour laquelle je n'entendis pas Teddy Bowers approcher sur son vélo flambant neuf alors que je traversais la rue. Je ne le vis pas non plus, parce que j'étais concentrée à bien regarder des deux côtés comme on nous répétait sans cesse de le faire. Je n'eus même pas le temps de comprendre ce qui m'arrivait que j'étais à plat ventre sur la chaussée, à côté de Teddy Bowers qui geignait et hurlait que son vélo était fichu. Je n'ai plus jamais été amie avec lui après ça. Allongée par terre sous le vélo dont la course s'était terminée sur moi, je donnais des ruades avec mes jambes comme un cheval blessé quand je sentis une petite tape sur mon épaule.

« Ne t'en fais pas », me dit Bird.

L'espace d'une seconde, je crus qu'elle allait me réconforter ; ce qui m'étonna car elle n'avait pas l'habitude de réconforter qui que ce soit. Mais c'était mal la connaître.

« Je vais aller à la gare toute seule », déclara-t-elle.

Elle regarda sagement des deux côtés de la route pour s'assurer qu'aucune voiture n'était en vue et fila en me lançant un « Salut ! ».

Elle disparut au coin de la rue et Teddy eut enfin assez de jugeote pour soulever son vélo, m'écorchant davantage les jambes au passage. Je le traitais de plusieurs noms que je n'étais pas censée connaître, puis, voyant le sang dégouliner sur mes mollets, me mis à sangloter. L'un des hommes du Garage de l'Union sortit en entendant mes pleurs.

Il ne prêta aucune attention à Teddy qui hurlait toujours – quelle raison avait-il de beugler, d'abord, personne ne lui avait roulé dessus – et fut très gentil avec moi pendant que je saignais sur le siège passager de son camion. Je lui donnai mon adresse mais il me répondit qu'il la connaissait déjà.

« La maison du président », dit-il d'un ton solennel.

On aurait dit qu'il parlait de la maison du président des États-Unis, mais il faisait allusion à mon grand-père : St. Clair Romeyn. Ancien président de la manufacture de chaussettes Les Inusables Américaines.

« Et je connais tes tantes, aussi, ajouta-t-il.

— Toutes mes tantes ? demandai-je, pour détourner son attention du sang qui gouttait sur le sol de son camion, auquel il jetait des regards nerveux.

— Je suis allé à l'école avec Mlle Minerva et Mlle Mae.

— Oh. »

Je me creusai les méninges pour trouver quelque chose à dire là-dessus.

« J'en ai trois. Des tantes.

— Pour être jolies, elles étaient jolies », continua-t-il, comme plongé dans ses pensées.

Je songeai qu'elles n'aimeraient pas l'entendre parler comme si elles ne l'étaient plus, mais ne répondis rien, parce que son vieux camion venait de s'arrêter devant la maison. Un instant plus tard, Jottie sortit en trombe par la porte de la véranda, laissant la moustiquaire claquer dans son dos. J'ouvris la bouche pour tout lui expliquer, mais elle était déjà en train de dévaler les marches : elle m'agrippa les épaules fermement et me serra avec vivacité contre elle.

« Tout va bien. Tout va bien, répéta-t-elle, comme pour s'en convaincre.

— Ouais, Jottie, je... »

Elle me fit tourner sur moi-même et fusilla le garagiste du regard.

« Que s'est-il passé, Neely ? »

Pauvre homme. Il déglutit avec difficulté.

« Salut Jottie, je l'ai ramassée dans la rue... juste devant le garage, tu sais... et... et... je n'ai rien fait !

— Oui, c'est vrai, il m'a aidée à me relever ; j'ai été renversée, m'empressai-je de préciser. Teddy Bowers m'a roulé dessus avec son nouveau vélo et cette stupide Bird m'a laissée par terre dans la rue pour filer à la gare : je pense que c'est là-bas qu'elle allait du moins. Alors il – Je désignais le garagiste du menton. – m'a reconduite à la maison dans son camion, mais le sang a surtout coulé sur mes chaussures.

— Oh, mais c'est Neely ! »

Mae descendait le perron à son tour, aussi légère qu'une plume. Elle jeta un regard à la ronde et demanda, d'un ton bien plus aimable que celui de Jottie un peu plus tôt :

« Que s'est-il passé ? »

Les yeux du garagiste s'agrandirent de terreur. Il pointa le pouce dans ma direction, muet. Voyant que Mae se retenait d'éclater de rire, je le pris en pitié et répétai mon histoire sur Teddy et sur la manière dont M. Neely m'avait relevée et reconduite à la maison.

« Comme c'est gentil à toi », le remercia Mae.

Il hocha la tête, toujours sans voix.

« Regarde mes jambes, Mae ! m'exclamai-je alors, pour faire diversion. Ce nigaud de Teddy m'a roulé dessus, et en plus, il m'a écorché les jambes après. Et il a eu le toupet de pleurer pour son vélo. Tu ne trouves pas ça incroyable ?

— Les Bower sont des mauviettes, tous autant qu'ils sont, me répondit-elle d'un ton apaisant au moment où Minerva sortit voir d'où venait le remue-ménage.

« Oh Willa ! Tu es tout ensanglantée !

— Oui... »

Elle se tournait déjà vers le garagiste de l'Union.

« Et je vois que Neely est parmi nous ! Que s'est-il passé ? »

Tous les regards convergèrent sur lui pour voir s'il allait répondre cette fois, mais il parut encore plus pétrifié.

« Euh, euh...

— Regarde, mes chaussures sont couvertes de sang, Minerva !

— Tu es dans un sale état, acquiesça-t-elle.

— J'essayais simplement d'aider Bird à traverser la rue », expliquai-je, du ton noble de celle qui se sacrifie.

Les adultes reportèrent leur attention sur moi, poussant des petits cris compatissants. Je n'avais presque plus mal et je commençais même à m'amuser un peu.

« Je me suis égratigné les mains aussi. »

Je leur montrai mes paumes en sang.

Elles se penchèrent sagement pour les inspecter. Tout à coup, Jottie porta les mains à sa gorge.

« C'est un signe !

— Oui, c'est certain, pouffa Minerva.

— Les stigmates ! s'étrangla Jottie en chancelant. Elle porte les stigmates !

— Appelez le révérend Dew ! s'écria Mae hilare. C'est un miracle ! »

À ce moment précis, la voix de Bird s'éleva au-dessus du brouhaha.

« Je vous présente Mlle Layla Beck. »

Tous les visages se détournèrent soudain, et je n'eus plus que des dos devant moi. Je me frayai un passage dans ce mur et me retrouvai devant une jeune dame aux boucles brunes resplendissantes. Elle portait un tailleur du plus blanc des blancs et des chaussures blanches à talon assorties. Elle aurait pu se marier dans cette tenue, sans le nœud rouge qu'elle portait autour du cou. Elle avait de grands yeux marron, une bouche du même rouge que son nœud, mais elle se mordait la lèvre.

« Mademoiselle Romeyn ? me demanda-t-elle sans raison apparente.

— Non, répondis-je. Euh, si, mais – Je désignai Jottie. – c'est elle la véritable mademoiselle Romeyn. Je veux dire, c'est la mademoiselle Romeyn que vous cherchez. »

Je fis un pas de côté et du sang coula de ma chaussure.

Jottie essaya de se composer un visage de circonstance.

« Excusez-nous, je vous prie...

— Elle ne porte pas vraiment les stigmates, intervint Mae d'une toute petite voix.

— Pas encore, en tout cas », plaisanta Minerva.

Mes trois tantes hoquetèrent pour ravaler un rire.

Il y eut alors un long silence que Mlle Layla Beck aurait dû combler en se déclarant ravie de nous rencontrer. Ses yeux allèrent de mes jambes à tante Mae, Minerva, le garagiste, et enfin, Jottie, comme si nous étions tous échappés d'un asile pour les fous.

Un bruit de pas dans l'allée rompit le charme. Nous pivotâmes à nouveau dans un bel ensemble pour regarder mon père s'avancer vers nous.

« Papa ! » m'écriai-je.

Il s'arrêta et ôta son chapeau.

« Bienvenue à Macedonia, mademoiselle Beck », dit-il, la main tendue.

44

*

«Bienvenue à Macedonia», dit Felix, entrant dans le cercle qui s'était formé.

Le temps qu'il se joigne à nous, Jottie avait pu jeter un regard à la ronde et d'observer l'expression de chacun des membres de ce petit monde. Neely paraissait effrayé, constata-t-elle. Pauvre Neely. Il avait peur d'elles. Peur d'être invité à l'intérieur. Peur de briser un objet ou de laisser un sillage de crasse sur le tapis. Ne t'en fais pas, aurait-elle voulu lui chuchoter, la maison n'est plus ce qu'elle était du vivant de Papa.

Le garagiste déglutit difficilement.

À côté de lui, Minerva examinait Mlle Beck, les yeux plissés. De même que Mae. Leurs traits exprimaient la même opinion : elles se sentaient offensées. Offensées par la tenue de cette inconnue, tout d'abord (un tailleur blanc, quel culot!), offensées par ses boucles resplendissantes, ses grands yeux écarquillés, ses lèvres rouges et sa taille fine, ensuite. C'était une pensionnaire, rien qu'une pensionnaire. Elle était censée être maigre et pâle, vêtue d'une robe à un dollar et coiffée d'un chapeau passé de mode depuis un an au moins, avide de plaire et facile à ignorer. Elle n'était pas censée reléguer la beauté des maîtresses de maison au deuxième rang.

Bird essaya de contourner la nouvelle arrivante pour attirer le regard de son père et le rendre spectateur de son moment de gloire : elle arborait le visage noble d'une enfant qui a accompli son devoir quand d'autres s'en étaient laissé détourner, une enfant qui avait lutté, seule, pour mettre une inconnue en sûreté.

Ignorant l'enfant glorieuse, Felix tendit la main à Mlle Beck.

«Felix Romeyn», se présenta-t-il, chaleureux et accueillant, son chapeau sur la poitrine.

45

Oh, Felix, ne lui souris pas je t'en prie, songea Jottie. La pauvre enfant.

Il lui sourit.

L'inconnue lui serra la main, l'agrippant presque, soulagée par l'apparition de cet émissaire du royaume de la normalité. Ses sourcils se détendirent un peu.

«Layla Beck. Enchantée de vous rencontrer. – Revigorée, elle se tourna vers Minerva. – Mademoiselle Romeyn?»

Felix posa deux doigts sur son épaule et la fit pivoter vers Jottie.

«Je suis mademoiselle Romeyn, dit-elle, le souffle un peu court. – Les stigmates. Sérieusement. Elle se demandait ce qui lui passait par la tête parfois. – Vous devez penser que nous sommes...»

La fille la dévisageait froidement, elle ne pensait rien du tout. Décontenancée, Jottie se replia sur un : «Enchantée de faire votre connaissance.»

Surprenant deux minuscules versions d'elle-même dans les pupilles de Layla Beck, elle s'autorisa à regretter Tremendous Wilson, le pensionnaire idéal, aussi docile que peut l'être une créature vivante, qui chaque soir se retirait vers le petit halo de lumière de sa lampe de chevet, sans jamais jeter une seule ombre sur le quotidien des Romeyn, en bas. Tremendous Wilson avait passé toute sa vie à Macedonia. Il savait ce qu'ils avaient été, ce qu'ils étaient devenus, et comment c'était arrivé. Seulement, Tremendous était parti pour de bon, et cette fille, fraîche, pimpante et ignorante comme une carpe allait prendre sa place. Une fille si lisse et si creuse qu'on pouvait lire ses pensées comme des télégrammes. Juste là, sur son front, à cet instant : la certitude que Macedonia et les Romeyn ne seraient que des éléments mineurs de l'intrigue de sa vie, des fourmis traversant malencontreusement son pique-nique, rien de plus. Elle se lisait dans l'application machinale avec laquelle elle serrait à présent les mains de Mae et Minerva, à sa manière d'ignorer le sang qui tachait la chaussette de Willa, au sourire un brin trop chaleureux qu'elle adressa à Neely. Elle n'aurait pas le temps de les connaître. Sa vie reprendrait bientôt son cours normal.

Mais la mienne, jamais, songea Jottie, le souffle coupé par une pointe d'envie.

Elle redressa la barre prestement. Accueille cette inconnue. Souris-lui. Serre-lui la main, se dit-elle. Et tout en suivant à la lettre ses propres instructions, elle se replia dans la cale pour y dénombrer ses trésors, ses amours : Willa, Bird, ses sœurs, et même Felix – tous ces êtres qui l'aimaient, qui dépendaient d'elle, pour qui elle était précieuse. Sa vie n'avait pas besoin de reprendre son cours.

Le navire se redressa. Elle inspira profondément.

« Je vous en prie, entrez vous rafraîchir un peu, mademoiselle Beck. Je pensais que tu ne rentrerais pas avant jeudi, Felix. Mae, veux-tu bien emmener Willa à l'étage et appliquer quelque chose sur cette jambe... et enlève ta chaussette, chérie. Merci infiniment de l'avoir ramenée à la maison, Neely. Tu n'as aucune raison de prendre ces airs de duchesse, miss Bird. Tu n'aurais jamais dû abandonner ta sœur par terre dans la rue. »

L'espace d'une seconde, le cercle se figea, puis, comme touché par la foudre, se brisa et suivit le mouvement esquissé par les paroles de Jottie.

Elle retournait vers la maison, quand un monocorde sifflet familier la retint. Felix glissa son bras sous le sien.

« Les filles ont été sages ? demanda-t-il, comme il le faisait toujours.

— Plus ou moins, répondit-elle, comme à son habitude. Où étais-tu, cette fois ?

— Obion, Tennessee.

— C'était joli ?

— Très, dit-il narquois. Je t'en décrirai les hauts lieux plus tard. On aura vite fait le tour. Emporte ça à l'intérieur. – Il lui posa des billets dans la main. – Il faut que je fasse un saut en ville.

— Rentre pour le dîner», lui demanda-t-elle en contemplant la liasse.

Il hocha la tête, solennel, replaça son chapeau sur sa tête d'un petit geste sec et s'éloigna.

⊰◈⊱

14 juin 1938

Très cher Lance,

J'y suis, et tu avais raison pour les mines de charbon. Il n'y en a pas. À en croire mes informateurs locaux, je suis dans la région des pommes, des vaches et des chaussettes, à ne jamais confondre avec une région charbonnière. Je ne suis ici que depuis trois heures et mon ignorance a déjà fait scandale.

J'ai été accueillie par un comité constitué d'une petite fille en sueur, et rien d'autre. Je ne sais pas à quoi je m'attendais. À un dirigeant du projet ? À une dame, membre d'un club respectable, avec un chapeau fleuri ? À une fanfare ? Quoi qu'il en soit, je n'ai rien eu de tout cela. Une fois le train reparti, j'ai essayé de ne pas avoir l'air inquiet de me retrouver seule sur le quai. Au bout d'un moment, je me suis persuadée que l'homme aux gestes furtifs qui se tenait à côté du banc était venu pour moi, mais restait paralysé par la timidité. Malheureusement, l'homme furtif a remarqué mes regards encourageants et s'est mis à siffler «J'aime les filles et les filles m'aiment», ce qui m'a obligée à prendre une décision. Je faisais un pas vers la gare quand j'ai failli mourir de peur en sentant une tape dans mon dos.

«Je suis mademoiselle Bird Romeyn. Vous êtes mademoiselle Layla Beck? Je présume.»

Elle ressemblait vraiment à un oiseau. C'était une petite chose décharnée avec de grands yeux bleus et des boucles qui rebondissaient tout autour de sa tête. J'ai répondu que j'étais bien Layla Beck, d'un ton crispé qui m'étonna moi-même.

«Je suis ravie de faire votre connaissance, *mademoiselle* Layla Beck», a-t-elle corrigé.

Nous respections manifestement à la lettre une page d'un manuel sur l'étiquette, aussi ai-je tenté de rester dans le style. Elle a incliné la tête gracieusement.

«À présent, je vais vous accompagner à notre demeure, si vous le permettez. – Elle m'a tendu son bras, que j'ai accepté, bien que cela m'obligeât à me baisser. – Nous dirons à l'homme où faire porter vos malles», a-t-elle ajouté d'une voix hautaine.

J'ai marmonné qu'il ne s'agissait que de quelques valises.

«Ne vous préoccupez pas de cela, mademoiselle Layla Beck», me suis-je entendue répondre.

J'essayais désespérément de tenir mon rôle *sans rire* quand elle a soudain semblé être arrivée au bas de la page de son livre sur les bonnes manières. «Attendez. Je vais aller prévenir M. Herbaugh. Restez là.» Et elle a foncé dans la gare.

Nous avons traversé un labyrinthe de rues sans charme pour rejoindre la maison (le mot sonne bizarrement ici). Je pense que c'est toi qui m'as prévenu que je serais transportée par la beauté naturelle de la vallée de la Shenandoah. Tu as peut-être raison, mais au centre de Macedonia, la beauté naturelle a été écrasée par des immeubles en brique rouge, des devantures au bois fendu et quelques monstruosités en pierre avec des corniches gravées de mots latins, disséminées çà et là. Le mot Dépression prend tout son sens ici où tout semble s'écrouler. Le centre-ville est usé, laid et lugubre avec ses trottoirs défoncés et poussiéreux, et ses petits groupes d'hommes en salopettes élimées. Ma jeune éclaireuse m'a désigné une fontaine au centre d'une place déserte, comme s'il s'agissait d'une grande attraction locale, Dieu seul sait pourquoi. Nous avons sillonné les rues désertes à moitié liquéfiées par la chaleur, et j'ai remarqué que la façade de toutes les boutiques – même celles qui étaient fermées – arborait le même auvent vert, tordu exactement au même endroit. Le vendeur d'auvents du coin a peut-être pris plaisir à les casser un à un, avant de filer les poches pleines ?

Après quatre ou cinq pâtés de maisons de cet acabit, je sombrai dans des visions désespérantes de ma destination : une pension de famille minable, avec des escaliers en ruine, des fenêtres sales, un unique canapé élimé dans le salon, des mouches mortes dans les coins, une chromolithographie sur toile représentant George Washington traversant le Delaware, de guingois dans le couloir. Ciel, comme cette vision était déprimante – et bien inutile en réalité, car la maison des Romeyn n'a rien à voir avec cela. À un moment, nous avons franchi une frontière invisible et les briques rouges ont disparu. Les rues se sont élargies et ombragées. Les façades des maisons se sont éloignées des trottoirs d'une distance respectable, et la présence des dames qui s'étaient retirées dans leurs chambres pour la sieste est presque devenue palpable.

Nous avons tourné au coin d'une rue et Bird a annoncé : « Ça, c'est notre cornouiller. » J'aurais marmonné alléluia à la vue de la maison – en briques blanches et gracieuse – si mon attention n'avait été distraite par un petit attroupement dans l'allée du jardin. Comment te décrire les Romeyn ? En fait, au début, je ne savais pas qui étaient les Romeyn et lesquels étaient de simples passants. La foule entourait une fillette – Willa, me semble-t-il – dont le sang coulait abondamment sur ses chaussettes et qui sautillait tandis qu'une femme hurlait que la pauvre enfant portait les stigmates. Elle s'est tue dès qu'elle a remarqué ma présence, mais tu ne penses pas que j'aie pu atterrir dans une famille de revivalistes ? Que vais-je faire s'ils organisent des réunions de prière après dîner ? Ou, pire, *avant* le dîner. Et... je sais bien que c'est impossible, mais quand même... et si cette enfant portait vraiment les stigmates ? Quelle est l'étiquette à adopter quand on cohabite avec une personne qui porte les marques des plaies du Christ ? Je serai sûrement une gêne si des pèlerins arrivent de partout.

Je me suis avancée dans l'allée et ils m'ont tous dévisagée. Pour sonder mon âme de pécheresse, sans doute. J'avais l'horrible impression de rétrécir. Je n'arrivais pas à prononcer un mot, et je suppose que nous serions restés pétrifiés sur place jusqu'à la fin des temps si M. Romeyn n'était apparu et ne m'avait accueillie comme un gentleman. Il m'a offert une poignée de main, s'est présenté et m'a présenté le reste de l'assistance hébétée. Est-il possible qu'ils vivent tous ici ? Mlle Romeyn, sans nul doute, puisque j'ai une lettre qui m'explique qu'elle est propriétaire de la maison. Mais qui est M. Romeyn ? Son frère ? Ils se ressemblent tous les deux – leurs cheveux bruns, notamment – mais elle est plutôt froide, alors que lui a des manières charmantes et civilisées. Il y avait deux autres femmes, aussi. Des jumelles impossibles à distinguer l'une de l'autre dont j'ai oublié les noms – je suis terrifiée à l'idée qu'elles résident ici. Ainsi que deux fillettes et un muet (venu pour être guéri peut-être ?). Qui sont ces enfants ? Les témoignages du passé dissolu de

Mlle Romeyn ? J'en doute. Elle semble trop austère pour de telles intrigues.

Ma chambre est plus jolie que je n'osais l'espérer, bien que peu meublée. Seulement un grand lit grinçant, une commode massive avec des tiroirs qui se coincent, et une table. Non, il y a un fauteuil aussi, près de la fenêtre. Et maintenant que j'y prête attention, je vois une petite chaise grêle poussée dans un recoin. Mon Dieu, et je vois un de ces vieux tableaux faits de cheveux au mur. Que dois-je faire ?

Avec mon affection,
Layla

P.S. : Le dîner est passé, je me suis retirée dans ma chambre, que j'arpente comme un lion en cage. La chaleur est abominable, l'air est irrespirable ici, mais je ne peux pas sortir me promener, d'abord parce que je suis certaine de me perdre, ensuite parce que je n'ai pas le courage de faire face aux Romeyn une fois de plus. Ils sont gentils, mais je me sens affreusement déplacée, parmi eux. J'avais l'air d'une idiote dans ma robe en soie, au dîner. Mais comment savoir ce que je suis censée porter ? Je suis certaine que je serais transportée par la beauté naturelle de la vallée de la Shenandoah, si c'était toi qui me la faisais découvrir, Lance. Ne pourrais-tu pas venir me rendre visite ? Il y a sûrement un hôtel, quelque part, dans cette ville. Veux-tu que je me renseigne ? Je suis désolée d'être une telle mauviette, mais j'ai l'impression de ne plus compter pour personne. Je me sens terriblement seule. Comment vais-je supporter trois mois de ce traitement ? Cette journée a duré un siècle.

4

Les dames ne fument pas dans les lieux publics, nous disait Jottie. Les lieux publics sont très nombreux, même notre salon était un lieu public à cause de toutes ses fenêtres, si bien que Jottie fumait comme un pompier dans la cuisine. Bird et moi aimions la regarder remuer le contenu de ses marmites, les sourcils froncés derrière un rideau de fumée bleue tourbillonnante. Les mains occupées avec les cuillères, les couteaux et les casseroles, elle touchait rarement à sa cigarette qui, la plupart du temps, restait coincée au coin de sa bouche. Nous regardions la cendre s'allonger, le souffle court. Allait-elle tomber ? La rattraperait-elle à temps ? Jottie ne semblait jamais s'en soucier, et pourtant au moment où le cylindre gris commençait à se courber, sa main s'élevait et elle l'envoyait dans une tasse à café d'une pichenette. Elle n'avait pas de cendrier. Pourquoi en aurait-elle eu besoin, disait-elle, puisqu'elle ne fumait pas ?

Cela faisait des années que je voyais Jottie s'affairer dans la cuisine, la tête légèrement renversée pour envoyer la fumée vers le plafond, et je n'avais vu la cendre tomber qu'une seule fois au mauvais endroit, et encore, parce que Minerva était venue lui annoncer que le lit de M. Hannaway avait traversé le sol de sa chambre et atterri dans le petit salon. « Ça, avait-elle grogné, sa cigarette au coin des lèvres, je ne peux pas en vouloir au lit d'avoir essayé de fuir.» Minerva avait pouffé, et les deux sœurs avaient fini pliées en deux sur la table, hilares. Lorsqu'elles s'étaient redressées pour respirer, la cigarette avait disparu. Nous l'avions retrouvée dans la pâte du pain de maïs. Jottie l'en avait extraite, laissant un petit trou au milieu de la masse jaune.

Le jour de l'arrivée de Mlle Beck, Jottie cuisinait de manière distraite. Elle venait d'allumer une deuxième cigarette alors que la première se consumait encore dans sa bouche. Je l'avais déjà vue fumer deux cigarettes en même temps, mais seulement pour taquiner mon oncle Emmett, qui pensait que c'était mauvais pour la santé.

«Une idiote, murmura-t-elle. Voilà ce que je suis, Willa, une vieille idiote.»

Elle détacha le bout incandescent de sa deuxième cigarette afin de pouvoir la rallumer plus tard, avec la fin de la première.

«Tu n'es pas une vieille dame, protestai-je.

— Si. J'ai trente-cinq ans. Multiplié par deux, ça donne ?»

Je fis semblant de ne pas l'avoir entendue. Je détestais le calcul mental.

«Trente-cinq fois deux, Willa ? insista-t-elle.

— Soixante-dix, marmonnai-je.

— Peu probable, pas vrai, avec maman qui est morte à cinquante-cinq ans et papa à cinquante-neuf. Non, je m'estimerais heureuse d'atteindre soixante-deux ans, ce qui signifie que j'ai déjà vécu plus de la moitié de ma vie. Je suis vieille, tu vois.»

J'aurais voulu répondre, Non, non, tu es jeune, mais je me retins, craignant qu'elle me demande de calculer quelle fraction de sa vie s'était écoulée. Je redoutais les fractions plus que tout. Même Bird était meilleure que moi en fractions.

Dieu merci, ma sœur arriva d'un pas lourd à ce moment-là.

«Qu'est-ce qu'on mange ?

— Jambon, pommes poêlées, haricots verts, répondit Jottie, découpant une pomme.

— Tu ne pourrais pas faire quelque chose de plus distingué ?
osa l'effrontée.

— Non, je ne *pourrais* pas. Et puis, c'est un bon jambon de
campagne.

— On aura des petits pains ronds ou juste du pain normal ?»
Jottie ferma un œil et fusilla Bird de l'autre.

«Je vais tous finir par vous empoisonner ! – Elle disait toujours
ça quand nous nous plaignions de sa cuisine. – Je suis sûre que le
shérif croira que je ne l'ai pas fait exprès si je pleure de manière
convaincante. – Elle soupira. – Mais ça ne sera pas facile ; il faudra que je pense à un chiot mort. »

Je gloussai, mais, têtue comme une mule, Bird reprit :

«Mlle Layla Beck a l'air de vivre de manière plutôt distin-
guée.

— Oui, c'est vrai, mais elle est dans le besoin, comme la
moitié des habitants de cette ville, rétorqua Jottie.

— Je n'ai jamais vu de pauvre porter un tailleur comme le
sien», lança Mae, appuyée contre le chambranle de la porte, l'air
grognon.

Jottie soupira, pour de vrai cette fois.

«Je n'y suis pour rien. Mme Cooper m'a demandé si j'avais une
chambre pour une nouvelle pensionnaire, j'ai répondu oui. Qui
ça ? Elle a dit, une nouvelle du Federal Writers' Project. J'ai dit :
"Bien, sept dollars et cinquante *cents* la semaine." Et voilà.

— Où Mme Cooper l'a-t-elle dénichée ? insista Mae.

— Elle a un cousin, à Charleston, qui travaille pour le FWP.

— Pfff. – Mae s'assit. – Eh bien, l'administration du New Deal
paie mieux que je ne l'imaginais. Combien coûte un tel tailleur,
d'après toi ?

— Elle sait peut-être coudre. »

Aucune de nous ne cousait. Plusieurs fois par an, quand cela
pouvait faire joli avec sa robe, Mae ressortait la taie d'oreiller

qu'elle brodait depuis aussi loin que remontaient mes souvenirs, piquait quelques points, et l'abandonnait sur ses genoux.

« Nous pourrions apprendre à coudre, argua Jottie.

— Quand bien même, nous ne parviendrions jamais confectionner un tel ensemble. Avec des *manches*.

— Tu veux que je lui demande où elle l'a eu ? proposa Bird. C'est moi qui la connais le mieux. »

Jottie lui tomba si vite sur le paletot que sa cigarette dessina un sillage de fumée derrière sa tête.

« Gare à toi si tu lui poses des questions personnelles, Bird. Je veux que tu te contentes de te montrer sage et bien élevée, et que tout le monde se mêle de ses affaires. »

Elle ponctua ses paroles d'un regard noir, puis se tourna pour mettre un peu de graisse de bacon dans la poêle.

« Je n'ai jamais réussi à distinguer les questions personnelles des autres, grommela Bird. Toutes les questions sont personnelles.

— Tu n'as qu'à te demander si tu aimerais qu'on te la pose, suggéra Mae. C'est un bon moyen de savoir.

— On peut me poser n'importe quelle question, ça m'est égal.

— Parce que tu ne réponds jamais », lui dis-je.

Mae tendit la main vers le paquet de cigarettes.

« C'est mauvais pour la santé, tu sais, lui dit sa sœur.

— Stella m'a dit qu'elle a vu Emmett manger un club sandwich chez Petersen, samedi dernier. Je me demande pourquoi il n'est pas passé nous voir. »

Jottie leva les yeux de ses quartiers de pommes.

« Il n'était pas accompagné d'une fille ou de quelqu'un ?

— Non. Stella n'a rien dit de tel. Elle l'aurait mentionné s'il avait été accompagné.

— Et si tu équeutais ces haricots, chérie ? lui dit Jottie, détachant les pommes de la poêle.

— Tu sais où est Minerva ? questionna Mae, de la fumée s'échappant de sa bouche.

— Non. Les haricots, tu veux bien ? Et sortir le thé de la glacière, s'il te plaît. Tiens, Bird, viens remuer ça. »

Sachant ce qui allait arriver, je me glissai au bas de ma chaise. J'étais déjà en route pour le salon quand j'entendis :

« Où a bien pu passer cette enfant ? »

Mlle Layla Beck était dans le salon, debout. Elle portait une robe en soie. Sans rire. Avec des roses marron dessus. Je ne pensais pas que les roses marron existaient, mais elle ressemblait à une princesse dans cette tenue. Elle l'était peut-être, songeai-je soudain. Peut-être était-ce une tête couronnée d'Europe obligée de fuir pour sauver sa vie. Possible. Ils avaient des tas de problèmes en Europe ; j'avais lu des choses là-dessus. C'était tout à fait le genre d'idée que je n'aurais jamais eue avant la parade : je me félicitai de mon sens de l'observation. Le sens de l'observation était l'instrument indispensable de l'aspirant aux vertus macédoniennes. Si vous voulez exhumer des vérités cachées, alors le sens de l'observation vous sera aussi utile qu'une pelle. Même s'il fallait reconnaître qu'il ne m'avait pas aidée à exhumer grand-chose, pour l'instant : en dépit de tous mes efforts, je n'avais pas été capable d'apporter ne serait-ce qu'un début de réponse aux questions qui m'avaient tant contrariée à la parade. M. McKubin n'était toujours pour moi qu'un employé des Inusables Américaines et Jottie m'avait assuré qu'aucune de ses connaissances n'utilisait Jungle Gardenia. Et voilà qu'apparaissait Mlle Beck, en robe de soie, irradiant de mystère. La mystérieuse inconnue. Quelle aubaine ! Une mystérieuse inconnue qui risquait de tout changer ; la perspective était enthousiasmante. Bien sûr, je n'étais pas bête, je savais qu'il était fort peu probable que ce soit une princesse. Mais elle était exotique, belle et merveilleuse, et je brûlais d'impatience de gagner sa confiance pour découvrir tout ce qu'il y avait à savoir d'elle.

Un sourire victorieux aux lèvres, je lançai :

«Bonjour.»

Elle sursauta.

«Oh... Bonjour. Tu... tu es Willa, n'est-ce pas?»

Son ton était élégant, elle articulait chaque mot, le faisant tinter comme du cristal.

«Tout juste.

— Mlle Romeyn m'a informée que nous dînions à six heures?» dit-elle, avec un sourire hésitant.

Si elle portait des robes en soie, elle était sans doute habituée aux majordomes et aux plateaux en argent. Je jetai un œil à notre table, derrière l'arche du salon. Nous avions des couverts en argent frappés des initiales de ma grand-mère, mais nos assiettes étaient tout ébréchées.

«En fait, commençai-je, répugnant à trahir la médiocrité de notre quotidien, Jottie ne voulait pas dire six heures précises. Mais *autour* de six heures.»

Notre salle à manger n'était pas très jolie, à bien y regarder.

«Je pourrai sonner pour vous prévenir, si vous voulez», proposai-je, pensant que ça lui rappellerait sa maison.

Elle ne sembla pas intéressée.

«Jottie? questionna-t-elle.

— Euh... Mlle Romeyn.

— Qui est...?»

C'était une manière raffinée de poser une autre question, juste avec une inflexion de voix.

«Qui est ta...? insista-t-elle.

— Jottie est ma tante. Minerva et Mae aussi.

— Minerva et Mae...?»

Encore cette méthode!

«Minerva... vous l'avez rencontrée; c'est Mme Odell. Et Mae est Mme Saubergast. Elles vivent ici. Durant la semaine, du moins.

— Oh. Bien. Et... M. Romeyn ?

— C'est mon père. »

Elle me dévisagea, cherchant une ressemblance. Je me raidis, fière de ressembler à mon père, et à ma tante.

« C'est le frère de Jottie », précisai-je.

Mon père entra soudain dans la pièce.

« On parle de moi ? »

C'était une manie chez lui : apparaître sans crier gare. Il était très vif. Vous n'aviez pas le temps de l'entendre arriver qu'il était déjà devant vous. Il était réputé pour ça. Ma grand-tante Frances Telle s'était évanouie, un jour, en le découvrant debout à côté d'elle avec un plat d'ignames.

Je tendis la main vers sa manche. J'étais contente qu'il soit de retour, mais je savais qu'il valait mieux me montrer discrète. Il n'aimait pas les effusions.

« Bonsoir, mademoiselle Beck, dit-il, levant la main à sa tête, comme s'il portait un chapeau. Oh, dit-il, se tournant vers moi, souriant. Comment va ce genou, ma puce ?

— Je ne saigne plus. C'était là, derrière. »

Je me retournai pour lui montrer.

« Hum, grogna-t-il en examinant ma blessure. C'est une sacrée égratignure. »

Il me caressa les cheveux. Il savait que j'adorais ça.

« Bien installée, mademoiselle Beck ?

— Oui, merci. Mes valises sont déjà arrivées de la gare.

— La chambre vous convient-elle ?

— Oh. Oui. Elle est très belle. J'aime beaucoup le... le papier peint. »

Elle rosit. Elle était encore plus jolie quand elle rougissait.

Bird arriva de la cuisine, concentrée sur les verres de thé glacé qu'elle transportait. Trois. Elle essayait toujours d'en prendre trois à la fois.

Notre père émit un petit sifflement très doux – celui pour Bird, disait-il. Elle leva aussitôt la tête.

« Papa ! Tu es rentré ! »

Dans un bel ensemble, mon père, Mlle Beck et moi nous précipitâmes pour sauver le thé, attrapant chacun un verre. Papa rit, même si Bird avait bien failli tapisser le sol de bris de verre.

« Je me débrouillais bien, bougonna-t-elle. Je ne les aurais pas laissés tomber.

— Ce n'est pas encore pour cette fois, non. »

Il posa délicatement le verre rescapé sur la table.

« Dès qu'elle pourra les garder en équilibre sur sa tête, nous l'envoyons dans un cirque », dit-il à Mlle Beck.

Devant son air déconcerté, il ajouta :

« Je plaisante. »

Elle réussit à sourire, sans perdre son air déconcerté pour autant.

Mon verre humide de thé glacé dans la main, je l'étudiai avec intérêt. Une princesse n'aurait sans doute pas levé le petit doigt pour sauver un verre de thé glacé, mais ce n'était pas une raison pour invalider cette possibilité. Une chose était certaine : elle n'avait jamais séjourné dans une maison comme la nôtre.

Mae poussa la porte de communication avec la cuisine, un plat de haricots verts dans les mains. Quand elle remarqua Mlle Beck avec ses roses marron, elle s'arrêta et glissa délicatement sa cigarette vers le coin de sa bouche.

« Le dîner est servi », annonça-t-elle.

*

La lumière du réverbère, de plus en plus jaune à mesure que le crépuscule tombait, renforçait l'impression de chaleur. Layla Beck, d'une beauté éclatante dans sa robe en soie au début du dîner, commençait à luire de transpiration et se tamponnait subrepticement le cou et les tempes de sa serviette de table, faisant mine de s'essuyer la bouche. Minerva et Mae échangeaient des œillades satisfaites, la gêne de leur invitée adoucissant l'aigreur du dépit qu'elles partageaient.

Jottie vérifiait le contenu de chaque assiette, machinalement. Il était clair que Mlle Layla Beck n'avait pas envie de ses pommes. Elle la regarda pousser les fruits cuits sur les bords de son assiette. Dans le fond, elle se moquait que sa pensionnaire y goûte ou non, seulement l'œil de lynx de Bird n'en manquait pas une miette, et elle savait qu'elle allait devoir supporter ses réflexions sur les pommes sautées, au goût si épouvantable qu'elles étaient immangeables – alors que la semaine précédente, la coquine en avait dévoré la moitié d'une poêle. Elle étouffa un soupir. La prochaine fois, elle dirait à Mme Cooper qu'elle n'acceptait que les pensionnaires qui finissaient leur assiette. Et ne portaient pas de robes en soie. Ni de tailleurs blancs. Jottie essuya ses paumes moites sur sa serviette de table et passa de l'observation des assiettes à celles des bonnes manières. Willa avait les bras sous la table – bien – mais elle rêvassait – moins bien, car sa tête penchait et elle allait bientôt ressembler à un singe. Mae, qui ne s'était jamais intéressée à la nourriture, glissait ses haricots sous son jambon tout en écoutant Mlle Beck et Felix discuter... de quoi ? Oh. Du Führer.

« J'ai trouvé que Berlin avait beaucoup changé, c'était flagrant, disait Mlle Beck.

— Vous y étiez déjà allée ? » s'enquit Felix.

Jottie se représenta la saga de la chute de Mlle Beck : de la richesse à l'aide publique avec pour toile de fond un Berlin éternel – et pourtant défunt –, la pointe du casque du Kaiser étincelant parmi les colonnes sombres.

« Il y a bien longtemps. En 1930, je crois ? Oui, c'est bien ça. Je n'étais encore qu'une *enfant*, bien sûr – Mae coula un regard entendu à Minerva. –, mais j'en garde le souvenir d'une ville terriblement sinistre. Les rues étaient bordées de mendiants et de gens qui vendaient leurs trésors de famille pour *une bouchée de pain*. Mère... Bref, c'était terriblement sinistre. Mais l'année dernière – nous y sommes allés au printemps, alors, bien sûr, cela changeait la donne – les gens paraissaient beaucoup plus gais. Et les habitations étaient si proprettes. – Elle posa sa fourchette et regarda Felix. – Ce qui ne veut pas dire que j'approuve Hitler.

— Bien entendu», murmura Jottie, ajoutant au tableau une mère frivole aux cheveux jaunes, dilapidant la fortune des Beck en biens de famille allemands.

Non, mieux que ça, filant en douce avec un beau nazi et laissant à sa fille le soin de gagner son billet de retour en... époussetant des meubles ? Improbable. En donnant des cours d'anglais ? Oui, bien mieux. Jottie élaborait une histoire d'amour entre la jeune femme et un pianiste tuberculeux quand Willa prit la parole.

«Il y aura un dessert après, bien entendu, annonça-t-elle à Layla, la mine grave. Nous avons toujours un dessert après le plat de résistance.»

Elle sourit à sa nièce. Chère petite rêveuse. D'où pouvaient bien lui venir toutes ses réflexions ?

«Parlant de dessert... – Elle se leva. – ... prendrez-vous votre café avec du sucre ou de la crème, mademoiselle Beck ?

— Les deux, je le crains, s'il vous plaît.

— Ah ah, pouffa Felix.

— Cela ne se fait pas ?» demanda-t-elle amusée.

Felix plongea ses yeux noirs dans ceux de sa sœur.

«Qu'en dis-tu, Jottie ? Tu vas lui tirer l'oreille ?»

Elle haussa un sourcil. Le traître.

«Mlle Beck peut prendre son café comme elle le souhaite, répondit-elle, regagnant la cuisine. Mae, tu veux bien m'aider à débarrasser ? Et toi aussi, Willa, puisque tu as jugé bon de disparaître avant le dîner.

— Je serai heureuse de pouvoir aider, proposa Layla.

— Non, non, restez assise, déclina-t-elle. Willa...»

La fillette recula bruyamment sa chaise. Elle posa son assiette sur son bras, son verre dessus, et sa fourchette dans le verre ; puis elle poussa un gros soupir et se dirigea vers la cuisine d'un pas lourd.

« C'est honteux ce qu'on fait subir à cette enfant », plaisanta Minerva, rassemblant les autres assiettes.

Les bras chargés, elle repoussa habilement la porte battante à reculons et rejoignit ses sœurs devant l'évier. Jottie se mit à gratter les restes d'une assiette sans un mot.

« Allez, Willa. Retournes-y », ordonna Mae, lui désignant la porte du menton.

La fillette repartit, traînant les pieds.

Les jumelles observèrent leur sœur, qui plaçait les couteaux et les fourchettes dans l'évier, à présent.

Mae se racla la gorge.

« Elle a l'habitude d'être servie, pas vrai ?

— Elle ne s'est même pas levée », renchérit Minerva.

Jottie posa un plat sur le comptoir.

« C'est sûrement une enfant unique. Et puis, débarrasser une table est si terriblement sinistre.

— Sauf au printemps, évidemment, précisa Mae, la mine réjouie.

— Oh, *évidemment.* J'adore le printemps.

— Comme c'est amusant. *Moi aussi !* » s'exclama Minerva.

Les trois sœurs s'esclaffèrent et regagnèrent la salle à manger, revigorées.

« Il fait lourd ce soir, soupira Jottie, s'éventant avec sa serviette de table.

— J'ai entendu dire que tu t'échauffais en faisant ça, dit Willa. À cause de l'effort.

— Allons nous asseoir au frais, proposa Mae. Nous ferons la vaisselle plus tard. »

Jottie se leva. Prenant en pitié la jeune femme, en dépit de sa robe en soie et des pommes dédaignées, elle demanda :

« Vous joindrez-vous à nous sur la terrasse, mademoiselle Beck ? »

Les yeux de Layla se posèrent sur Felix, mais il n'y avait aucune aide à attendre de ce côté-là. Il observait Bird qui venait de plonger un doigt coupable dans la coupe de crème espagnole à moitié pleine de Mae et s'apprêtait à le fourrer dans sa bouche. Il lui lança sa serviette de table qu'elle attrapa au vol.

« Je... je suis un peu fatiguée..., s'excusa Layla. Et demain... Enfin, je pense que je vais vous souhaiter bonne nuit. Merci pour ce délicieux dîner, mademoiselle Romeyn. »

Elle se leva, sa serviette serrée contre sa robe, le visage luisant dans la lumière jaunâtre.

« Nous prenons le petit déjeuner à sept heures, l'informa Jottie. J'espère que cela vous conviendra ?

— Oh ! Oui. Sept heures. C'est parfait.

— J'ai terminé, dit Bird en se léchant les doigts.

— C'est ce que je vois. Bonne nuit, mademoiselle Beck. Venez, les enfants. »

Avec un signe de tête qu'elle espéra amical et détaché, Jottie entraîna la petite procession vers la terrasse.

« Bonne nuit, mademoiselle Layla Beck, minauda Bird au passage.

— Bonne nuit », répondit la pensionnaire, platement.

Felix resta en arrière, les bras croisés sur le dossier de sa chaise, les yeux sur la table.

« Bonne nuit, mademoiselle Beck, dit-il au bout d'un moment. – Il leva la tête et ajouta d'une voix douce. – Vous vous y habituerez. »

Elle acquiesça tristement et s'éloigna d'un pas raide vers l'escalier.

5

La moustiquaire claqua derrière elles quand elles sortirent sur la terrasse, exhalant le dernier soupir las de la journée pour inspirer la première bouffée relaxante d'air nocturne. De part et d'autre d'Academy Street, les dîners touchaient à leur fin – cliquetis de cuillères dans les tasses à café, concert de grincements de chaises qu'on recule de la table. Les maisons qui bordaient la rue commençaient à se ressembler dans l'obscurité qui s'épaississait, leurs massives formes allongées découpées par des rectangles dorés à l'emplacement des fenêtres et des portes. Et à cette heure-là, elles se mirent toutes à déverser, sur les terrasses protégées par des moustiquaires, leurs habitants qui s'installèrent dans des divans en rotin ou d'antiques fauteuils à bascule. Des voix, hautes et basses, tournoyaient comme des chauves-souris au-dessus des vastes pelouses.

L'immuable rituel, songea Jottie, s'enfonçant dans son propre fauteuil usé. Elle regarda ses nièces exécuter leur cérémonial nocturne de choix des sièges. Elles s'imaginaient encore qu'il y en avait de plus confortables que d'autres. Elles croyaient qu'il était important de bien sélectionner, de discerner leurs particularités. Comme des corbeaux, elles amassaient des miettes, çà et là, chaque soir, et les rapportaient avec elles, pensant accumuler un trésor. Elles se souvenaient de plaisanteries, de jeux et d'histoires particulières, ignorant qu'il ne s'agissait que d'une seule et même chose, que les moindres différences, les plus petites aspérités, seraient gommées par les années. Bah, peu importe, se persuada Jottie. Elles comprendront. Un jour, elles comprendront que cette uniformité-là est ce qui comptait le plus.

Willa finit par opter pour une chaise de bureau qui avait migré du petit salon à la faveur d'un courant mystérieux, et Bird s'installa de travers dans une chaise à bascule, la tête sur l'accoudoir, pour mieux loger son ventre plein.

«Je vais éclater. – N'obtenant pas de réponse, elle insista : – «J'ai trop mangé. J'ai la peau du ventre toute tendue.

— Chut!» gronda Mae.

La soirée ne différait en rien des précédentes. Silhouettes aux contours flous dans l'obscurité qui s'épaississait, les adultes bavardaient en buvant du café tandis que les enfants attendaient qu'il se produise quelque chose d'intéressant. Bird se massait le ventre, écoutant d'une oreille distraite ses tantes commenter le prix de tel ou tel produit. Ses yeux glissèrent vers la tête sombre de son père, inclinée sur une cigarette.

«Papa? demanda-t-elle, juste pour le plaisir de voir son visage.

— Hum?»

Une seconde s'étira dans le silence, tandis qu'elle cherchait une question fracassante.

«Est-ce qu'il est arrivé à Jottie d'être vilaine quand elle était petite?

— Jamais, répondit aussitôt sa tante. J'étais sage comme une image. Une enfant modèle, vertueuse, pieuse et bonne envers les petits animaux. Et propre! Si propre!

— Tttt, la réprimanda Felix. Tu grilleras en enfer pour de tels mensonges. – Puis, souriant à Bird. – Jottie a fait tant de bêtises que c'est difficile d'en choisir une.

— Felix ! Tu étais bien pire qu'elle, s'indigna Minerva. Bien pire que nous tous.

— Calomnie. Infâmes calomnie et diffamation. Savez-vous que Jottie a presque noyé un homme, un jour ? demanda-t-il à ses filles. Et volontairement, qui plus est.

— Tu m'as bien aidée ! protesta sa sœur.

« Raconte, Papa ! »

Le regard de Willa naviqua de son père à sa tante.

— Raconte ! » répéta-t-elle, radieuse.

Felix pointa le menton vers Jottie, pour lui déléguer cette tâche.

« Ce n'est pas grand-chose. Rien de terrible. Le révérend James Shee venait en ville une fois par an pour sauver nos âmes. Chaque année, il se rendait à l'ancienne carrière et il marchait sur l'eau. Et chaque année, les gens hurlaient, pleuraient, se faisaient baptiser et donnaient tout leur argent au saint homme. »

Felix s'esclaffa.

« Jottie ne pouvait pas supporter ça.

— C'est juste que j'étais certaine qu'il marchait sur quelque chose. Alors, un jour, Felix et moi nous sommes rendus à la carrière. Nous avons nagé un moment, et sans surprise, nous avons découvert une grande planche en bois sous la surface de l'eau, celle sur laquelle ce vieux filou de révérend James Shee marchait. – Elle marqua une pause. – Alors on l'a enlevée.

— Et après ? la pressa Willa, le souffle court. Il est tombé dans l'eau ?

— Que oui. Il n'a remarqué la disparution de la planche que lorsqu'il est descendu de sa petite barque et qu'il a coulé comme une pierre.

— Jottie est restée plantée là, à rigoler, dit Felix.

— C'est faux ! Ou bien, pas longtemps. Quand sa robe blanche s'est enroulée autour de son cou et qu'il a commencé à hurler au secours, je n'ai pas ri.

— Tu t'es enfuie. »

Felix adressa un grand sourire à Willa.

« Jottie a filé sans demander son reste, et c'est ainsi que tout le monde a découvert que nous avions fait le coup.

— Je n'étais qu'une enfant ! J'avais peur !

— Elle était coupable. Et savez-vous qui notre père a fouetté ? Moi. Il m'a fouetté jusqu'à ce que sa baguette se brise, puis il est sorti en couper une autre pour terminer le travail.

— Pauvre Papa, compatit Willa, posant la main sur sa manche.

— Je suis désolée, mon chou, compatit Jottie.

— Ne le sois pas. Notre père a pris beaucoup de plaisir à le faire.

— Papa t'a fouetté parce que tu faisais tant de bêtises, qu'il croyait que c'était ton idée, Felix ! intervint Minerva. Tu étais le pire chenapan de la ville !

— Pas du tout.

— Ah, non ! »

Sa chaise en rotin craqua, comme pour faire écho à son indignation.

« Et qui a pratiquement coupé la main de Jottie avec une épée ? Une épée volée, qui plus est ! Qui a posé cette échelle sur le toit du Statesman Saloon ? Qui a démonté la grange de Papa morceau après morceau jusqu'à ce qu'elle s'écroule ? Qui a vendu son petit frère aux bohémiens ? Qui volait le portemanteau de Gaylord Spurling, chaque semaine, sans exception, pour le mettre dans le petit salon de Mlle Shanholtzer ? Qui ? exigea-t-elle d'une voix vibrante.

— Je donne ma langue au chat. Qui ça ? » demanda Felix.

Une voix s'éleva de l'ombre.

« Wou-ou ! Jottie ! Vous êtes là ? »

Harriet et Richie apparurent devant la terrasse ; leurs premiers visiteurs du soir.

« Attendez ! dit Willa, tendant la main pour empêcher l'instant de passer. Parle-nous du portemanteau. Pourquoi le mettais-tu dans... »

Mais il était trop tard. Felix se leva et Willa s'affala dans son fauteuil.

« Harriet ! s'écria Jottie. Comment vas-tu, chérie ? Ohé, Richie. Venez donc vous asseoir !

— Ma foi, Felix ! Ça fait des siècles ! s'exclama Harriet, en lui donnant une claque dans le dos. Dieu tout-puissant, Jottie, rassieds-toi ! Il fait trop chaud pour être debout. – Elle plissa les yeux dans la pénombre. – Je me demande comment tu fais pour rester si jeune, Felix. Nous autres, nous ressemblons à une vieillerie que le chat a rapportée du jardin, et toi, tu n'as pas changé en vingt ans.

— Si, j'ai des cheveux gris, dit-il.

— Je n'en vois aucun. »

Elle s'approcha.

« Montre-m'en un seul. »

Il inclina la tête. Un gros craquement s'éleva du siège de Richie alors qu'Harriet tendait la main vers les cheveux de Felix. Elle arrêta son geste.

« Noir comme dans un four, ce soir, pas vrai, dit-elle à la ronde, se laissant tomber lourdement à côté de Bird. Je parie qu'on aura un orage avant la tombée de la nuit, pas vous ? »

Les voix basses des hommes se mirent à ronronner derrière ces échanges sur la pluie et le beau temps.

« Comment se portent les produits chimiques, par les temps qui courent ? questionna Richie.

— Je n'ai pas à me plaindre », dit Felix.

Il tira sur sa cigarette.

« Ah oui ? Tu es bien le seul, dans ce cas.

— J'ai entendu dire que tout allait plutôt bien aux Inusables. »

Richie se racla la gorge en reniflant de manière dégoûtante.

« Shank a viré quarante-quatre gars cet après-midi. »

Comme des vaguelettes secouées par un caillou jeté dans l'eau, Jottie, Harriet, Mae et Minerva remuèrent dans leurs fauteuils. Dans l'ombre, Willa tendit l'oreille.

Felix émit un petit sifflement.

« Les temps sont durs.

— Ouais, et il ne fait rien pour arranger les choses. Quarante-quatre gars virés de la chaîne d'un coup. Et la direction n'a pas cillé !

— Regarde notre Packard là-bas, fit remarquer Harriet, tendue. Je n'avais jamais vu ce genre de voiture, avant.

— C'est que ça va plutôt bien pour vous, commenta Felix.

— Ce n'est pas la question, coupa Richie. Ton père n'aurait jamais fait une chose pareille.

— Hum.

— Shank... – Il jeta un coup d'œil aux enfants, et reprit : – Shank se moque de ce qui est juste ou pas. Sol fait ce qu'il peut – un petit hoquet s'éleva, Willa chercha son auteur du regard. –, mais Shank s'en moque. Sol dit qu'il se collera devant un métier s'il le faut. »

Felix ne répondit pas.

« Il le fera, j'en suis sûr, continua Richie, confiant. Sol est un type bien... »

Cette fois, c'est lui qui hoqueta : Harriet venait de lui donner un coup de pied.

« Ça oui, conclut-il. Les temps sont durs pour tout le monde, ou presque. Pas de doute.

— Regardez les lucioles là-bas, dans le jardin, les filles ! » s'exclama Jottie.

Willa vit les jumelles s'enfoncer un peu dans leurs fauteuils.

« Je ne laisserai pas passer une si belle occasion à votre place.

— Je vais vous chercher un bocal », proposa Felix.

Il fila dans la maison.

«Ohé! lança une voix depuis le trottoir. Vous êtes assises dehors, les filles?

— Tout juste, on t'attendait, Belle! répondit Jottie. Monte donc nous rejoindre.»

Willa laissa passer l'agitation provoquée par cette arrivée puis par l'attribution de tasses à café. Et patienta encore pendant qu'on parlait de la pluie, du maire, de Mme Roosevelt, des vaches...

Felix ne revenait pas.

La fillette se pencha vers sa tante.

«Où est Papa? murmura-t-elle.

— Oh, j'imagine qu'il avait besoin de cigarettes», dit Jottie, évasive.

Soucieuse, Willa se carra dans son fauteuil.

Aïe, se dit Jottie alarmée. Elle sait que je lui mens.

L'orage finit par éclater aux premières heures du matin. Jottie se réveilla avec un éclair qui illumina sa chambre d'une lueur fantomatique. Elle n'eut le temps de compter que jusqu'à deux avant que le tonnerre ne la fasse tressaillir. Elle s'étira, se leva, et traversa le couloir pour gagner la chambre des enfants. Elles dormaient à poings fermés malgré le vacarme, comme toujours; Bird étalée dans son lit, comme si elle était tombée du plafond et Willa recroquevillée comme un escargot dans sa coquille. Elle fit basculer le vantail de la fenêtre pour empêcher la pluie d'entrer, caressa la joue de Willa au passage – encore un bébé, vraiment –, et rassurée, retourna dans sa chambre. Le vieux matelas s'affaissa sous son poids quand elle se rallongea. Elle songea aux fauteuils de la terrasse, aux rocking-chairs se balançant, comme grisées par le vent, aux cendres de cigarette mouillées, par terre. Une violente bourrasque s'engouffra par la fenêtre. Elle frissonna avec ingratitude, ramena son drap autour d'elle et se demanda si l'orage avait réveillé Mlle Beck. Bah, peu importe. Elle s'y habituerait.

6

28 mai 1938

Mme Judson Chambers
Directeur adjoint, Federal Writers' Project
WPA
Bâtiment, The Smallbridge
1013 Quarrier Street
Charleston, Virginie-Occidentale

Chère madame Chambers,

En réponse à votre lettre du 14 mai au sujet du projet
d'ouvrage sur *L'Histoire de Macedonia* parrainé par le conseil
municipal.

Vos objections à cette entreprise ont été enregistrées,
mais ainsi qu'il est stipulé dans le mémorandum général sur
les instructions annexes n° 15, le bureau central s'intéresse
au plus haut point aux projets de publication, non seulement
régionaux, mais locaux, et souhaite les encourager dans
toute la mesure de ses moyens. Afin de pallier les insuffi-
sances en personnel dont vous parlez et de permettre à votre
bureau d'entreprendre la rédaction de cette importante
publication locale, j'ai dépêché une nouvelle recrue en

Virginie-Occidentale. Dans la mesure où son travail se cantonnera exclusivement à des recherches sur le terrain, et sachant que le conseil municipal désire que cette publication lui soit livrée dans les délais les plus brefs, afin qu'elle s'inscrive dans le cadre des célébrations du cent-cinquantenaire de Macedonia, je n'ai pas jugé nécessaire de la diriger vers votre bureau de Charleston et ai préféré l'envoyer directement sur place, afin qu'elle débute son travail de recherche dès ce mois-ci. En tant qu'employée du FWP de Virginie-Occidentale, son rapport d'activité sera bien entendu complété par votre bureau. Je compte sur vous pour informer M. Oliffe de l'arrivée de cette nouvelle recrue, puisqu'en qualité d'assistant régional de terrain, il sera nécessairement impliqué personnellement dans ce projet.

Avec mes très sincères salutations,

Benjamin Beck
Responsable régional

———— ⬥ ————

30 mai 1938

M. Benjamin Beck
Responsable regional, Federal Writers' Project
WPA
1734 New York Av. NW
Washington, D.C.

Cher monsieur Beck,

En réponse à votre lettre du 28 mai.
Sachant que les auxiliaires de recherche disponibles pour recueillir les informations agricoles et industrielles en vue de

l'élaboration du guide régional ne disposent absolument pas des compétences indispensables pour accomplir le travail de rédaction, je me permets d'insister pour que vous me laissiez le soin de recruter le personnel nécessaire à l'accomplissement de cette tâche. Je ne peux que considérer l'embauche de ce travailleur de terrain à des fins autres que la publication d'un guide régional comme une usurpation patente de mon autorité de responsable éditoriale attachée aux recherches du Federal Writers' Project de Virginie-Occidentale, et protester avec la plus grande véhémence. Je compte informer sur-le-champ M. Alsberg de cette infraction au protocole administratif.

Sincères salutations,

Ursula Chambers

———⟨◇⟩———

[Télégramme de Benjamin Beck à
Mme Judson Chambers]

1er juin 1938

NE TIREZ PLUS. EXPLICATION IMMINENTE. BEN

———⟨◇⟩———

1er juin 1938

Privé et confidentiel

Chère Ursula,

Mes cheveux sentent le roussi et mes doigts sont noirs comme le charbon depuis votre dernière lettre. Muselez votre rage un instant, que je vous explique de quoi il retourne. Soyez assurée que vous éprouverez alors de la reconnaissance envers votre vieil ami Ben et cesserez de vouloir réclamer sa tête à Alsberg. Ma dernière lettre était destinée à être classée avec les documents officiels ; celle-ci est réservée à votre information personnelle. Si vous vous avisiez de la montrer à qui que ce soit, je nierais l'avoir écrite et vous accuserais de faux.

La nouvelle recrue n'est autre que ma nièce Layla, fille de l'éminent sénateur du Delaware. Le même qui, cette année encore, a apporté son soutien fidèle aux projets dépendants de la WPA. Estimant mériter une faveur en retour – et au vu du précédent en Caroline du Nord[1], qui le démentira ? –, il m'a demandé de trouver un poste à sa fille au sein du FWP. Sachant qu'il siège au comité des appropriations, j'ai pensé qu'il ne serait pas sage de le décevoir et ai embauché la jeune femme sur-le-champ. C'est – pour dire les choses brutalement – une enfant gâtée, frivole, ignorante, et aussi apte à travailler sur un tel projet qu'un poulet à conduire une Buick. Enfant, elle était d'une insolence adorable, mais, mon frère ne concevant de partager son existence qu'avec des femmes purement ornementales, elle fut envoyée dans une institution à l'âge de quatorze ans, et en revint transformée. Elle y apprit à danser, à jouer au tennis, à boire des cocktails, et à se comporter comme une écervelée. Ayant bien retenu sa leçon, et étant assez fine pour savoir de quel côté est beurrée sa tartine, Layla a passé les six dernières années à faire ce qu'elle voulait de mon frère. Imaginez donc son choc, le mois dernier, quand (et c'est tout à son honneur) elle s'est dressée contre lui, talons bien ancrés dans le sol, et a refusé

---

1. Josiah Bailey fut le seul sénateur de Caroline du Nord à s'abstenir lors du vote en faveur de la création de la Work Progress Administration.

d'épouser un véritable coffre-fort. Les représailles ont été prestes et sévères – le roi Lear ne renierait pas Grayson Beck. En quelques jours, Layla a été bannie du monde du luxe et engagée à subvenir à ses propres besoins. Le sénateur du Delaware ne tolère pas les dissidents domestiques, j'aime autant vous le dire.

Quoi qu'il en soit, son sort a été remis entre mes mains, accompagné de charbons ardents, et nous avons tous deux dû nous en accommoder au mieux – cette situation ne nous réjouissant ni l'un ni l'autre. Le jour de son entretien, j'ai été agréablement surpris de découvrir qu'elle avait entendu parler de la Dépression. Et qu'elle avait appris à taper à la machine je ne sais où. En dehors de cela, elle est totalement ignorante. Elle n'a jamais travaillé de sa vie. J'ai passé la semaine dernière à me creuser la cervelle pour lui trouver une occupation. À qui pouvais-je refiler un tel boulet ? Sa mère s'est lamentée que l'ouest du Mississippi était trop éloigné de la maison. Et pour mon frère, il n'était pas question que sa fille se retrouve à interviewer des Noirs. À New York, les stalinistes et les trotskistes se seraient alliés contre elle. Vargas a dit qu'elle ne lui serait d'aucune utilité si elle ne parlait pas espagnol. Et Waylande aurait eu raison d'elle en une semaine.

Alors mes pensées se sont tournées vers vous, Ursula, et vers *L'Histoire de Macedonia*. C'est la solution idéale, non seulement pour moi, mais pour nous tous. Certes, Layla ne vous aidera en rien à résoudre vos problèmes actuels (incidemment, il me faut le chapitre sur l'agriculture avant le 15 juin), mais pensez aux félicitations et aux honneurs que vous retirerez d'avoir réussi à mener de front ce projet local en plus du guide de l'État. On vous jugera pour un modèle d'efficacité et de dévouement jusque dans les hautes sphères du bureau de Washington, et Alsberg vous enverra un mémo pour déplorer le manque d'éthique professionnelle des autres responsables régionaux comparés à vous. Ils grinceront tous des dents en vous voyant auréolée de gloire.

Quant à Layla, Macedonia l'occupera assez pour qu'elle ne se dresse pas en travers de votre route et ne vous cause aucun problème. La ville se trouve à l'est du Mississippi et son conseil municipal préfère prétendre qu'il ne s'y trouve aucune population noire, de sorte que Layla n'aura pas à recueillir son témoignage. Elle travaillera seule et ne risquera pas d'irriter les autres assistants de terrain. En outre, il est fort possible que les conseillers municipaux chevaleresques de Macedonia soient si émus par le spectacle de cette demoiselle en détresse, qu'ils ne remarqueront même pas la qualité de sa prose. C'est la solution idéale.

Il n'y a aucune raison pour qu'elle dérange l'élaboration du guide régional. Il vous suffit d'informer l'assistant régional du district de son existence et de lui demander de superviser son travail. Il pourra sans doute lui détailler les exigences du projet.

J'espère que vous verrez les choses du même œil que moi, Ursula, parce que ce qui est fait ne sera pas facile à défaire. Réfléchissez et vous verrez que les avantages sont supérieurs aux nombreux inconvénients. Vous aurez les lauriers, Macedonia aura son livre, et le projet sa mission renouvelée pour un an.

Votre ami dévoué,

Ben

15 juin 1938

Cher Ben,

Regarde le cachet de la poste. Je réside à Macedonia,
Virginie-Occidentale. Que ta volonté soit faite.

Layla

———◇———

17 juin

Chère Layla,

Prends-t'en à ton, père. Prends-t'en à toi-même. Mais pas
à moi.

Ben

1

Le matin qui suivit l'arrivée de Mlle Beck, je me levai plus tôt que prévu. Je passai un moment à étudier ma nouvelle cicatrice, puis me remémorai la soirée de la veille. Mon père était-il rentré ? Il lui arrivait de disparaître et de ne pas revenir avant plusieurs jours. Je sautai du lit et filai dans le couloir jeter un coup d'œil par le trou de sa serrure. Quand la porte de sa chambre était fermée, il fallait regarder par le trou de la serrure pour savoir s'il était là ou non. Personne en vue. Mais ses rideaux étaient tirés, donc il était là. Il dormait. Tout allait bien.

Je m'assis dans l'escalier pour attendre Mlle Beck. J'avais tout organisé dans ma tête. Dès qu'elle ouvrirait sa porte, je sauterais sur mes pieds et je ferais mine de descendre déjeuner, tout comme elle. Une fois à table, je parcourrais le journal et discuterais des nouvelles du monde avec elle.

Ce ne serait que le début. Après ça, je tenterais de gagner ses faveurs en devenant sa fidèle assistante. Les écrivains avaient toujours besoin d'assistants, pour les aider à tailler leurs crayons ou recopier leurs notes. Peut-être même qu'elle m'enverrait à la bibliothèque faire des recherches à sa place. Bientôt, nous travaillerions côte à côte et échangerions des messages cryptés que personne d'autre que nous ne comprendrait. Quand son livre serait publié, il y aurait peut-être une dédicace disant : «Je tiens à remercier tout particulièrement mon assistante, Wilhelmina Romeyn, sans qui je n'aurais jamais pu arriver au bout de ce travail.»

Ce serait tout bénéfice.

Mlle Beck serait conquise par mon travail acharné, et bientôt, elle me révélerait son passé secret (potentiellement royal). À moi, et à moi seule, elle dévoilerait la vérité sur la demeure familiale grandiose, sa jeunesse choyée, la manière dont son père avait perdu sa fortune lors du krach. À moins qu'elle ne se soit enfuie de chez elle! Tout était envisageable. Je lui prêterais mon mouchoir pour qu'elle sèche ses larmes, lui offrirais les conseils de la jeunesse, et nous deviendrions amies – ou aussi amies qu'une dame comme elle et une enfant comme moi pouvaient l'être. Et surtout, pour la toute première fois : je serai celle qui sait ce que les autres ignorent. Mais je n'en parlerais à personne. Je serais muette comme une tombe.

Mlle Beck ne sortait toujours pas de sa chambre. Comme je commençais à avoir des fourmis dans les fesses sur la marche de l'escalier, je décidai de descendre manger un peu en l'attendant.

La porte de derrière était ouverte sur la fraîcheur du matin. J'engloutis mon petit déjeuner à côté de Jottie qui buvait son café et lisait le journal en débutant par la fin, comme à son habitude. Ma dernière goutte de lait avalée, je m'essuyai la bouche avec ma serviette.

«Tu penses que Mlle Beck va mettre son tailleur blanc aujourd'hui?» la questionnai-je.

Un coin du journal s'abaissa et Jottie m'adressa un clin d'œil.

«Non. Une robe jaune à col carré. Très jolie.»

Elle était déjà descendue et partie. Jottie ne savait pas où. Ni quand elle rentrerait. Mon plan avait été déjoué. Je boudais, toute déconfite, quand ma tante me fit remarquer que des mains oisives étaient les jouets du démon. Je décidai alors de filer sans lui laisser le temps de me trouver une vilaine corvée pour m'occuper. Je continuai à bouder un peu dans la rue, songeant que tous les autres dormaient encore, puis je pris la direction de Capon Street pour gagner le quartier général de l'armée de Geraldine Lee.

Depuis combien d'années rêvais-je d'intégrer l'armée de Geraldine ? Trois, quatre ? Une éternité. J'avais l'impression d'avoir passé ma vie sur les rives d'Academy Creek à regarder les bataillons de lanceurs de prunes progresser et se replier en poussant des hurlements de loups. J'avais tant prié pour avoir la chance de me joindre à eux que si on m'avait proposé de choisir entre le salut et la conscription, je n'aurais pas hésité un instant. Malheureusement, j'échouai toujours à l'épreuve d'admission. Les règles étaient claires. D'autant qu'il n'y en avait qu'une : pour entrer dans l'armée de Geraldine Lee, il fallait battre Geraldine. Au moins symboliquement. Il n'était pas nécessaire de l'écraser – personne n'en était capable, de toute façon – il fallait juste réussir à la plaquer au sol. Mais plaquer Geraldine au sol n'avait rien d'une formalité. Elle avait beau avoir un an de moins que moi, elle était vraiment grande, et grosse. Sans compter ses six petits frères et sœurs qui accouraient dès que la bagarre commençait, pour vous filer des coups de pied dans les mollets. Ils étaient tout maigrichons, mais terriblement teigneux. Bird disait que c'était Geraldine qui les avait rendus comme ça, à force de voler leur nourriture dans leur assiette.

J'avais toujours été chétive, pour ma part. Je venais à peine d'entrer à l'école que les enfants s'étaient mis à faire étalage de leur force en me soulevant ou en me traînant autour de la cour de récréation ; et je ne gagnais rien à brailler et à geindre, parce que ça les amusait encore plus. J'étais plus grande désormais – j'avais gagné dix centimètres depuis janvier dernier – mais je n'avais pas pris les kilos qui allaient avec, ce qui faisait de moi un spécimen pitoyable d'adolescente de douze ans, à en croire Mlle Nellie Kissining, la prof de baseball de l'école de Race Street, qui n'espérait déjà plus rien de moi. Mae disait que je donnais l'impression d'avoir subi le supplice du chevalet. Et Jottie, que je me développerai d'un coup, sans m'en rendre compte – idée que je trouvais perturbante. J'étais plus faible qu'un chaton à cause de tous ces centimètres en plus, et sans doute aussi à cause de toutes ces années passées à lire sur le canapé. Certains jours je n'arrivais même pas à lever mon livre jusqu'à mes yeux ; il fallait que je le pose par terre et que je cale ma tête au bord des coussins du canapé pour pouvoir lire.

Voilà pourquoi j'attendais dans la poussière depuis des années, tandis qu'une guerre dévastatrice secouait Macedonia. Ou plus précisément, pendant que l'armée de Geraldine combattait celle de Sonny Deal, sauf lorsqu'ils faisaient une trêve pour s'allier contre les enfants des Spurling. J'avais essayé de m'immiscer dans les rangs de Geraldine en lui communiquant des informations précieuses sur les positions des troupes de Sonny Deal, que j'observais du haut du grand chêne rouge de notre jardin, mais ses soldats n'avaient rien voulu entendre. Ils m'avaient demandé de la fermer, et ça n'avait fait que raffermir mon désir d'être des leurs.

Je devais absolument mettre Geraldine à terre. Elle était vraiment gentille, en plus. Toujours disposée à me laisser tenter ma chance. Elle se postait devant moi, grosse comme une maison, et je lui sautais dessus, pensant qu'en prenant de l'élan je pourrais réussir à la faire basculer en arrière. Elle avait un peu chancelé à deux reprises, mais je crois que c'était juste pour que je ne sois pas trop déçue. La plupart du temps, elle m'envoyait voler d'une pichenette, comme un taon.

Au début, j'étais désespérée. Mais depuis la parade – depuis la naissance de ma férocité et de ma détermination – j'avais conçu un fourbe stratagème. La partie fourbe étant l'élément de surprise sur lequel je comptais jouer. Les frères Hardy[1] et M. Sherlock Holmes étaient de grands adeptes de l'élément de surprise, et je me disais que ce qui était bien pour eux le serait forcément pour moi. Mon plan était de m'approcher de Geraldine par-derrière et de la mettre à terre.

Arrivée dans Capon Street, je m'avançai vers sa maison avec une grande prudence – superflue puisque M. et Mme Lee étaient trop fatigués par leurs nombreux enfants pour se donner la peine de tailler leurs haies –, puis m'accroupis sous un rhododendron et attendis le bon moment. Effectivement, Geraldine ne tarda pas à sortir. Elle se lécha les babines, rota et commença à déambuler. Ses frères et sœurs devaient être en train de finir ses restes, songeai-je, quand, tout à coup, elle fit la plus étrange des choses : elle se mit à danser. Pas une danse connue, comme le fox-trot ou les claquettes – pas très praticables sur la terre battue, de toute façon – mais un enchaînement d'ondulations et de pirouettes. Je restai là, comme frappée par la foudre, me disant que c'était sans doute de la danse classique, puis je compris que c'était le moment idéal pour profiter de l'élément de surprise. Je me mis en position, et, à la pirouette suivante, je jaillis de mon rhododendron et lui sautai dessus par-derrière. Elle tomba de tout son poids ; mais j'étais si bien arrimée à elle – jambes autour de son corps et bras autour de son cou – que je ne ressentis pas trop le choc.

« Je t'ai eue ! » hurlai-je.

Geraldine était si sympa qu'elle ne chercha même pas à contre-attaquer. Elle reconnut que je l'avais mise par terre à la loyale et m'accueillit de bon cœur dans son armée. Elle m'avoua qu'elle attendait ce moment depuis longtemps et qu'elle était contente que j'aie fini par réussir, parce qu'elle avait besoin d'un

---

1. Série de romans pour la jeunesse de Franklin W. Dixon mettant en scène deux jeunes frères enquêteurs.

espion et qu'elle était certaine que j'étais douée pour ça. Je lui demandai comment elle le savait, et elle répondit que la manière dont je lui avais sauté dessus prouvait que c'était un talent naturel, chez moi. Je dus reconnaître qu'elle n'avait pas tort.

Une longue conversation s'ensuivit, sous le rhododendron. J'appris que la guerre contre l'armée de Sonny Deal n'était qu'un entraînement à la vraie guerre qui allait les opposer aux rouges, d'après son père. À en croire Geraldine, les rouges dirigeaient Washington, et ce n'était qu'à quatre heures de route, par la Route 9, ce qui signifiait qu'il fallait nous tenir prêts. Je me dis que si les rouges étaient à Washington, j'en aurais sûrement entendu parler, mais c'est alors qu'elle m'affirma que la manufacture des Inusables Américaines aussi était pleine de rouges. Cette fois, je lui dis que je n'y croyais pas, parce que je connaissais beaucoup de gens qui y travaillaient et qu'ils n'étaient pas rouges. « Comment le sais-tu ? » me demanda-t-elle. Et c'est alors que je pris conscience que c'était peut-être encore une de ces choses que les adultes n'avaient pas jugé bon de me dire. Geraldine déclara que ce n'était pas grave si je ne la croyais pas à propos des Inusables, tant que j'acceptais de jurer de combattre les rouges. Alors, c'est ce que je fis, et nous passâmes à la partie entraînement, qui consistait surtout à fureter dans les buissons pour espionner sa mère. Mme Lee ne faisait rien d'autre que d'étendre des draps sur sa corde à linge, mais Geraldine croyait tant à mes talents de fureteuse, qu'elle me promut officier sur-le-champ. Elle était certaine que j'étais née pour espionner.

Quand j'entendis le sifflet de la fabrique sonner midi, je filai à la maison pour déjeuner. Mais je ne serais pas rentrée si j'avais su qu'il y avait du hachis. Nous détestions cordialement le hachis, tous autant que nous étions, mais Jottie se sentait obligée d'en préparer parce que ça lui permettait de faire deux repas avec les restes de rôti.

« J'en ai mangé assez, Jottie ? demanda Bird, qui n'en avait avalé que deux bouchées.

— Non. Encore deux cuillérées. »

Jottie serra les lèvres et avala.

« C'est bon pour la santé.

— Et tu devrais t'estimer heureuse d'avoir à manger, renchérit Mae. Il y a de pauvres enfants qui n'ont rien d'autre que des gombos et des sandwiches au saindoux à se mettre sous la dent.

— Ça alors ! Tu n'y as *même pas* touché, toi, rétorqua ma sœur, outrée. Moi au moins...

— Qu'est-ce que tu as fait ce matin, Bird ? l'interrompit Jottie.

— C'est secret, bougonna ma sœur, consciente de la manœuvre.

— Très bien. Tu as le droit d'avoir tes secrets », dit Mae.

Bird se mit à bouder plus fort que jamais, vexée que personne ne se donne la peine de la cajoler pour la faire parler.

« Et toi, Willa ?

— Je me suis préparée à combattre les rouges avec Geraldine, répondis-je.

— Ah. Tu as enfin réussi », observa Bird.

Elle avala une autre bouchée de hachis et frissonna.

« Quels rouges ? Réussi quoi ? s'enquit Jottie, intéressée.

— À entrer dans l'armée de Geraldine. Elle dit que la manufacture est pleine de rouges. »

Je marquai une pause pour observer l'effet que produisait ma déclaration.

« Ah bon ? fit ma tante, pas plus inquiète que ça.

— Oui, elle dit aussi que les rouges dirigent Washington et qu'il faut nous préparer à nous battre. Même les enfants devront combattre les rouges, d'après elle.

— Vraiment, je ne comprendrai jamais ce qui a pris à Irma d'épouser cet homme, commenta Mae.

— Elle l'a épousé à cause de son costume. Tu te souviens ? Elle l'a même avoué à l'époque », lui rappela Minerva.

Jottie regarda ses sœurs, les sourcils froncés.

« Il n'y a pas de rouges à la fabrique, Willa. Et, ils ne dirigent pas non plus Washington.

— C'est M. Roosevelt qui dirige Washington. Et, tu le sais bien, reprit Mae.

— Et n'oublie pas de garder tes opinions politiques pour toi, jeune demoiselle. Tu vas attirer les foudres de Caïn sur nos têtes si tu te mets à aller raconter partout que les employés des Inusables Américaines sont tous communistes. – Elle avala une autre bouchée de hachis et ses yeux s'embuèrent de larmes. – Même si j'aimerais bien voir la tête de Ralph s'il entendait ça », ajouta-t-elle en souriant.

Minerva et Mae s'esclaffèrent. Je n'y aurais pas prêté attention, avant, mais tout avait changé à présent.

« Qui est Ralph ? » questionnai-je, aussi innocente que l'enfant qui vient de naître.

Jottie haussa un sourcil.

« M. Shank. Et quant aux communistes : peut-être qu'ils ont leurs raisons. Il faut dire que leur tsar n'était pas un type très sympathique ; à boire du champagne quand son peuple n'avait que des patates pourries à manger, et à laisser ce Raspoutine, avec ses yeux de braise et ses cheveux sales, s'installer au palais.

— Qui est Raspoutine ?

— Lionel Barrymore, répondit Minerva.

— Raspoutine est le moine qui a plongé ses yeux de braise dans ceux de la tsarine jusqu'à ce que la pauvre femme hypnotisée lui tende les joyaux de la Couronne. Des émeraudes et des rubis qui lui coulaient entre les mains comme de l'eau », expliqua Jottie, faisant ondoyer ses mains dans l'air pour mimer les bijoux qui se déversaient.

Papa disait toujours que si Jottie s'asseyait sur ses mains, elle serait incapable de parler.

« La tsarine faisait moudre des perles et ajoutait la poudre à l'eau de son bain pendant que son peuple misérable se traînait dans la neige avec des petites chaussures en feutre. Je ne les blâme pas d'être devenus communistes. Pas du tout.

— Oui, mais...

— Mais quoi ?

— À t'entendre, on croirait qu'ils sont gentils, ces communistes.

— Je dis juste qu'ils ont peut-être leurs raisons. Il y a une raison à chaque chose.

— Mais tout le monde les déteste. »

Jottie me fusilla du regard.

« Et où es-tu allée chercher que nous étions comme tout le monde ? »

Elle reconnaissait presque qu'elle ne détestait pas les rouges ! Geraldine serait dingue si elle l'apprenait.

« J'aurais préféré qu'on soit comme tout le monde, soupirai-je. J'en ai vraiment assez de devoir mentir. – La tasse de Jottie s'immobilisa devant sa bouche. Je l'avais froissée. – Ce n'est pas ce que je voulais dire, m'empressai-je de reprendre. J'ai parlé sans réfléchir. »

Et pour lui montrer que j'étais désolée, j'avalai une grosse bouchée de hachis.

*

Layla jeta un coup d'œil hésitant dans le couloir sombre.

« Excusez-moi ? » appela-t-elle.

N'obtenant aucune réponse, elle avança sur le linoléum abîmé jusqu'à une porte ouverte.

«Excusez-moi? demanda-t-elle. Je suis bien à la bibliothèque?»

Un homme au visage livide leva la tête de son bureau. Il
ressemblait à un lapin tout doux.

«Non, madame, commença-t-il.

— Une dame!» l'interrompit quelqu'un.

Étonnée, Layla leva la tête et remarqua une cellule de prison
dans un coin de la pièce. À l'intérieur, un prisonnier rougeaud
la dévorait des yeux.

«Dale! Aide la dame!»

L'homme lapin fusilla son prisonnier du regard.

«La bibliothèque se trouve à l'étage, madame. Au troisième,
l'informa-t-il.

— C'est une association inhabituelle, dit Layla, souriante.
Une prison et une bibliothèque.

— Ils ne l'ont pas conçu ainsi au départ, s'empressa d'expliquer le prisonnier. C'était un palais de justice et une prison
auparavant, mais ils en ont construit un nouveau.

— Chut, Winslow, le coupa Dale. Troisième étage, madame.

— Les juges préfèrent éviter de voir ce qu'ils ont fait, continua Winslow. Ça les ronge. Alors maintenant, ils peuvent
enfermer un homme sans jamais avoir à supporter sa vue.

— Merci», répondit Layla à Dale.

Elle ressortait quand elle faillit rentrer dans un policier,
impeccable avec son uniforme sombre et sa moustache désuète
à la gauloise.

«Regarde, Hank! Une dame!» beugla Winslow.

Layla rit.

«J'imagine que vous n'avez pas beaucoup de dames prison-
nières, ici.»

Le policier s'inclina légèrement.

«Non, madame. Pas de dames à proprement parler.»

Winslow parut impressionné.

«Waouh, quelles belles manières tu as, Hank! Un monsieur! T'as vu ça, Dale? Tu devrais en prendre de la graine.»

Ses cris poursuivirent Layla dans le couloir sombre.

«Revenez nous rendre visite, m'dame! Rapportez-moi donc un livre de la bibliothèque! Je sais lire, vous savez!»

La bibliothèque en question était une pièce faiblement éclairée, silencieuse, et – à l'exception de quelques enfants profondément captivés par leur lecture – déserte. Layla inspira, se délectant de l'odeur si caractéristique de poussière, papier et colle. Puis, elle gagna le bureau des prêts sur la pointe des pieds.

«Vous pouvez poser les talons, lui lança la bibliothécaire, par-dessus ses lunettes à monture dorée.

— Je ne voulais pas faire de bruit, chuchota Layla.

— Je ne m'inquiéterais pas de ça, à votre place. Winslow nous a appris à ne pas être trop tatillons sur le silence, rétorqua-t-elle d'un ton sec.

— Est-ce qu'il est... saoul?»

La femme sourit.

«Non. S'il était saoul, vous le sauriez. Vous êtes la nouvelle de la WPA, n'est-ce pas?

— Comment avez-vous deviné? s'étonna Layla avec un petit rire gêné.

— Je ne vous ai encore jamais vue.

— J'oubliais que je suis dans une petite ville...

— Elle n'est pas si petite, mais j'ai passé trente-neuf ans ici, alors je connais tous ses habitants. – Elle marqua une pause. – Je suis Caroline Betts.

— Layla Beck.»

Elles échangèrent une poignée de main par-dessus le bureau. Celle de Caroline Betts ressemblait à sa personne, assurée et froide. Layla eut soudain la certitude que la femme qui se tenait devant elle aurait été l'auteur idéale pour écrire *L'Histoire de Macedonia*. C'était évident, elle était la compétence incarnée.

« Madame Betts...

— Mademoiselle, corrigea la bibliothécaire.

— Mademoiselle Betts. Je me demandais si vous pourriez m'aider à trouver un livre d'histoire sur Macedonia, afin que je me fasse une meilleure idée du contexte de...

— Ce n'est pas vous qui êtes censée l'écrire ? L'histoire de Macedonia ? – Le rire amusé de Mlle Betts n'était pas spécialement rassurant. – Rien n'a encore été écrit, mademoiselle Beck, vous êtes notre première historienne.

— Mais je voulais juste me documenter un peu sur le passé, bredouilla Layla, le frond ridé par l'anxiété. Je ne sais rien de l'histoire de Macedonia. Le conseil municipal m'a fourni une liste de sujets à aborder dans mon livre, mais comment puis-je les étudier ? Comment puis-je écrire dessus ? »

En dépit de ses efforts, elle termina sa dernière phrase sur une note infiniment plus aiguë qu'elle l'avait débutée.

Il y eut un bref silence.

« En posant des questions, répondit Mlle Betts.

— Pardon ?

— Personne ne s'attend à ce que vous sachiez. Vous êtes censée questionner. »

Layla avait l'impression de remonter vers la surface d'un lac sombre. Elle inspira une grosse goulée d'air.

Mlle Betts sourit.

« Vous vous sentez mieux ?

— Oui, merci, avoua-t-elle, heureuse de découvrir qu'un cœur battait sous la blouse impeccable de la demoiselle.

— Et qui pourrais-je interroger ?

— Moi. »

Layla jeta un regard dans la salle poussiéreuse.

« Mais... je ne voudrais pas vous déranger...

— Vous dites que le conseil municipal vous a donné une liste ?

— Oui, j'ai reçu une lettre d'un certain M. Davies. Mais je ne l'ai pas apportée, dit-elle, jetant un œil dans son sac blanc pour se donner un air concentré, un air décidé, un air qui ne soit pas celui d'une beauté frivole. Mais je peux aller la chercher.»

Mlle Betts baissa les yeux sur le sac.

«Demain. Apportez-moi la lettre de M. Davies demain matin, et nous commencerons notre travail sur l'histoire de Macedonia. Je serai ravie de vous aider», conclut-elle, avec un salut aimable de la tête.

8

C'était mon tour de faire la vaisselle. J'avais promis à Geraldine de retourner chez elle après le déjeuner. Je voulais lui montrer un marronnier qui donnait déjà des fruits. Il se pouvait fort qu'une pluie de marrons mette l'armée de Sonny Deal à genoux. Je me dépêchai d'accomplir ma corvée, mais je n'étais pas aussi rapide que Bird qui se pressait de terminer la sienne.

« Essuie juste ces tasses-là », lui ordonnai-je agacée, quand on frappa un coup sonore sur la moustiquaire de la porte de derrière.

« Jottie ? Tu es là ? »

C'était Mme Fox, qui habitait plus bas, dans la rue.

L'inquiétude perçait dans sa voix.

« Elle est ici, madame Fox, répondis-je. Entrez, je vais la chercher.

— Dépêche-toi, chérie. Vause Hamilton a remis ça. »

Je n'eus pas le temps de filer chercher ma tante, qu'une autre voix, plus douce se fit entendre à la porte.

« Mademoiselle Josephine ? C'est Sallie. »

La servante noire de Mme Lacey.

« Je viens de la faire appeler, Sallie », l'informa Mme Fox.

Je m'élançai dans le salon criant :

« Jottie ! Viens vite ! »

Elle était sur le point de s'asseoir pour se reposer un peu, mais elle bondit aussitôt et courut à la cuisine. Un coup d'œil à nos visiteuses lui suffit.

« C'est Vause Hamilton ?

— Oui, m'dame, dit Sallie. Mme Lacey demande si vous voulez bien venir, s'il vous plaît ?

— Bien sûr », opina-t-elle, déjà presque dans le couloir.

Nous nous précipitâmes derrière elle alors qu'elle traversait l'allée et remontait la rue. Elle tourna dans Kanawha Street, dont le trottoir s'arrêtait juste devant la maison de M. Vause Hamilton. C'était un vieux monsieur, qui avait été riche autrefois, mais ne l'était plus. Il était devenu un peu zinzin. Jottie disait qu'il était fou de douleur depuis la mort de son fils. Son fils aussi s'appelait Vause. Il était mort jeune, et depuis, quand M. Hamilton pensait à lui, il se mettait dans tous ses états et brûlait une botte en caoutchouc dans son jardin. Ça le prenait une ou deux fois l'an, et l'odeur était affreuse. Jottie disait qu'il voulait que ses voisins soient aussi malheureux que lui et il faut croire qu'il parvenait à ses fins. Ils filaient aussitôt chercher ma tante, parce qu'elle était la seule à pouvoir le calmer.

Je vis la fumée noire tourbillonner au-dessus de la haie de spirées de M. Hamilton. J'espérai que Sallie avait donné un mouchoir à Mme Lacey, pour qu'elle se couvre le nez. Elle vivait dans la maison voisine et était vraiment vieille : cette fumée risquait de la tuer. Je me pinçai le nez et restai au bord du jardin avec Mme Fox, Sallie et Bird, tandis que Jottie traversait la pelouse pour rejoindre le vieux M. Hamilton qui regardait son feu. Je le trouvais très grand quand j'étais petite, mais à présent, il était tout voûté. Le tissu blanc de sa chemise tendu entre ses épaules, il était courbé sur les flammes et des larmes ruisselaient sur ses joues. Il attrapa la main de Jottie.

« Mon garçon est mort, croassa-t-il. Vause est mort. – Il leva la tête. – C'est son anniversaire. Il est né le 15 juin du siècle nouveau. »

Jottie tressaillit mais répondit d'une voix calme :

« C'est vrai. C'est l'anniversaire de Vause, aujourd'hui.

— Vous... vous connaissiez mon Vause, dit-il, semblant la reconnaître.

— Oui, je le connaissais.

— Il vous aimait bien. Plus que les autres filles. »

Jottie resta silencieuse.

« Mais il est mort, gémit le vieil homme. Il est mort au cours d'une terrible bataille.

— Monsieur Hamilton, il faut arrêter de brûler cette botte, lui dit-elle d'un ton ferme. Vous voulez bien me laisser éteindre ce feu ? Empoisonner l'air et rendre les gens malades... ce n'est pas rendre hommage à Vause.

— Il est *mort*, répéta-t-il, comme s'il n'avait pas entendu.

— Je sais. Je sais qu'il est mort. Mais laissez-moi éteindre ce feu. Ça sent mauvais. »

Jottie se baissa pour ramasser une poignée de terre qu'elle jeta sur les flammes. La colonne de fumée chancela à peine, mais M. Hamilton ne s'interposa pas. Il regardait, immobile.

Sallie s'avança avec une petite pelle. Jottie lui fit un signe de la tête et prit le vieil homme par la main pour l'entraîner vers la terrasse.

« Venez, allons nous asseoir et racontez-moi ce qui vous chagrine. »

Ils grimpèrent les marches, lentement, puis elle l'aida à s'installer dans un fauteuil, se mit à côté de lui et se pencha pour l'écouter.

« C'est une sainte, soupira Mme Fox. – Elle me regarda de haut, d'un air un peu rébarbatif. – Ta tante est une sainte, tu sais, me dit-elle avec une certaine brusquerie.

— Oui, m'dame. Je vais aller aider Sallie. »

Quand Minerva et Mae se réveillèrent de leur sieste, elles furent désolées d'avoir manqué ça.

« Mme Fox a dit que Jottie était une sainte, leur rapportai-je.

— Tout ce qu'elle a fait, c'est de lui dire d'éteindre ce feu de botte en caoutchouc, non ? dit Bird. Ça ne fait pas d'elle une sainte.

— Chut ! » la coupa Mae.

Elle donna un coup sur la radio, juste pour taper quelque chose, apparemment.

« Pauvre Jottie », marmonna Minerva.

Je réagis aussitôt.

« Pourquoi pauvre Jottie ? »

Les jumelles échangèrent un regard et secouèrent la tête dans un bel ensemble.

« La pauvre a dû respirer l'odeur de vieille botte en caoutchouc brûlée, expliqua Mae.

— Qui l'a tué ? demanda Bird.

— Quoi ? fit Minerva, décontenancée.

— Son garçon, Vause. M. Hamilton a dit qu'il était mort au cours d'une terrible bataille. Quelqu'un l'a tué ?

— Non, bien sûr que non.

— Et ce n'était pas un petit garçon, reprit Minerva. Quel âge avait-il, Minnie ?

— Vingt. Vingt et un ans.

— Oh. C'était un adulte, dit Bird, dépitée. Pourquoi tout le monde dit que c'était un garçon, alors ? »

Perdant aussitôt tout intérêt pour le sujet, elle s'éloigna vers la cuisine.

Je ne bougeai pas. Cela faisait des années que j'entendais parler de Vause Hamilton, je savais que c'était le fils de

M. Hamilton et qu'il était mort, mais c'était la première fois que je m'intéressais vraiment à son histoire.

« Il a participé à une bataille ?

— Non, il n'est pas mort au cours d'une bataille », murmura Mae, en regardant Minerva.

— Comment est-il mort, alors ?

— Il est mort dans un incendie », répondit-elle d'une voix nerveuse, le coin de la bouche secoué par un drôle de tic.

Elle fixa le cornouiller du jardin. Le coin de sa bouche tressautait bel et bien.

« Qu'est-ce qu'il y a ? ai-je demandé.

— Rien, pourquoi ? » intervint Minerva.

Elles me cachaient quelque chose, c'était évident.

« C'était si terrible ?

— Parce que tu ne trouves pas ça horrible qu'un homme meure si jeune ? » reprit Mae.

Une chanson stupide des Andrews Sisters s'éleva de la radio, mais je persévérai :

« Si, mais... des tas de gens... enfin...

— C'était un ami de ton père. Et de Jottie, avoua Minerva, compatissante.

— Oh. – Et ne sachant que demander d'autre, je tentai :
– Vous l'aimiez, vous aussi ?

— Si nous l'aimions ? Les jumelles échangèrent un nouveau regard. – Ma foi, il était gentil avec nous quand nous étions enfants.

— Tu te souviens du jour où il est revenu de la guerre, dit Mae, avec un léger sourire. La manière dont il a ôté son chapeau et s'est incliné devant nous ?

— Il ne nous avait pas reconnues, acquiesça Minerva en riant.

— Nous avions tellement grandi... Il a demandé à Felix de faire les présentations. Là, sur cette terrasse. Dans son uniforme, se souvint Mae.

— Il n'y avait pas plus gentil que lui, ajouta Minerva, l'air nostalgique. C'était l'être le plus délicieux au monde. – Elles fixèrent le lointain. – C'était ce que nous pensions, à l'époque. »

Mae jeta un regard écœuré vers la radio. Difficile de dire si c'était à cause des Andrew Sisters ou d'autre chose.

J'essayai de me fondre dans le décor pour qu'elles continuent à parler, mais elles se contentèrent de hocher la tête dans un silence recueilli. Au bout d'un moment, qui sembla durer une éternité, je m'éclaircis la gorge.

« Il ne l'était pas, en réalité ? questionnai-je d'une toute petite voix.

— Non. Il ne l'était pas, en fin de compte, me répondit Minerva.

— Qu'est-ce qu'il a fait ?

— Oh, mon chou, soupira-t-elle. – Elle se tourna vers Mae : – Tu veux bien éteindre ça ? »

Quand la radio se tut, elle me regarda droit dans les yeux.

« Vause Hamilton est mort dans l'incendie des Inusables Américaines en 1920, dit-elle d'une traite, comme pour se débarrasser d'une corvée. Il est rentré par effraction dans le bureau de Papa, il a volé l'argent qui se trouvait dans le coffre et il a mis le feu à la manufacture pour masquer son forfait.

— Mais il n'a pas réussi à ressortir, termina Mae. Il s'est retrouvé prisonnier à l'intérieur et il a été asphyxié. On a découvert son corps parmi les cendres le lendemain, à côté d'un sac contenant deux mille dollars. »

Je dévisageai mes deux tantes, sidérée. Vause Hamilton avait volé mon grand-père et mis le feu à sa fabrique ? C'était moche. Vraiment affreux. Et néanmoins, elles paraissaient plus tristes que furieuses.

« Pourquoi... – Je lus de la méfiance dans leur regard. – Pourquoi a-t-il fait ça ?

— Pour l'argent, dit Minerva. Il voulait aller en Californie. J'imagine qu'il avait besoin d'argent. Pourquoi il n'a pas cherché à le gagner en travaillant comme tout le monde, ça je l'ignore.

— Il a volé quelqu'un d'autre à part nous ?

— Non, juste nous. Juste Papa », répondit Mae.

Sentant que la porte allait se refermer, je glissai vite un pied dans l'ouverture.

« Pourquoi Jottie aide-t-elle M. Hamilton si son fils était si affreux ?

— Parce que c'est une sainte..., déclara Mae.

— Parce que Vause était notre ami », ajouta au même instant Minerva.

Un détail me revint alors.

« M. Hamilton a dit que Vause aimait bien Jottie. Plus que les autres filles.

— Cette vieille baderne ! gronda Mae, les dents serrées. C'est un miracle qu'il n'ait pas été frappé par la foudre quand il a osé dire ça. »

Oh, oh...

« Pourquoi ? Qu'est-ce qu'il a fait ?

— Il a rendu Jottie et Vause malheureux, voilà ce qu'il a fait ! Le culot de cet homme ! » fulmina Mae.

Sa sœur la fit taire d'un regard.

« Écoute, Willa, c'est de l'histoire ancienne. Ne va pas parler de tout ça à Jottie, tu veux, reprit-elle.

— Ni à ton père, ajouta Minerva.

— Mais, pourquoi ? » fis-je d'une voix plaintive.

Zut alors, les adultes étaient décidément énervants. Ils ne daignaient même pas me dire *pourquoi* ils ne voulaient pas que je sache.

« Ils sont déjà au courant, non ? Qu'il était mauvais ?

— Ils n'ont pas envie d'en parler. Tu comprendras quand tu seras plus grande.

— Moins on se gratte une plaie, plus vite on guérit », ajouta Mae, toute fière.

Cela n'était pas juste, pas juste du tout et j'étais folle de rage.

« Vous ne pouvez pas penser une chose pareille ! Personne ne pense ça ! »

Leurs visages se fermèrent comme des poings. Mae ralluma la radio. Je compris que je ne tirerais plus rien d'elles.

Plus tard, peut-être.

*

Jottie se glissa dans sa chambre et se laissa tomber sur son lit. La fumée lui brûlait encore les yeux. Elle savait qu'ils étaient rouges. Elle avait besoin de se reposer. Elle regarda l'horloge. Trois heures.

Juste une petite sieste.

Hé, Josie.

Son cœur bondit contre ses côtes. Elle le fit taire aussitôt. Si elle ne bougeait pas, si elle se tenait tranquille, elle pourrait peut-être le garder auprès d'elle, une minute ou deux. Elle expira lentement, régulièrement.

« *Vause ?* » *appela-t-elle, fouillant le jardin du regard.*

Il pleuvait à verse.

« *Ici.* »

Il sortit de l'ombre de la grange et entra dans un pâle rayon de soleil. Une apparition qui lui coupa le souffle.

« *Qu'est-ce que tu fais ici si tôt ? réussit-elle à formuler.*

— *Tôt pour certains. Tard pour d'autres, répondit-il, avec un sourire en coin.*

— *Tu n'as pas dormi de la nuit ? Qu'est-ce que tu as fait ? questionna-t-elle, jalouse de ceux qui avaient profité de sa compagnie.*

« — Nous avons fait un voyage improvisé avec Felix, lui dit-il avec un clin d'œil. – Ce qui signifiait qu'ils avaient sauté dans un train. – Et nous avons été retardés sur le chemin du retour, inévitablement. »

Ce qui signifiait qu'ils avaient été obligés d'accomplir une partie du chemin à pied. Il secoua sa tignasse luisante de pluie.

« Tu es bien jolie ce matin, Josie. »

Elle rougit, peinant à respirer. Il s'approcha, une étrange lueur dans les yeux. L'espace d'un instant, ils s'observèrent comme s'ils se retrouvaient dans ce jardin pour la première fois, comme deux drôles d'animaux.

« Josie ? »

Elle hocha la tête bêtement.

« Tu sais que c'est mon anniversaire, aujourd'hui ?

— Oui, je sais, répondit-elle, regrettant de n'avoir pas pensé à feindre la surprise. Joyeux anniversaire.

— Merci. J'ai dix-huit ans.

— Tu es majeur, dit-elle, se sentant très jeune, tout à coup.

— Je suis majeur, répéta-t-il. – Il pouffa. – J'ai le droit de me marier.

— Non... » souffla-t-elle, les joues en feu.

Il rit de bon cœur.

« Non, quoi ? Tu ne veux pas que je me marie ? »

Il se pencha pour mieux distinguer son visage. Elle secoua la tête, les yeux baissés.

« Très bien. Je vais prévenir Thelma », la taquina-t-il.

Sa petite amie.

« Pauvre vieille Thelma, ajouta-t-il, d'une voix distraite. – Il y eut un silence. – Hé, Josie, j'ai un cadeau pour toi.

— Mais c'est ton anniversaire. C'est moi qui devrais t'offrir un cadeau, protesta-t-elle, contente de changer de sujet.

— Chut. Ferme les yeux. »

Il s'approcha encore, et sa chaleur l'enveloppa, la protégeant de la fraîcheur du matin.

«Donne-moi ta main. – Il la plaça entre les siennes. – Comme ça. Et maintenant, ferme les yeux.»

Elle obéit et sentit le relief de sa paume contre ses doigts – callosités et douceur. Puis, un minuscule objet froid. Et un autre. Et encore un.

«Tu peux regarder.»

Elle ouvrit les yeux : des gouttes de pluie scintillaient sur sa main ouverte.

Il lui sourit.

«Tu vois? Des diamants.»

Un pas vif foula l'allée du jardin.

«Eh bien, monsieur Romeyn, vous rentrez tôt aujourd'hui», s'éleva la voix de Layla.

«Josie?»

Jottie roula sur le ventre et plaqua un oreiller sur sa tête. Là, le silence.

«Vause?»

Trop tard, il était parti. Mlle Beck l'avait fait fuir. Non, ce n'était pas juste, elle le savait. Les visites de Vause étaient toujours éphémères.

«Je pourrais vous renvoyer le compliment, répondit Felix. N'êtes-vous pas censée enquêter sur l'histoire de Macedonia?»

Elle rit.

«C'est ce que j'ai fait! Je me suis déjà rendue à la bibliothèque – et à la prison aussi, par erreur. Je suis rentrée pour demander à Mlle Romeyn de bien vouloir me prêter une carte, mais Bird m'a informée qu'elle se reposait.

— Ah oui? Dans ce cas, je pense pouvoir vous en trouver une. Attendez ici.

— Je ne voudrais pas vous distraire de vos obligations, monsieur Romeyn.

— Aucun souci. Je ne voudrais pas que vous vous perdiez dans la grande métropole. »

La voix de Felix s'éloigna tandis qu'il rentrait dans la maison.

Jottie était intriguée, à présent, et la curiosité était le plus sûr moyen de renvoyer Vause pour de bon. Il ne se faufilait là que lorsqu'elle se trouvait dans un état de semi-conscience, quand elle cherchait le sommeil ou quand elle se sentait assez faible pour souffrir de son absence. Tu es un menteur doublé d'un voleur. Et je me moque que ce soit ton anniversaire. Elle renvoya l'oreiller vers la tête de lit pour ponctuer cette déclaration.

La voix de Layla s'éleva à nouveau :

« Oh, merci, monsieur Romeyn. Cela va m'être d'une aide précieuse. »

Elle entendit un froissement de papier.

« Nous sommes ici. Dans Academy Street.

— Il faut que je me rende chez M. et Mme Davies, demain. Vous savez où se trouve Locust Street ?

— Je vois que vous ne perdez pas de temps, mademoiselle Beck, rétorqua Felix avec un petit rire. Locust Street est ici. Donc, ce vieux Parker va vous donner sa version de l'histoire ?

— Oui. Il m'a dit qu'il possédait beaucoup de documents concernant le général Hamilton. Le fondateur de Macedonia.

— Oui, bien sûr, le noble fondateur de notre ville. Vous voulez que je vous révèle un secret ? dit-il d'une voix plus basse. Le général Hamilton n'était pas vraiment général. Mais ne le répétez pas à Parker. Ça lui briserait le cœur. »

Layla pouffa.

« Il m'a envoyé une longue liste des personnes à interroger. Il pense que le livre devrait comporter l'histoire des grandes familles de Macedonia.

— Ça promet. Mais, n'êtes-vous pas censée écrire sur les événements qui se sont déroulés ici ? Sur la guerre de Sécession et le reste ?

102

— Euh, si, également. Et un peu sur les habitants de la ville, et sur les lieux publics et sites naturels d'importance. »

Felix éclata franchement de rire.

« Et quels sont les sites municipaux et naturels d'importance ?

— Eh bien, Flick Park ?

— Flick Park, un site naturel d'importance ? Un simple parc ?

— La maison Caudy ? Le plus vieux bâtiment de Macedonia.

— Le plus vieux poulailler de Macedonia, plutôt.

— Le Dolly's Ford ?

— Bon, d'accord, ça c'est un lieu historique. Mais comment comptez-vous vous y rendre ?

— Je l'ignore encore. – Jottie perçut la petite inflexion dans sa voix. – Où cela se trouve-t-il ?

— Attendez. »

Felix était assis à côté d'elle maintenant, Jottie le savait. La jeune femme devait guetter son expression, un peu éblouie, dans l'espoir de le voir sourire à nouveau. Jottie avait assisté à cette scène des centaines de fois. Plus même.

« Il faut suivre cette route-là. Vous ne pourrez pas vous y rendre à pied. Surtout avec de telles chaussures.

— J'en ai d'autres.

— Hum, mais c'est quand même trop loin. »

Il y eut un bref silence.

« Et si je vous y conduisais ?

— Oh, monsieur Romeyn, ce serait merveilleux. Mais... vous êtes occupé et...

— Je ne suis pas si occupé que ça. Et, vous voulez bien arrêter de m'appeler monsieur Romeyn ? Je me fais l'effet d'un grand-père. Je m'appelle Felix.

— D'accord, répondit-elle, intimidée. Et moi Layla.

— Je sais. Je n'ai pas oublié depuis hier. Bien, Layla. Je vous conduirai au Dolly's Ford, mettons... samedi. Cela vous convient-il ?

— Oh, oui, parfaitement ! »

Papillonnements, papillonnements, pensa Jottie, amère. Voilà que Felix projetait une sortie. Lui qui ne projetait jamais rien. Ou peut-être était-ce juste qu'il ne parlait jamais de ses projets. Peut-être qu'il procédait ainsi avec les filles qu'elle n'avait jamais rencontrées. Jottie fronça les sourcils, fixant le plafond. Cela ne lui paraissait pas loyal qu'il s'intéresse à une pensionnaire qui vivait sous son propre toit. *Mon* toit, corrigea-t-elle aussitôt. Mais non. C'était idiot. Une fille aussi jolie avait sûrement un prétendant quelque part. Peut-être qu'elle n'avait même pas remarqué Felix. Peut-être était-elle parfaitement insensible à ses charmes. Et dans ce cas, se dit Jottie, ragaillardie, le spectacle serait plaisant à voir.

« Il y a d'autres sites naturels d'importance dans votre liste ? s'enquit son frère.

— Oui, quelques-uns. Il faut que je regarde la lettre de M. Davies. Elle est dans ma chambre.

— Bien, vous me la montrerez avant notre départ. Peut-être qu'on pourra faire d'une pierre deux sites. »

Layla rit.

« Merci beaucoup, monsieur... Felix.

— De justesse.

— Felix.

— Bien mieux, Layla. »

Il avait articulé les deux syllabes d'une voix lente et douce comme un murmure.

« Papa ! Tu es rentré ! »

Willa laissa la moustiquaire claquer dans son dos.

« Hé, mon chou, lança-t-il gaiement.

— Devine quoi ?

— Quoi ? »

L'enfant se ménagea un silence théâtral. Jottie se raidit, devinant ce qui allait suivre.

« M. Hamilton a brûlé une botte, tout à l'heure.

— Ah oui ? »

Était-elle la seule à percevoir la tension dans sa voix ?

« Oui, mais Jottie a réussi à le calmer. »

La terrasse craqua alors que Felix se levait.

« Vraiment ?

— C'est une sainte. »

Jottie sourit, reconnaissant là les paroles de Belle Fox.

« Cela ne fait aucun doute. »

Sa voix s'éloigna tandis qu'il entrait dans la maison. Encore parti, songea-t-elle. Pauvre Willa.

Sur la terrasse, seuls des petits froissements de papier troublaient le silence. Layla Beck repliait sa carte.

« Qu'as-tu fait de ta journée, Willa ? s'enquit-elle.

— J'ai regardé M. Hamilton brûler sa botte, répondit l'enfant, aimable.

— Qui est M. Hamilton ?

— Un voisin. Il vit en bas de la rue.

— Pourquoi brûle-t-il ses bottes ?

— Juste une. Il n'en a brûlé qu'une. Parce qu'il est triste que son fils soit mort.

— Quel geste étrange.

— Oh, ce n'est pas la première fois, expliqua Willa sans réfléchir.

— Mon Dieu ! Quand son fils est-il mort ?

— Il y a longtemps. Il est mort asphyxié. Dans un incendie. »

À l'étage, Jottie hoqueta de surprise. Qui lui avait parlé ? Depuis combien de temps savait-elle ?

« C'est horrible ! s'exclama Layla.

— Il venait de voler de l'argent à mon grand-père, il est mort asphyxié sur place », précisa Willa avec une délectation macabre.

Arrête ça ! la gronda intérieurement Jottie.

« C'est horrible, répéta Layla.

— Oui. Sans doute. Mais vous ne pensez pas qu'il l'a mérité ?
Il a volé quand même. »

Arrête ! Arrête tout de suite. Tu ne le connais pas, tu n'as pas
le droit de parler de lui ainsi. Jottie chercha son oreiller à tâtons
et s'en couvrit la tête. Mais le silence de plumes ne pouvait
pas l'aider. Vause était parti, parti, parti.

*

Il était tard dans l'après-midi et les mouches étaient nombreuses devant le plus vieux bâtiment de Macedonia, leur tour-
billon idiot étant le seul mouvement décelable dans le paysage.
Postée derrière les vestiges branlants d'une vieille barrière à
piquets, Layla balaya les insectes d'un revers de la main et essaya
de trouver un intérêt quelconque au bâtiment sinistré qui se
dressait devant elle. La maison Caudy, bâtie en 1824. Était-il
possible que cet édifice ait jadis été un lieu de rassemblement ?
Qu'il ait abrité des bals, des réunions ; été le cadre de morts tragiques ? Elle jeta un œil aux minces murs arqués et aux fenêtres
étroites, qui la laissèrent de marbre. Ce devait être un endroit
affreux, même neuf. L'existence de cette maison n'avait aucun
sens. Et pourtant, elle était censée en trouver un. Soupirant,
elle pénétra dans le jardin et avança jusqu'à la façade décrépie.
Cédant à une impulsion, elle donna une tape sur le mur et sentit l'édifice tout entier trembler sous sa main. Elle recula vivement et resta dans la chaleur étouffante à contempler l'histoire.

Sur le chemin du retour, Layla trouva Prince Street bondée
d'ouvriers en tenue de travail. Elle fit une halte, puis se rappro-
cha de l'immeuble le long duquel elle marchait. Ils avançaient
tous dans la même direction. Ce devait être l'heure de ferme-
ture des Inusables Américaines, se dit-elle. Fière de sa sagacité,
elle adressa un sourire à un groupe de quatre ou cinq hommes, à

côté d'un réverbère. Ils portèrent aussitôt la main à leur casquette, inclinant sobrement leurs visages émaciés, et un jeune homme, adossé paresseusement au poteau avec lequel il formait un angle improbable, se redressa en une caricature de garde-à-vous. Embarrassée, Layla se détourna et feignit de s'intéresser à la vitrine, heureusement bien garnie, qui se trouvait derrière elle. Elle regarda les adolescents qui partageaient des sodas, une mère qui tamponnait en vain le short de son enfant dégoulinant de glace, deux vieilles dames en tailleur sombre (comment pouvaient-elles, par cette chaleur?), et un homme qui s'éloignait du comptoir, un carton dans les mains. C'était Felix! Layla lui fit un signe de la main. Il la dévisagea étonné puis un sourire éclaira son visage, tandis que celui de la jeune femme s'effaçait. Ce n'était pas Felix du tout. Cet homme-là était plus grand, plus carré, et il ne se déplaçait pas avec l'agilité et la grâce particulières de M. Romeyn. Mais il avait ses yeux marron et ses cheveux bruns épais. L'homme qui n'était pas Felix pointa le doigt sur sa poitrine puis vers elle et haussa un sourcil interrogateur. Comprenant qu'elle le dévisageait toujours, Layla rougit violemment. Il leva la main, pour lui signifier d'attendre et traversa la salle pour gagner la porte. Elle jeta un coup d'œil vers le groupe d'hommes, près du lampadaire, redressa la tête, hautaine, et se mêla au flot de passants qui déambulaient sur le trottoir.

L'homme qui ressemblait à Felix la regarda s'éloigner depuis la porte du café.

« Vous la connaissez? demanda-t-il au groupe du lampadaire.

— Salut, Emmett, lança l'un d'eux.

— Salut. Vous la connaissez? répéta-t-il.

— Nan. Et c'est bien dommage.

— Laissez tomber les gars, intervint le jeune appuyé au poteau. C'est moi qui l'ai vue le premier.

— Je répéterai ça à Louise, rétorqua Emmett, acerbe.

— T'as entendu parler de ce qu'a fait Shank ?» s'enquit le premier homme.

Emmett fouilla la foule des yeux une dernière fois avant de répondre :

«Non. Qu'est-ce qu'il a fait ?»

Ils lui racontèrent : quarante-quatre gars renvoyés, d'un coup, la veille. Ce bâtard de Shank n'avait aucun scrupule. Qu'allait faire Tom Lehew, à soixante-trois ans, avec sa main foutue. Emmett les écouta sagement. Puis, il leur dit ce qu'il en pensait. Ils éclatèrent de rire. Un syndicat ? T'es dingue. Il leur parla encore et, cette fois, les gars commencèrent à échanger des regards et à hocher la tête – leur manière de suggérer leur approbation. Emmett haussa les épaules. Vous n'êtes pas obligés de m'écouter. Parlez-en à des gens qui s'y connaissent. À des gens qui l'ont fait. Mouais, répondit l'un d'eux, peut-être que t'as raison. Possible, ouais, renchérit un autre gars. Possible... Bon, je ferais mieux de rentrer. D'accord, salut, Emmett. Salut. Salut. À plus tard, les gars.

Mais durant tout ce temps, il n'avait cessé de rêver à la fille qui lui avait souri de l'autre côté de la vitrine. Elle n'avait pas quitté ses pensées un seul instant.

9

« Je déteste l'idée de t'être redevable.

— Mince, Ma'am, on n'est pas tant qu'ça à travailler pour manger par ici. Je serai un pauvre homme… »

« Oh, pour l'amour du ciel », marmonna Jottie.

Elle referma *Jody et le faon* et se blottit dans un coin du canapé.

« Je ne sais pas pourquoi tu continues à le lire ce livre si tu le détestes à ce point, lui lança Mae, s'arrêtant au pied de l'escalier.

— Je veux arriver à la partie où la biche meurt. – Elle ferma les yeux. – Chut, maintenant. Je réfléchis.

— Ça ressemble énormément au sommeil vu d'ici. Bonne nuit, mon chou.

— Bonne nuit », bâilla Jottie.

Elle réfléchissait. Elle n'avait jamais le temps de penser durant la journée. Et aujourd'hui, encore moins que d'ordinaire. La matinée paraissait si lointaine ; l'arrivée de Willa qui cherchait Mlle Beck – Dieu seul savait pourquoi –, puis Geraldine Lee avec son armée et ses rouges. Elle progressa vers le point névralgique avec précaution : *J'aurais préféré qu'on soit comme tout le monde. J'en ai vraiment assez de devoir mentir.* Oui, ça lui avait fait mal. Elle examina la plaie : Willa mentait à leur sujet.

Pourquoi ? La petite voix ennemie qui avait élu domicile dans sa tête s'empressa de lui fournir une réponse : elle a honte. Jottie ouvrit les yeux. Irma Lee avait-elle trop parlé ? Avait-elle glissé un sous-entendu concernant Felix, s'était-elle moquée de la mère de Willa ? Était-ce elle qui lui avait parlé de Vause ? Avait-elle eu cet aplomb ?

Je la tuerai, se promit Jottie, essayant de contrôler sa rage. Je tuerai quiconque osera perturber ou humilier Willa.

Il n'y a pas qu'Irma, continua la voix ennemie, implacable. Tu ne pourras pas tuer tous les habitants de Macedonia, tu ne pourras pas couper Willa du monde. Elle finira par tout découvrir, tôt ou tard. Elle découvrira la vérité sur Felix, sur Vause et toi, sur l'incendie, et sur Sol – elle a déjà commencé à s'interroger à son sujet, tu l'as bien vu, hier soir –, et tout cela va la perturber et l'humilier, et tu ne pourras rien faire pour l'empêcher.

J'aurais préféré que nous soyons comme tout le monde. J'en ai vraiment assez de devoir mentir. Il fallait que la honte s'insinue en vous de bien étrange manière pour que vous en soyez réduite à mentir à propos de votre famille, et c'était une bien étrange douleur qui s'insinuait en Jottie à cette idée. Elle songea à sa propre enfance, insouciante ; ces sentiments de protection et d'autorité, dont elle n'avait même pas eu conscience sur le moment. Comme elle s'était montrée légère et arrogante, comme elle avait joui d'une liberté, comme elle avait eu tort de croire qu'elle ne devait son bonheur qu'à ses propres vertus et efforts. Comme elle avait été chanceuse.

Si seulement Willa pouvait avoir ce que j'ai eu, se dit-elle, attristée. Si seulement elle pouvait être aussi fière, aussi sûre d'elle. Tout enfant devait pouvoir entretenir cette illusion. Et voilà que Willa était en train de la perdre.

Si seulement, nous pouvions encore être respectables, pensa Jottie, inconsolable.

Non! se reprit-elle, choquée par ses propres réflexions. Nous sommes toujours respectables! Tout à fait respectables! Beaucoup de gens nous apprécient et nous estiment. Et nous avons toujours la maison. La maison des Romeyn. Nous *sommes* respectables.

Et en sécurité? questionna l'ennemie sournoise. À ton avis?

Son cœur se serra. La sécurité. C'était ce qu'elle désirait par-dessus tout, pour Willa. Qu'ils soient discrets, irréprochables et en sécurité.

Elle imagina ce que ça pourrait donner : passer inaperçus les Romeyn? «Oh, bien sûr. Des gens si aimables. Tellement sympathiques.»

Et la comparaison s'imposa aussitôt d'elle-même : «Oh, oui, les Romeyn. C'était une grande famille de Macedonia, autrefois. Le pauvre vieux M. Romeyn se retournerait dans sa tombe s'il savait ce que fabrique Felix, maintenant. Il a toujours été un peu louche, de toute façon; vous vous souvenez comme il se faufilait en douce partout? Jottie? Bah, elle s'est toujours pava-née comme la Reine de Mai. Elle n'a eu que ce qu'elle méritait quand Vause Hamilton l'a larguée. Cela ne m'a pas surpris le moins du monde. Mais elle l'a vraiment mal pris. On ne l'a plus vue en ville pendant toute une année après l'incendie. Et je vais vous dire autre chose, des tas de gens pensent que Sol McKubin avait raison à propos de cet incendie. Et maintenant? Je crois qu'elle élève les filles de Felix et Sylvia. Seigneur, quel fiasco ce mariage, ça a bien failli le tuer. Et ensuite, ils se sont battus comme chien et chat. On m'a raconté des histoires à vous gla-cer le sang. Il n'a pas tardé à ramener les enfants ici. Sylvia est restée là-bas, à Grand Mile, et vous ne le croirez pas mais, elle et Parnell Rudy y vivent comme... mari et femme...»

Jottie poussa un petit gémissement et se couvrit le visage. La pendule poursuivait son tic-tac imperturbable. L'obscurité pro-curée par ses paumes lui fit du bien. Elle se redressa et éteignit la lampe. Sa douleur s'atténua. Je peux sûrement trouver un moyen d'éviter ça.

Je ferais n'importe quoi pour Willa et Bird.

Mais quoi ?

Je pourrais – elle se jeta à l'eau – adhérer à un club de dames de la ville. Oui ! Voilà qui serait respectable ! Voilà une chose que je pourrais faire ! Devenir une dame. J'y arriverai aussi bien que n'importe qui, tant que je parviendrai à me retenir de dire tout ce qui me passe par la tête.

J'y arriverai, se persuada-t-elle, avec un regain d'énergie. J'arrangerai tout. Je protégerai Willa. Je nous protégerai tous. Je commencerai par le club de dames. Et ensuite, j'apprendrai à composer des bouquets. Oh, et il y a le tricot, aussi. N'importe qui est capable de tricoter. Et pourquoi pas la canasta ? Je me mettrai à jouer à la canasta. J'organiserai des parties de cartes. Felix m'aidera, si je le lui demande. Il préparera des coupes de noisettes. Il pourra faire un peu de jardinage aussi. Tailler la haie, ratisser les feuilles mortes. Tout le monde aime les hommes qui travaillent dans leur jardin. Oui, je suis certaine qu'il m'aidera si je le lui demande comme il faut. Et alors, nous serons tous en sécurité...

Quand elle rouvrit les yeux, son frère était là. Assis sur la table basse, en train de fumer.

« Felix. J'ai réfléchi..., murmura-t-elle.

— Attends, l'interrompit-il, impatient. Tu ne lui dois absolument rien.

— À qui ?

— À Hamilton. »

Il passa une main dans ses cheveux. Des mèches restèrent dressées sur sa tête.

« Je ne comprends pas pourquoi tu fais ça. Laisse-le brûler sa maison, si ça le chante. Qu'est-ce que ça peut bien te faire ? »

Il avait un regard fiévreux.

112

« Et si tu essaies de te convaincre bêtement que tu le fais pour Vause, oublie ça. Tu ne lui dois rien non plus. Essaie de te le rentrer dans la tête une bonne fois pour toutes. »

Il écrasa avec violence sa cigarette dans le cendrier.

Jottie baissa la tête pour dissimuler son visage, regrettant de ne pas s'être endormie.

« C'est son anniversaire, aujourd'hui... À Vause.

— Je sais. Il aurait trente-huit ans. »

Bien sûr qu'il savait. Cette date s'imposait à lui avec la même régularité temporelle que celle de son propre anniversaire. Il ne pourrait jamais ne pas s'en souvenir.

« Ce n'est pas une raison pour aller le célébrer avec son père.

— M. Hamilton est un homme âgé. Un vieil homme troublé. Il pense que Vause est mort en France. C'est ce qu'il a dit. Il était dans tous ses états à cause de ses médailles.

— Ses médailles ? Mon Dieu. Vause n'a jamais gagné aucune médaille. Il a reçu la barrette Meuse-Argonne, comme nous tous, rien d'autre. »

Son frère se radoucit. Raconte-moi, le pria-t-elle mentalement. Raconte-moi comment c'était avec Vause, dans la forêt d'Argonne. Raconte-moi tout. Mais elle ne pouvait pas prononcer ces paroles à voix haute, ou le visage de Felix se fermerait à nouveau. Souviens-toi qu'il nous a trahis, lui répéterait-il. Souviens-toi qu'il nous a menti. Et alors, il lui faudrait faire semblant de mépriser Vause. Parce qu'elle devait le mépriser. Elle le méprisait. Elle le détestait.

« Je lui ai dit qu'on l'avait enterré avec ses médailles, expliqua-t-elle. Ça l'a calmé.

— Il a perdu la boule », dit-il, l'air méprisant.

Elle acquiesça et s'empressa de changer de sujet.

« Tu ne m'as pas parlé de ton voyage. »

Il sourit.

«Mon voyage à Obion, Tennessee? Le pays de l'écureuil blanc?»

Oui, c'était bien mieux. Elle se pelotonna contre lui.

«Qu'est-ce qu'un écureuil blanc?» demanda-t-elle.

Une étincelle malicieuse éclaira le regard de Felix.

«C'est un écureuil. Mais blanc. La ville en est pleine et ils n'en sont pas peu fiers. Ils en ont même fait une statue. Une bestiole de deux mètres de haut, juste devant la prison. J'ai failli mourir de peur en tombant dessus.

— Qu'est-ce que tu faisais devant la prison?

— Pur hasard, dit-il d'un ton plein de dignité.

— Tu n'es pas entré à l'intérieur?

— Franchement, Jottie! Tu es bien soupçonneuse. Je n'ai rien fait qui justifie que j'y entre! – Il lui sourit. – Je ne peux pas vendre quelques produits chimiques sans que tu...

— Felix? l'interrompit-elle impulsivement, posant la main sur son bras. Mon chou, tu ne voudrais pas essayer de te trouver un travail ici, en ville?»

Reste à la maison. Reste ici et trouve-toi une occupation irréprochable. J'apprendrai à composer des bouquets et nous serons comme les autres. Les filles seront heureuses et en sécurité.

Il fronça les sourcils.

«Que t'arrive-t-il? Il n'y a pas de travail ici. Tu n'as pas entendu parler de la Dépression?

— Il y a Equality, dit-elle d'un ton faussement désinvolte, qui jura avec l'ardeur qu'elle mit dans sa question suivante : Tu pourrais demander, non?

— Les ateliers Equality? Je ne sais pas quelle mouche te pique, ils arrivent à peine à payer les salaires. Et non merci, j'ai déjà travaillé dans une manufacture.»

Elle hocha la tête. Elle se souvenait oui. Felix avec ses chaussures étincelantes, sa chemise blanche immaculée, la main levée (au revoir tout le monde!) alors qu'il franchissait la porte pour se rendre aux Inusables Américaines au côté de leur père. Son premier jour à la manufacture. Les jours qui suivirent, ce fut une autre histoire.

Il la regarda songeur, se massant la mâchoire du pouce.

« Tu me veux à la maison, c'est ça ? Je songeais justement à me poser un peu. Je me disais que j'aimerais bien rester dans le coin un moment.

— C'est vrai ? » dit-elle surprise. – Puis, soudain méfiante : – Pourquoi donc ?

— Quoi ? Je pensais que c'était ce que tu voulais !

— Ce n'est pas à cause de cette fille, dis ? »

Il sourit.

« Peut-être.

— Tu ne la connais que depuis hier !

— Je sais. Mais elle me plaît. Je la trouve mignonne. »

Il souriait toujours mais semblait tout à fait sérieux.

« Ce n'est qu'une *enfant*, avança Jottie, imprudente. Elle l'a dit elle-même.

— Miaou.

— Non, Felix... écoute..., elle a sûrement un prétendant qui l'attend quelque part. Une jeune femme comme elle...

— C'est son problème. Il n'aurait jamais dû laisser une si jolie fille partir seule. »

Jottie roula sur le dos et fixa le plafond.

« Réfléchis. Pour une fois dans ta vie, pense à ce qui pourrait arriver.

— Je suis déjà en train de penser à ce qui pourrait arriver. »

Elle se redressa pour le fusiller du regard.

« Il existe sûrement une loi contre ça – qui punisse le détournement d'une employée assermentée de la WPA, ou je ne sais pas quels sont les termes adéquats. Tu finiras en prison.

— Ce ne sera pas la première fois, dit-il, taquin.

— Arrête, Felix ! Il faut qu'on soit plus prudents ! – Elle saisit sa main. – Il faut penser à Willa... et à Bird. Mais à Willa, surtout. Elle grandit si vite ! Tu ne peux pas continuer à te comporter ainsi sous ses yeux ! Elle va comprendre, tu vas... l'embarrasser. »

Elle était allée trop loin, elle le savait. Son ton était accusateur. Felix libéra sa main et tira une cigarette de son étui.

« L'embarrasser, répéta-t-il d'une voix glaciale.

— Je veux dire... Tu comprends, dit-elle, tentant de battre en retraite.

— Non, je ne comprends *pas*. – Il approcha sa cigarette d'une allumette. Elle écouta le léger bruissement du tabac qui se consume. – Et si tu m'expliquais ? Si tu me disais pourquoi tu n'as rien trouvé de mieux à faire que de m'assommer de remarques de vieille demoiselle. Quelle mouche te pique, à la fin, Jottie ? – Il la toisa à travers une volute de fumée. – Tu veux que j'aille demander du travail à Equality, tu veux que je me tienne à l'écart des filles, et tu essaies de me faire croire que c'est pour Willa ? Moi, je crois que c'est pour toi, mon chou. Je crois que tu es jalouse...

— Pas du tout.

— Tu es jalouse, répéta-t-il. Tu es jalouse parce que tu ne sors jamais avec personne. Et pourquoi ça, Jottie ? Ne te gêne pas pour moi, vraiment. – Il y avait de la méchanceté dans son regard, à présent. – Tu penses que je ne vois pas ce que tu cherches ? Je ne suis pas dupe. Tu veux que je me comporte comme Papa. C'est ça ? Que je me pavane en costume, que j'incline mon chapeau à tout bout de champ avec un sourire de pauvre type, pour que tu puisses t'imaginer être une grande dame de Macedonia, persifla-t-il avec une mine écœurée. Ça n'arrivera pas, Jottie. Si tu crois que je vais me joindre aux Elks[1]

---

1. Fraternité impliquée dans les œuvres sociales et de charité, ouverte aux hommes comme aux femmes.

et aller à l'église, tu te mets le doigt dans l'œil. – Il se pencha vers elle, les poings serrés. – Ça n'arrivera jamais.

— Ce n'est pas ce que je...

— Tu aimerais faire comme si Papa était toujours le président des Inusables, pas vrai ? Tu aimerais que tout redevienne comme avant. Oublie ça, Jottie. C'est terminé, et de toute façon, ça ne valait rien. Pas un clou. »

Oh, Felix, pourquoi le prends-tu si mal, pensa-t-elle. Pourquoi es-tu si dur envers Papa ? En dépit de tout, le cœur débordant d'une vieille compassion, elle lui tapota la main.

« Ça ne valait pas un clou, murmura-t-elle.

— J'aurais dû partir. Après l'incendie. Après Vause. J'aurais dû partir, bon sang.

— Mais j'avais besoin de toi et tu es resté. Je ne m'en serais jamais remise sans toi. »

Elle était sincère.

« J'aurais mieux fait de partir, répéta-t-il, amer. J'aurais disparu aussi vite que l'éclair, sans toi. Dis-moi que tu n'as plus besoin de moi ici, et je me ferai un plaisir de débarrasser le plancher. Dès demain.

— Non, Felix, je ne veux pas....

— Je serais heureux de tourner le dos à cet endroit. Content d'envoyer ce trou et tous ses habitants au diable. »

Il était si furieux qu'elle était la seule à pouvoir l'arrêter à présent. Il en avait toujours été ainsi. Elle avait une dette envers lui, une dette dont elle ne pourrait jamais s'acquitter.

« Chut... Ne te mets pas dans cet état. Tout va bien, l'apaisa-t-elle, caressant sa main. Et puis, l'église s'écroulerait sur ta tête si tu t'avisais d'y entrer. »

Il lui lança un regard, reconnaissant, comme toujours, de la grâce accordée.

« Quant aux Elks. Tu mettrais ce pauvre ordre à genoux. Tu leur apprendrais des chansons paillardes et toutes sortes de jurons, après quoi les garçons feraient une descente chez les filles et, neuf mois plus tard, on aurait une fournée de petits Elks bâtards. J'aime autant ne pas y penser.

— Tu as raison, soupira-t-il. Tu ne gagnerais rien de bon à essayer de m'assagir. »

La crise était passée.

« Tu ferais bien de commencer à économiser de l'argent si tu veux t'acheter une place au paradis. Ça va te coûter un paquet », lui conseilla-t-elle avec un sourire.

Il se couvrit le visage des mains.

« Je n'y retrouverais personne de connaissance, de toute façon », marmonna-t-il entre ses doigts.

Il soupira, se leva et sortit.

Jottie se rallongea sur l'oreiller, épuisée, mais l'esprit agité comme une souris : Il ne changera jamais, il ne changera jamais, se répétait-elle.

Dans ce cas, il faudra que j'agisse seule.

10

11 juin 1938

Mlle Layla Beck
47 Academy Street
Macedonia, Virginie-Occidentale

Chère mademoiselle Beck,

En qualité de premier conseiller de la municipalité de
Macedonia, permettez-moi de vous souhaiter la bienvenue
dans notre ville et d'exprimer l'espoir que votre séjour ici se
révélera aussi plaisant pour vous qu'il le sera sans nul doute
pour nous.

La ville de Macedonia célébrera cette année son cent-cinquantième anniversaire, et nous voulions commémorer
l'événement par la publication d'un récit digne de son histoire captivante. En nous adressant au Federal Writers'
Project pour lui déléguer l'élaboration de ce volume, ou de
cette « brochure », nous obéissions à notre sens du devoir
national ; toutefois, dans le souci de nous assurer que ce sujet
de première importance pour les fiers Macédoniens – qui,
après tout, sont les commanditaires de cet ouvrage – sera
traité avec le soin et le sérieux nécessaires, nous aimerions
que vous soyez assistée dans votre tâche par ceux-là mêmes

qui vous l'ont attribuée, nommément le maire Silver, ainsi que mon épouse Belinda et moi-même.

C'est dans le souci de remplir cette obligation que je vous dresse ci-après la liste des thèmes qui devront être traités dans *L'Histoire de Macedonia*. À savoir :

L'histoire de Macedonia débute en 1758 avec l'arrivée du général Magnus Hamilton, l'homme brave et valeureux qui débarrassa la région des Indiens en six petites années. Mon épouse Belinda et moi-même sommes tous deux descendants du général, comme l'attestent les documents historiques et les objets anciens qui se trouvent dans notre demeure. Plusieurs de mes collègues du conseil municipal sont également en possession de documents précieux et de vestiges de l'« âge d'or » de Macedonia, et j'ai été autorisé à vous informer qu'ils se tiendront à votre disposition durant tout le temps que prendra votre travail d'écriture pour vous présenter lesdits objets.

L'installation du général Hamilton représentera l'ère coloniale. Les autres événements historiques à inclure dans votre récit sont : la guerre d'Indépendance, l'incorporation de Macedonia en 1788 – qui devra faire mention du célèbre compliment du général Washington (« Je ne connais aucune ville aussi bien située que Macedonia ») –, la renaissance religieuse des années 1820 et 1830 – en accordant une attention particulière aux presbytériens, aux méthodistes, aux épiscopaliens –, la contribution des Macédoniens à la construction du bâtiment de la compagnie de chemins de fer B&O dans les années 1830 et ses effets sur l'industrie locale, la vaillante résistance de notre ville durant la guerre de Sécession (sans aucune prise de position implicite, je vous prie), et la fondation de l'école pour aveugles de Virginie-Occidentale par le docteur T. Wiffen Whute en 1889.

L'ouverture de la bonneterie les Inusables Américaines en 1900 pourra également être mentionnée.

Dans un chapitre séparé, nous aimerions trouver des descriptions détaillées des plus beaux édifices et bâtiments publics de Macedonia, au nombre desquels devront figurer la toute nouvelle caserne des pompiers n° 3, l'Hôtel de l'Union, l'école de Race Street, la seconde église presbytérienne, et les ateliers Equality. Le cimetière d'Indian Creek, lieu de repos éternel du regretté gouverneur Alexander Spurling, ne devra pas être oublié, de même que la statue de la « Charité » du célèbre sculpteur Isaiah Michael Biggs, qui se trouve dans Flick Park. Le bâtiment de l'Académie mérite d'être distingué, ainsi que l'hôtel de ville, édifice onéreux terminé récemment. La manufacture des Inusables Américaines, considérée comme un modèle de modernité et d'efficacité, devra être décrite. Il ne sera pas nécessaire d'inclure les boutiques du centre-ville dans votre descriptif, car elles sont dans l'ensemble de qualité médiocre. Les quartiers de moindre intérêt sont ceux qui se situent à la lisière sud-est de la ville, au niveau de Zackquill Avenue, que l'on surnomme Cake Creek ; et celui qui se trouve entre Unity Street et Prince Street, que l'on appelle Leadbend.

En sus des événements historiques et des bâtiments publics, le conseil municipal apprécierait que le livre, ou la « brochure », relate l'histoire des grandes familles de Macedonia et de leurs demeures qui, pour la plupart, sont de véritables monuments architecturaux. Au regard des actes et œuvres de ces tout premiers Macédoniens, nous estimons qu'une brève chronique de chacune de ces familles apportera une pointe de simplicité plaisante, une touche « humaine » au livre. Les notables de Macedonia ont eu l'amabilité d'accepter de vous ouvrir leurs demeures afin de vous parler de leurs ancêtres et de vous montrer des trésors familiaux d'une grande valeur historique.

Désireux de vous assister dans vos recherches, nous avons dressé pour vous la liste des familles les plus illustres de Macedonia :

M. le maire Eugene Silver et Mme Eugene Silver

M. and Mme James Beville

Rev. Dr Leviticus Dews et Mme Leviticus Dews

M. and Mme Holmes Cladine

Mme Alexander Washington

Dr and Mme George Averill

Mme Hartford Lacey

M. et Mme Walter McKubin

M. et Mme Arwell Tapscott

M. et Mme Sloan Inskeep (et non les Arnold Inskeeps)

Dr. et Mme Casper Tare

M. et Mme Tyler Bowers

M. et Mme Wyncoop Rudy

M. et Mme Ralph Shank

M. Tare Russell

M. et Mme Baker Spurling

M. et Mme John Sue

M. et Mme John Lansbrough

M. et Mme Parker Davies

Il sera également judicieux de mentionner les lieux publics et sites naturels d'importance, tels que Flick Park, Morgan Creek, Spurling Square (souvent désignée comme la place de la ville) de même que, en son centre, la fontaine d'eau sulfurée, la maison Caudy (plus vieil édifice de Macedonia), la plantation Pella (ancienne propriété de la famille Hamilton), Mount Level, la False, Dolly's Ford, Sand Mountain, et le site de l'ancienne rotonde. Vous pourrez

énumérer les écoles, les routes et autant d'autres lieux d'intérêt que vous le pourrez en fonction de l'espace imparti.

Je vous suggère de débuter vos travaux en nous rendant
une visite, à mon épouse Belinda et moi-même, dans les plus
brefs délais. Vous seriez bien avisée de vous munir d'une
bonne carte de Macedonia. Mlle Romeyn pourrait vous
assister en la matière.

Dans l'espoir que vous vous attellerez bientôt à la rédaction
de *L'Histoire de Macedonia*.

Avec mes salutations très sincères,

Parker Davies, Esq

———◈———

« Eh bien, soupira Mlle Betts en rendant la lettre à Layla.
M. Davies ne laisse rien au hasard, n'est-ce pas ?

— En effet. »

La bibliothécaire jeta un regard dédaigneux au document et
releva ses lunettes étincelantes.

« Pour ma part, je suis en faveur de la liberté artistique. Par
où allons-nous commencer, mademoiselle Beck ? »

Ne désirant pas décevoir cette militante, Layla répondit prudemment :

« Je me suis engagée à prendre le thé avec les Davies un peu
plus tard, cet après-midi, et... euh... j'espérais que vous pourriez
me parler des moments clés des premières années de Macedonia.

— Certainement ! Nous allons vous préparer à affronter les
Davies, déclara Mlle Betts, replaçant un de ses petits peignes
d'un geste sec. Bien, comme le fait justement remarquer
M. Davies, l'histoire officielle de Macedonia commence avec
l'arrivée du général Magnus Hamilton. Il s'installa un peu plus

au nord de... Bonjour, Willa, lança-t-elle soudain d'une voix haute et claire. Déjà de retour?

— Ravie de te retrouver ici, Willa!» l'accueillit Layla, amicale.

L'enfant se figea à l'entrée. Elle hésita un peu, puis déglutit et, une expression déterminée sur le visage, s'avança jusqu'au bureau de Mlle Betts.

«Oui, mademoiselle, bonjour, dit-elle posément. – D'un ton plus enjoué, elle glissa : – Coucou, mademoiselle Beck. Je viens juste faire quelques recherches. J'en fais beaucoup. Des recherches. Je viens pour l'Albanie. Je m'intéresse à l'Albanie, cette fois. – Elle adressa un sourire éclatant à la bibliothécaire avant de reprendre : – J'ai appris que le roi Zog d'Albanie venait de se marier. Le roi Zog d'Albanie, articula-t-elle à nouveau, à l'intention de Layla. C'est lui qui m'intéresse. Je vais regarder dans l'encyclopédie. Le royaume d'Albanie.

— Tu trouveras l'encyclopédie sur l'étagère des usuels, l'informa Mlle Betts, réprimant un sourire.

— Il a épousé une fille de vingt ans de moins que lui. Ils l'appellent la Rose Blanche de Hongrie, là-bas, vous imaginez, mademoiselle Beck?»

Layla fronça les sourcils, perplexe.

«Imaginer quoi?

— Qu'on vous appelle la Rose Blanche de Hongrie, insista Willa.

— Non. J'ai du mal à l'imaginer.»

Son sourire se figea. Où voulait en venir cette enfant?

Soudain, la fillette s'empourpra et recula.

«Excusez-moi, marmonna-t-elle. Je... je... je file.»

Elle s'élança vers les rayonnages, les épaules tombantes, l'incarnation de la gêne.

«Que s'est-il passé?» s'enquit Layla, sidérée.

Mlle Betts suivit la silhouette folâtre de Willa d'un regard attendri.

«Un âge bien étrange. Pauvre petite.

— Savez-vous à quoi elle faisait allusion?

— Aucune idée.»

Elle se pencha sur son bureau et baissa la voix.

«C'est une enfant très brillante. Une lectrice vorace. Elle aura bientôt lu toute notre collection, qui n'est pas si considérable, il est vrai.»

Elle engloba son petit royaume d'un regard circulaire avant de reprendre.

«Quoi qu'il en soit, elle a beaucoup d'imagination...

— L'Albanie? l'interrompit Layla, levant les yeux au ciel.

— Certes. Mais je suis sûre qu'il y a une certaine logique dans cette folie apparente.»

Layla hésita.

«Sa famille est... Ils sont tous très aimables.

— Un peu étrange? C'est bien ce que vous alliez dire? Je suppose qu'elle l'est, oui. Pour une personne extérieure. Et même pour un proche, d'une certaine manière. L'intelligence est une tare sociale dans une ville comme Macedonia...

— Vous voulez parler de M. Romeyn? Il est vrai qu'il paraît très sophistiqué pour une si petite ville, il semble avoir beaucoup voyagé, aussi. J'ai cru comprendre qu'il s'était rendu en France et...

— Je voulais parler de Jottie, corrigea Mlle Betts.

— Mlle Romeyn? Ah oui? Je... il est vrai que c'est une personne aimable. Et une très bonne cuisinière.

— L'épitaphe de la vieille fille, soupira la bibliothécaire.

— Elle n'a jamais été mariée? questionna Layla, se demandant combien de temps elle allait devoir faire mine de s'intéresser à Jottie avant dè pouvoir en revenir à Felix.

— Jamais. – La bibliothécaire la toisa sévèrement. – Donc, sans intérêt ?

— Ce n'est pas ce que j'ai dit ! Vraiment, mademoiselle Betts, vous interprétez mes propos.

— Toutes mes excuses. Étant vieille fille moi-même, je suis sans doute plus réceptive aux soupçons d'insignifiance. »

Layla sourit.

« Je ne vous trouve pas insignifiante.

— Merci. »

Mlle Betts étudia son tampon buvard.

« Les Romeyn étaient – et sont toujours, dans une certaine mesure – une des plus grandes familles de Macedonia. Ils se sont illustrés dans les épisodes les plus marquants... ou peut-être devrais-je plutôt dire, les plus tragiques, de notre histoire.

— Tragiques ? répéta Layla, curieuse. Je vous en prie, racontez-moi. »

Mlle Betts n'était pas du genre à se laisser embobiner.

« La frontière entre l'histoire et les commérages est mince, mademoiselle Beck. Soyez assurée que je m'en tiendrai aux faits historiques.

— Oui, bien sûr », approuva Layla, décontenancée. – Après un bref silence, elle tenta : – Ils ne sont pas sur la liste de M. Davies, celle de ce qu'il appelle les grandes familles de Macedonia. Je sais que c'est un détail, mais s'ils sont importants, pourquoi... »

Mlle Betts leva les yeux vers les rayonnages derrière lesquels Willa devait vraisemblablement se trouver et Layla rougit en suivant son regard.

« Peu importe, coupa-t-elle court. Il me semble que vous avez mentionné votre désir d'apprendre à effectuer des recherches, hier ? murmura la bibliothécaire, avant de reprendre d'une voix plus forte : Bon, allons à l'abordage de l'histoire. »

Penchées sur le bureau, les deux femmes se mirent à parler de George Washington, de ses travaux de recherche, et de lord Fairfax, tandis que Willa, dissimulée derrière un gigantesque pupitre, se tenait aussi immobile que le gros dictionnaire qui la surplombait, respirant à peine, les yeux fixés sur la petite forêt de pieds de chaises qui obstruait son champ de vision. Une heure s'écoula, qu'elle passa à ne rien faire d'autre qu'écouter le récit d'événements tragiques, l'histoire des grandes familles et des commérages.

Ce n'est qu'après le départ de Layla que Willa sortit de sa cachette et se remit à se déplacer en crabe sur le périmètre de la bibliothèque. Fière d'être passée inaperçue, elle sursauta presque en entendant un sonore :

« As-tu trouvé l'Albanie ?

— Euh, l'Albanie ? bégaya-t-elle. Oh, oui. L'Albanie. C'est petit. Il faut que j'y aille, mademoiselle Betts. »

Elle lui adressa un petit signe maladroit de la main et fila.

La bibliothécaire regarda sa fine silhouette disparaître.

« Au revoir, petite », murmura-t-elle.

Willa traîna dans Prince Street un long moment. Une voiture passa devant son regard absent. Puis, soudain galvanisée par une force invisible, elle s'élança sur sa droite, et longea les devantures défraîchies des boutiques. Elle passa la main sur le visage de l'Indien en bois, planté devant le magasin Tabacs et Cigares de la Shenandoah, contourna un groupe d'hommes aux visages hagards attendant sans raison autour d'une cage d'escalier, et avança d'une démarche d'automate jusqu'à l'intersection suivante. Là, essuyant la sueur sur sa lèvre supérieure, elle descendit du trottoir, se ravisa, regarda des deux côtés de la chaussée, et traversa Prince Street pour tourner à l'angle.

II

Au coin de la rue, j'essuyai un peu de sueur sur mon visage et posai un pied sur la chaussée. Me souvenant alors de Teddy Bower, je remontai aussitôt sur le trottoir et regardai de chaque côté une bonne centaine de fois avant de traverser.

La chaleur s'intensifiait. Dans Prince Street je pouvais m'en protéger sous les auvents qui la jalonnaient sur presque toute sa longueur, mais une fois dans Opequon Street, il n'y avait plus grand-chose pour s'abriter. Il n'y avait plus grand-chose tout court. Opequon n'était qu'une enfilade de bâtiments en briques cassées, de fenêtres sales et de pancartes délavées. Sur l'une d'elles on pouvait lire La Pomme rouge de Cooey, je me demandai ce que ça pouvait bien être.

Je m'arrêtai alors sans savoir pourquoi. Je mis une ou deux minutes à comprendre que je venais d'apercevoir la voiture de mon père, garée le long du trottoir. Il n'y avait personne à l'intérieur. Je balayai la rue du regard. Rien ne ressemblait à un endroit où il aurait pu se rendre – à vrai dire, il n'y avait rien du tout en vue. Je me dis alors qu'il se trouvait peut-être à La Pomme rouge de Cooey. Le trottoir bouillant grésilla sous mes semelles quand j'approchai de la vitrine. Le verre était si encrassé de poussière que je ne vis guère que mon reflet; néanmoins, je distinguai des formes à l'intérieur, des silhouettes qui

128

se mouvaient lentement, comme dans une ruche. Je songeai à m'approcher de la porte, mais me ravisai, un peu craintive quand même. À la place, je décidai de m'asseoir dans la voiture de mon père et de l'attendre là. Pour lui faire la surprise.

« Les grandes familles », murmurai-je, me demandant ce que ça pouvait bien vouloir dire. Une famille qui était là depuis cent cinquante ans ? Ou entendaient-ils *grand* comme lorsqu'on disait que George Washington état grand dans le cœur de ses concitoyens ? Le siège était brûlant sous mes cuisses. De la sueur titilla **ma** cicatrice, derrière le genou. Des événements tragiques – voilà qui était merveilleusement attirant. Je me mis à fouiller la voiture impeccable de mon père. J'ouvris la petite poche censée contenir des cartes routières et des papiers. Elle était vide. Je me retournai et me penchai par-dessus le dossier du siège. Rien non plus sur la banquette ; mais il y avait sa sacoche par terre, celle dans laquelle il transportait ses produits chimiques. Une grande sacoche en cuir épais et rigide. Il y avait ses initiales en or à côté de la poignée. Je caressai le F.H.R. du bout du doigt, puis essayai de la soupeser, juste pour voir. Elle ne bougea pas d'un poil. Elle était vraiment lourde. D'un autre côté, me dis-je, tu n'es pas très robuste. Je me penchai encore, et, prenant une grande inspiration, la saisis de toutes mes forces. En vain. Je pressai le bouton, mais elle était verrouillée. Son contenu demeurerait secret.

Contrariée, une fois encore, je retombai sur mon siège. Les produits chimiques coûtaient sûrement très cher. Ils étaient précieux, c'est pour ça qu'il les avait mis sous clef. Je me dis alors que je pourrais tenter de lui demander carrément : « Papa, tu veux bien me montrer ce qu'il y a dans ta sacoche ? » Il répondrait sans doute oui.

J'entendis un brouhaha derrière la voiture : un crac-vlan, et un « Hé-hé-hé » étouffé. Sentant qu'il valait mieux que je me montre prudente, je me tassai le plus possible sur le siège, afin que ma tête ne dépasse pas du bord de la vitre. Puis, me faisant l'effet d'être un des frères Hardy, je roulai sur le ventre pour pouvoir jeter un œil par le pare-brise arrière. Quatre hommes avec des chapeaux se tenaient devant La Pomme rouge de Cooey. L'un d'eux était petit et trapu. Son chapeau était blanc, avec un ruban noir autour. Je n'en avais jamais vu de semblable. Il y avait deux autres hommes, tout minces et rabougris, qui se ressemblaient comme des frères. Et mon père. L'homme au chapeau blanc et l'un des frères riaient, «ha-ha-ha!» Papa ne riait pas, lui. Il les regardait, l'air calme. Je ressentis une pointe de fierté parce que c'était le plus beau des trois, et le plus distingué aussi : il ne s'esclaffait pas comme eux. Il devait sans doute leur vendre des produits chimiques, même si sa sacoche était dans la voiture.

Les voix continuèrent à ronronner un moment, sans que je puisse comprendre ce qu'ils se disaient ; puis, l'homme au chapeau blanc abattit sa main sur l'épaule de mon père et s'exclama d'une voix puissante :

«Marché conclu, Romeyn!»

Mon père sourit, et soudain tout s'éclaira, comme lorsqu'un éclair illumine le contour de chaque chose. Ce que je voyais là, c'était son autre monde : un monde qui ne communiquait en rien avec celui de la maison, avec Bird, Jottie et moi. Il était une personne totalement différente, ici. Et je me sentis très seule à cette idée.

Bientôt, ils s'éloignèrent dans la rue et montèrent dans une voiture. L'homme au chapeau blanc prit le volant. Je me baissai encore plus bas et entendis le moteur passer tout près de moi, puis s'éloigner pour tourner à l'angle.

J'attendis plusieurs minutes avant de me rasseoir. J'aurais pu descendre de la voiture, mais je restai là, en dépit de la chaleur, pour réfléchir un peu. Je me rendais compte que je m'étais comportée comme une idiote avec Mlle Beck, une idiote puérile.

Elle allait penser que j'étais étrange, maintenant. Je me raidis en me remémorant la scène. Elle ne me demanderait jamais de recopier ses notes, ne remercierait jamais Wilhelmina Romeyn de l'avoir si bien assistée, en première page de son livre. Bah, peu m'importait. Je me moquais de ce qu'elle pensait de moi, j'avais d'autres préoccupations pour l'heure. Je n'avais plus le temps d'être son assistante. Tendre l'oreille était aussi fructueux que l'avait promis Jottie. Je découvrais des tas de choses ; comme le fait que Papa fermait sa sacoche à clef ou que nous avions été au cœur d'événements tragiques, et que Vause Hamilton avait mis le feu à la manufacture de mon grand-père. Et je venais juste de faire une incursion dans l'autre monde de mon père. Je commençais à découvrir des choses, et ce n'était qu'un début. Je voulais en apprendre davantage sur Papa et La Pomme rouge. Cela exigeait que j'effectue le même genre de recherches que celles que j'espérais effectuer pour le compte de Mlle Beck. Oui, j'avais ma propre enquête à mener.

Je ne reconnus mon oncle Emmett que lorsque son camion passa une deuxième fois devant la voiture de mon père. À reculons. Il se pencha sur ma vitre.

« C'est toi, Willa ?

— Oui, c'est moi. Salut, Emmett.

— Salut. »

Il tendit le cou, et regarda des deux côtés de la rue.

« Où est Felix ?

— Je ne sais pas », avouai-je.

Il gara son camion le long du trottoir opposé et traversa à pied. Il était si grand qu'il dut se plier en deux pour me voir.

« Tu as une raison particulière d'être assise dans cette voiture ? » me questionna-t-il.

Jottie disait qu'Emmett était un mystère. Sans doute parce que c'était le membre de la famille le moins bavard, et parce qu'il avait l'air austère d'un juge. Mais Bird et moi le connaissions mieux que ça. Sa manière de nous poser des questions, avec sa mine perplexe et solennelle, nous tordait de rire. Seulement, il ne le faisait que lorsque nous étions seuls tous les trois. Parfois, nous étions si hilares que Jottie apparaissait dans l'encadrement de la porte et nous demandait ce qui se passait, une pointe d'espoir dans la voix.

« Je pense que ces fillettes sont des détectives, répondait sobrement notre oncle. Je ne comprends pas un traître mot de ce qu'elles disent. Et en plus, elles sont crasseuses », ajoutait-il, nous chassant d'un revers de la main.

Je gloussai rien qu'en y repensant.

« Papa est parti avec des hommes, lui expliquai-je.

— Il t'a laissée là ?

— Non, non, il ne savait pas que j'étais ici. »

Je lui expliquai comment j'avais découvert sa voiture.

« Il n'a pas pris sa sacoche. – Je lui désignai l'arrière de la voiture. – Elle est fermée à clef. »

Emmett jeta un œil au sac en cuir noir, par-dessus mon épaule.

« Je vois. – Il me dévisagea avec ses yeux marron foncé, les mêmes que ceux de Papa et Jottie. – J'imagine que ce n'est pas parce que tu as essayé de l'ouvrir que tu le sais.

— Ben, si, admis-je, étonnée moi-même.

— Pourquoi ?

— Qu'est-ce qu'elle contient à ton avis ? Des produits chimiques ? »

Il hocha lentement la tête.

« Oui. Des produits chimiques. »

Il ouvrit la portière et me fit signe de descendre.

« Bien. Je vais te donner un bon conseil, Willa. Les gens paient pour qu'on leur rende ce genre de service, d'habitude, mais comme je suis ton oncle, je vais te le donner gratuitement.

— Tu vas me dire de me mêler de mes affaires ?

132

— Non, pas du tout. Voici mon conseil : ne pose pas de question si tu risques de ne pas aimer la réponse. »

Je croisai les bras.

« Franchement ! Comment veux-tu que je devine la réponse avant de poser ma question ?

— Du calme. Tu n'as qu'à te demander s'il est possible que la réponse mette en danger une chose qui t'est précieuse, et si c'est le cas, ne pose pas la question. »

Mette en danger, quoi ? Rien n'était dangereux.

« C'est idiot. Personne ne pourrait rien découvrir en suivant ce conseil !

— Découvrir n'est pas aussi rigolo qu'on peut le croire, Sherlock. »

La cloche de l'église presbytérienne sonna quatre coups. Il jeta un œil du côté de Prince Street.

« Bon, ma puce, il faut que j'y aille. Tu rentres à la maison, d'accord ? Ne reste pas ici, tu veux ?

— D'accord. – Il attendit, les bras croisés. – Je ne suis pas né de la dernière pluie, tu sais. »

Je lui souris.

« D'accord. »

Je descendis de voiture et m'arrêtai net.

« Dis, Emmett ? »

Il s'était déjà retourné pour traverser la rue.

« Quoi ? lança-t-il par-dessus son épaule.

— C'est quoi La Pomme rouge de Cooey ? m'enquis-je, désignant la pancarte.

— Un commerce d'alcool de contrebande. – Je jetai un œil vers la petite échoppe crasseuse, perplexe. – Tu comprends, maintenant ? – Il attendit un instant avant de reprendre : – Allez, file. »

Je repris le chemin de la maison.

Les jumelles étaient étalées en travers du divan, telles des fleurs humides, dans la fraîcheur théorique de la véranda. Assise bien droite, Jottie lisait *Jody et le faon*, maussade. Elle sursauta en entendant claquer la moustiquaire.

« Te voilà ! »

Elle tapota le coussin de l'antique fauteuil en rotin à côté d'elle.

« Salut, tante Jottie, dit Willa, se laissant tomber dessus. Salut, Bird. »

La fillette grogna une réponse, mâchonnant le chewing-gum dont elle ne s'était pas départie depuis le matin.

« Sers-toi, dit Jottie, pointant le menton vers le pichet de thé glacé.

— Non merci. Dis, c'est quoi une grande famille ?

— Pardon ?

— Une grande famille. M. Davies a donné une liste des grandes familles de Macedonia à Mlle Beck, et nous ne sommes pas dessus. »

Minerva leva la tête, cherchant le regard de son aînée.

« Bah, c'est du Parker tout craché, répondit-elle, nonchalante. Personne n'est important à moins d'être apparenté à sa famille.

— Ah ? Et nous ne le sommes pas ?

— Du tout, et je tombe à genoux tous les jours pour en remercier le Seigneur », déclara-t-elle gaiement.

Les grandes familles ! termina-t-elle. Sois maudit, Parker Davies, si tu t'avises d'humilier ma Willa.

« Moi aussi, renchérit Minerva. Certains jours, je le remercie plutôt deux fois qu'une. »

Nous étions une grande famille quand ta mère ramassait des grenouilles pour son dîner, fulminait intérieurement Jottie.

Il suffit de gratter le vernis d'un Davies pour découvrir un tas de crève-la-faim...

« Voilà Mlle Beck », mâchonna Bird.

Jottie lorgna le trottoir et sa rage céda la place à la sollicitude. La pauvre petite semblait mourir de chaud.

« Désirez-vous du thé glacé ? » lança-t-elle.

Layla sursauta.

« Oh, oui, s'il vous plaît ! » haleta-t-elle.

Elle gagna la terrasse ombragée, saluant timidement Minerva, Mae, Willa et Bird.

« Bienvenue à Paresseville », soupira Mae.

Layla regarda avidement le thé envelopper les glaçons crépitants.

« Oh, merci », dit-elle, acceptant le verre avec un soupir de soulagement.

Jottie observa son visage écarlate.

« Vous avez beaucoup marché ?

— Oui. Ça m'a paru long, en tout cas. Je suis allée jusqu'à Locust Street. Rendre visite à M. et Mme Davies. »

Elle but une grosse gorgée de thé.

Jottie coula une œillade à Willa, qui étudiait l'ourlet de sa jupe avec intérêt.

« Parker ne vous a-t-il offert aucun rafraîchissement ?

— Du thé chaud. Dans une théière en argent.

— Ciel, fit Jottie. Je parie que vous étiez dûment impressionnée. »

Layla lui sourit.

« Je ne savais pas du tout comment réagir. »

Eh bien, songea Jottie agréablement surprise, cette fille a peut-être un bon fond. Elle lui désigna une assiette.

« Prenez donc un cookie. Il faut reprendre des forces. »

Bird tira son chewing-gum de sa bouche et déclara :

« Dex Lloyd arrive à se ronger les ongles des pieds.

« — Réputée à travers les cinq continents pour son esprit de repartie, commenta Mae, se tamponnant le front avec un mouchoir.

— Parker vous a-t-il été utile pour votre livre ? » s'enquit Jottie.

Layla s'empressa d'avaler un gros bout de cookie.

« Euh. Oui... »

Elle hésita. Était-elle censée se montrer élogieuse envers lui ? Elle essaya de manifester un peu d'enthousiasme.

« M. Davies et son épouse possèdent plusieurs objets ayant appartenu au général Hamilton.

— Son épée, son pistolet, son sac de poudre, et sa sacro-sainte culotte, énuméra Minerva d'une voix lasse.

— Ma sœur est sortie avec Parker Davies, expliqua Jottie.

— Je n'étais qu'une enfant, se justifia-t-elle, rougissante. Je ne connaissais rien à la vie.

— Et lui non plus ! » croassa Mae.

Layla rit et s'enhardit à demander :

« Est-ce que, par hasard, le général Hamilton serait apparenté au M. Hamilton qui a brûlé sa botte, hier ? »

Il y eut un silence.

« Oui, répondit Mae.

— Ma foi ! s'exclama Layla joyeusement. C'est une petite ville, n'est-ce pas ? Mais je me demande pourquoi il n'est pas sur ma liste. Des personnes à interroger, j'entends. En qualité de descendant direct. »

Elle se tourna vers Jottie.

De l'autre côté de la terrasse, Willa l'imita.

« M. Hamilton n'a pas toute sa tête, intervint Minerva. Il n'est pas en état d'être interrogé.

— Oh », dit Layla, troublée par la somme de choses qu'elle ignorait encore.

Jottie fixait la rue, pensive.

« Ah, les vieilles familles... Leur sang bleu n'est pas toujours une bénédiction.

— Qu'est-ce que tu veux dire ? questionna Willa.

— Il n'y a qu'à prendre l'exemple des Hamilton. C'est vrai que le pauvre vieux M. Hamilton n'a pas toute sa tête. Mais ce n'est pas vraiment sa faute. Aucun Hamilton n'a toute sa tête de toute façon. C'est familial. »

Layla ravala un sourire.

« C'est triste pour M. et Mme Davies, commenta-t-elle sobrement. J'ai cru comprendre qu'ils étaient tous deux descendants des Hamilton. Ils ont bien insisté sur ce point.

— Ils ont encore un peu de temps. D'habitude, ça ne se déclare qu'à la vieillesse, la rassura Jottie. Prenez le général, par exemple. Il est né mesquin et avare, mais ce n'est que bien plus tard qu'il est devenu zinzin.

— Le général Hamilton, zinzin ? Ce n'est pas ce qu'on nous a raconté en classe, dit Willa.

— Je ne vois pas comment qualifier autrement un homme qui enfonce son épée dans le pied de son propre fils.

— Tu plaisantes ! » hoqueta Mae.

Willa fronça les sourcils.

« Tu as dit qu'il avait fait ça à un soldat.

— Je ne supportais pas l'idée de te raconter la triste vérité. Je voulais te protéger. Mais... il s'agissait de son propre fils. Il lui a planté son épée en plein dans le pied. Mme Lacey m'a raconté toute l'histoire.

— Voilà qui diffère un peu de la version de M. Davies. – Layla reposa son verre de thé glacé, fouilla dans son sac à main et en tira un carnet. – Mais un bon livre d'histoire offre toujours plusieurs points de vue. »

Un large sourire éclaira le visage de Minerva.

« Allez, Jottie, offre-lui un point de vue différent. »

Sa sœur aînée se ménagea un petit silence mélodramatique.

« D'accord, commença-t-elle d'une voix ténébreuse. Vous savez que le général est arrivé dans cette région en 1758, traînant derrière lui sa misérable épouse et leur fillette, qui n'était encore qu'un bébé. Beaucoup de gens vous diront que c'est le premier homme blanc à avoir foulé le sol des terres situées à l'ouest de la False, mais ce n'est pas vrai. – Elle regarda Layla. – C'est juste le plus méchant à l'avoir fait. Les Indiens vivaient ici en paix, mais le général n'en tint aucun compte et décida d'élire domicile dans la région. Il choisit les terres proches du col de l'Everett, en plein milieu de leur territoire. Je suis certaine que Parker vous a expliqué que le général avait un gros faible pour Dieu. C'était un de ces fameux calvinistes. La dureté ? Ce sont eux qui l'ont inventée. Et le général était sans nul doute le plus dur d'entre eux. Si certains pensaient encore que transmettre la parole de Dieu aux Indiens serait un geste chrétien, le général, lui, balaya cette idée d'un revers de la main, comme s'il s'agissait d'une sottise. – Jottie joignit le geste à la parole. – Pour lui, ils étaient tous damnés, du premier au dernier ; une vision qui lui convenait d'autant plus que rien de ce qu'on pouvait faire aux damnés ne pourrait être considéré comme un péché. Il conclut un pacte avec un groupe d'Indiens, puis fit volte-face et alla les dénoncer à leurs ennemis afin qu'ils s'entretuent. Il leur offrit du rhum en échange de scalps – cette poche de poudre que possède Parker Davies est faite de peau humaine, vous savez...

— Non ! s'écria Minerva.

— Si, assena Jottie, implacable. Le général possédait un tapis de selle confectionné avec des cheveux d'Indiens scalpés, mais il n'en reste plus rien, aujourd'hui. Les Indiens furent bientôt morts ou ivres morts, et le général s'empara de leurs terres à tour de bras. De sorte que, sept ans seulement après son arrivée, il était devenu le quatrième plus grand propriétaire terrien de Virginie-Occidentale et un immense héros pour les nouveaux colons. C'est de là que vient cette histoire de "général". C'est une sorte de titre honorifique qu'on lui attribua pour avoir tué tous ces Indiens. Seulement voilà – Elle baissa la voix avec un air de conspiratrice. –, il finit par y croire et se mit à se pavaner partout, son épée sur la hanche.

— Dépêche-toi d'en venir au pied, la pressa Bird.

— Tu es affreusement assoiffée de sang pour une enfant de neuf ans. D'accord. Le général eut tout un tas de filles. Sa pauvre femme eut un bébé par an pendant quatorze ans. Certains moururent, bien sûr, mais neuf d'entre eux survécurent. Huit filles, et, enfin, un garçon. Le général le prénomma Philip, du nom d'un roi de Macédoine... »

Elle développa alors l'histoire de Philip : la manière dont ses sœurs s'étaient empressées d'épouser le premier venu et avaient abandonné leur petit frère aux mains du général, qui le tyrannisa presque à mort. Comment, après des années de malheur, il s'était retrouvé à errer, perdu dans la montagne en pleine tempête de neige et avait rencontré une fille...

« Pas une Indienne, tout de même ? demanda Minerva.

— Bien sûr que si. Qui d'autre aurait pu se trouver là-haut ? Mais Mme Lacey m'a dit qu'elle était vraiment civilisée.

— Quel âge a Mme Lacey, s'enquit Layla, alarmée.

— Plus de quatre-vingts ans. Elle tient cette histoire de quelqu'un d'autre. »

Jottie poursuivit le récit des rencontres secrètes du garçon et de la fille, qui trouvèrent le bonheur ensemble, jusqu'au jour où le général décida de faire le tour de ses terres à pied – pour s'assurer qu'il n'était pas surtaxé. Il découvrit Philip dans les bois, en train de conter fleurette à la jeune Indienne.

« Il dégaina alors son épée de parade et visa la gorge de la fille. »

Son fils bondit pour s'interposer, et, alors que l'épée restait en suspens dans l'air, il annonça qu'il quittait Macedonia et partait vivre avec sa fiancée.

« Déclaration plutôt brave de sa part, n'est-ce pas ? demanda Jottie, sondant son auditoire, qui acquiesça. Le général lui dit : "C'est ridicule, tu es l'héritier du royaume de Macedonia, et tu ne bougeras pas d'ici." Philip persista : "Non. Je suis libre et indépendant. Je peux aller où bon me semble." Et c'est alors que... – Jottie ouvrit de grands yeux. – son père leva son épée bien haut et l'enfonça dans la botte du garçon, transperçant son pied de part en part, et l'épinglant sur place. "Tu ne bougeras pas d'ici", gronda-t-il.

— Berk, couina Bird en frissonnant.

— N'est-ce pas.

— Et après ? demanda Willa, penchée en avant.

— La première minute n'est jamais aussi douloureuse que celles qui suivent. La première minute, on peut supporter des tas de choses. Mais quand Philip vit le sang se répandre tout autour de sa semelle, il comprit qu'il s'était passé une chose terrible. Il ôta sa botte, la retourna, et en vit tomber trois petits orteils. Les gens disent que c'est à cet instant qu'il devint zinzin à son tour. – Elle se carra dans son fauteuil. – C'est fini. »

Il y eut un silence.

« Attends, dit Willa.

— Attendez », dit Layla au même instant.

Elles échangèrent un regard.

« Que s'est-il passé ? Il est mort ?

— Qui ça ?

— Philip.

— Oh. Non. Il a juste perdu quelques orteils. On peut très bien vivre sans orteils.

— Tu as dit qu'il était devenu zinzin, insista Willa.

— Ah, oui. Mais ça ne s'est pas vu avant un moment. Il est parti, il a combattu lors de la guerre d'Indépendance. Et puis, il est revenu, il s'est marié et a eu une tripotée d'enfants. Tout s'est bien passé pour lui… jusqu'au jour où il a mis le feu à sa propre maison.

— Pourquoi ? demanda Willa.

— Zinzin. Comme son papa. C'est dans la famille. Une sorte de malédiction. »

Qu'en dis-tu, Parker ? Je ne fais que te rendre la monnaie de ta pièce, s'amusa Jottie intérieurement.

« À vrai dire Parker m'a toujours semblé un peu zinzin, réfléchit Minerva à voix haute.

— C'est toi qui l'as rendu dingue, rétorqua Mae.

— Quelle histoire abominable, dit Bird. J'aurais préféré qu'elle ait une fin heureuse.

— C'est un récit historique, lui rappela Jottie. Tu ne peux pas choisir.

— La réalité est toujours si brutale, soupira Mae.

— La vérité finira toujours par éclater, reprit son aînée d'un ton sec, quoi que fasse Parker Davies pour la dissimuler sous de belles couches de peinture blanche. »

Layla leva son carnet.

« En tant qu'historienne officielle de Macedonia, mon devoir envers tous ses citoyens est de faire connaître la véritable histoire de leur ville.

— Votre devoir, rien que ça ! » s'émerveilla Jottie.

Elle enveloppa la jeune femme d'un long regard approbateur. Peut-être qu'elle ne se résumait pas à ce joli minois. Peut-être qu'il y avait un peu de tempérament derrière tout ça.

12

18 juin 1938

Mon très cher Lance,

Merci pour ta lettre que je n'ai pas trouvée particulièrement réconfortante. Je sais que tu es terriblement occupé et
important, mais tu aurais pu accorder un peu plus d'attention à l'affaire avant de me conseiller de jeter le projet aux
orties et de supplier Père de m'accorder son pardon. Je suppose que ma dernière lettre t'a semblé un peu larmoyante,
mais n'importe qui serait un peu impressionné le jour de son
arrivée dans une nouvelle contrée. Je n'espérais qu'un peu de
compassion, pas de conseils, et je n'envisage pas de quitter
Macedonia à l'heure qu'il est, comme tu le suggères de
manière si cavalière. Cela indisposerait sérieusement le
conseil municipal, qui s'attend à recevoir son livre à temps
pour le cent-cinquantenaire, en septembre, et cela embarras-
serait Ben, qui me mépriserait davantage encore. Je ne peux
pas non plus aller supplier Père de me pardonner. Tu imagines ? L'incroyable hypocrisie qui consisterait à réclamer les
avantages d'être son enfant tout en refusant de lui obéir
comme une enfant ? Je n'épouserai pas Nelson, il n'en est pas
question – oh, non, il ne faut pas que je recommence à penser

à Nelson! Le souvenir de ses joues roses et de ses mouchoirs amidonnés suffit à me faire frissonner jusqu'au tréfonds de l'âme.

En sus de ce nouveau (et néanmoins inébranlable) sens du devoir auquel j'obéis, je commence à m'intéresser un peu à l'histoire de Macedonia. Pas beaucoup, je le reconnais, à *L'Histoire de Macedonia* telle que le conseil municipal souhaite que je l'écrive, mais à sa véritable histoire. Les personnages sont fascinants – leur pouvoir, j'entends. Un héros – ou un fou – est sans doute à l'origine de toute l'aventure. Il est possible que la petite ville de Macedonia ne doive son existence qu'à un dément du nom d'Hamilton, qui s'est mis dans la tête de s'installer ici et a détruit toute chose et toute personne qui s'opposaient à lui. Je suppose que la conjoncture a été pour quelque chose dans tout cela, mais je pense que les personnages, même malfaisants, ont joué un plus grand rôle encore, et j'entends leur restituer leur part réelle dans *L'Histoire de Macedonia*, même si je risque de finir la tête au bout d'une pique. Le conseil municipal, qui finance le livre, a une idée précise de ce qu'il doit contenir : il devra principalement consister en descriptions des « grandes familles » de Macedonia. M. Parker Davies, le premier conseiller municipal (ou premier conseiller, comme il préfère qu'on l'appelle), a détaillé mes obligations dans une longue lettre, et il apparaît que je ne suis pas censée m'attarder sur des broutilles telles que l'industrie locale ou la guerre de Sécession.

M. Davies m'a très généreusement fait l'honneur de me recevoir avec son épouse, Belinda (!), afin de m'offrir l'occasion d'admirer les reliques de son ancêtre, le général Hamilton, fondateur de la ville. Au ton de sa lettre, je m'attendais à ce qu'il ait conservé la tête de son aïeul dans une boîte.

Néanmoins, je me suis comportée en jeune dame bien élevée quand, jeudi après-midi, un majordome en livrée m'a invitée à passer le seuil de la demeure des Davies. Il m'a conduite à la bibliothèque, où M. et Mme Davies m'attendaient, sagement assis sur un sofa en soie. Nous avons échangé des poignées de main graves ; leur expression austère suggérait, je pense, leur désapprobation générale envers les gens dans le besoin, le New Deal, et le président Roosevelt, plus qu'envers ma personne en particulier – mais je me suis néanmoins un peu fait l'effet d'une criminelle. C'est démoralisant d'être davantage considérée comme un problème que comme un individu.

Bien sûr, ils se sont montrés parfaitement polis – de la manière la plus condescendante qui soit. Le majordome en livrée a apporté du thé sans une miette à manger pour l'accompagner, sur la théorie, je pense, que la nourriture risquait d'encourager ma détermination à être affamée. Ils m'ont néanmoins donné une cuillère en argent pour remuer mon thé, mais avec une mauvaise grâce évidente. J'aurais dû la leur chiper – j'ai appris à le faire en pension, ça leur aurait donné une bonne leçon. J'aurais pu leur assener un coup fatal en mentionnant simplement : « Mon père, le sénateur Beck », mais je ne l'ai pas fait. Je ne l'ai pas dit à âme qui vive. J'ai le sentiment que si Père me dédaigne, je dois le dédaigner en retour, ne serait-ce que pour lui prouver que je peux subvenir à mes besoins comme des centaines d'autres filles. Je peux me lever pour aller travailler, déjeuner dans un café bon marché, laver mes bas dans le lavabo et dépenser toute ma fortune dans un ventilateur pour rafraîchir ma mansarde – et découvrir que l'on me méprise en raison de ma pauvreté. Ça vous permet de comprendre les aspects séduisants de la guillotine.

Oh, mon Dieu. Je crains que mes grands principes m'aient fait perdre le fil de mon histoire. Où en étais-je ? Dans le petit salon des Parker Davies, oui. Après une courte conversation

144

lugubre – trop de pluie, la récolte de pommes ruinée –
M. Davies toussa pour me signaler qu'il était temps d'aborder
le sujet qui nous préoccupait. Je pris mon bloc sténo et un
crayon, prête à noter tous les glorieux détails de la longue
vie du général Hamilton. Et des détails, il y en eut beaucoup.
Même enfant, le général avait prouvé sa grandeur en
envoyant un caillou à une distance impressionnante. Et,
jeune homme, il avait été remarqué par George Washington
pour sa moralité exemplaire et invité à dîner à Ferry Farm,
où la description que le grand homme lui avait faite du territoire qui s'étendait derrière Blue Ridge Mountains lui avait
donné l'envie de découvrir ce paradis terrestre. On me montra solennellement la culotte que le général avait portée lors
de ce dîner, éclaboussée de sauce par Washington lui-même,
avant de me conter le reste de sa carrière remarquable. Oh,
Lance, je fais paraître tout cela amusant – et ça l'était – mais
M. et Mme Davies ont été affreux. M. Davies parlait lentement, articulant des O bien ronds, se raclant la gorge et
ménageant des silences songeurs. Parfois, je me demandais
s'il avait terminé sa phrase ou s'il l'avait juste oubliée, et je
me mettais à hocher la tête pour l'encourager, et alors cette
vieille baderne levait un doigt pour m'arrêter, comme si je
l'interrompais. « Du calme, du calme, me disait-il. Bien. Le
général. A eu neuf enfants en bonne santé. Lis leurs noms,
Belinda. » Alors Mme Davies a feuilleté ses papiers jusqu'à
ce qu'elle découvre la liste qu'elle a lue tandis que je griffonnais furieusement. Pourquoi ne m'ont-ils pas simplement
donné ce bout de papier idiot ? J'y ai passé des heures, mon
ventre grondait et gargouillait, tandis qu'ils passaient tranquillement en revue chaque année de la vie du général. Le
grand homme a fini par gagner son repos éternel, où je l'espère il a bien rôti, si j'en crois le petit cadavre dans le placard dont j'ai entendu parler à son sujet (et que je me

propose d'intégrer à l'histoire). M. et Mme Davies se sont extirpés de leurs chauffeuses, et j'ai tendu la main – mais non ! Ils n'allaient pas me laisser partir aussi vite. Il fallait que je visite leur maison.

« Je sais que vous serez intéressée par la bonnetière du général, déclara Mme Davies, se tordant les mains d'excitation.

— Vous vous trompez complètement, ai-je répondu. Le chiffonnier du général est le cadet de mes soucis. En fait, je pense que mon désir de vous envoyer au diable, vous et votre époux, est à peu près la seule chose qui soit aussi profonde et aussi sérieuse que le manque d'intérêt que suscite en moi cette bonnetière. »

Non, en réalité, j'ai répondu : « Bien entendu. J'en serais ravie. »

Le chiffonnier, ainsi que je ne tardai pas à le découvrir, n'était qu'un prétexte. Ils me guidèrent dans un couloir, puis un autre, et à travers des kilomètres de salons, de salles à manger, de chambres et de vestiaires, tout en désignant des antiquités et autres trésors de famille, *s'arrêtant* devant avec un air détaché. Au bout de quelques interludes de ce genre, je compris qu'ils s'attendaient à ce que *L'Histoire de Macedonia* comporte des descriptions de leur mobilier. Ils s'arrêtaient pour me permettre de prendre des notes sur les merveilles qu'ils possédaient. Mon Dieu. Je sortis prestement mon bloc et griffonnais quelques phrases en une écriture évoquant la sténo pour les satisfaire. À ce moment de ma visite, j'aurais fait n'importe quoi. J'étais déprimée. Et j'avais terriblement faim. Quand nous sommes enfin arrivés devant la bonnetière (sombre et grinçante), j'ai dûment admiré le meuble puis marmonné quelque chose à propos du fait que je ne voulais pas retarder le dîner des Romeyn...

Mme Davies sembla soudain avoir avalé une tranche de citron.

« Vous logez chez les Romeyn ?

— Oui. Dans Academy Street, répondis-je.

— Une famille peu ordinaire, commenta-t-elle, toujours acide.

— Ah, oui ?

— Quelle honte que Jottie en soit réduite à devoir prendre des pensionnaires, dit-elle avec une mine qui aurait pu paraître compatissante si elle avait cessé de se passer la langue sur les dents. La pauvre Mme Romeyn doit se retourner dans sa tombe. »

Comme j'aurais voulu me redresser et lui demander :

« Essayez-vous de suggérer que ma présence déshonore sa maison, madame ? » Mais j'avais encore plus envie d'en apprendre davantage. Alors j'ai répondu : « Vraiment ?

— Mmm. Ils étaient assez nantis à une époque, vous savez. Le vieux M. Romeyn dirigeait la manufacture... Les Inusables Américaines.

— Oui, bien sûr, ai-je murmuré. La manufacture.

— Et je suis certaine que le pauvre homme *espérait* que Felix assurerait la relève, mais, *enfin*, cela n'a plus été possible après... »

C'est à ce moment crucial que M. Davies l'a interrompue avec autant de tact qu'un éléphant dans un magasin de porcelaine.

« Transmettez nos salutations aux Romeyn, je vous prie. Dites à Jottie que le conseil municipal apprécie sa contribution à l'organisation des festivités du cent-cinquantenaire. »

Son épouse a ouvert la bouche – pour m'en dire plus sur les espoirs déçus de M. Romeyn ? Pour révéler des scandales sur la famille ? – mais il l'a fait taire d'une de ses petites pressions sur le bras qui signifient, plus-un-mot.

« Merci de nous avoir rendu visite, mademoiselle Beck. Si vous avez de plus amples questions, vous pouvez nous consulter, Mme Davies ou moi-même à tout moment, bla-bla-bla, bla-bla-bla... » Silence songeur...

J'ai pris congé d'eux, plus intéressée par les deux dernières minutes de conversation que par les trois heures précédentes. Quel après-midi abominable – comment vais-je bien pouvoir rendre tout cela ne serait-ce que vaguement intéressant ? Car, aussi effrayant que soient les Davies et toutes les autres grandes familles du coin, j'ai décidé de faire de L'Histoire de Macedonia un bon livre, qui méritera d'être lu et conservé. J'ai beaucoup réfléchi à ce qu'était l'histoire, ces dernières semaines, et je crois qu'elle n'est pas fidèle lorsqu'elle ne consiste qu'en une récitation insipide des événements et des dates. Quand elle est digne de ce nom, l'histoire doit rendre compte de l'air du temps, de l'imagination, des rancœurs de l'époque. Tu n'es pas le seul Beck ambitieux et mon ambition est de faire de mon petit livre la meilleure histoire de Macedonia jamais contée (bien que je n'aie guère de concurrents en la matière).

Pauvre Lance. T'ai-je ennuyé avec mes jacasseries infantiles ? En fait, très cher, pour être plus précise, ce que tu viens de lire n'a rien de jacasseries infantiles, il s'agit d'une chronique de mes activités professionnelles (je garde mes jacasseries pour Rose). J'espère sincèrement que tu ne fais pas partie de ces hommes ennuyeux dont le regard se brouille quand les femmes parlent de leur travail. Même la docile Arlene pourrait un jour se lasser de passer son existence à contempler tes vertus et chercher une carrière, et j'espère que tu ne t'appliqueras pas à te montrer dédaigneux. Car tu es parfois un peu dédaigneux. Je m'en suis fait la remarque en te voyant fumer ta pipe – à ta manière d'étirer le cou au-dessus de ton col, comme une tortue, de crisper ta mâchoire comme un colonel, et de dispenser tes opinions comme un évêque. Je pense que tu devrais arrêter de fumer.

Neuf pages ! C'est la plus longue lettre que j'aie jamais écrite, et ce n'est pas une piètre distiction, comme tu le sais. J'espère qu'elle ne dépasse pas le poids réglementaire, parce que j'ai vraiment dépensé mes dernières économies pour ce ventilateur, et je ne pourrais pas acheter un timbre de plus. Il était nécessaire, toutefois. J'ai l'impression qu'il fait plus chaud qu'à Washington, ici.

Avec mon affection de toujours,

Layla

... *Les annales de l'histoire américaine regorgent d'hommes fougueux et passionnés mais aucun n'a jamais été plus obstiné que Magnus Hamilton, qui arriva en Virginie-Occidentale alors qu'il sortait tout juste de l'enfance et vainquit ses ennemis avec une détermination inébranlable et de fins stratagèmes. Pénétré très tôt par la rectitude à toute épreuve de sa foi calviniste, son haut sens moral lui valut l'admiration de George Washington, qui, au cours d'un dîner à Ferry Farm, régala le jeune homme de contes sur son expédition d'exploration dans la vallée de la Shenandoah. Contes qui, à n'en pas douter, inspirèrent à Hamilton sa décision de prendre la route de l'Ouest à l'été 1758, accompagné de son épouse docile, Rebecca, et du premier de leurs quatorze enfants, Mary.*

Les premières années sur Mount Everett ne furent pas des plus paisibles. La passion du général pour les terres prit le dessus sur sa moralité, et il est réputé pour être l'instigateur de plus d'un massacre sanglant parmi les tribus indiennes qui vivaient en paix dans cette région avant son arrivée. En effet, en six ans, le général réussit à anéantir presque totalement les Indiens locaux, avec pour seules armes l'alcool et l'épée. Un abominable trophée de cette ère

*désespérée demeure en possession des descendants d'Hamilton :
une poche à poudre fabriquée avec des restes humains.*

*En 1765, ayant soumis les Indiens de la région et gagné le sur-
nom de «général», attribué par des colons reconnaissants qui le
suivirent dans ces nouvelles terres, Hamilton aurait pu savourer
une vie pastorale paisible, à labourer les champs qu'il avait tant
convoités, mais il n'en fut pas capable. Sa nature inflexible était
garante de querelles domestiques et ces années furent marquées par
une irrationalité croissante, voire une folie, qui poussa ses enfants à
fuir le domicile familial et qui culmina dans un épisode de violence
qui laissa son fils unique mutilé pour la vie.*

*Le goût du combat chez Hamilton joua un rôle positif durant la
guerre révolutionnaire, quand une milice sous son commandement
rencontra le régiment du brigadier général Wayne, Le Fol Anthony,
lors de la campagne de Virginie de 1781. Bien qu'Hamilton ne soit
plus en âge de se battre depuis longtemps, la confusion causée par
son titre honorifique l'amena à jouer un rôle inattendu à la bataille
de Green Spring. Ayant été informé de son erreur, le brigadier général Wayne aurait fait le commentaire suivant : «Je n'ai pas peur
pour lui. Il faudrait un tireur d'élite pour toucher une chose aussi
minuscule que le cœur d'Hamilton. »*

*À l'issue de sa brève aventure militaire, le général retourna
à Macedonia et se fit un devoir de cultiver la plantation qui, à
l'époque, était déjà connue sous le nom de Pella. Ayant renoncé
à une première idée de ferme d'élevage de moutons mal conçue, il se
mit à couvrir ses arpents de pommiers et à surveiller ses troupeaux
de vaches, toujours plus nombreuses d'année en année, récoltant
richesses et louanges, jusqu'au 18 septembre 1788, date à laquelle
la ville de Macedonia fut officiellement fondée et où il en fut investi
maire. Plus tard, cette année-là, il eut l'honneur d'accueillir
Bushrod Washington, le neveu préféré de George Washington, à
Pella, qui répéta pour la première fois le célèbre compliment de
Washington à la ville nouvellement établie : « Je ne connais de ville*

mieux située que Macedonia. » Il ne fait aucun doute que les deux hommes levèrent leur verre en l'honneur du Père de notre Nation et à la toute jeune ville de Macedonia.

Bien que l'époque héroïque de Macedonia soit bien loin, et que le pas décidé du général ne résonne plus guère dans les forêts de Mount Everett, le souvenir de Magnus Hamilton est très présent quand on visite l'élégante demeure de Locust Street où résident ses descendants, M. et Mme Parker Davies. Souriante, la propriétaire des lieux vous désigne le portrait du général qui trône sur le manteau de la cheminée de son magnifique petit salon.

« Il fut peint par Werner Bliss en 1811 », vous confie-t-elle, enveloppant le visage austère d'un regard affectueux. « Grand-Père — je l'appelais Grand-Père — est mort l'année suivante, en 1812, à l'âge de soixante-quatorze ans. » Le visiteur sera ensuite conduit à travers des couloirs aux boiseries sombres pour aller admirer la bonnetière du général, dernier vestige provenant de la première cabane en bois d'Hamilton sur Mount Everett. Sombre et grinçante, elle trône dans un couloir ensoleillé, témoignage du respect que lui voue chaque génération et résonne du cliquetis des ossements de plusieurs cadavres.

Geraldine avait raison : j'étais née pour fureter. Le lendemain de La Pomme rouge de Cooey, je surpris Sonny Deal qui filait, subrepticement, tête baissée. Je le suivis, tout aussi subrepticement, depuis le trottoir opposé. Il n'y vit que du feu et s'engouffra bientôt sous le pont de Race Street pour réapparaître de l'autre côté, sifflotant. Je le laissai prendre un peu d'avance, puis m'élançai sous le pont à mon tour. Et c'est alors que je découvris deux seaux de prunes vertes ! Des munitions ! Je les pris et les trimballai jusqu'à Capon Street où Geraldine me décora d'une épingle à nourrice.

Quand nous coinçâmes Sonny près de la rivière, cet après-midi-là, nous fîmes pleuvoir sur lui une féroce averse de prunes. Comme toujours, je ne réussis pas à le toucher une seule fois, mais Geraldine fit mouche, et il s'en reçut une en plein dans le cou.

« Willa Romeyn ! Qu'est-ce qui se passe en bas ! »

C'était Mme Fox. Elle écarta sa haie de buis pour apercevoir les berges de la rivière.

Geraldine avait beau être grosse, elle avait l'art de disparaître dans les buissons. Quant à Sonny Deal, il poussa un cri et détala comme un chien, soulevant un sillage d'écume. Je me retrouvai alors seule à découvert.

« Ce garçon t'a fait mal ? » me demanda Mme Fox, regardant Sonny s'enfuir au loin.

Je n'eus d'autre choix que de me mettre à pleurnicher.

« Il n'a pas fait exprès de me frapper dans l'œil, dis-je, serrant bravement les dents.

Oh ! Quelle brute ! J'ai bien envie d'appeler la police ! »

Je secouai vivement la tête.

« Non, m'dame. Je crois qu'il ne recommencera pas.

— Hum. Bon, dit-elle, sceptique. Tu veux de la citronnade ? »

C'est ce qui s'appelait un heureux hasard. Peut-être que c'était mal d'être récompensée pour avoir menti, mais je n'y étais pour rien. Nous étions confortablement assises dans les chaises longues de Mme Fox à siroter nos boissons et parler du temps et d'autres choses du même genre, quand j'eus soudain une idée.

Je gardai ma limonade dans ma bouche, le temps de réfléchir, puis j'avalai et me lançai :

« Madame Fox, l'autre jour, quand M. Hamilton a brûlé sa botte, vous avez dit que Jottie était une sainte. »

Elle acquiesça. Je pris un air innocent mais pas idiot – ce qui n'est pas facile du tout.

« Vous avez dit ça parce que le fils de M. Hamilton a brûlé les Inusables Américaines ? »

Elle pinça les lèvres.

« Ta tante a un cœur en or pur...

— Pourquoi a-t-il fait ça ? m'empressai-je de reprendre avant qu'elle ne se mette à m'énumérer les qualités de Jottie, que je connaissais déjà. Il était zinzin ?

— Vause ? – Elle secoua la tête. – Non, pas vraiment. Il était... ma foi, tout le monde traitait Vause Hamilton comme le messie ressuscité quand il était encore lycéen. Je suppose qu'il avait fini par y croire. – Elle fronça les sourcils. – Je dois reconnaître que je me suis laissé prendre, moi aussi. C'était le plus gentil des garçons. J'imagine qu'il cachait son côté sombre.

— Comme le Dr Jekyll ? »

Elle sourit.

« Peut-être. Mais il est plus vraisemblable qu'il ait été trop gâté. Tout le monde trouvait que c'était l'être le plus délicieux qui soit, et on ne se gênait pas pour le lui faire savoir, où qu'il aille. Vause ceci, Vause cela. C'est ce qui a causé sa perte. Tiens, par exemple : quand il est rentré de la guerre, il ne s'est même pas donné la peine de chercher du travail ; il est resté là à traînasser pendant près d'un an. Et quand il a décidé qu'il avait besoin d'argent, qu'est-ce qu'il a fait ? Il a volé ton grand-père, l'homme le plus généreux que la Terre ait jamais porté ; le père de son meilleur ami, qui plus est ! Et il a *brûlé* la manufacture. Quel besoin avait-il de la brûler ! Il possédait la combinaison du coffre. Il a pris six mille dollars. Ça aurait quand même dû lui suffire. Mais, non, il a fallu qu'il brûle tout et mette tout le monde au chômage pendant des mois ! »

Elle se pencha en avant, le visage rose de colère.

« Ton grand-père en a eu le cœur brisé ! Et cette pauvre Jottie ! C'était pas plus mal qu'elle en soit débarrassée, à mon avis, et je ne me suis pas privée de le dire ! »

Elle s'adossa à sa chaise.

Qu'elle en soit débarrassée ? Jottie ? Je réfléchis bien avant de parler, cette fois.

« Est-ce qu'elle... – C'était difficile à formuler. – ... est-ce qu'elle l'aimait particulièrement ? »

Le rose déserta les joues de Mme Fox. Elle but une gorgée de limonade.

« Oh ça, je n'en sais rien ! »

Elle eut un petit rire un peu artificiel.

« C'est pour ça que Jottie est une sainte ? insistai-je. Parce qu'elle l'aimait particulièrement et qu'il a volé mon grand-père et brûlé la manufacture ? Et que malgré tout ça, elle est toujours gentille avec M. Hamilton ? C'est pour ça ? »

Mme Fox fixait sa pelouse.

« Oui, admit-elle. C'est pour ça. »

J'arrivai sans faire de bruit par notre terrasse arrière et j'aperçus Jottie par la fenêtre, penchée sur la table de la cuisine. Elle avait particulièrement aimé Vause Hamilton : c'était tout ce que j'avais réussi à tirer de Mme Fox. Lui avait-il brisé le cœur ? Pour la première fois de ma vie, je me demandai pourquoi ma tante ne s'était pas mariée. Pourquoi s'occupait-elle de nous au lieu d'avoir un mari et des enfants à elle ? Des enfants à elle ? Est-ce qu'elle aurait préféré avoir ses propres enfants plutôt que nous ?

Je me ruai dans la cuisine et l'entourai de mes bras.

« Oh, ma puce ! dit-elle joyeusement. Tu veux entendre une recette dégoûtante ? Du jelly aux petits pois en conserve ! J'ai la nausée rien que... – Je la serrai très fort. – Qu'y a-t-il ?

— Je t'aime.

— C'est une bonne chose, parce que moi aussi je t'aime, me dit-elle, me serrant à son tour.

— Plus que tout ? »

J'avais besoin de l'entendre.

« Autant que Bird, et plus que tout le reste », répondit-elle, comme à chaque fois que je lui posais la question.

Ses paroles me calmèrent un peu, mais je ne pus m'empêcher de continuer.

« Pourquoi tu ne t'es jamais mariée, Jottie ? »

Je ne sais pas ce que je crus lire alors sur son visage, mais je pris peur. J'avais souvent vu Jottie pleurer de rire. Mais seulement une fois de tristesse. Il y a longtemps. J'ignorais pourquoi, et néanmoins, je me souvenais de l'horrible sensation d'étouffement que j'avais ressentie. Je me tenais dans l'encadrement de

la porte, pétrifiée de terreur, les yeux fixés sur les épaules trem-
blantes de ma tante. Je m'étais dit : Non, elle ne pleure pas, elle
a sûrement le hoquet, ou elle rit. Parce que, si Jottie pouvait
être malheureuse, alors plus rien n'était sûr en ce monde.

Je m'accrochai à elle de plus belle, terrifiée à l'idée de la voir
pleurer, terrifiée à l'idée d'avoir provoqué ces larmes, et par-
dessus tout, terrifiée à l'idée de m'entendre répondre qu'elle
aurait aimé que sa vie soit différente.

Et puis, ce fut fini. Elle sourit et me caressa la joue.

« Tu essaies de te débarrasser de moi ? »

Je faillis sangloter de soulagement.

« Non ! Non, je... je me demandais juste si tu n'avais jamais
rencontré quelqu'un d'assez gentil pour avoir envie de te marier.

— Non. Jamais. »

J'essayai de penser à un gentil monsieur encore célibataire
dans notre entourage.

« Et M. Russell ? »

Elle pouffa.

« Tare Russell, ne m'épouserait même pas si je le payais !

— Peut-être que si.

— Non. Et je ne l'épouserais pas non plus, dit-elle catégorique.

— Qui pourrais-tu épouser ?

— Personne.

— Si tu y étais *obligée*.

— Personne. Même si on menaçait de me jeter aux croco-
diles.

— Clark Gable ? »

La plupart des femmes le trouvaient séduisant.

« Non merci. Il faudrait que je passe le restant de mes jours à
confectionner des appuie-tête avec toute cette brillantine qu'il
a dans les cheveux.

— Tu ne le trouves pas séduisant ?

— Si. Mais ce n'est pas mon genre.

— C'est quoi ton genre ?

— Grand. Doré », répondit-elle sans l'ombre d'une hésitation.

Je me demandais ce qu'elle voulait dire par doré, mais me retins de poser la question, voyant qu'elle s'en voulait d'avoir répondu impulsivement.

« Clair, précisa-t-elle.

— Clair ? Comme quoi ? »

C'était sans doute la conversation la plus intéressante que j'avais jamais eue.

« Tu veux dire clair comme pur ? Ou clair comme limpide ? Ou comme propre ?

— Je veux dire clair comme identique à l'intérieur et à l'extérieur. Clair comme sincère. Comme limpide, oui. »

Elle me regardait sans vraiment me voir.

« Et toi ? Quel est ton type ? s'enquit-elle, retrouvant ses esprits.

— Je n'ai que douze ans !

— Alors tu n'as pas un instant à perdre. C'est l'âge du mariage en Georgie. »

Non ? Ce serait affreux.

« Pas question de me marier, dis-je.

— Pas même avec Clark Gable ? plaisanta-t-elle.

— Il est trop vieux ! fis-je avec une mine dégoûtée. Bien trop vieux. Il faudra qu'il soit plus jeune que ça.

— C'est tout ? La jeunesse est tout ce qui compte pour toi ?

— Non ! Jeune et drôle. Amusant. Tu sais, comme Papa. Quelqu'un qui me fasse rire, pas par ses blagues mais par sa façon de dire les choses. Quelqu'un qui rende tout amusant et intéressant. Même le fait de ne rien faire.

— Oui, juste en étant là. Il y a des gens dont la seule présence dans une pièce vide la transforme en centre du monde. »

Elle parlait de Vause Hamilton. C'était ce qu'elle avait ressenti pour lui. Avant qu'elle ne découvre sa véritable nature. Que c'était un menteur. Voilà pourquoi Jottie voulait épouser un homme clair et honnête – parce que celui qu'elle avait aimé était tout le contraire. Je me mis à regretter que Vause Hamilton soit mort, parce que s'il avait été en vie, j'aurais pu le tuer pour avoir brisé le cœur de Jottie.

*

Jottie s'arrêta dans le couloir pour tâter la poche de son tablier. Elles étaient là. Elle secoua le paquet pour entendre le bruissement réconfortant des cigarettes qui lui restaient.

Tu pourras en fumer une dès que tu auras téléphoné à Inez Tapscott pour lui demander d'adhérer au club.

Je n'ai pas envie d'adhérer à leur club. Elles se montreront méprisantes envers moi.

Mais non.

Quelques-unes au moins. Louise Silver. Auralee Bowers. Belinda Davies. Et Mme John.

Ne fais pas attention à elles. Inez s'occupera bien de toi. Inez a un cœur d'or.

Un cœur d'or.

Pense à Willa. Elle sera invitée à des goûters.

Il faudra que je mange du jelly aux petits pois. Que j'en prépare et que j'en mange. Ça doit ressembler à la Rose League.

Maman était présidente de la Rose League.

Même de la cuisine, Jottie pouvait l'entendre parler...

« ... Il aime le travail, c'est tout. Je crois que ça coule dans ses veines, ce don de comprendre les affaires... »

La voix éraillée de Myrtle Loring s'éleva :

« Caroline, ta mousse aux olives est divine. Tu ne l'as pas faite toi-même, dis ? »

Un silence presque imperceptible marquait la désapprobation aimable de Mme Romeyn chaque fois qu'on l'interrompait. Et il était toujours suivi d'un rire cristallin.

« Oh, non. J'ai expliqué la recette à Nettie, qu'elle a suivie à la lettre. – Puis, d'une voix plus forte, mais cristalline elle aussi : – Jottie, rapporte-nous un peu de ces sandwiches aux olives pour ces dames. »

Dans la cuisine sans olive, le visage de Nettie s'allongea et Jottie sentit que le sien prenait le même chemin.

« Tu ne pourrais pas émincer des pimientos ? chuchota-t-elle, pleine d'espoir.

— Les pimientos sont rouges, les dames ne sont pas aveugles. – Elle se prit la tête à deux mains et commença à se tirer les cheveux. – Elles devraient déjà en être au gâteau à l'heure qu'il est.

— Calme-toi. Je m'en occupe, l'apaisa Jottie. Je m'en occupe. »

Elle retourna au petit salon, légère dans sa robe rose. Le seul bon côté des réunions de la Rose League, c'était qu'elle pouvait porter sa plus jolie robe. Elle entra dans la pièce, faisant mine d'ignorer pudiquement tous les regards qui se tournèrent vers elle et fila jusqu'au fauteuil de sa mère.

« Maman ? murmura-t-elle de manière théâtrale.

— Qu'y a-t-il, ma chérie ? »

Jottie se tordit les mains, en un geste censé exprimer toute sa détresse innocente.

« Felix et Vause sont venus et ils ont volé ce qui restait de mousse aux olives. Ils ont tenté de voler le gâteau, aussi, mais Nettie les en a empêchés. »

Après une nouvelle pause imperceptible qui lui permit de décider de l'attitude à adopter face à une telle infraction, Mme Romeyn s'esclaffa.

D'autres rires firent écho au sien et les dames hochèrent la tête, babillant à propos du vol de denrées qui était bien une prérogative de la gent masculine. Soulagée, Jottie jeta un œil par la fenêtre et aperçut Felix et Vause qui montaient l'escalier de la terrasse.

Et elle ne fut pas la seule à les voir.

« Felix ! appela Mme Romeyn de sa voix de soprane. Viens immédiatement présenter tes excuses à ces dames ! »

Felix apparut dans l'encadrement de la porte, svelte et nonchalant, offrant aux regards sa beauté troublante. Vause s'avança derrière lui, radieux et souriant. Les dames soupirèrent d'aise, conquises.

« Qu'y-a-il, Maman ? questionna-t-il poliment.

— Qu'est-ce qui vous a pris, vilains garnements, de voler notre mousse aux olives ! Encore heureux que Nettie ait réussi à sauver le gâteau. J'attends vos excuses ! »

Felix lança un coup d'oeil fugace à Jottie dont les yeux s'agrandirent : À l'aide !

Balayant d'un regard l'assemblée dans l'expectative, Felix gratifia d'un sourire émerveillé une dame replète, toute rose, dont le chapeau était décoré d'une pêche artificielle : on avait l'impression que la dame de ses rêves lui apparaissait au sortir du sommeil. Elle lui rendit son sourire et rosit de plus belle.

« Je suis incapable de mentir », dit-il.

Des rires accueillirent sa déclaration.

« C'est lui le responsable », reprit-il, désignant son ami.

Vause acquiesça.

« J'essaie de lui montrer le droit chemin, poursuivit Felix, quémandant la compassion de son auditoire, mais il est si faible. Il n'a pas pu s'en empêcher. Il a tenté de résister au démon de l'olive. Et il a perdu. N'est-ce pas ?

— C'était une mousse diablement délicieuse, admit Vause, tout honteux. Je suis désolé, madame Romeyn. Nous n'avons jamais de mousse aux olives à la maison. »

Mme Romeyn inclina la tête, savourant le compliment.

« Bien. J'accepte vos excuses pour cette fois », dit-elle, aux deux garçons, rayonnante. Puis, elle embrassa l'assemblée du regard avec une assurance souveraine, en quête des manifestations d'estime

– ou, mieux encore, d'envie – qui auraient pu fleurir sur les visages face à ce tableau touchant de la complicité d'une mère avec son fils.

« Filez, maintenant. »

Jottie suivit Felix et Vause des yeux, envieuse de l'autorisation qui leur était donnée de quitter les lieux, libres de faire ce que bon leur semblait, libres de ne pas chercher à faire plaisir, libres de ne pas rendre service, libres de ne pas avoir à mentir pour une mousse aux olives.

« Nous prendrons le gâteau tout de suite, Jottie, ordonna alors Mme Romeyn, comblée, à sa fille. Dis à Nellie de nous apporter le café, et de faire attention à ces assiettes ! – Elle se pencha vers une dame proche d'elle. – Elles viennent de chez Wedgwood et je retiens mon souffle en permanence avec tous ces enfants qui circulent ici. Allons, Jottie. Cesse de lambiner.

— Oui, Maman », dit-elle, songeant au clin d'œil que Vause lui avait lancé juste avant de sortir..

Jottie soupira et décrocha le combiné.

« ... Jottie Romeyn ! Nous serions ravies de t'accueillir parmi nous ! Nous ne pensions pas que tu voudrais te joindre à notre cercle ; ça me fait tellement plaisir ! »

14

Le samedi matin, Bird et moi guettions le bruit des gants de Jottie claquant l'un contre l'autre. Le *flac* étouffé se fit entendre, suivi du :

« Venez, les filles ! Il est temps de partir ! »

Nous dévalâmes l'escalier et Bird arriva en bas la première – comme toujours, puisqu'elle me poussait. Mae nous attendait dans l'entrée avec sa petite valise. Elle allait retrouver mon oncle Waldon, comme chaque week-end. Sa ferme se trouvait entre deux des nôtres, la ferme du nord et la grande ferme. Mon grand-père en avait possédé trois. À sa mort, il les avait laissées à Papa, Emmett et Jottie. Quand j'avais demandé à l'aînée de mes tantes pourquoi Minerva et Mae n'avaient pas été incluses dans cet héritage, elle m'avait répondu que son père avait jugé qu'elles auraient assez à faire avec leurs maris, qu'elles n'avaient pas besoin de s'occuper d'une ferme par-dessus le marché. Grand-Père avait eu raison, parce que ces fermes-là nous causaient bien des soucis. Aussi loin que remontaient mes souvenirs, elles nous avaient toujours plus coûté que rapporté. Il suffisait d'y faire allusion pour que les adultes s'apitoient sur les vaches malades, les machines cassées, le lait tourné, ou les ouvriers agricoles ivres morts, etc., à tel point qu'on finissait par regretter d'en avoir parlé. Tous les samedis matin, Jottie prenait la voiture pour aller inspecter la ferme du nord et la grande ferme. Et tous les samedis, elle devait gérer une nouvelle catastrophe : elle rentrait à la maison en déclarant qu'on finirait tous à l'hospice pour les pauvres. Emmett s'occupait de la troisième ferme qui se trouvait beaucoup plus loin, près de Mount Edwards. On l'appelait la ferme de la montagne, même si elle n'était pas sur la montagne.

Jottie arrangea son chapeau devant le miroir de l'entrée.

« Dans la voiture tout le monde », dit-elle.

Bird et moi grimpâmes sur la banquette arrière et descendîmes les vitres jusqu'en bas, bien qu'il ne fasse pas encore très chaud.

« Vous n'oublierez pas de les remonter quand nous arriverons chez Sam, nous lança-t-elle par-dessus son épaule.

— Oh, Seigneur, gémit Mae. Tu ne pourrais pas me déposer avant d'y aller ?

— Non, madame, je ne peux pas. Ça ne me prendra qu'une minute. »

Mae poussa un nouveau gémissement. Sam Spurtling vivait sur nos terres du nord. C'était son frère, Wren, qui dirigeait les deux fermes. Macedonia et ses alentours comptaient des centaines de Spurling, si bien qu'il fallait toujours préciser de qui vous parliez : les Spurling du haut de la rivière, les Spurling de Sideling Hill ou les Spurling de Winchester Avenue (les plus distingués). Il y en avait tout un lot qu'on appelait les Spurling de la voie ferrée B&O (nous nous acharnions vraiment sur leurs enfants). Mais tout le monde savait qui était Sam Spurling sans qu'on ait besoin d'ajouter quoi que ce soit derrière. Il habitait une petite maison à moitié en ruine – une cabane plutôt – en compagnie d'un million de chats. Jottie prétendait qu'ils étaient tous les descendants du même couple, qui avait eu pour mission d'éliminer les rats de la grange de mon grand-père en 1918.

Depuis, les chats n'avaient cessé de se multiplier. Un jour, prise d'une de ses lubies éducatives, Jottie m'avait demandé de calculer combien de chats Sam possédait. À raison de quatre petits par portée, et d'une portée par an. Je m'étais arrêtée à l'année 1923, effrayée par le total qui excédait déjà un millier, et avais filé me cacher derrière la maison. Ce soir-là, alors que je boudais au salon après avoir été privée de dessert pour m'être mal comportée, Bird avait lancé :

«Oh, c'est facile. Laisse-moi réfléchir une minute... – Elle avait levé les yeux au ciel et, tout en jouant avec sa cuillère, elle avait calculé : – ... je retiens deux, ça fait sept... Il a sept mille six cent quarante-huit chats.»

Les adultes avaient poussé des «oh» et des «ah» admiratifs. Ma sœur avait mis des années à reconnaître qu'elle avait inventé ce chiffre.

Nous remontâmes les vitres dès que nous eûmes quitté la route principale, mais ce fut peine perdue. L'odeur remontait par les interstices du plancher de la voiture. Jottie serra le frein à main, prit une profonde inspiration, et sortit du véhicule, une boîte dans les mains. Bird ramassa le sac qu'elle nous avait donné, et, gonflant les joues, nous courûmes jusqu'au pommier dont les branches noueuses se tordaient au-dessus d'un côté de la cour. Une nuée de chats se faufila entre nos jambes en miaulant et en se frottant. Ils étaient presque tous faméliques, galeux et affamés, mais ils feignirent d'être contents de nous voir... jusqu'à ce que nous ayons déposé par terre les restes que nous avions apportés pour eux. Ils cessèrent alors de tourner autour de nos chevilles et se précipitèrent sur la pitance. J'essayais toujours d'en sauver un peu pour les plus petits et les plus faibles, ces chatons qui marchaient encore d'un pas incertain.

La vue des chats révulsait Jottie. Elle disait qu'ils empestaient, mais, en réalité, c'était la maison de Sam qui sentait mauvais. J'ignorais comment elle pouvait rester là, sur la terrasse, à attendre qu'il lui ouvre. On peut toujours se retenir de respirer, c'est vrai, mais pas quand on parle.

« Sam ! C'est Jottie. J'ai de la compote de pommes et un pain de viande pour toi. Viens récupérer tout ça avant que les chats ne se jettent dessus. »

Je n'entendis pas sa réponse.

« Bien sûr que si, tu peux, Sam. Viens. Je m'en moque. Je ne regarderai même pas. Je veux juste empêcher ces chats de manger mon bon pain de viande. »

Il parla encore.

« Je ne regarderai pas. Je reste ici les yeux fermés. Viens, maintenant, Sam. »

La porte s'entrouvrit. Il faisait sombre à l'intérieur. Il ne possédait pas l'électricité.

« Tiens, dit Jottie, lui tendant le paquet. Autre chose dont tu aurais besoin ? Tu veux que je te rapporte du lait de la grande ferme ? Ou des œufs ? »

Murmures.

« Tu en es sûr ? »

Murmures.

« Pas de quoi. »

Jottie avança avec précaution, esquivant chats et crottes pour retourner à la voiture où Mae était recroquevillée, un mouchoir sur le nez.

Elle frémit en nous voyant au milieu d'une marée féline. « Revenez vite, avant d'être dévorées toutes crues par les puces, les enfants ! »

Nous nous entassâmes dans la voiture et tandis que nous quittions les lieux, je me retournai pour regarder la maison en ruine de Sam. Il y avait un chat qui marchait à l'arrière du toit affaissé.

« Pourquoi vit-il de cette manière ? » demandai-je en me penchant vers le siège du conducteur.

Mae retira le mouchoir de son nez.

« Sam ? Parce qu'il aime ça, j'imagine. »

C'était le genre de réponse idiote dont se satisfaisaient les enfants ; j'avais dépassé ce stade. Je m'adressai à Jottie, sachant pouvoir compter sur elle :

« Pourquoi ? Quelle raison aurait-il de vouloir vivre avec tous ces chats ?

— Il n'a jamais trop aimé les gens. Il a toujours eu du mal à leur parler. Tu te souviens, Mae, il bégayait tant qu'on avait l'impression qu'il s'étouffait ?

— Oui, c'est vrai.

— Mais il s'exprimait tout à fait correctement quand il n'y avait personne.

— Comment le sais-tu ?

— Je l'ai entendu, une fois ; il ne s'était pas rendu compte que j'étais là.

— À quoi ressemble-t-il ? »

Je ne l'avais jamais vu en entier : juste ses mains, et une jambe, une fois, quand il l'avait tendue par la porte pour que Jottie verse de l'eau oxygénée dessus.

« Il ressemble à un chat, dit Mae en gloussant.

— C'est pourtant vrai ! reconnut sa sœur. Il ne se rase pas, si bien que sa tête est presque entièrement recouverte de cheveux et de poils. Il pourrait avoir une queue, qui sait ?

— C'est une vision dont je pouvais me passer : la queue de Sam Spurling », marmonna Mae.

Bird miaula et l'hilarité fut générale. Néanmoins, je continuai à m'interroger. Était-il arrivé quelque chose à Sam, ou s'était-il transformé sans s'en apercevoir ? Parce que s'il était possible qu'une personne devienne comme Sam sans s'en rendre compte, alors il y avait un risque pour que je sois aussi bizarre que lui sans le savoir. J'avais l'air de quoi ? La plupart des filles de mon âge ressentaient-elles ce que je ressentais ? Était-ce

166

quelque chose que tout le monde avait compris ? Tous ces secrets dissimulés que je découvrais m'apparaissaient aussi fascinants que menaçants. Peut-être était-ce pour cette raison que Sam Spurling avait décidé de vivre avec un million de chats, me dis-je. Peut-être qu'il trouvait plus facile de comprendre un million de chats qu'une ou deux personnes.

Notre destination suivante était la ferme de Waldon. Ce domaine était un bel endroit, que Mae, cependant, n'avait cessé de baptiser de jolis noms qui ne ressemblaient en rien à ceux d'une ferme, car depuis son mariage, elle n'était pas parvenue à s'imaginer en épouse de fermier. Pendant un temps, elle l'avait appelée Liondel, puis Willowdeen Hall. Elle avait même mis une pancarte, mais Waldon l'avait enlevée. L'été de Layla Beck, elle s'était mise à l'appeler Hampshire Downs, mais elle était bien la seule à le faire.

Mon oncle Waldon attendait sur la terrasse quand nous apparûmes dans l'allée. Bird et moi l'adorions. C'était l'homme le plus gentil du monde, le seul adulte qui n'avait jamais – même soumis aux pires provocations – perdu son sang-froid avec nous. Il était long et fin, son visage était long et fin également avec une bande blanche au niveau du front, à l'endroit où son chapeau le protégeait du soleil. Quand il ne souriait pas, il avait une mine très austère, mais il suffisait que Mae apparaisse pour qu'il retrouve un air jovial.

« J'ai besoin de me rafraîchir ! » criai-je de la banquette.

C'était la formule que Jottie nous avait dit d'utiliser quand nous devions aller aux toilettes.

« Moi aussi, je vais exploser », m'imita aussitôt Bird.

Notre tante plissa les yeux dans le rétroviseur.

« C'est la *vérité* », insista ma sœur.

Nous savions tous qu'elle mentait. Elle voulait juste parler avec Waldon. Elle l'entreprenait à la moindre occasion. Quand elle était petite, elle s'était cachée dans son panier à linge pour rester avec lui, mais elle avait tout gâché en l'appelant impatiente qu'il la trouve.

« Cela attendra bien jusqu'à votre arrivée à la grande ferme, mademoiselle, lui dit Mae.

— Je vais faire pipi dans ma culotte.

— Pas si tu réfléchis deux minutes aux conséquences », la prévint Jottie.

Elle arrêta la voiture devant les marches de la terrasse et j'en bondis en même temps que Mae.

« Comment va, Waldon ? lança Jottie.

— Très bien. Frais comme un gardon. Et toi ? »

Il attrapa le bras de Mae et le serra fort.

« Oh, bien. Tu es monté à Martinsburg cette semaine ?

— Ouaip, mercredi. J'ai vu Wren.

— Willa a besoin d'entrer une seconde, les interrompit Mae. Je l'accompagne. »

Elle prit sa valise et me conduisit dans la maison. Il faisait frais à l'intérieur et ma tante avait disposé une soucoupe pleine de petits savons parfumés dans la salle de bains. Après avoir fait ma commission, je les pris un à un pour les sentir. Il y en avait un à la rose, un à la violette et un autre à l'odeur de raisin. J'utilisai le savon normal pour me laver les mains.

Quand je ressortis des toilettes, la maison était silencieuse.

« Bon, au revoir », lançai-je.

N'obtenant aucune réponse, je traversai le couloir pour gagner la cuisine.

« Salut. »

Ils étaient là, Waldon et Mae. Je compris aussitôt pourquoi ils ne m'avaient pas répondu. Ils s'embrassaient fougueusement. Ils ne s'aperçurent même pas que j'étais là. Waldon souleva Mae pour la poser sur le comptoir et elle l'entoura de ses jambes, sans jamais cesser de l'embrasser. Je n'avais jamais rien vu de tel. Je n'arrivais pas à m'arrêter de regarder même si j'avais envie de m'enfuir. Puis Waldon fit un drôle de bruit et j'eus soudain si peur qu'ils remarquent ma présence que je reculai dans le couloir sur la pointe des pieds, et ressortis de la maison par le salon.

Je m'écroulai sur la banquette de la voiture.

« Qu'est-ce qui t'arrive ! s'étonna Bird.

— Rien, marmonnai-je.

— Pourquoi tu es si rouge ? »

Je surpris le regard intrigué de Jottie dans le rétroviseur. Je me demandai si elle savait ce qui se passait dans la cuisine. J'avais déjà entendu parler de ce que faisaient les adultes et cela m'avait alors semblé terriblement embarrassant. Mae pourtant ne paraissait pas gênée. Elle n'était pas en reste. Elle en avait *envie*. Peut-être n'était-ce pas aussi horrible que je le croyais. Et néanmoins, je me sentais toute bizarre.

« J'ai chaud, dis-je à ma sœur.

— Comme toujours, non ? »

À notre arrivée à la grande ferme, Jottie nous envoya jouer.

« Je dois parler affaires avec Wren. Et n'allez pas courir après les poulets. »

Bird et moi levâmes les yeux au ciel. Nous ne pourchassions plus les poulets depuis que nous avions découvert que ça les tuait.

« Viens, on va sauter dans les bottes de foin, proposa Bird.

— Non, dis-je, songeant aux odeurs de foin et de sueur mélangées.

— Tu veux aller gratouiller les cochons ?

— Non. Ils sentent mauvais.

— Oh ma chère ! Les cochons non plus n'aiment pas ton odeur. Pour eux tu sens sans doute le tu-sais-quoi. »

Je lui tirai la langue, puis, pour lui montrer que j'étais au-dessus de ça, je m'assis sur la barrière et réfléchis un moment à Mae et

Waldon. Mais toute cette affaire me rendait tellement nerveuse que je faillis presque tomber de mon perchoir et je regardai alors Jottie qui parlait à Wren. Elle avait des gestes tranchants de la main : un, deux, trois. Est-ce qu'elle avait déjà embrassé quelqu'un ? Est-ce qu'elle avait embrassé Vause Hamilton, autrefois ? Elle devait bien avoir embrassé quelqu'un dans sa vie. Ou non ? Était-ce si commun que ça ? Wren hochait la tête et faisait tourner son chapeau au bout de ses doigts. Au bout d'un moment, Bird me pardonna et grimpa à côté de moi. Nous nous mîmes à appeler les vaches qui approchèrent, lourdes et baveuses, pour nous dévisager.

« C'était barbant, conclut ma sœur, de retour dans la voiture. Je me suis ennuyée toute la matinée. »

Jottie rit et donna un léger coup de volant qui fit faire un écart à la voiture de l'autre côté de la route tandis que nous poussions toutes deux des hurlements.

15

Emmett était assis sur la terrasse quand nous ouvrîmes la moustiquaire.

« Emmett ! Mon chou ! s'écria Jottie. Tu ne m'avais pas dit que tu passerais !

— Je l'ignorais encore il y a une heure.

— Mets-toi debout que je t'admire un peu. »

Emmett se leva. Il était si grand que Jottie dut se hisser sur la pointe des pieds pour tapoter sa chemise. C'était une drôle de chose qu'elle faisait toujours quand elle le voyait : tapoter sa chemise. Je pense qu'elle aurait voulu le prendre dans ses bras mais elle craignait qu'il n'apprécie pas.

« Tu es incroyablement maigre, mon chou, lui disait-elle à présent, la mine renfrognée.

— Toi aussi.

— Pfff ! Tu es sûr que tu manges suffisamment ?

— Je mange énormément. »

Il m'adressa un clin d'œil par-dessus l'épaule de sa sœur, et je fus aussitôt soulagée. Je m'étais doutée qu'il n'allait pas vendre la mèche pour la voiture de mon père et La Pomme rouge de Cooey, mais à présent, j'en étais certaine.

« Je vais bien, Jottie.

— Tu as vu Felix ?

— Felix est ici ? – Il jeta un œil vers la porte. – Je suis entré une minute, mais je n'ai pas vu âme qui vive, alors je suis ressorti t'attendre ici.

— J'étais à la grande ferme.

— Et on a emmené Mae à Hampshire Downs », ajoutai-je.

Il éclata de rire. J'avais toujours aimé faire rire Emmett : on se rendait compte qu'il était le plus jeune des cinq – ce qui n'était pas évident la plupart du temps – quand tout son visage s'éclairait.

« Hampshire Downs ? Et laisse-moi deviner : Mae est la duchesse du comté de Bedford ?

— Ça laisse Waldon indifférent, dit Jottie.

— Je le sais bien.

— Oh ! » laissai-je échapper.

Je venais de comprendre ce qu'ils sous-entendaient. Tant que Waldon avait Mae, il se moquait des noms qu'elle donnait à sa ferme.

Ils me dévisagèrent étonnés.

« Euh, rien », éludai-je.

Mais intérieurement, j'étais fière de moi. J'en savais plus qu'ils ne l'imaginaient.

« Comment ça va à la grande ferme ? s'enquit Emmett.

— Toujours pareil. On aura un peu plus de beurre, d'après Wren.

— Ouais. À dix *cents* la livre, autant le donner aux cochons. »

Jottie se laissa tomber dans son fauteuil.

« Alors. Que fais-tu en ville ?

— Il faut que je voie Sol », répondit-il en s'asseyant à son tour.

Elle jeta un regard furtif vers la porte d'entrée.

« Sol ? Pourquoi ? » questionna-t-elle d'une toute petite voix, l'air soucieux.

172

Je la revis le jour du défilé, toute rose lorsqu'elle avait fait signe à M. McKubin. Et le soir où Richie avait reçu un coup de pied d'Harriet pour avoir parlé de Sol. Un mystère entourait cet homme. Quel qu'il soit, cela ne semblait guère poser de problème à Emmett.

« On m'a rapporté une ou deux choses sur les Inusables Américaines, et je... »

La voix de Papa arriva du couloir.

« Des gants ? Oh, très jolis. Les poissons du Dolly's Ford apprécieront certainement.

— Le Federal Writers' Project s'astreint à maintenir ses exigences de raffinement au niveau le plus élevé, répondit Layla d'un ton amusé.

— Je vois ça. »

Mon père poussa la moustiquaire et ils sortirent ensemble sur la véranda, Mlle Beck, aussi resplendissante, radieuse et splendide que cette belle journée. Emmett se leva.

« Eh bien, qu'est-ce que je vois ? Mon frère, Emmett Romeyn en personne, plaisanta Papa. Emmett, je te présente Mlle Beck. »

Mon oncle ouvrit la bouche, mais Layla fut la première à parler.

« Ohh, mais je comprends mieux, maintenant. – Elle lui sourit comme si elle le connaissait depuis des années et lui tendit la main, expliquant à mon père : – Je l'ai pris pour vous, l'autre jour, alors que je marchais dans Prince Street. Je lui ai même fait signe à travers la vitrine d'un magasin. Vous avez dû me prendre pour une folle, je le crains, monsieur Romeyn.

— Non. Pas du tout.

— Je ne vois pas comment vous avez pu nous confondre. Je suis le plus séduisant des deux, plaisanta Papa.

— C'est vous qui écrivez l'histoire de Macedonia, je crois ? fit Emmett en ignorant la remarque de son frère.

— Exact.

— Je la lirai volontiers quand vous l'aurez terminée.

— Moi aussi», répondit Mlle Beck, d'un air désespéré.

Papa posa la main sur son bras.

«Nous ferions mieux de nous mettre en route pour aller découvrir quelques sites historiques d'importance, non?

— Je suis encore sous le choc, après Flick Park, badina-t-elle.

— Je sais. Mieux que Londres et Paris réunis, n'est-ce pas? Venez.»

Ils traversèrent la terrasse et pénétrèrent dans la lumière vive du soleil.

«Salut, mon chou», lança Papa par-dessus son épaule.

Je le pris pour moi.

La voiture s'éloigna dans Academy Street. Ils ne se retournèrent ni l'un ni l'autre pour nous faire signe.

Emmett se rassit brusquement.

«Va manger quelque chose, Willa, m'ordonna Jottie. Et prépare un sandwich à Bird, tant que tu y es.»

Je la regardai de travers, parfaitement consciente de sa volonté de m'éloigner.

«File. Et ne te coupe pas les doigts.»

J'obéis, mais arrivée dans l'entrée, je décidai de me glisser entre le portemanteau et le mur, près de la porte, pour pouvoir tout entendre. J'étais vraiment douée.

Il y eut un moment de silence. Puis Emmett dit :

«C'est une bien jolie fille.

— Je suppose, oui. Je lui ressemble tant que ça? reprit mon oncle, d'une voix plus basse.

— Seulement pour quelqu'un qui ne te connaît pas.»

Jottie avait raison. Ils étaient tous deux minces, bruns, et ils avaient les mêmes sourcils que leur sœur, mais je n'avais jamais trouvé qu'ils se ressemblaient. Si, les yeux bandés, j'en avais entendu un entrer dans la maison, je l'aurais reconnu rien qu'au bruit de ses pas.

« Hum.

— Et tu es plus grand.

— Tu essaies de me réconforter ? dit-il avec un petit rire.

— Non, c'est la vérité. Et tu es très beau.

— Arrête de prendre cet air désolé, Jottie. »

Je réfléchis à ces paroles. C'était vrai qu'elle paraissait désolée pour lui, et je ne comprenais pas pourquoi. Pas plus que je ne compris les paroles qui suivirent :

« Comment se fait-il que Felix ait tout ce qu'il veut ? murmura Emmett. Comment se fait-il qu'il ne paie jamais l'addition ?

— Oh, mon chou, ne sois pas comme ça. Elle n'en vaut pas la peine.

— Je ne parlais de personne en particulier.

— Tant mieux. Parce que des filles comme elles, on en trouve à la pelle.

— Ah, ouais ? Où ça ? »

Elle se racla la gorge.

« Qu'est-ce qu'il y a avec Sol ?

— Tu arrives à prononcer son nom à voix haute, maintenant ? dit-il, un peu moqueur.

— Surveillez vos paroles, monsieur. Je suis ta grande sœur, ne l'oublie pas. »

Emmett émit un son qui aurait éveillé la fureur de Jottie venant de moi, mais qui la fit rire, venant de lui.

« J'ai entendu dire que Shank avait viré des gars. Charlie Timbrook et George m'en ont parlé l'autre jour, et ça m'a vraiment l'air moche. Et ensuite, Shank leur a servi le bon vieux discours sur le fait qu'il faut se serrer les coudes, comme une vraie famille, ce qui signifie en fait que ceux qui restent doivent fournir le travail nécessaire pour compenser les pertes et qu'il ne paiera pas d'extra.

— Du Ralph tout craché.

— Ouais, mais ce n'est pas correct, et il n'aurait pas osé s'il y avait un syndicat. Je me suis un peu mis en boule et je leur ai suggéré de faire grève...

— Au nom du ciel, Emmett ! Ils perdraient leur travail, tous autant qu'ils sont. »

Elle semblait affolée, et je savais pourquoi. Perdre son travail était la pire des choses qui pouvait vous arriver, ici. Je pensai à tous ces pauvres gens aux regards affamés, avec leurs enfants crasseux, qui brandissaient des pancartes : CHERCHE TRAVAIL POUR ME NOURRIR.

Mais Emmett n'avait pas peur.

« Non. Pas s'ils s'y prennent bien. Et s'ils obtiennent le droit d'avoir un syndicat, le jeu en vaudra la chandelle. Une fois qu'ils auront un syndicat, ils ne risqueront plus de perdre leur boulot.

— Pas *une fois* qu'ils seront syndiqués ! *S'ils* y parviennent ! Et ça arrivera quand les poules auront des dents, si Ralph a son mot à dire. En attendant, il pourra tous les remplacer cinq fois de suite sans aucun problème. Tout le monde cherche un emploi en ville à part les gars qui travaillent à la fabrique.

— Mais regarde General Motors ! s'enflamma-t-il. S'ils faisaient une grève avec occupation des locaux, ils auraient peut-être une chance de réussir ; c'est ce que je leur ai dit. Ils sont tous qualifiés, beaucoup le sont en tout cas ! Shank ne pourra pas...

— Tu essaies de déclencher une guerre, Emmett ? C'est ce que tu as en tête ? J'espère qu'ils ne t'ont pas écouté.

— Je pense que si, un peu au moins, dit-il, mal à l'aise. À cause de Papa. Ils pensent toujours qu'il marchait sur l'eau, là-bas. Ils écoutent toujours ce que j'ai à dire, parce que je suis un Romeyn. C'est la raison pour laquelle je dois parler à Sol.

— Tu vas lui avouer que tu as encouragé ses hommes à faire grève ?

— Ouais. Sinon j'aurais l'impression d'avoir fait ça dans son dos.

— Emmett chéri. Tu ne travailles même pas là-bas. Ce n'est pas ton problème, et ce ne sera pas ta grève s'ils sont assez dingues pour essayer.

— Je sais. Je sais. Mais Charlie et les autres... Bah, j'ai le sentiment qu'il faut que j'en parle à Sol. Il a toujours été chic avec moi. – Mon oncle se leva, faisant craquer le plancher. – Je crois que je ferais bien d'y aller.

— Transmets-lui mon bonjour », dit Jottie.

Emmett émit le même son insolent, mais cette fois, ma tante ne rit pas.

Soudain, la porte de derrière claqua.

« Personne ne se soucie de déjeuner dans cette maison ? » brailla Bird de l'office.

Je me dépêchai de quitter ma cachette avant qu'elle ne me surprenne et n'aille rapporter.

Je fonçai dans la cuisine, très remontée.

« Il était temps que tu rentres. Jottie m'a demandé de te préparer un sandwich. »

Bird ne se laissa pas impressionner si facilement.

« Je ne veux pas que tu me fasses un sandwich. Tu les coupes mal. »

*

La stridulation des cigales était le seul signe de vie perceptible dans le paysage, au Dolly's Ford. Des gouttes de sueur ruisselaient le long du dos de Layla ; elle résista à l'envie de les éponger avec le tissu de sa robe.

« Attendez, dit-elle avalant une goulée d'air presque liquide. Il a passé trois ans en prison ?

— Ouaip. Il pesait à peine quarante kilos quand il a retraversé ce gué. On ne leur donnait pas grand-chose à manger dans les prisons confédérées. Ils se nourrissaient essentiellement de rats. »

Felix se baissa pour ramasser un bâton et l'envoya négligemment dans le tas de buissons, au bord du chemin.

« Non...

— Bien sûr que si. Les rats étaient un mets prisé à Danville, une véritable friandise. Ils préféraient manger les rats que les autres prisonniers. On peut faire de très bonnes soupes de rat, vous savez.

— Vous inventez tout ça.

— Je n'invente rien! Ils faisaient de la soupe de rat quand c'était possible, sinon ils mélangeaient de la farine de maïs pleine de vers avec de l'eau de la rivière et ça leur faisait un dîner. – Il sonda son visage pour voir si elle le croyait enfin. – Dolly disait que c'était une maison de dingues, là-bas, à Danville : les prisonniers avaient trop faim pour pouvoir réfléchir sainement; ils faisaient de grands projets d'évasion, oubliant qu'ils étaient incapables de marcher plus de quelques mètres. Leur chance, c'était que les gardes n'avaient plus guère de munitions. Ils les laissaient où ils tombaient et la plupart d'entre eux survivait. »

Les cigales arrêtèrent leur vacarme et Layla baissa les yeux sur le bras d'eau boueux qu'on appelait le Dolly's Ford, imaginant un homme de quarante kilos gisant sur sa rive. À entendre Felix, on pouvait penser qu'il tenait l'histoire de Dolly en personne.

« Vous l'avez connu?

— Joe Dolly? Bien sûr. Il habitait encore dans le coin quand j'étais petit. Et il pesait toujours quarante kilos. Mais il était toujours armé d'une grande rame, et si vous vous avisiez de monter en rogne sur son ferry, il vous en faisait redescendre d'un coup sec. *Hop*, dans l'eau. – Le regard de Felix pétillait de malice. – Ça rendait ma mère malade. »

Il se remit à marcher.

« Je parie que vous étiez un affreux chenapan, murmura Layla.

— Je ne vois pas de quoi vous voulez parler. J'étais un ange. Toutes les mères du coin priaient pour que leur enfant me ressemble. Demandez à Jottie.

— Je le ferai. »

Ils avançaient au même pas.

« Pourquoi pensez-vous qu'ils veuillent un livre d'histoire ? demanda Layla de but en blanc.

— Qui ça ?

— Le conseil municipal, M. Davies, les personnes qui ont pris cette décision.

— Je suppose qu'ils veulent que Macedonia ait l'air respectable. Courageuse, droite et tout le reste.

— Vous savez ce que je pense ? Je pense qu'ils veulent un livre d'histoire pour montrer que ce qu'ils sont devenus était inévitable. »

Felix la dévisagea.

« Vous êtes futée, jeune demoiselle.

— Ils n'aiment pas l'idée de devoir tout cela à la chance, ou à la malchance d'un autre, ou juste le hasard, continua-t-elle en rougissant.

— La chance est trop bigrement démocratique, n'est-ce pas ? Des tas de gens du peuple ont de la chance.

— Ils veulent prouver qu'ils étaient prédestinés à être ce qu'ils sont. M. Davies surtout. Mais c'est fou, n'est-ce pas ? Si l'histoire est... la destinée, alors ils en sont prisonniers à jamais. C'est ridicule. Vous ne pensez pas ?

— Eh bien. Vous me paraissez un peu jeune pour être si astucieuse.

— Pfff. Et d'ailleurs, vous ne connaissez pas mon âge.

— Vous avez vingt-quatre ans.

— Comment l'avez-vous découvert ?

— J'ai mes méthodes.

— Non, vraiment. »

Il secoua la tête, taquin.

« Non, c'est un secret de métier.

— Très bien, alors quel âge avez-vous ?

— Je suis beaucoup plus vieux que vous. »

Elle éclata de rire.

« Très malin. J'aime les hommes mûrs. Je les aime vieux et sages.

— C'est une bonne nouvelle, dit-il, l'air grave. Voilà qui me soulage énormément. »

Ils se dévisagèrent un instant, puis il caressa sa main.

« Vous avez chaud ?

— Oui, répondit-elle d'une voix plus vibrante que nécessaire, gênée par le contact de ses doigts secs sur sa main humide et poisseuse.

— Je connais un endroit frais. »

Elle eut une moue, perplexe.

« Dieu tout puissant, elle ne croit rien de ce que je lui dis ! s'écria-t-il. Allons, remontez dans la voiture. Je vais vous y conduire. »

*

Sol ouvrit la porte de son bureau.

« Je te raccompagne.

— Chéri, peut-être qu'Emmett aimerait du thé glacé, proposa sa sœur Violet, avec un sourire avenant, quand les deux hommes traversèrent le salon.

— Non merci, Violet, déclina-t-il. C'est gentil mais il faut que je garde de l'appétit pour le dîner ou Jottie me reprochera encore de ne pas manger assez. »

— Bien.

— Je reviens dans une minute », dit Sol à sa sœur en sortant avec Emmett.

Il s'arrêta sur la terrasse et tira son étui à cigarettes.

« Merci de m'avoir prévenu, dit-il. Tu es un fameux agitateur.

— Je pensais bien que tu le prendrais comme ça, espèce de capitaliste, plaisanta Emmett, soulagé.

— Sale rouge, riposta son ami, tâtonnant ses poches à la recherche d'un briquet. Une cigarette ?

— Non merci.

— J'oubliais. Pur comme la neige qui vient de tomber.

— Oh, je t'en prie. »

Sol soupira.

« Tu sais que je partage ton avis, Emmett. Mais ils ont signé cet engagement au moment de leur embauche et Shank n'hésitera pas à les virer, tous autant qu'ils sont – homme, femme ou enfant –, s'ils s'avisent de prononcer le mot syndicat à la manufacture. Je suppose que le mieux que je puisse faire, c'est de les aider à garder leur boulot.

— Mais ils n'ont aucune garantie que tu y parviendras. Sans syndicat, il pourra toujours les renvoyer pour rien.

— Oui, mais il ne le fera pas. Pas à moins de perdre un gros contrat. Comme la semaine dernière ; on a perdu... bah, peu importe. Enfin. C'était rude. – Il grimaça à ce souvenir et se frotta le visage. – C'est moi qui ai dû m'en charger. Dieu me pardonne : j'ai renvoyé Jerry Gale. Tu sais combien d'enfants il a ?

— Je suis sûr qu'il sait que ce n'était pas ton idée, objecta Emmett en se balançant d'un pied sur l'autre.

— Hum. Il est un peu obtus, tu sais. À mon avis, il viendra me faire la peau dès qu'il n'aura plus un sou en poche. – Il soupira. – Tu sais quoi ? Ne répète jamais que tu as entendu ça ici, mais tu as raison. Ils devraient fonder un syndicat. Il faudrait qu'ils le fassent.

— Entendu quoi ?

— Et s'ils décident de faire grève, Ralph ne saura jamais qu'il y a un Romeyn derrière tout ça.

— Marrant que tu fasses allusion à la possibilité qu'on te fasse la peau, dit Emmett. – Il hésita. – Écoute, Sol, je sais que tu seras dans de sales draps s'ils font grève, et... merci de le prendre comme ça. »

Sol hocha la tête et jeta un œil à la camionnette garée devant sa maison.

« Elle a quel âge, cette vieille guimbarde ?

— Onze ans, presque douze. Mon père l'avait achetée pour la ferme.

— Ah.

— Vas-y, dis ce que tu as à dire. Personne ne s'en prive.

— Jolie camionnette », plaisanta Sol.

Emmett posa la main sur la moustiquaire.

« Merci encore. J'apprécie...

— Comment va Jottie ? l'interrompit son ami.

— Ma foi, plutôt bien. Elle t'envoie son bonjour. »

Le léger sourire de Sol s'effaça.

« Vraiment ? Eh bien, transmets-lui le mien.

— Elle est très prise avec les filles, s'empressa d'ajouter Emmett. Et elle a une nouvelle pensionnaire, aussi. Une fille de la WPA. Qui écrit l'histoire de la ville. Tu sais, pour le cent-cinquantenaire.

— J'ai entendu dire qu'elle était plutôt jolie la fille de la WPA.

— C'est déjà la chasse gardée de Felix.

— Rien de nouveau, répondit Sol, maussade.

— Tu es *certain* de ne pas vouloir de thé glacé, Emmett ? lança d'une voix chantante Violet, dont on distinguait les dents blanches derrière la moustiquaire. Je déteste te voir debout là comme un vieux cheval. Pourquoi ne pas t'asseoir ? J'ai fait une fournée de délicieux cookies...

— Merci, Violet, mais je ferais bien de filer », dit-il avec un sourire reconnaissant à Sol.

Le frère et la sœur regardèrent le vieux Model T démarrer et s'éloigner en toussotant dans la rue. Sol se baissa pour écraser sa cigarette dans le cendrier.

« Toi et moi devrions nous tenir à l'écart des Romeyn, Vi.

— Je ne vois pas ce que tu sous-entends, Solomon McKubin, rétorqua Violet, acerbe. Emmett est un tout jeune homme, je ne le considère pas du tout comme... rien du tout. – Elle saisit le cendrier entre deux doigts. – Je me montrais juste *accueillante*. »

16

Je ne m'étais même pas aperçue de sa présence quand je sentis sa main sur ma tête.

« Papa... ! »

Il s'appuya sur le dossier du canapé et lut par-dessus mon épaule :

« *Poussant un cri strident, le garçon se jeta d'un bond sur le chat sauvage à la gueule écumante.* – Il retourna le livre pour voir la couverture. – *Cato, le garçon du lac*, hein ?

— Ce n'est pas fameux. Où est passée Mlle Beck ? lui demandai-je après avoir inspecté chaque recoin de la pièce du regard.

— Qui la demande ? plaisanta-t-il. Écoute, mon chou...

— Vous vous êtes bien amusés ?

— Quand ça ?

— Quand vous êtes sortis, Mlle Beck et toi. »

Il me tira gentiment l'oreille.

« Drôlement bien amusés. Dis-moi, Jottie est allée faire un saut en ville. Quand elle rentrera, j'aimerais que tu lui dises que j'ai reçu un coup de fil et que j'ai quelqu'un à voir ce soir, d'accord ? »

Je fis de mon mieux pour prendre un air détaché.

« Ah bon, tu retournes chez Cooey ? Pour tes affaires ? »

Peine perdue.

«Hun-hun, fit-il.

— Qui... euh, ces produits chimiques et toutes ces choses, à qui les vends-tu?»

Il hésita une seconde.

«À des tas de gens.

— Mais *ce soir*?»

Il sourit.

«À un gros bonhomme. Un grand gars très gros qui s'appelle Clayton V. Hart.»

J'étais sidérée. Il m'avait répondu. Comme si j'étais grande, sauf qu'en général, il ne parlait même pas aux grands. Il venait de me révéler un secret. Il avait confiance en moi. J'étais si fière que j'en rougis.

Il se pencha un peu plus bas et me tira l'autre oreille.

«Je me demande pourquoi tu aimes que je te fasse ça.

— Ça libère de la place dans mon cerveau.»

J'étais si heureuse, que je m'enhardis à lui faire pareil.

«Tu vois?

— J'ai la cervelle qui ballotte dans mon crâne, maintenant, répondit-il en secouant la tête. Tu n'oublieras pas de prévenir Jottie, dis?»

J'acquiesçai, la mine aussi sérieuse et responsable que possible.

«Tu pars pour longtemps?

— Nan. Ce ne sera pas long, cette fois.

— Pas long comment?

— Je serai rentré hier.

— Papa...!

— Ça marchait, avant. Quand tu ne savais pas distinguer hier de demain.

— Je me souviens, oui. J'allais demander à Jottie quel jour c'était, et je me mettais à pleurer.»

Parce qu'à ce moment-là, il était déjà parti.

«C'était une vilaine blague pour une petite fille», reconnut-il, pianotant sur le dossier du canapé.

Je haussai les épaules.

«Ça ne fait rien. Tu ne peux pas rester dîner? Emmett sera là.

— Ah bon? Il est encore ici?

— Non. Il est parti, mais il a dit qu'il reviendrait.

— Bah, j'aimerais bien, mais je ne peux pas. Il faut que j'y aille.»

Je saisis le poignet de sa chemise.

«Tu veux que je prévienne Mlle Beck?

— Que tu la préviennes de quoi?

— Que tu as dû sortir.

— Tu crois qu'elle ne s'en apercevra pas toute seule? Tu ne chercherais pas à me vexer, par hasard? plaisanta-t-il.

— Non, je voulais juste dire : comme si c'était un message de ta part, tu vois?

— Je vois. Non, pas la peine. Mais merci quand même.»

Il baissa les yeux sur sa manche.

«Maintenant, lâche-moi, mon chou, tu veux bien? Il faut que je parte.»

Je desserrai les doigts à contrecœur et le regardai disparaître. Il se déplaçait si vite parfois, qu'on aurait dit un être imaginaire. Je rouvris *Cato : le garçon du lac* à la page qu'il avait touchée et la collai contre ma joue. Là non plus, il ne restait rien de lui. Je laissai le livre tomber par terre et me levai. Je pouvais aller dans sa chambre. Personne n'avait jamais dit que c'était interdit; et de toute manière, personne ne le saurait. J'étais à peu près sûre de réussir à ouvrir la porte sans faire de bruit.

Seulement elle était déjà *ouverte*. Je m'arrêtai net en haut des marches. Il la fermait toujours. J'avançai sur la pointe des pieds et jetai un coup d'œil à l'intérieur : Mlle Beck était plantée au milieu de la pièce, comme si elle était chez elle, comme si elle en avait le droit. J'étais effarée. Si effarée que j'en laissai presque échapper un cri ; mais je me retins, craignant que Mlle Beck se retourne et me voie. Je l'observai un instant, sans respirer. En fait, elle ne touchait pas vraiment à quoi que ce soit. Elle laissa tomber un papier sur son bureau, se tourna vers le centre de la chambre et resta là, à inspirer et expirer. Au début, je crus qu'elle avait un problème, puis je compris : elle reniflait, elle humait l'odeur de la chambre de Papa, tout comme j'avais respiré la page qu'il avait touchée.

J'aurais voulu la gifler.

Layla,

Je n'ai jamais vu une fille avaler autant de glace. J'espère que vous n'avez pas d'engelures aux lèvres, cela assombrirait les réjouissances du cent-cinquantenaire – en ce qui me concerne, en tout cas. Si vous réussissez à dégeler d'ici la semaine prochaine, je vous emmènerai voir la ferme aquacole des États-Unis, un site d'une importance capitale s'il en est, sans compter qu'on y mange bien mieux qu'ailleurs.

Vous aurais-je épuisée en vous emmenant gambader par monts et par vaux, cet après-midi ? J'ai un rendez-vous d'affaires, ce soir ; je ne vous verrai donc pas au dîner. Soyez gentille et laissez-moi un mot, que je sache que vous êtes encore en vie.

F.

Felix,

À ma connaissance, ma bouche et ma personne sont égales à elles-mêmes. Je regrette néanmoins de ne pas avoir un peu de glace à me mettre sous la dent.

Layla

P.S. : Merci de m'avoir emmenée à Ice Mountain. J'ai adoré.

———◇———

À l'ombre de Sandy Mountain, la montagne de Sable, Dolly's Ford, le gué de Dolly, traverse la False, entre le lieu-dit Licksburg au sud, et le terminus de l'ancienne route à péage, au nord. Une gorge naturelle formée par des falaises de granit de soixante mètres de hauteur encadre l'embarcadère de la navette qui durant plus de cent ans effectua la traversée. Pendant la guerre de Sécession, Joseph Dolly, le propriétaire et passeur du bac, se tailla la réputation d'un farouche partisan de l'Union. Son ardeur patriotique était telle, que lorsqu'il fut réquisitionné pour transporter des vivres destinés à l'armée confédérée, il godilla jusqu'au milieu de la False et, par amour pour son pays, coula le ravitaillement et son propre vaisseau avec. Il passa les trois années suivantes en détention dans l'une des plus sinistres prisons confédérées de Danville, puis lors de sa libération, déclara : « Si c'était à refaire, je le referais, et plutôt deux fois qu'une. »

À une vingtaine de kilomètres au sud de Licksburg, sur la route de Cold Stream, se dresse Ice Mountain, la montagne de Glace, une formation de cheminées de pierre incrustées de dépôts de neige éternelle, même par les plus chaudes journées d'été. Ice Mountain servit de réfrigérateur en plein air aux premiers habitants de la région, et c'est aujourd'hui encore l'un des endroits favoris des pique-

niqueurs qui viennent, le 4-Juillet, y festoyer avec leurs glacières, et qui profitent de cette merveille de la nature pour confectionner de la crème glacée. Tout près de là, le site de Raven Rocks, ainsi nommé en raison des corbeaux qui le peuplent, fut un bastion confédéré durant le rigoureux hiver de

Dans la pénombre crépusculaire de la salle à manger, Layla Beck paraissait luminescente : un astre qui éclipsait le lustre des boiseries et des pièces d'argenterie patinées, songea Jottie. Il émanait d'elle une sorte d'électricité, quasiment visible au mince liseré d'or qui nimbait ses boucles brunes et la douce courbe de ses pommettes. En présence de cette splendeur, Emmett, déjà peu expansif, s'était fermé comme une huître. En l'absence de Minerva ou Mae pour l'épauler, Jottie se retrouvait seule à affronter un feu roulant de questions sur le Dolly's Ford, le temps qu'il y faisait et comment l'on s'y rendait. Sujet si ennuyeux qu'elle ne pouvait empêcher ses pensées de vagabonder dans leur jungle privée. Emmett n'avait pas dit un mot à propos de Sol ; s'était-il fâché ? Sol, fâché ? Ce n'était pas son genre. Alors pourquoi son jeune frère faisait-il cette tête d'enterrement ? À cause de Felix, bien sûr, qui accaparait la pauvre Mlle Beck si jolie ; ce n'était pas bien, ce n'était pas juste, mais leur frère se moquait d'être juste ou non quand il s'agissait des femmes ; il s'en était toujours moqué et ne changerait jamais. Tout de même, regardez-moi Emmett avec son air solennel ! Comment Mlle Beck pourrait-elle lui accorder le moindre regard quand Felix était dans la pièce ? Il avait une mine sinistre. Dieu qu'elle est belle, et futée avec ça, elle ne s'en est pas laissé conter par ce vieux cuistre de Parker avec ses grandes familles. Enfin, peut-être qu'elle aura assez de jugeote pour voir clair dans le jeu de Felix. Pourquoi pas ? Elle est sophistiquée, elle a vu du pays. New York sans doute... et... comment appelle-t-on cet endroit ? Ah oui, le Rainbow Room. Je parie qu'elle y est allée, dîner, ou danser. Cocktail au champagne, mademoiselle ? Hum, merci, j'adore le champagne. Il faudra que je la prévienne pour Felix, que je lui dise de se méfier – mais elle ne m'écoutera pas ; j'avais prévenu Raylene et Letty, et elles ne m'ont pas écoutée. J'avais même mis Sylvia en garde, pour ce que ça a servi. Enfin, je me trompe peut-être sur cette fille-là. Mon Dieu, regardez comme elle rayonne, elle est déjà folle de lui, il va lui briser le cœur. À moins qu'elle ne se laisse pas faire, c'est peut-être une de ces chrétiennes ferventes, chastes et pures, comme Mme Selman – même si ça n'a rien empêché. On verra bien si elle se rend à l'église demain. Je crois que je mettrai ma robe rose. Elle est repassée. Emmett, mon chou, pourquoi ne dis-tu rien ? Tu parlais avant, tu *me* parlais, en tout cas. Si jamais elle tombe enceinte, je le tuerai de mes propres mains. Et Willa ? Elle comprendra, elle comprendra forcément – je me demande ce qu'elle a vu chez Mae, mais ils sont mariés au moins. Il faudra bien qu'elle sache, un jour, pour Felix et les femmes, mais pas maintenant, c'est trop tôt. Elle est encore trop jeune, elle... elle détestera ça, elle se jugera responsable de tout – oh non, voilà encore qu'ils attendent que je dise quelque chose. Allez, Emmett, à toi de parler, montre-lui que tu as une langue, bon sang !

« Au fait, mademoiselle Beck, savez-vous que mon frère enseigne l'histoire dans le comté de Morgan ? » lança-t-elle.

Layla sourit à Emmett.

« Non, je l'ignorais. Personne ne me dit rien, ici.

— Personne ne dit rien à personne, rétorqua Willa, à la surprise générale. On est obligé de tout découvrir par soi-même. »

Emmett lui jeta un regard noir.

« En effet, je suis professeur de lycée, informa-t-il la jeune femme, avec raideur. Mais je n'enseigne guère l'histoire locale. Plutôt celle des États-Unis.

190

— On n'enseigne plus l'histoire de la Virginie-Occidentale à l'école ? s'étonna Jottie. On nous rebattait les oreilles avec le gouverneur Spotswood, le trust du sel et la route de Cumberland. Je m'en souviens encore.

— Le gouverneur Spotswood, gloussa Bird.

— Je viens de commencer mes recherches sur les institutions religieuses de Macedonia, reprit Layla sans quitter Emmett des yeux. Il semblerait que le nombre des églises ait considérablement augmenté dans les années 1820 et 1830.

— Oh. Je n'étais pas au courant, répondit-il, baissant les yeux sur son assiette.

— Moi si, dit Jottie, exaspérée. Vous n'avez qu'à vous adresser à moi, mademoiselle Beck, je vous raconterai tout ce qu'il y a à savoir sur la question. Une fameuse histoire.

« Permettez-moi de vous présenter Mlle Josephine Romeyn, grande érudite, spécialiste de l'histoire religieuse de Macedonia – ricana Emmett, retrouvant sa bonne humeur.

— Pfff ! le snoba sa sœur, ragaillardie. Professeur ou non, tu sais bien peu de choses si tu ne connais pas le révérend Goodacre et sa sœur.

— Qui ça ? questionna Layla.

— Le révérend Goodacre : un drôle de coquin, croyez-moi... »

Emmett l'enveloppa d'un regard songeur.

« Je vous parlerai du personnage demain, mademoiselle Beck. Bien que ce ne soit pas une histoire très convenable pour un dimanche.

— Ce serait merveilleux, mademoiselle Romeyn... »

Layla fut interrompue par le roulement d'un pas précipité qui fit trembler les marches de l'entrée puis le plancher de la terrasse avant de s'arrêter à la porte. Il y eut ensuite une interruption marquée par une respiration oppressée puis par le bruit sourd d'un coup assené sur une tête.

« Willa et Bird ? piaula une voix enfantine.

— Ce sont les Lloyd, observa Willa.

— Et Lottie, Myra et Mary-Shore, précisa la petite voix avec obligeance. Venez dès que vous aurez fini, d'accord ?

— À quoi vous jouez ? questionna Bird.

— À la capture du drapeau.

— J'peux disposer ? »

Bird repoussa sa chaise sans attendre et galopa en direction du couloir. Willa leva les yeux au ciel et la suivit, d'un pas plus mesuré. Les trois adultes eurent un rire indulgent.

« Je vois que certaines choses ne changeront jamais, commenta Emmett.

— Il me semble que les enfants se font moins de fractures que de notre temps, fit remarquer Jottie.

— C'est parce que Felix et Vause ne sévissent plus, rétorqua Emmett, amusé.

— Jun Lloyd ne vaut pas mieux qu'eux, objecta sa sœur. Il a donné à Bird l'idée de sauter par la fenêtre de l'étage, la semaine dernière. Ce qu'elle s'apprêtait à faire avec enthousiasme.

— Qui est Vause ? demanda Layla, s'attirant tous les regards.

— Vause Hamilton était le meilleur ami de mon frère, répondit Emmett en se levant. Merci pour cet excellent dîner, Jottie. »

Emmett prit une assiette sur l'évier et racla les restes de carottes au-dessus de la poubelle.

Jottie le dévisagea, incrédule.

« Depuis quand fais-tu ces choses-là ? »

Il attrapa une autre assiette.

« Tu crois que ma vaisselle se lave toute seule ?

— Je pensais que tu la laissais à... comment s'appelle-t-elle, déjà ? Ota ?

192

— Non. Ota ne s'occupe que du ménage. Pour la cuisine et la vaisselle, je me débrouille seul. »

Jottie émit un léger sifflement.

« Tu es une perle rare, sais-tu.

— Merci. »

Il empila les assiettes à côté de l'évier.

« Tu devrais te marier, dit-elle, dans son dos.

— J'en ai autant à ton service. »

C'était injuste comme réponse.

« Avec qui voudrais-tu que je me marie, d'ailleurs ? reprit-il.

— Je connais des filles qui sauteraient sur l'occasion. Stella, par exemple », risqua-t-elle.

Son frère se retourna, furieux.

« Du calme, l'apaisa sa sœur, rieuse. Des tas d'hommes la trouvent vraiment jolie.

— Je préférerais converser avec une huche à pain.

— Tu ne fréquentes personne ? » insista-t-elle.

Il fronça les sourcils.

« Tu as oublié ? Je suis celui qui ne répond pas à toutes tes questions comme si tu étais l'incarnation de Dieu.

— Je ne me prends pas pour l'incarnation de Dieu », bredouilla-t-elle.

Emmett baissa les yeux sur l'assiette qu'il avait dans les mains.

« Au fait, Sol t'envoie ses amitiés, dit-il, le sourire aux lèvres.

— Ah. C'est tout ce qu'il a dit ?

— C'est exactement ce que *tu* lui as dit ! Si tu avais ajouté quelque chose, il en aurait fait autant.

— Et qu'aurais-je dû ajouter, toi qui es si malin ?

— Pourquoi pas : Désolée de te faire la tête ?

— Je ne lui fais pas la tête ! Je lui ai dit bonjour à la...

— Ou bien, enchaîna-t-il sans l'écouter. Désolée, que Felix m'empêche de te parler.

— C'est faux ! – Elle chercha ses cigarettes des yeux. – « Et d'ailleurs, je lui p...

— Ou bien : Désolée d'obéir à Felix au doigt et à l'œil, désolée de ne pas pouvoir sortir, désolée de n'avoir le droit de fréquenter personne, désolée d'être coincée dans cette maison jusqu'à la fin de mes jours parce que je suis trop lâche pour partir ?

— Arrête ça ! – Elle attrapa le paquet sur la table d'un geste rageur. – Ce n'est pas vrai ! Il m'arrive de sortir...

— Oh, bien sûr ! renchérit-il, avec mépris. Tu fais des virées à la Nouvelle Épicerie et au Grand Magasin Krohn du pittoresque centre de Macedonia. Quelle aventure. Tu ne feras pas de vieux os à t'agiter de la sorte ! – Il posa un bol sur l'égouttoir avec fracas. – Je n'arrive pas à croire que Sol s'accroche encore. Depuis combien d'années essaie-t-il d'attirer ton attention ? Vingt ? Ciel. Je lui souhaite de tout cœur de renoncer enfin. De se trouver une gentille fille et de se marier. Bon sang, c'est *lui* qui devrait épouser Stella et avoir tout un tas de bébés. Plutôt que de passer le reste de ses jours à attendre que tu échappes à l'emprise de Felix. »

Jottie fit un effort pour se dominer. Il était furieux à cause de leur frère et Mlle Beck, voilà tout. Il était jaloux.

« Emmett... mon chou, je sais que tu es en colère... – Il la foudroya du regard. – ... mais tu es injuste. Tu ne vois pas les choses du point de vue de Felix. Ce que Sol a fait, ce n'est pas une chose facile à pardonner. Imagine ce qu'il a ressenti, après la mort de Vause. Le monde venait de s'écrouler sous ses pieds. Et entendre Sol prétendre que c'était sa faute, que c'était à cause de lui...

— Ce n'est pas ce que Sol a dit. Il a juste souligné que c'était *le genre de chose* que Felix aurait pu faire.

— Mais c'est pareil ! Ne le vois-tu pas ? C'était une idée en l'air, seulement les gens ont commencé à y croire, parce que ça les arrangeait. Cela faisait des années que tout le monde attendait de voir Felix mordre la poussière, et personne n'avait envie de penser du mal de Vause. Tout le monde l'adorait. Je n'en veux pas à Sol, je t'assure. Je pense qu'il était terrassé par le chagrin. Mais Felix a vraiment failli devenir fou. Et il ne peut pas oublier ça. Tu comprends? Quand il a découvert que Vause l'avait trahi...

— Trahi *Felix*? Et toi dans tout cela?»

Et voilà : Jottie avait été trahie. Abusée. Abandonnée. Mal aimée. Jamais aimée. Tout cela n'avait été qu'un mensonge. Du badinage. La honte s'insinua en elle, tel un ver monstrueux.

«*Non*, dit-elle. Je t'en prie... – Elle porta une cigarette à ses lèvres, les doigts tremblants. – C'était épouvantable, et Felix m'a soutenue. Il ne m'a pas abandonnée, il ne m'a pas menti, un point c'est tout.»

Elle craquait les allumettes, l'une après l'autre, sans succès. Poussant un soupir, Emmett lui prit la boîte des mains.

«Pardon, Jottie. Pardon, mon chou. – Il lui présenta la flamme et attendit qu'elle se redresse après avoir allumé sa cigarette : – Tu l'as payé cher. – Il désigna la cuisine vieillotte d'un geste circulaire. – Tu as renoncé à l'université, tu es restée à la maison avec Papa et Maman, et maintenant, tu élèves les filles. Tu l'as payé comme si tu étais fautive, je ne comprends pas pourquoi.

— J'ai payé pour ma stupidité, j'imagine, dit-elle avec un sourire forcé. Pour avoir été amoureuse de Vause au point de ne pas le voir tel qu'il était.

— Personne ne l'a vu. Ni Felix, ni toi, ni personne.

— Mais j'aurais pu, moi, murmura-t-elle.

— Ah oui! Et comment?

— Si je l'avais senti, j'aurais pu empêcher tout ça. Si je l'avais perçu, j'aurais pu sauver... J'aurais pu tous nous sauver.

— Un instant. Es-tu en train de dire que tu penses que la manufacture a brûlé par ta faute ?

— Peut-être un peu », admit-elle, le regard fuyant.

Il y eut un silence.

« Un jour, peu après son retour de la guerre, nous sommes allés à la rivière, Vause et moi. Il était encore épuisé par la grippe et il s'est endormi à l'ombre, sa tête sur mes genoux. – Elle rougit. – Je l'ai regardé pendant des heures, sans bouger. Je ne voulais pas le réveiller. J'observais son visage, incapable de penser à autre chose qu'à sa beauté : il semblait tout droit sorti d'un tableau représentant le paradis. Tout doré... Tu te souviens ? On aurait dit qu'il avait de l'or sous la peau. »

Emmett haussa les épaules.

« J'ai été faible, tu comprends ? Si je n'avais pas été aveuglée, j'aurais vu ce qu'il était au plus profond, et j'aurais pu l'arrêter. Je lui aurais dit de partir, et... Je sais bien que c'est idiot, mais je n'arrête pas de me dire qu'il serait encore en vie, alors. Que Felix serait le patron de la manufacture et que tout irait bien.

— Tout irait bien, répéta Emmett, dubitatif. Et toi, tu serais où ? »

Elle tira une longue bouffée de sa cigarette.

« C'est une bonne question. Je ne sais pas. Je crois que je ne pousse jamais la réflexion aussi loin. Peut-être que j'aurais fini mes études. Peut-être que je serais comme Caroline Betts, fit-elle avec un petit rire. Un modèle de rectitude.

— Peut-être que tu aurais épousé Sol.

— Nan, Sol serait marié à une gentille dame. Une femme élégante, ajouta-t-elle, baissant les yeux sur sa robe. Qui jouerait à la canasta.

— À la canasta ? – Devant son silence, il reprit : – Tu es dingue. Toute cette histoire est dingue. Tu n'aurais jamais pu deviner ce que Vause s'apprêtait à faire. Personne n'aurait pu le deviner.

— Peut-être pas, admit-elle mollement. Bon. Tu veux bien appeler les filles ? »

Il sortit les chercher dans la lumière du crépuscule pendant qu'elle mettait les dernières tasses sur l'égouttoir. Elle passa distraitement un chiffon sur la table, le comptoir et la cuisinière, puis alla prendre le balai à l'office. Emmett revint, faisant grincer les planches fatiguées de la véranda de derrière, portant Bird sous son bras, comme un livre emprunté à la bibliothèque.

« Elle a osé résister, expliqua-t-il à Jottie.

— Monte-moi à l'étage ! ordonna l'enfant.

— Monte-toi toute seule, rétorqua-t-il en la déposant à terre.

— Va prendre ton bain, mon chou. On va à l'église, demain », lui rappela sa tante.

La porte gémit à nouveau, poussée par Willa. Elle s'arrêta net et regarda sa tante, plissant les paupières.

« Quoi ? demanda-t-elle. Que s'est-il passé ? »

Jottie releva la tête et souffla sa fumée de cigarette dans sa direction.

« Rien du tout. Il s'est passé quelque chose, Emmett ? »

*

Il était assez tard, près de dix heures, quand nous montâmes nous coucher.

« Allez, tout le monde, au lit ! » nous ordonna Jottie.

Elle éteignit la lumière et s'apprêtait à fermer la porte quand elle marqua une hésitation, comme si elle devinait qu'elle ne s'en sortirait pas si facilement. Peut-être même n'y tenait-elle pas. Nous comprîmes alors que nous la tenions. Bird sauta sur l'occasion :

« Raconte-nous une histoire. »

Elle essaya de prendre son ton sévère.

197

«D'accord, mais une seule.»

Nous acceptâmes sagement de nous contenter d'une seule histoire et Jottie vint s'asseoir entre nous. Elle se cala contre l'oreiller de Bird et m'invita à me blottir sous son bras libre. Puis elle nous demanda quel genre d'histoire nous aimerions entendre.

«Une histoire sur moi», répondit Bird. Comme à chaque fois.

«Non. Sur Papa, suggérai-je. Je veux une histoire de Papa quand il était petit.

— Une bêtise qu'il a faite, commanda Bird.

— D'accord. Ça ne sera pas difficile, alors. Vous voulez l'histoire de la grange de Slonaker, ou celle des poneys de polo?

— Une histoire qu'on ne connaît pas.»

Elle resta si longtemps sans rien dire que je crus qu'elle s'était endormie. Je m'apprêtais à la pousser du coude quand elle soupira et reprit la parole :

«Voilà. Écoutez... – J'adorais la voix qu'elle prenait quand elle racontait une histoire, une voix grave et ronde. – Nous avions un oncle... Ce n'était même pas notre vrai oncle, juste une personne que Papa aimait beaucoup, je ne sais pas trop pourquoi : oncle Dade. C'était un homme affreux. Il faisait tout le temps des cadeaux aux garçons, jamais à nous, les filles, mais à eux, il apportait toutes sortes de choses sinistres, comme des couteaux ou des pistolets à amorce. Un jour, il est arrivé avec un arc et un carquois pour Felix. Pas un jouet. Un véritable arc assorti de flèches mortelles, avec des pointes acérées et des plumes à l'autre bout. Felix avait une douzaine d'années, à l'époque, et Maman n'avait qu'une hâte, cacher ces flèches, je le voyais bien, seulement elle ne pouvait pas le faire devant oncle Dade, si bien que Felix a dit merci et a filé avant qu'elle ait le temps de l'arrêter. Je l'ai suivi – comme souvent – et nous avons mis sur pied un projet magnifique. Felix allait apprendre à tirer dans une pomme posée sur ma tête, comme Guillaume Tell. Nous pensions qu'après nous être exercés deux ou trois fois, nous pourrions vendre des billets. Qui refuserait de payer un penny pour voir Felix tirer une flèche dans une pomme posée sur ma tête ?

— Moi, je refuserais, répondit Bird.

— Mais c'est épouvantable ! m'exclamai-je. Et s'il t'avait atteinte par erreur ? Tu n'avais pas peur ? »

Jottie eut un petit rire.

« Non. J'étais enthousiaste. Je trouvais l'idée exaltante. Et d'ailleurs, après qu'il eut tiré une flèche dans la pomme posée sur ma tête, je devais en transpercer une posée sur la sienne. Ça me plaisait bien.

— Mouais. Et tu nous dis toujours qu'on est des écervelées.

— En fait, quand je me suis retrouvée adossée au mur de la grange avec une pomme posée sur les cheveux, j'ai commencé à me sentir un peu chose. Felix visait en fermant un œil, et bandait son arc en pliant le bras. Il prétendait se mettre en condition pour que sa main ne tremble pas, ce qui n'était pas fait pour me rassurer. Et puis, juste à ce moment-là, deux de ses amis sont passés par-dessus la barrière. Ils ont vu ce qu'il s'apprêtait à faire et l'un d'eux lui a crié d'arrêter tout de suite.

— Qui ça ? demandai-je.

— Sol. Il s'appelait Sol. C'est le diminutif de Solomon. »

Je haussai les sourcils si haut qu'ils touchèrent presque mes cheveux, mais dans le noir, personne ne s'en aperçut.

« Sol. C'est un nom de gros, ça », fit remarquer Bird.

Jottie éclata de rire.

« Il n'était pas gros. Il était petit, à l'époque, et tout pâle, parce que sa mère l'obligeait à rester à la maison et à jouer du violon.

— Pouah, grimaça ma sœur.

— Je sais. Bref, il s'est mis à crier, mais Felix n'a pas fait attention à lui. Il a continué à viser, l'œil fermé, alors Sol s'est précipité sur moi et il m'a entraînée loin du mur de la grange.

J'ai fait mine d'être folle de rage mais, dans le fond, j'étais soulagée. Alors Felix a dit à Sol qu'il devait prendre ma place. Que s'il ne le faisait pas, il tirerait quand même sur moi, et que cette fois, c'est ma tête qu'il viserait. Voilà ce qu'il a dit. Ce pauvre Sol ne savait plus quoi faire. Son regard allait de Felix à moi, puis à Vause...

— Vause Hamilton? m'empressai-je de demander.

— Oui. Il était là, lui aussi. Au bout d'un moment, Sol est allé se poster devant le mur de la grange.

— Mince alors! Comme Sydney Carton dans *Un conte de deux villes*! »

Jottie me jeta un drôle de regard.

« Peut-être. Quand Sol s'est trouvé debout là, la pomme sur la tête, Vause a rigolé et a dit à Felix : "Arrête de faire l'idiot. Tu ne vas pas vraiment le faire, et tu le sais. Tu n'as jamais eu l'intention de le faire." Mon Dieu, j'ai tout de suite compris ce qui allait se passer, alors. Et je ne me suis pas trompée. La flèche a filé dans l'air, a embroché la pomme et s'est plantée dans le mur de la grange, un centimètre au-dessus de la tête de Sol. Un poil plus près et il était mort.

— Et Sol, qu'est-ce qu'il a fait? s'enquit Bird.

— Il a fait un pas en avant, répondit notre tante, d'un ton plus posé. Il a regardé la flèche. Et Felix a dit – il pouvait être terrible, par moments –, il a dit "Raté". »

Nous étions sans voix. C'était vraiment horrible de dire ça.

« Et après? » questionnai-je.

Je voyais le blanc des yeux de Jottie briller dans le noir.

« Après, Sol a ramassé une pierre et il l'a lancée sur Felix, de toutes ses forces.

— Il l'a touché? s'informa Bird.

— Bien sûr que non. Tu sais comme ton père court vite, quand il veut. Mais Vause aussi courait vite et il l'a poursuivi.

Il était furieux. C'est la seule fois où je l'ai vu en colère contre Felix.

— C'est celui qui est mort brûlé ?

— Pas brûlé, asphyxié », m'empressai-je de corriger pour que Jottie ne soit pas obligée de le faire.

Je lui jetai un regard en coin pour voir si elle était triste, mais non. Elle avait son air normal.

« Et après, que s'est-il passé ? »

Elle me caressa les cheveux.

« Bah, pas grand-chose. Felix est rentré à la maison quelques heures plus tard, le nez en sang.

— Hein ? Pourquoi ça ? s'exclama Bird.

— Vause l'a rattrapé et lui a donné une correction. Ils sont devenus encore plus inséparables, après ça. »

Personne ne dit mot pendant un long moment. À sa respiration légère et régulière, je compris que Bird s'était endormie.

« Et Sol ? Que lui est-il arrivé ? » demandai-je tout bas.

Mais Jottie s'était assoupie elle aussi, les bras passés autour de nous. Je restai blottie contre elle, sans réussir à m'endormir. Je pensais à cette histoire et à la façon dont elle s'était terminée. Jottie s'était arrêtée avant la fin. Après ça, il s'était passé quelque chose avec M. McKubin, cette chose qui l'avait fait rosir quand elle l'avait rencontré au défilé. Et encore plus tard, avec Vause Hamilton, pour qui Jottie avait eu un faible. Alors l'histoire n'était pas finie. Aucune de ses histoires ne s'arrêtait jamais à la fin.

17

Le lendemain était un dimanche et nous prîmes le chemin de l'église. Jottie disait que se tuer à nous rendre présentables pour l'école du dimanche plaçait son âme dans un péril si mortel qu'elle était bien obligée d'aller à la messe après, mais je pense que ça lui plaisait. Elle nous tenait par la main, Bird et moi. La sienne était fine et forte. Je portais mon chapeau de l'été précédent. Il était trop petit et l'élastique me serrait tellement le cou que je ne pouvais pas tourner la tête, si bien que je marchais en regardant droit devant moi, comme un soldat.

La robe du dimanche de Jottie était rose, avec des petites plumes blanches dessus qui voletaient et une rose en tissu au col. Elle était vraiment jolie avec. Elle avançait, gracieuse, saluant de la tête des gens que je ne voyais pas.

« Eh bien, mais qui aperçois-je là ? On dirait les belles demoiselles Romeyn ! » lança une voix familière.

C'était celle de M. Bensee. Il n'était pas sous sa treille, il lisait le *Sun* de Macedonia, assis sur sa véranda.

« Bonjour, monsieur Bensee ! »

Il nous montra son *Sun* et répondit :

« Mademoiselle Willa, je viens justement de lire un article sur vous dans le journal.

— Et que dit votre article, monsieur Bensee ? »

Il fronça les sourcils et parcourut son journal.

« On y annonce que vous avez prévu d'aller à l'église, ce matin. Que Mlle Willa Romeyn a l'intention de porter une jolie robe jaune à carreaux, et Mlle Bird Romeyn une robe à carreaux bleus, très jolie aussi. Il est rare que ces journalistes arrivent à rapporter les faits avec exactitude. Laissez-moi vérifier. »

Nous nous plantâmes côte à côte au pied de son perron.

« C'est un vrai soulagement, commenta-t-il en hochant la tête. Un journal auquel on peut se fier est une chose appréciable. Allez, Jottie, et priez pour moi.

— Pour ce que ça changera, Spencer », répliqua Jottie.

Il éclata de rire et nous reprîmes High Street en direction de l'église.

Notre père n'allait pas à la messe. À en croire Jottie, Papa et le révérend Dews en avaient discuté un jour : mon père lui avait promis qu'il irait à l'église tous les jours de l'année en 1952, alors le révérend Dews avait estimé qu'il pouvait se permettre de ne pas y aller en attendant. Mais nous n'étions pas dupes : Papa aimait trop faire la grasse matinée, le dimanche.

Je vis quelqu'un nous emboîter le pas à côté de Bird, une dame, d'après ses chaussures.

« Ça va, Jottie ? » demanda-t-elle.

Ma tante répondit « Bien » d'un ton plutôt distant, mais l'autre continua :

« Qui était cette fille avec qui j'ai vu Felix, hier ? Mary Car trouve qu'elle ressemble à cette cousine que vous avez à Moorefield, mais j'ai parié cinq *cents* qu'elle se trompait. »

C'était Mme Combs. Son fils, Bobby Combs, était dans ma classe. Il était plutôt sympa.

« Voyons, June, vous me demandez de me rendre complice d'un pari le jour du Seigneur ?

— Vous savez bien que je suis têtue comme une mule, Jottie, susurra Mme Combs. Il faut que vous me disiez si j'ai gagné mon pari avec Mary Car.

— Vous avez gagné! révéla Bird. C'était Mlle Layla Beck. Elle habite avec nous, à la maison.

— Ah oui?

— Comme locataire, expliqua ma tante. Elle écrit un livre sur Macedonia. Avec ces cinq *cents*, June, vous devriez m'offrir une tasse de café.

— Papa lui faisait voir des endroits pour son livre, précisa ma sœur.

— Vraiment? roucoula Mme Combs de sa voix forte et onctueuse. C'est trop aimable de sa part. Ils avaient l'air si bien ensemble que je n'aurais jamais cru que c'était un rendez-vous professionnel. »

Si bien ensemble? Que voulait-elle dire? Je regardai Jottie, ou je l'aurais regardée si j'avais pu tourner la tête. Sa main fraîche se referma sur la mienne.

« Enfin, reprit Mme Combs au bout d'un instant. Je savais bien que ce n'était pas votre cousine. Comment s'appelle-t-elle, déjà? Florence?

— Irene, rectifia Jottie.

— Mary Car m'a dit qu'elle avait aussi vu Emmett, hier.

— Mary Car a eu une journée bigrement remplie, on dirait?

— Oh, vous la connaissez. Elle aime se tenir au courant. »

Nous étions déjà devant les marches de l'église. Jottie discuta un peu avec Mme Tapscott et Harriet, et j'en profitai pour réfléchir. À ce « si bien ensemble », à Waldon et Mae, à Mlle Beck, si jolie. Même Emmett le pensait, et lui ne s'était pas donné la peine de l'emmener voir le Dolly's Ford. Je songeai à ses paroles : « Comment Felix fait-il pour avoir tout ce qu'il veut? » Peut-être était-ce à Mlle Beck qu'il faisait allusion; peut-être que c'était *elle* la chose que Papa voulait.

Mlle Cladine sortit pour sonner la cloche et tout le monde descendit au sous-sol pour écouter ses histoires de la Bible.

J'aimais beaucoup Mlle Cladine. En vrai, elle était professeur d'algèbre au lycée, mais elle était dingue de la Bible. Pas comme les prédicateurs. Elle ne parlait jamais du bien et du mal. Elle se contentait de nous raconter la Bible en histoires, jouant tous les rôles, criant et gémissant au besoin. Même les garçons les plus dissipés, comme Harmon Lacey, se tenaient à carreau pendant l'école du dimanche. Mlle Cladine avait ses chouchous – pas parmi nous, dans la Bible. Pour elle, Daniel était un rabat-joie donneur de leçons, et elle n'aimait pas trop Paul non plus. Elle disait que c'était un mêle-tout. Son préféré était Samson. Elle avait punaisé au mur du sous-sol une image en couleur le montrant en train de faire tomber les colonnes du temple. Les Philistins détalaient dans tous les sens, la bouche béante de terreur.

« Ça leur apprendra, à ces fourbes ! » disait Mlle Cladine.

Cette fois-là, elle nous parlait de Joshua et de Jéricho, mais je n'arrivais pas à me concentrer. Je ne cessais de regarder l'image de Samson aveugle et des Philistins qui s'enfuyaient. Le toit leur était peut-être tombé dessus, mais il était aussi tombé sur lui. Je ne trouvais pas que l'histoire finissait aussi bien que la Bible le suggérait. La belle Dalila avait trahi Samson. Elle lui avait caressé la tête jusqu'à ce que, gagné par le sommeil, il lui confie le secret de ses sept tresses. J'imaginais mon père, la tête sur les genoux de Mlle Beck, en train de s'épancher, de lui révéler tout ce qu'il ne m'avait jamais dit à moi, tandis qu'elle enroulait ses boucles autour de ses petits doigts.

*

Academy Street était plongée dans sa torpeur des dimanches après-midi. La notion de temps s'estompait, le dimanche ; il

205

s'étirait, telle une longue bande élastique, si bien qu'à deux heures, on ne savait plus qu'en faire, tellement il en restait.

À quoi bon lire un livre, écrire une lettre ou jouer à un jeu ? Le temps était tellement ralenti qu'il semblait que l'on n'arriverait jamais au moment où l'intrigue se dénouerait, où la lettre serait envoyée, où la partie se terminerait. Toute activité avait cessé dans les maisons, l'une après l'autre. Seules les voix de casserole des prédicateurs, insensibles à cette léthargie, continuaient de tempêter sur les ondes radiophoniques.

Un sermon s'échappait de la fenêtre du salon des Romeyn, envahissant la terrasse : «Sentez Son amour! Sentez SON amour! Quand vous RESSENTIREZ son amour, quand bien même vous ramperiez et vous erreriez, encore et encore, à travers les plaines arides du péché...» La radio fut éteinte d'un geste sec.

Assise près de la fenêtre dans un fauteuil affaissé, Layla soupira :

«Ouf!»

Elle essaya encore de se concentrer sur la brochure qu'elle avait entre les mains : *La Mission chrétienne le long de la False*. «Le Conseil d'Eel River de 1821 influa sur la commission des disciples dans les domaines suivants...»

Ses pensées vagabondèrent. Six jours seulement. Il y a une semaine encore, j'ignorais jusqu'à l'existence de Felix Romeyn. Il y a une semaine encore, j'étais malheureuse à l'idée de venir à Macedonia. Il y a une semaine, je n'aurais pas cru possible de m'intéresser autant à cette petite ville. Et à cette famille. Pas seulement à Felix; à chacun d'eux. Est-ce une famille en vue, ici? La maison est magnifique. Et ils paraissent instruits – Felix, Jottie et le jeune M. Romeyn, surtout. Étrange qu'ils soient bruns tous les trois, alors que les jumelles sont si blondes...

Quelqu'un ralluma la radio. «Vous autres PÉCHEURS, quand votre heure viendra et que vous vous repentirez, Jésus entendra-t-il vos pleurs? Jésus se penchera-t-il vers vous, du haut des

206

cieux, pour vous arracher aux flammes ? Ses larmes apaiseront-elles votre CHAIR brûlée, tel un baume bienfaisant ? Votre CHAIR calcinée ? »

Layla entendit Bird pouffer.

« Hé, Jottie ! roucoula-t-elle du salon. Cette prédicatrice parle de la chair ! Elle dit qu'elle va brûler tu-sais-où ! »

La voix de Jottie lui parvint, plus lointaine encore – de la cuisine.

« Éteins ça tout de suite ! Elle ne devrait pas parler de la chair le dimanche ! »

La radio se tut. Layla écouta un instant les gloussements de l'enfant, avant de lancer :

« Bird ?

— Ouais ?

— Où sont Mme Saubergast et Mme Odell ce week-end ? »

Il y eut un silence, puis la tête de la fillette apparut à la fenêtre.

« Chez elles.

— Je croyais qu'elles habitaient ici, s'étonna Layla.

— La semaine seulement.

— Oh... Et où se trouvent leurs maisons ?

— Mae vit à Hampshire Downs – c'est sa ferme – à elle et à Waldon. Et Minerva, là-bas, dit-elle, désignant le haut de la rue. Dans une vieille maison très grande. Elle vient d'y mettre des rideaux violets ; Jottie trouve ça vraiment bizarre mais Minerva adore le violet.

— Des rideaux violets, ciel ! commenta Layla. Qui est Waldon ? »

Bird grimaça devant un tel manque d'esprit de déduction.

« Le *mari* de Mae.

— Oh ! Je n'avais pas compris !

— Quoi ?

— Qu'elle était... euh, mariée. »

— On l'appelle madame, pourtant.

— Oui, mais... je ne savais pas. Est-ce que Mme Odell aussi ? A un mari ? demanda-t-elle prudemment.

— Bien sûr. Henry, dit Bird. Mais on préfère Waldon. Il nous laisse sauter du grenier dans la charrette à foin. Et il m'a laissée voir une de ses vaches mettre son petit au monde, une fois. Il croyait que je m'évanouirais, mais pas du tout. Ça m'a plu. Henry ne nous laisse rien faire, lui.

— Bon, ça suffit maintenant, résonna la voix de Jottie, encore plus proche. Henry s'est toujours montré très gentil envers toi, même quand tu ne le méritais pas ; c'est-à-dire la plupart du temps. »

Layla écouta, souriante, la discussion qui suivit sur les qualités respectives de Waldon et d'Henry : elle consista essentiellement, de la part de l'enfant, à énumérer et évaluer les faveurs accordées et les cadeaux offerts par chacun d'eux et, de la part de la tante, à faire des remontrances à sa nièce pour finir par lui déclarer qu'elle était décidément trop vénale et l'envoyer arracher les mauvaises herbes dans le jardin.

Il y eut un long silence.

Puis Jottie interpella Layla depuis le salon :

« Vous pouvez me demander pourquoi, si vous voulez. »

Layla éclata de rire.

« Oh, mademoiselle Romeyn ! Avez-vous des dons de voyance ? »

Jottie apparut et s'installa sur le large rebord de la fenêtre, face au fauteuil de la jeune femme.

« J'avoue que je commence à me lasser de ces *mademoiselle Romeyn*. Faites-moi plaisir, appelez-moi Jottie, vous voulez ? »

Amies, enfin ! songea Layla.

« Seulement si vous renoncez à m'appeler mademoiselle Beck.

— J'en serai ravie. »

« J'essaie de trouver le courage de faire une tarte pour le dîner. Vous aimez la tarte aux pêches ?

— Oui, j'adore, répondit Layla. Mais, vous voulez bien... enfin, puis-je vous demander pourquoi Mme Saubergast et Mme Odell...

— Seigneur, appelez-les par leur prénom. Cela ne leur posera aucun problème. Vous voulez savoir pourquoi elles vivent ici durant la semaine au lieu de rester auprès de leurs époux ?

— Non que cela me regarde le moins du monde, reprit la jeune femme, en guise d'excuse.

— Ça n'a jamais empêché quiconque de poser des questions, rétorqua Jottie en riant. Ces deux-là sont inséparables, voilà la vérité. Elles se sont fiancées, l'une à Waldon et l'autre à Henry, à peu près au même moment, ont organisé un double mariage – la plus belle cérémonie qu'on puisse imaginer – et sont parties chacune de leur côté en dansant, Mae pour la ferme, Minerva pour la maison d'Henry, heureuses comme jamais. Mais elles n'ont mis qu'une semaine à sombrer dans le désespoir. Elles n'avaient jamais été séparées plus de quelques heures avant cela, elles ne savaient pas à quoi s'attendre. Vous auriez dû les voir : grises comme la cendre en moins d'un mois. Alors elles sont rentrées à la maison.

— Mais... et leurs maris, cela ne les dérange pas ?

— Rien ne dérange Waldon, Dieu le bénisse. C'est l'homme le plus conciliant du monde. Quant à Henry, ma foi, vous ne tarderez sans doute pas à le croiser, et à apprendre ce qu'il en pense. Il n'apprécie guère. Il a bien essayé de l'obliger à rester, mais elle réussissait à lui fausser compagnie. Elle prétendait vouloir faire un saut ici pour emprunter un bol de sucre, et elle restait. Il apparaissait vers neuf heures du soir pour la récupérer : Henry et sa petite moustache, montant l'escalier de la terrasse d'un pas lourd. – Elle pouffa. – Une fois, il est allé se poster au milieu du salon et il lui a récité leurs vœux de mariage à voix haute. Minerva, étendue sur le divan, l'a écouté jusqu'au bout, douce comme un agneau puis elle a dit : "C'est amusant comme *jurer* peut avoir deux sens opposés, vous ne trouvez pas ?" Il est sorti en tempêtant de la maison, hors de lui, et j'ai bien cru que ce serait la fin de ce mariage-là, mais ils ont réussi à recoller les morceaux. Amusant, non ? conclut-elle devant l'expression sidérée de Layla.

— Inhabituel, certes, commenta Layla, pour concilier franchise et tact.

— Oui, Henry est un drôle d'oiseau.

— Henry ?! Je dirais Minerva, plutôt.

— Oh, *Minerva*, reprit Jottie, attendrie. Je me doutais qu'elle se lasserait de vivre avec lui du matin au soir. Il n'a jamais été bien drôle. Il voulait être banquier dès cinq ans, vous imaginez ? Nous étions encore enfants qu'il essayait déjà de nous prêter de l'argent contre des intérêts. Ce perfide. Je me souviens qu'un jour, Felix l'a pris en flagrant délit. Il l'a attaché à un arbre et il a planté une pancarte à côté de lui expliquant que c'était un usurier. »

Layla rit.

« Pauvre Henry.

— Pensez-vous. C'est la chose la plus excitante qui soit jamais arrivée à Henry Odell. Le plus beau jour de sa vie. Il a passé les dix années suivantes à traîner dans le coin avec l'espoir qu'on s'intéresserait encore à lui. Henry idolâtre Felix, depuis. Vous ne l'entendrez jamais dire du mal de lui.

— Qui voudrait dire du mal de Felix ?

— Je connais bien une ou deux personnes, dit Jottie, prudente. Augusta, la tante d'Henry, par exemple. Sa fille Sylvia et mon frère ont été mariés un temps.

— Mais elle est morte, n'est-ce pas ? laissa échapper Layla, rougissant aussitôt. Je veux dire, je ne sais pas pourquoi... J'ai supposé qu'il était veuf.

— Veuf ? Non. Divorcé.

— Oh ! fit la jeune femme, digérant la nouvelle. Divorcé. Ce n'est pas inhabituel par les temps qui courent, n'est-ce pas ? Des tas de gens divorcent. Personnellement, je ne vois aucun mal à cela. – C'est vrai, décida-t-elle aussitôt. – Si un couple est mal assorti, il n'y a pas de honte à le reconnaître. – Jottie acquiesça, un peu évasive. – Étaient-ils... mal assortis... Felix et sa femme ? Selon vous ? » tenta Layla.

Jottie tâta sa poche et en sortit un paquet de cigarettes.

« Ils ne se connaissaient pas très bien. »

Pas du tout même, songea-t-elle.

« Ah non ? Pourquoi ? »

Jottie ouvrit le paquet.

« Ils se sont enfuis ensemble trois semaines après leur première rencontre. »

Que devrait-elle lui révéler, encore ? Jusqu'où faudrait-il aller pour éveiller la méfiance de cette fille ?

« Oh. Comme c'est romantique ! s'écria Layla avec enthousiasme.

— Si on veut, persévéra Jottie. Ils étaient tous deux fiancés à d'autres, à ce moment-là.

— Oh... »

Encore plus romantique : l'amour qui l'emporte sur la discrétion, songea la jeune femme.

« Ils avaient été découverts, ils n'avaient guère d'autre choix que de s'enfuir et de se marier. Felix était... volage. »

Volage. Cela paraissait injuste. Il était romantique, voilà tout.

« Ma foi, une jeunesse volage, éluda Layla. L'est-il toujours ?

— Oui, assena Jottie. Très. »

Layla eut un mouvement de recul. Ce jugement glacial. Pauvre Felix, condamné pour avoir écouté son cœur, comme elle-même était punie parce qu'elle avait refusé d'épouser

Nelson. La gentillesse de cet homme, sa chaleur, son attache-
ment flagrant à sa famille, tout cela ne comptait-il donc pas?
C'était si injuste.

« Il semble vous être totalement dévoué. Ainsi qu'aux
enfants, rétorqua-t-elle d'une voix froide. En vérité, je n'ai
jamais vu de frère aussi dévoué. »

Jottie détourna le regard. C'était vrai.

« Oui, finit-elle par reconnaître. Très dévoué. C'est indiscu-
table. – Elle soupira. – Avez-vous un frère ?

— Oui, répondit Layla sur ses gardes. Un seul. Un frère aîné.

— C'est une bonne chose. Et vous êtes proches ?

— Proches ? répéta-t-elle, comme si elle ne comprenait pas
le sens de ce mot. Un peu. Parfois. Il est... intelligent. »

Jottie sourit.

« Vous n'êtes pas une idiote non plus. »

Le compliment fit rougir la jeune femme.

« Merci.

— Où habite votre famille ? continua Jottie, d'un ton
aimable.

— À Washington – Layla se leva. – Je serais ravie de vous
aider à faire cette tarte, à présent. »

Jottie mit la tarte au four et referma la porte. Elle glissa les
doigts dans sa poche et en tira une cigarette. Elle avait essayé,
au moins. Personne ne pourrait lui reprocher de ne pas avoir
essayé. *Il semble vous être totalement dévoué.* Oui, il l'était. Il
avait pris soin d'elle alors qu'elle avait tout perdu. Elle ne pouvait le nier.

« Je ne peux pas.

— Bien sûr que si tu peux », insista Felix.

Elle secoua la tête.

« Je... je... la semaine prochaine peut-être. Pas maintenant.

— Je t'en prie, mon chou. »

Il inclina la tête pour voir ses yeux.

« *Boutonne ton manteau et descends un peu ton chapeau.* »

Voyant qu'elle ne bougeait pas, il remonta son col lui-même.

« *Tu vois ? Tu es très bien comme ça. Personne ne saura pour tes cheveux. On dirait que tu les as coupés au carré, c'est tout.* »

Elle sentait de la sueur perler sur son front.

« *Je n'y arrive pas, Felix.* »

Leur mère entra derrière eux dans un bruissement d'étoffes.

« *Eh bien ! s'écria-t-elle en découvrant sa fille. Il était temps !* »

Son fils la mit en garde d'un regard.

« *Ne me regarde pas ainsi, Felix Romeyn ! Je veux seulement dire qu'il est grand temps que tu te remettes de tout cela et que tu cesses de te comporter comme une veuve !*

— *Laisse-la, Maman.*

— *Ce n'est pas comme si ce n'était pas un terrible choc pour moi aussi. Et pour votre père !*

— *J'ai dit : laisse-la.* »

Si elle remarqua le changement dans le ton de son fils, Mme Romeyn n'en montra rien.

« *Et pour toi aussi ! Vous étiez proches Vause et toi ; mon Dieu, quand j'y pense, j'ai envie de hurler.* »

En voyant son frère refermer les doigts autour d'une statuette en bronze, sur une table voisine, Jottie s'arma de courage.

« *Sors d'ici* », *ordonna-t-il à sa mère.*

Mme Romeyn baissa les yeux sur la statuette. Elle sembla peser le pour et le contre avant de répondre :

« *Comment oses-tu me parler de la sorte ?*

— *Ça suffit. Sors d'ici.* »

Elle recula d'un pas.

« *Tu te montres si dur envers moi, Felix. Toi qui étais le plus doux des bébés. – Ses yeux se remplirent de larmes. – Tu es devenu bien cruel. C'est peut-être le choc, mais honnêtement, n'importe qui croirait que c'est moi la criminelle à t'entendre parler.* »

Felix sourit, révélant ses dents d'une blancheur éblouissante.

Sa mère déglutit péniblement, attendant une parole d'excuse qui ne vint pas.

« Nous te verrons au souper ? finit-elle par lui demander.

— Peut-être. »

Elle poussa un soupir théâtral et repartit dans le même bruissement d'étoffes. Felix reposa la statuette et se tourna vers sa sœur.

« Merci, dit-elle.

— Tout le plaisir était pour moi.

— Ne pars pas. »

Elle mourrait s'il la quittait.

« Tu te souviens de ce que je t'ai dit ? Je resterai auprès de toi. Tu verras. Maintenant, allons faire un tour. »

Il la dévisagea, les sourcils froncés, puis ferma le bouton du haut de son manteau.

« Voilà. Allons-y.

— C'est juste que… tout le monde sait… »

Elle s'effondra, tremblante, désespérée.

Il attendit. Puis, devant son silence, il la pressa :

« Tout le monde sait quoi ?

— Tout le monde sait – Sa voix était réduite à un murmure. – … que je le croyais. Tout le monde sait qu'il s'est moqué de moi. Ils vont m'adresser des regards désolés et… je ne peux pas… je ne peux pas… »

Felix baissa les yeux.

« Je sais. Mais c'est lui qui l'a fait. Pas toi. Tu n'as rien à te reprocher. – Il releva la tête. – C'est Vause qui a menti. C'est lui qui a mal agi. Pas toi. D'accord ? Allez, viens. »

Il prit sa main et la passa sous son bras.

« Écoute-moi bien : tu n'auras pas besoin de regarder qui que ce soit. Accroche-toi à moi, je saurai leur faire baisser les yeux. Parce que ni toi ni moi n'avons rien fait de mal. D'accord ? »

Il la fit se retourner pour qu'elle soit face au miroir.

« D'accord?

— Je l'aimais.

— Je sais. Moi aussi. Viens. »

Ils sortirent sur la terrasse. Les doigts tremblants de Jottie s'enfoncèrent dans son bras. Il lui sourit.

« Tu vois comme la journée est agréable? Ça sent le printemps. »

Elle tira une longue bouffée réconfortante de sa cigarette et secoua l'allumette pour l'éteindre.

Layla la regardait.

« Ne devais-je pas vous raconter l'histoire du révérend Goodacre, cet après-midi? lança-t-elle.

— J'y comptais bien! répondit sa pensionnaire, enjouée. Je vais chercher mon bloc. »

18

Papa rentra de son rendez-vous d'affaires avec Clayton V. Hart le mardi, mais il dut repartir quelques jours plus tard, pour Colombus, dans l'Ohio. Il expliqua qu'il avait été embauché par les édiles de la ville pour inspecter leur statuaire. Ce n'était pas vrai, bien sûr. Il plaisantait. Néanmoins, je me demandai ce qu'il allait vraiment faire là-bas. Était-ce un voyage d'affaires pour La Pomme rouge de Cooey ? Je n'étais pas en mesure de répondre et je ne pouvais pas non plus l'interroger. À voir son expression, c'était sans doute le cas, me disais-je, avant de changer d'avis, une minute plus tard. J'étais dans ma chambre, en train de réfléchir à la question, quand j'entendis le crissement de ses pneus sur la terre de l'allée, derrière notre maison. Il était parti. Je décidai de me rendre à Capon Street pour retrouver Geraldine. J'avais envie de lancer quelques prunes.

Mme Lee écarta les branches du rhododendron et nous découvrit.

« Je pensais bien avoir entendu quelque chose. »

Geraldine était rodée aux situations de flagrant délit.

« Nous sommes sages, Maman, nous discutons du saint baptême.

— C'est bien vrai ? demanda Mme Lee en me regardant d'un air dubitatif. Qui est-ce ?

— C'est Willa, Maman. Tu sais. »

Elle parut sceptique.

« Willa Romeyn ?

— Oui, m'dame, dis-je.

— Hou, tu ne ressembles pas à ta maman, toi, hein ? »

Je ne répondis pas. Elle se détourna, s'essuyant les mains sur sa robe aux couleurs passées.

« Romeyn jusqu'au bout des ongles. »

Dans sa bouche, les mots résonnèrent presque comme une insulte.

Geraldine attendit que sa mère retourne vers la corde à linge.

« Tu n'as pas de mère, Willa.

— Bien sûr que si. – Je détestais cette conversation. – Elle est malade. »

J'attendis. Je savais ce qui allait suivre, mais il n'y avait pas de raison pour que je lui serve tout sur un plateau d'argent.

« Qu'est-ce qu'elle a ?

— La lèpre. »

Je venais de lire *Ben Hur*, et la lèpre m'avait semblé être la maladie idéale pour ma mère. Les malades étaient envoyés très loin pour qu'on ne puisse pas voir leur nez tomber. C'était la première fois que je me servais de cette idée.

« Jamais entendu parler de ça, dit Geraldine.

— C'est affreux. Tes globes oculaires te pendent sur les joues, ta peau part en lambeaux, et tes membres se tordent vers l'arrière. Ça arrive. »

La sœur de Ben Hur avait des trous dans les lèvres, mais je me gardai d'en faire trop.

« Pouah, fit Geraldine.

— C'est véridique. Tu n'as jamais lu *Ben Hur* ? Tu aimerais. C'est un livre très religieux.

— Ta mère a ses globes oculaires qui lui pendent sur les joues ? »

217

Elle me dévisageait. Je commençais à me dire que la lèpre n'était pas la maladie idéale, tout compte fait. Qu'il valait peut-être s'en tenir à la variole.

«Non. Non. C'est une forme bénigne de la maladie. Mais elle a quand même dû aller dans une léproserie. C'est là qu'ils les gardent, tous ensemble, parce qu'ils sont les seuls à pouvoir supporter leur propre vue.»

En réalité, ma mère vivait dans le péché avec M. Parnell Rudy à Grand Mile. M. Rudy était marié à quelqu'un d'autre – à une dame qui ne le laisserait jamais le quitter, à en croire ma mère. Mais je n'avais pas l'intention de raconter ça à Geraldine. Ce n'étaient pas ses oignons.

«Si ma mère avait la lèpre, je serais capable de la regarder, moi, déclara-t-elle fièrement. Je ne les laisserais pas l'emmener loin d'ici.

— Bien sûr que si. Ou tu deviendrais folle. C'est ce qui t'arrive quand tu vois un lépreux. C'est bien connu.

— Jésus a guéri les lépreux.

— Je sais. C'est dans *Ben Hur* ça aussi. Mais c'était Jésus, répondis-je, la mine grave. Jésus c'est Dieu. Et je n'ai pas pour ambition d'être aussi bonne que Jésus.»

Cette fois, je l'avais coincée.

Elle se redressa un peu et dit :

«Viens, on va s'entraîner à espionner.»

Je n'avais pas le cœur à ça. Je n'avais pas non plus envie d'avoir encore des démêlés avec Mme Lee.

«Il faut que je rentre à la maison. Je dois astiquer le plancher.»

Geraldine acquiesça, compatissante.

«D'accord. Demain, alors ?

— Peut-être», mentis-je.

Je tournai dans Blooding Avenue. Ça sonnait comme un nom de boucherie, mais c'était une très jolie rue, et marcher dans l'ombre me fit du bien. Peu à peu je me rafraîchis et me calmai. Je me moquais de ce que pensait Mme Lee : de ma mère en particulier, et de tout le reste en général. Deux fois par an, Bird et moi nous rendions à Grand Mile pour voir notre mère. Nous détestions ces visites. Elle s'accrochait trop fort à nous et gémissait qu'elle nous avait perdues. Une fois, je lui avais rappelé : «C'est toi qui es partie, non ?» Mais cela l'avait fait gémir de plus belle.

Elle nous faisait toujours des croque-monsieur frits à la poêle pour le déjeuner. Elle appelait ça un repas de fête, mais c'était la seule chose qu'elle savait préparer. Bird vomissait presque toujours sur le chemin du retour. Parfois, quand je lui serrais la main très fort, elle réussissait à se retenir, mais le plus souvent, elle vomissait.

J'approchai d'un vieux pont en pierre jaune et restai là sans bouger un moment, à regarder le nuage d'insectes qui dansaient au-dessus d'Academy Creek. Être dans l'armée de Geraldine n'était pas aussi amusant que je l'espérais, de toute façon. Je finis de traverser le pont, descendis vers la rive meuble qui sentait le pourri et me mis à marcher le long de l'eau. J'aimais être seule. Il y avait des chances pour que je devienne ermite une fois adulte.

Je n'étais pas là depuis longtemps quand je vis Papa avancer sur le trottoir, environ cinq mètres au-dessus de moi. Il n'était pas plus dans l'Ohio que moi. Je faillis l'appeler mais me ravisai. Je n'étais pas certaine qu'il soit content de me voir. L'espace d'une seconde ou deux, j'hésitai, me disant que le mieux était de ne rien faire. Mais le voyant s'éloigner, je décidai de le suivre. Ce serait presque comme si nous vivions une aventure ensemble, Papa et moi.

Je le suivis en contrebas, prenant soin d'éviter les branches et les orties, tout en le regardant marcher de son pas vif et assuré. Soudain, il disparut. J'escaladai la rive le plus vite possible, me demandant où il avait bien pu aller. Puis je compris. Je me trouvais derrière la maison de M. Russell, le domaine de Tare. C'était l'une des plus grandes demeures de la ville, un vrai manoir, avec un vrai jardin, comme ceux dont on parlait dans les livres – couvert de parterres de fleurs soignés, délimités par des haies de buis –, et une fontaine avec un Cupidon nu au milieu. Cette majestueuse propriété appartenait au petit M. Russell, qui passait le plus clair de son temps assis dans sa véranda à boire du thé glacé.

Jottie lui rendait visite de temps en temps, et apparemment Papa aussi. Retranchée derrière le mur en pierre, je le vis traverser le jardin, contournant gracieusement les parterres comme s'il faisait cela tous les jours. Il était si rapide. Il atteignit la maison en un instant. C'est alors qu'il fit **une** chose qui me surprit. Au lieu de s'engager dans l'allée qui menait à la terrasse, comme le faisaient tous les visiteurs, il resta à l'arrière de la maison, avec ses tourelles, sa deuxième terrasse et son jardin d'hiver à la verrière bombée. Je plissai les yeux et le vis s'arrêter devant une petite porte noire au pied d'une tourelle. De l'endroit où je me trouvais, je n'eus pas l'impression qu'il se servait d'une clé : il se contenta de l'ouvrir et d'entrer.

*

À cinq rues de là, dans Prince Street, Jottie cheminait en compagnie d'Inez Tapscott. Elles revenaient de chez Mme Sloan Inskeep, où les Filles de Macédoine avaient pu admirer les édifiants travaux de tapisserie de la maîtresse de maison sur des thèmes internationaux et déguster son monumental gâteau à la cerise, tout aussi édifiant.

« Ces tapisseries étaient vraiment intéressantes, observa Inez. Elle ne doit pas arrêter une seconde, pour faire tout cela ! »

Jottie hocha vigoureusement la tête. Que pouvait-elle ajouter ? « Celle sur l'Argentine m'a bien plu.

— Oh oui, alors! Tellement exotique, avec toutes ces... choses, s'exclama Inez. Sauf que j'avoue ne guère apprécier ces petites moustaches en trait de crayon. Et toi?»

Des moustaches en trait de crayon? Au nom du ciel, de quoi parlait-elle? Gracieuse et agréable, s'exhorta Jottie. Elle tenta une boutade :

«Je crois que je les préfère quand même à ces grosses choses qui ressemblent à des belettes endormies.

— Des belettes! s'esclaffa Inez. Jottie Romeyn, tu es impayable!»

Jottie s'arrêta net.

«Oh, Inez! Un peu plus et j'oubliais! J'ai promis aux filles de leur rapporter de la glace! Il faut que je file! Quel bon moment! Très instructif!»

Elle noya une Inez Tapscott ravie sous une avalanche de mots.

«Merci d'avoir eu la gentillesse de me laisser venir! Je vais attendre avec impatience la prochaine réunion!»

Une fois chez Statler, elle s'adossa à la porte et savoura l'air délectable de la liberté.

«Jottie! Comment va? Ça fait un bail!»

Armine Statler, grand et rose, posa sa grosse main charnue sur le comptoir.

«Que puis-je faire pour vous?»

L'asile avait un prix; il ne pouvait en être autrement.

«Je voudrais un soda au chocolat, Armine, s'il vous plaît», répondit-elle.

Tandis qu'il s'activait, avec un verre et une cuillère à glace, Jottie appuya sa hanche contre la glacière. Si seulement elle avait pu plaquer tout son corps contre la fraîcheur du métal. Sa tête, emprisonnée sous son plus beau chapeau, ses mains emprisonnées dans des gants blancs, ses boyaux emprisonnés dans une gaine empruntée à Mae.

« Idiote, marmonna-t-elle tout bas.

— Pardon ? cria Armine Statler, la tête dans la glacière.

— Non, non. Je n'ai rien dit, répondit Jottie.

— Ah bon. J'avais cru. Chocolat, c'est ça ?

— Chocolat, oui. »

Chocolat, non mais vraiment ! Comme si elle avait besoin d'un soda au chocolat à quatre heures et demie de l'après-midi ! Dix *cents*, du bon argent jeté par les fenêtres, tout cela parce qu'elle ne trouvait plus rien à dire à Inez Tapscott ! La fidèle Inez au grand cœur qui n'avait jamais manqué de l'accueillir à chaque fois comme une sœur depuis trop longtemps perdue de vue. Et comment la remerciait-elle ? En prenant ses jambes à son cou. Il n'y avait pas de quoi être fière.

Elle posa son sac à main sur une petite table blanche et s'assit. Quand Armine Statler lui apporta son soda, elle regarda avec dégoût les bulles marron remonter le long des parois du verre. Elle n'aimait même pas le soda au chocolat. Mais Vause en raffolait, lui – c'était la raison de son choix. Autrefois, quand elle venait chez Statler avec ses amies, après l'école, elle l'attendait, l'air de rien, l'oreille tendue, attentive aux inflexions de sa voix, prête à ressentir de tous ses pores le contact chaud des corps qui s'attroupaient autour de lui tous les après-midi. Felix en était, bien sûr, et Sol aussi, souvent, ainsi que toute une bande de garçons et de filles ; mais Vause était toujours au centre. Quand ils étaient en public, ils étaient séparés par leurs deux années d'écart et la célébrité sous diverses formes qu'il avait acquise, mais il finissait par la voir, ou bien c'était Felix qui la repérait, et elle s'enorgueillissait alors de ce bref signe de reconnaissance : « Josie ! » Il arrivait même que l'un d'eux s'approche de sa table pour lui parler un instant.

« Vous n'y goûtez pas ? »

Jottie sursauta.

« Oh ! J'étais dans la lune, Armine.

— Au moins, il doit faire bien frais là-haut. Ha! fit-il, hilare, en se tapant sur les cuisses.

— Je repensais à l'époque où l'on venait tous ici, quand j'étais au lycée. Quand c'était votre père qui tenait la boutique.

— Mmm, oui. Je travaillais dans l'arrière-boutique, à l'époque, mais je m'en souviens.

— Vous vous souvenez de Vause Hamilton? Il venait presque tous les jours boire un soda au chocolat. »

Elle pouvait parler de lui à Armine, c'était sans conséquence. Son métier consistait à être aimable. Il ne risquait pas de lui faire remarquer que Vause avait mis le feu à l'usine de son père.

«Et comment! Vause... Il a dépensé pas mal de *nickels*, ici. Comme tous les gamins, à l'époque. Pas comme aujourd'hui, ajouta-t-il, plus sombre. La glace, c'est la première chose dont les gens se privent. La première. Alors, vous n'y touchez pas?»

Jottie leva son verre et en but docilement une longue gorgée. Les bulles laiteuses lui tapissèrent la bouche.

«Mmm, Armine, c'est tout à fait ce qu'il me fallait!»

Il hocha la tête, satisfait, et s'éloigna en voyant entrer un autre client. Jottie étudia son reflet dans la vitrine. Avec son chapeau, elle avait l'air d'une dame. Non, elle n'avait rien d'une dame, elle était lâche.

Tous les arrangements floraux du monde ne suffiront pas à assurer la sécurité de Willa si tu n'es pas capable de te montrer gracieuse et agréable le temps d'un après-midi, se réprimanda-t-elle.

Mais la moitié du temps, je ne comprends pas de quoi elles parlent, plaida l'autre voix.

Peu importe. Tu n'as qu'à faire semblant.

La porte claqua et un homme en pantalon râpé approcha.

«Armine, je voudrais encore un bac de cette satanée glace à la vanille.

— Parfait. Je te donne ça tout de suite. La femme de Bill adore la glace à la vanille, expliqua-t-il à Jottie.

— Elle est enceinte, précisa l'intéressé.

— Oh, je vois.

— Elle en mange tous les jours. C'est bon pour la santé, voyez ? dit Armine.

— J'espère bien. Parce que ça coûte les yeux de la tête. »

Jottie se tourna à nouveau vers la vitrine. Les ouvriers des Inusables avaient terminé leur journée : des hommes se déversaient par vagues dans la rue et finissaient par se scinder en groupes autour de Coca-Cola, de réverbères ou de blagues qui provoquaient des éclats de rire tonitruants.

Soudain, Sol apparut sur le trottoir opposé, plus impressionnant que dans ses souvenirs. Imposant, même, avec son costume bleu nuit. Cachée derrière un rideau fané, Jottie s'autorisa à le suivre des yeux pour le déchiffrer tel un livre interdit. Il était plein de dignité. Quand était-ce arrivé ? Son éternel Sol – le garçon qui trépignait, affolé, les doigts cramponnés aux siens, les yeux rivés sur Felix et Vause, loin, très loin au-dessus d'eux – *Ils vont tomber, ils vont tomber, je le sais !* – avait laissé la place à un homme solide, pondéré, admirable. Et il avait réalisé cette métamorphose sans elle, sans aucun d'eux, lui qui jadis n'aurait jamais levé le petit doigt sans leur assentiment.

« Je n'arrive pas à croire que Sol pense encore à toi », lui avait dit Emmett. Était-ce possible ? Après toutes ces années ? Elle repensa au défilé, à son visage implorant : Pourras-tu me pardonner, un jour ? Pourrons-nous redevenir amis ?

L'homme qui avançait dans Prince Street n'implorait personne. Ce n'était pas un mendiant. Elle le contempla, fascinée par son pas régulier, le geste naturel de sa main, le petit rire bref, la tape amicale dans le dos – le rituel serein de l'homme apprécié et universellement respecté. Les visages se tournaient vers lui, pleins d'espoir, les gens le regardaient approcher, le suivaient des yeux avec un regret amical alors qu'il s'éloignait. Jottie buvait avidement le moindre détail.

Avant qu'elle eût le temps de la réprimer, une pensée s'imposa à elle : si Willa avait un père comme Sol, elle n'aurait plus jamais rien à craindre. Et plus impensable, encore : si je l'épousais, je pourrais assurer sa sécurité. C'était une pensée choquante. Grisante. Ça voulait dire aussitôt la respectabilité, la délivrance du passé. Les préparations pour crèmes instantanées pour pudding, se gaussa-t-elle toute seule. Ça ne va pas être simple d'épouser quelqu'un à qui tu ne parles pas depuis dix-huit ans.

Emmett disait qu'il pensait encore à elle.

Elle soupesa cette possibilité tandis que Sol s'éloignait de son pas tranquille.

Non.

Et pourquoi pas ? Elle avait compté pour lui, autrefois. Comme il pouvait être attentif, s'efforçant de deviner ce qu'elle pensait avant de dire un mot, essayant de devancer les autres pour s'asseoir sur la chaise voisine de la sienne, tâchant de la prendre à part en lui posant des questions : C'est une nouvelle robe ? Qu'est-ce que tu lis ? Je peux t'aider à résoudre ton problème de géométrie, si tu veux.

Imagine-toi mariée à Sol. La vie serait si facile. Repasser des chemises et offrir des tasses de café, rien de plus, rien de compliqué. Et en échange : une condition honorable, le charme sans fard de l'irréprochabilité, la sécurité pour toujours et à jamais, *amen*. Jottie se peignait tout cela avec force détails sous les couleurs de l'envie : Willa et Bird, le balancement de leurs jupes immaculées alors qu'elles gravissaient les marches d'une terrasse fraîchement repeinte, insouciantes, ignorantes. Et elle, à la porte, une assiette de cookies dans sa main tendue, avec son sourire simple, franc, et rien à ajouter ou à soustraire de ce tableau. Les filles s'en sortiront, se dit-elle sans grande conviction ; je suis membre d'un club, non ? Elle regarda Sol entre ses cils. Le petit garçon d'une pâleur laiteuse avait disparu ; il était devenu presque beau. Mieux que beau. Sûr de lui. Le costume n'y était pas pour rien. Était-ce Violet qui lui choisissait ses complets ? Ils les achetaient sans doute ensemble. À Washington, peut-être. Elle était prête à parier qu'ils allaient faire leurs achats à Washington. Pas chez Krohn – elle aurait misé un *nickel* là-dessus. Aller à Washington pour acheter ses vêtements, vous imaginez ça ?

De l'autre côté de la rue, Sol saluait une passante, une dame qu'elle ne connaissait pas. Il souriait. Il avait l'air heureux. Le visage de Sol ne mentait jamais. Il était heureux. Elle était idiote. Non, il n'avait plus de sentiments pour elle, plus après tout ce temps. Il avait sûrement une petite amie. Il était sûrement amoureux d'une douce jeune femme de vingt ans. Il avait sa propre vie.

C'était douloureux.

Elle resta assise à sa table, jusqu'à ce que Sol disparaisse dans Council Street. Puis, elle se leva et passa son sac à son bras.

« Merci, Armine ! » lança-t-elle en se dirigeant vers la porte.

Elle sortit, avala une goulée d'air étouffant et tourna à droite, en direction d'Academy Street.

19

24 juin

Cher Ben,

Je poursuis l'histoire de Macedonia avec zèle et efficacité.
Suis allée à la prison mercredi. Ai failli mourir de faim jeudi.
Troué la semelle de ma chaussure samedi. Le Federal
Writers' Project couvrira-t-il les frais ?

Layla

24 juin 1938

Rose chérie,

Je te demande pardon par avance – ce ne sera pas une
longue lettre parce que j'ai les doigts ankylosés à force
d'écrire. J'aimerais tant que tu me voies taper comme une
possédée sur les touches de ma machine à écrire, en combinaison, un crayon sur l'oreille. Tu serais émue aux larmes par
mon ardeur (sans parler de l'état de ma combinaison). Il fait
une chaleur caniculaire, si bien que j'ôte ma robe et mes bas

à la seconde où je referme la porte de ma chambre, et que je travaille en petite tenue. Je vis dans la terreur mortelle d'oublier de remettre ma robe en sortant – les comportements indécents sont prohibés par le FWP. Tout comme le fait de nous tirer dessus ou de nous réduire en cendres mutuellement et délibérément. (Ben n'a rien à craindre encore de ce côté-là.)

En attendant, je rédige avec zèle l'histoire de Macedonia, bien que j'aie encore beaucoup d'entretiens à mener avec les personnes en vue de la ville et diverses merveilles naturelles à admirer. Mon superviseur m'a conseillé d'achever mes recherches avant de commencer à écrire, mais je n'ai tout simplement pas le temps, parce que les édiles veulent leur livre pour le 24 septembre, date anniversaire de l'inauguration de Macedonia. J'ai bien envisagé de régler le problème avec élégance en changeant la date de l'anniversaire dans le livre, mais nos édiles sont du genre tatillon, c'est pourquoi je travaille avec frénésie pour respecter leurs délais. J'irais plus vite si je ne m'astreignais pas à consacrer un temps précieux à écrire à Mère, en lui jurant mes grands dieux que je ne meurs pas de faim, que je ne travaille pas au fond d'une mine de charbon ou que je ne m'encanaille pas au contact de la plèbe. Je ne sais ce que je donnerais pour qu'elle n'ait jamais lu *La Route au tabac*. Quoi que je puisse dire, elle est convaincue que je travaille dans les champs, pliée en deux sur des rangs de navets dans une robe de coton en lambeaux, tandis que des fermiers égrillards lorgnent mes formes juvéniles, en crachant des jets de tabac entre leurs dents. Elle refuse de me croire ; sans doute parce que la vérité la déçoit.

Merci de ta lettre à propos de Georgette et Nelson, qui m'a fait très plaisir, mais vraiment, ma chérie, rien ne pourrait m'être plus indifférent et tu n'as pas besoin de dire qu'elle ressemblait à une vache dans sa robe (tout le monde a effectivement l'air d'une vache avec ces encolures froncées). Ces deux-là feront un couple formidable. Georgette pourra arrêter de s'évertuer à fréquenter les pistes de danse de Washington et passer le reste de sa vie assise à une table d'angle au Pall Mall Club, puisque c'est ce qu'elle préfère, en réalité. Et Nelson pourrait dire : « Ma femme – une pur-sang, cent pour cent Caroline du Nord, hé hé ! » C'est un mariage béni des dieux.

Quant au reste de ta lettre, si tout cela te déplaît tant, pourquoi y vas-tu ? Maintenant que je vois les choses depuis la position avantageuse qui est la mienne – cent cinquante kilomètres et treize jours de recul –, ces soirées m'apparaissent comme une épouvantable perte de temps. J'ai l'impression d'avoir passé ces sept dernières années à danser avec des hommes qui ne me plaisaient pas. Nelson, par exemple, et Louis Yards et Harry, et – bref, tous, du premier au dernier. M'habiller, sourire, danser et faire semblant de rire de leurs blagues minables. Pourquoi faisons-nous cela ? Je sais ce que tu me répondrais : pour ne pas devenir vieilles filles – mais avons-nous vraiment envie d'épouser des Louis Yards et des Nelson ? Je crois sincèrement que je préférerais ne pas me marier du tout. Et puis, il y a peut-être d'autres hommes, en d'autres lieux, qui pourraient nous plaire davantage.

À Macedonia, par exemple.

Déduis-en ce que tu peux.

Je t'ai déjà dit que je logeais chez les Romeyn, mais je crois avoir omis de te signaler l'existence de M. Romeyn – Felix, puisque c'est ainsi que je l'appelle à présent. Il habite la maison avec ses deux filles (il est divorcé de leur mère). Sa sœur s'occupe des enfants et tient la maison pendant qu'il est au travail. Je ne suis pas très sûre de ce qu'il fait, mais il est souvent en voyage d'affaires. C'est assurément la personne la plus gentille que j'aie rencontrée à Macedonia ; ce week-end, il m'a emmenée faire le tour des sites historiques pour mon livre. Adorable, non ? Nous avons passé un moment délicieux, d'ailleurs – à la différence de Nelson, il a de la conversation. Sur des sujets qui ne tournent pas exclusivement autour de lui ! Et il s'intéresse à tout. À moi ! Et à mes idées, aussi ! Il est cultivé, charmant, c'est un vrai gentleman. Pas vraiment beau, mais si attirant, avec ses yeux et ses cheveux noirs, et un sourire qui m'a fait défaillir la première fois que je l'ai vu. Il y a quelque chose de magnétique chez lui, de mystérieux, que je trouve très, très séduisant – oh, Rose chérie, à me lire tu vas croire que c'est le cheikh du désert, alors que ce n'est pas ça du tout.

Je ne voudrais pas te donner l'impression d'avoir cédé mon cœur sans discernement. Comme nous le conseillait Mlle Telt voilà bien des années, mon cœur ne s'est pas soumis sous le coup d'une attirance superficielle mais j'ai réservé mon estime à celui qui se révélerait digne de ma vertu (!), un ami des opprimés et un modèle d'humilité pour les grands, une consolation dans l'adversité et un compagnon dans l'allégresse, à qui je pourrais confier mes incertitudes, grandes et petites. Chère Mlle Telt ! Crois-tu qu'elle ait jamais rencontré un homme en chair et en os ?

Je sais, je sais, je badine, mais je l'avoue – à toi seule – j'ai un faible pour M. Felix Romeyn. Je ne m'attendais pas à tomber sur un être tel que lui à Macedonia, Virginie-Occidentale : preuve, j'imagine, de mon étroitesse d'esprit. Je ne m'attendais pas vraiment à des cultivateurs de navets égrillards, mais presque. Des rustres, en tout cas. Au lieu de quoi j'ai découvert une petite ville pareille à toutes les petites villes – de larges rues, de vieux ormes, des maisons blanches et une vieille place de village d'un calme absolu – le tout bouillonnant de passions incandescentes et de tragédies grecques. Tu défaillirais si je te parlais du premier pasteur baptiste de la région. Sa vie est une saga marquée par deux affaires de séduction, un cercueil vide et un serpent ! Je t'enverrai un exemplaire du manuscrit quand j'y aurai mis le mot « FIN », mais je te demanderai de prendre garde à ce qu'il ne tombe pas entre les mains de ta mère et de Margaret. Elles sont trop jeunes pour de tels scandales.

Je dois me dépêcher, ma chère. C'est l'heure du dîner, et je dois remettre ma robe. Je n'ai pas oublié !

Tendres baisers,

Layla

———◄◆►———

27 juin 1938

Chère Layla,

Le FWP se fera un plaisir de couvrir les frais : journal envoyé (sous pli séparé) pour mettre dans chaussure.

Ben

———◄◆►———

Les vingt-deux charmantes églises dont s'enorgueillissent aujourd'hui les rues de Macedonia ne trahissent rien des turbulences religieuses dont la ville fut le théâtre à la fin des années 1820 et au début des années 1830, sous le ministère du révérend Caymuth Goodacre. Les tribulations commencèrent en 1828, quand le jeune révérend Goodacre s'installa en ville afin d'y fonder une congrégation baptiste. Il était accompagné de sa sœur muette, qui lui servait de gouvernante. La rhétorique et la vigueur spirituelle de Goodacre faisaient l'admiration de tous et suscitèrent la conversion de nombreuses personnes à sa foi, l'intérêt de la population féminine étant plus particulièrement éveillé par ses attributs terrestres. Sa présence aux dîners était une faveur farouchement disputée et une paroissienne, Mme Elizabeth Shanholtzer, écrivit à sa cousine Glorvina que le révérend était « la plus merveilleuse œuvre de Dieu ». D'où qu'il tînt son charme, il paraît clair qu'au printemps de 1829, Goodacre pouvait se targuer d'avoir réussi sa mission : sur une population totale de 785 âmes, 390 environ avaient été confirmées dans son église, prouvant leur foi par le baptême dans les eaux glacées de la False.

Mais la gloire est inconstante, tout comme le roc sur lequel Goodacre avait fondé son ministère, et qui n'était autre que l'admirable Mme Shanholtzer. À la fin de l'an 1929, celle-ci abandonna le foyer conjugal, laissant une lettre annonçant à son mari qu'elle avait trouvé le « Soutien véritable de son âme » et décidé de « voyager à son Côté dans la Vie ». Le 21 mars 1830, le révérend Goodacre apporta au très endeuillé M. Shanholtzer le réconfort d'un sermon sur la perfidie féminine.

En octobre 1830, une autre jeune femme de la congrégation, dont l'histoire n'a pas retenu le nom, disparut au cours d'un après-midi de tempête. Bien que l'on n'ait pas retrouvé son corps, on présuma qu'elle avait été victime d'une crue soudaine de la False, et son cercueil vide fut le premier à être enseveli dans le cimetière, derrière l'église baptiste nouvellement construite (sur Mentor Street North, au coin de Sattlebarge Lane). Goodacre aurait prononcé pour l'occasion un vibrant éloge funèbre.

Imaginez la surprise de la congrégation quand, à la fin du mois d'octobre, alors que le révérend Goodacre entonnait la déclaration de foi, la porte de l'église s'ouvrit sur Mme Shanholtzer en personne. Elle descendit l'allée, un bébé au sein, et s'approcha du révérend en proférant des accusations : c'était lui le Soutien ! Il l'avait enlevée et séquestrée en un lieu secret où il l'avait nourrie de promesses d'amour immortel pour la trahir après qu'elle eut donné naissance à leur enfant, déclarant qu'il en avait assez d'elle et lui suggérant de retourner auprès de son mari.

Mme Shanholtzer n'était pas de taille à lutter contre la présence d'esprit du révérend Goodacre. Il balaya ses dénonciations hystériques comme autant de délires d'une démente. Exerçant la puissante rhétorique qui l'avait toujours si bien servi, il pria pour qu'elle se remette promptement des sombres hallucinations qui la portaient à croire qu'il l'avait séduite, et implora le Seigneur de révéler l'identité du véritable scélérat.

Après une litanie qui dura bien deux heures, Goodacre prétendit tenir la réponse : Mme Shanholtzer avait été détournée du droit chemin par un certain Jervis Offut, un célibataire d'âge mûr dont on ne savait pas grand-chose, hormis qu'il était diacre et presbytérien. L'éloquence de Goodacre lui obtint de voir sa dénonciation aussitôt adoptée comme la vérité pleine et entière, et une escouade de robustes baptistes fut dépêchée afin de traîner M. Offut devant la justice.

À leur approche, l'homme eut la mauvaise idée de prendre ses jambes à son cou, ce qui, dans l'esprit du public, passa pour un aveu de culpabilité. D'après le Tattle-Tale, une publication locale de l'époque, M. Offut fut finalement capturé dans la tannerie de Macedonia et amené, non devant ses juges, mais devant la chaire de l'église baptiste où il fut confronté à son délateur le 3 novembre 1830.

Le révérend Goodacre ébranla jusqu'à la charpente de l'église par la véhémence avec laquelle il accusa M. Offut de séduction, d'adultère et de fornication, et demanda au gendarme, un certain M. Sayle, qui se trouvait fort commodément présent, d'arrêter le félon. Galvanisée par le discours enflammé de Goodacre, la congrégation – deux fois plus nombreuse qu'à l'ordinaire – se leva comme un seul homme en réclamant à grands cris un châtiment plus expéditif. M. Offut aurait été sur l'heure enduit de goudron et de plumes sans la plus improbable des interventions. Au plus fort du tumulte, Mlle Goodacre, la muette, vint s'interposer entre M. Offut et les justiciers. Lesquels, déconcertés, firent un pas en arrière et consultèrent le révérend du regard, attendant ses instructions. Mais celui-ci parut lui-même ébranlé par la vue de sa sœur qui remit ensuite une lettre au gendarme, ce qui le fit blêmir. À juste raison, car la lettre prouvait à l'évidence que Mme Shanholtzer avait dit la vérité, et proposait en outre de conduire le gendarme Sayle et toute autre personne intéressée au nouveau repaire du révérend, où l'on découvrirait sa seconde maîtresse, la victime supposée de la tempête.

C'est ainsi que Goodacre se retrouva bientôt frappé par le châtiment même qu'il avait appelé sur M. Offut. Le gendarme Sayle – assisté, on peut le supposer, par une Mme Shanholtzer scandalisée – jeta Goodacre derrière les barreaux. Il se languit dans la prison de Macedonia pendant deux semaines, au cours desquelles aucune trace de son repentir ne fut consignée, avant d'être transféré à Richmond où il passa en jugement devant la cour de Virginie au printemps suivant.

Éperdu de reconnaissance, Jervis Offut épousa Mlle Goodacre, et le couple vécut jusqu'à un âge avancé. La fin de leur existence fut, hélas, marquée par la tragédie : leur unique fils mourut à l'âge de quatorze ans, d'une morsure de mocassin à tête cuivrée, reptile dont Mme Offut soutint qu'il s'agissait d'une incarnation de son frère.

La nouvelle de l'infamie du révérend se répandit comme une traînée de poudre dans la région. Les églises de toutes confessions s'avisèrent que Macedonia était un terreau fertile où semer la bonne parole et, en l'espace de quelques semaines, les prédicateurs méthodistes, congrégationalistes, presbytériens et baptistes arrivèrent en masse par tous les sentiers de montagnes afin de combler le vide religieux.

Mlle Betts regarda par-dessus les feuillets Layla, assise à une table, occupée à parcourir une liasse de coupures de journaux sur la manufacture de bonneterie Les Inusables Américaines.

Mlle Betts repoussa son fauteuil et s'approcha d'elle dans un cliquetis de talons.

« Alors ? demanda Layla à la fois impatiente et anxieuse.

— Alors, mademoiselle Beck, commença la bibliothécaire, souriante, je ne crois pas avoir jamais lu un compte-rendu plus fascinant du sacerdoce de Goodacre. – Layla rosit de plaisir. – Cependant... vos assertions sont... provocantes. Il y a une autre version de l'histoire, naturellement, et de nombreux Macédoniens refuseront de considérer celle-ci comme la version officielle.

— Quelle autre version de l'histoire ? »

Mlle Betts tira une chaise, lissa sa jupe impeccable et s'assit.

« Eh bien, certaines personnes estiment que Goodacre a été... condamné à tort.

— À tort ? répéta Layla.

— Pour ces personnes, Mme Shanholtzer était bel et bien dérangée, et elle a proféré de fausses accusations. – Elle posa les mains à plat sur la table. – Et le révérend Goodacre était innocent de tout méfait.

— Mais il a été arrêté !

— Vous ne croyez tout de même pas qu'être arrêté implique la culpabilité ? rétorqua Mlle Betts, soutenant son regard.

— Non, convint Layla. Mais Mme Shanholtzer a bien quitté son foyer et elle est revenue avec un bébé.

— C'est indéniable.

— Et l'autre fille a disparu.

— Aucune trace écrite n'indique qu'elle ait jamais reparu.

— Enfin... il a été dénoncé par sa propre sœur !

— Certes. Mais une sœur peut avoir des raisons personnelles de proférer des contrevérités de ce genre. Et l'homme qu'elle a défendu l'a demandée en mariage.

— D'après Jottie, tout le monde à Macedonia était au courant des frasques de Goodacre.

— En effet. Et la plupart des gens raffolent de cette histoire. Néanmoins, les baptistes – et c'est fort compréhensible – la démentent, et bien des gens la récusent, n'y voyant que l'expression du goût morbide du public pour le scandale. »

Qui cela ? Qui la récusait ? se demanda Layla, avec ressentiment. Des gens obtus. Des individus qui tenaient à ce que tout soit aussi fade et ennuyeux que possible. Des individus comme Parker Davies. Elle leva les yeux vers les grains de poussière étincelants qui dansaient dans le rayon de soleil tombant des fenêtres et se dit : Je m'en fiche. Je n'y changerai rien. Ce serait du gâchis. Elle deviendrait ennuyeuse, et personne n'a envie de lire une histoire ennuyeuse. D'ailleurs, ce vieux bouc a probablement fait tout ce qu'on lui reproche. Et puisque personne n'a de certitude à ce sujet, pourquoi ne choisirais-je pas la version que je trouve la plus intéressante ?

« À mon avis, répondit-elle à Mlle Betts, si l'histoire ne retenait que les événements rigoureusement vérifiés, il n'y aurait pas d'histoire du tout. »

La bibliothécaire se carra dans sa chaise, l'air déconcertée par cette résistance à la raison même. Elle soupira et reprit :

« Vous avez peut-être raison. Enfin... je vous aurai prévenue. Bon, avez-vous trouvé ici ce dont vous aviez besoin ? demanda-t-elle en indiquant les pages de journal jaunies étalées sur la table.

— Je n'ai besoin de rien à proprement parler. Je dois rencontrer M. Shank, jeudi prochain, alors je me renseigne sur Les Inusables Américaines. J'ignorais que M. Romeyn en avait été le premier président, ajouta-t-elle, désignant une coupure.

— Il y a eu deux présidents. M. Shank est le second.

— Alors il a dû connaître M. Romeyn.

— Oui. M. Shank était pour ainsi dire le protégé de M. Romeyn.

— Je vois. Je me demande pourquoi Jottie ne m'a pas dit qu'elle le connaissait. Je lui ai soumis ma liste – la liste des

236

entretiens que je dois avoir — pour qu'elle me recommande, voyez-vous. Elle doit connaître M. Shank, mais elle ne me l'a pas signalé.

— Ce n'est pas une recommandation de Jottie qui risque de vous faire apprécier de M. Shank, répondit Mlle Betts, dont les lunettes avaient glissé au bout de son nez.

— Et pourquoi donc ?

— M. Romeyn était... très aimé. M. Shank a tendance à souffrir de la comparaison.

— Voilà une présentation très diplomatique des choses, mademoiselle Betts. Mais parlez-moi de M. Romeyn.

— C'était un homme très gentil. Très bienveillant. Presque trop généreux. Ses employés l'adoraient. »

Layla esquissa un sourire poli. Mlle Betts n'aurait pu lui en fournir une description plus insipide : un homme bienveillant, ça pouvait être une chose et son contraire. Un costume vide. Rien à voir avec le Goodacre de Jottie. Ou le Joe Dolly évoqué par Felix. Elle fit une nouvelle tentative :

« Quel souvenir gardez-vous de lui, personnellement ?

— Moi ? s'exclama Mlle Betts, déconcertée.

— Oui. L'avez-vous connu ?

— Eh bien... Oui. Oui, assurément, acquiesça-t-elle, remontant ses lunettes sur son nez. Mon père, Anderson Betts, avait une profonde admiration pour M. Romeyn. Mon père dirigeait un salon funéraire, et il était arrivé plus d'une fois à M. Romeyn de régler, pour des ouvriers de la manufacture, les frais d'obsèques que la famille n'avait pas les moyens de payer. C'était très généreux de sa part. — Elle parut songeuse. — Je me souviens aussi d'une fois où il est venu chez nous — au-dessus du funérarium. Il m'a donné un penny pour que je m'achète des bonbons. Je l'ai conservé précieusement pendant des semaines, ajouta-t-elle, cet agréable souvenir lui arrachant un sourire. Je ne voulais pas le dépenser parce que c'était M. Romeyn qui me l'avait donné.

— Il était venu à l'enterrement d'un ouvrier ? »

Pas étonnant qu'il ait été aussi populaire.

Mlle Betts se rembrunit.

« Non, non, il était venu parce qu'un soir, Felix et... un de ses amis s'étaient introduits dans le salon funéraire. Ils avaient grimpé dans deux cercueils capitonnés de satin et s'y étaient endormis. Ma mère était tombée sur eux, le lendemain matin, et elle avait été... assez choquée. – Layla éclata de rire. – Il faut croire que c'est amusant, convint la bibliothécaire esquissant un sourire. Ma mère n'a pas trouvé ça drôle du tout.

— Ça, je comprends, pouffa Layla. Elle a cru qu'ils étaient morts ?

— Oui, répondit Mlle Betts, baissant les yeux sur les feuillets qu'elle tenait à la main. Et en un mot, c'est tout le problème de l'histoire. Pour vous – et pour Felix, j'imagine – deux garçons endormis dans des cercueils, c'est un épisode cocasse. Pour ma mère, c'était une infamie. Pour moi, ce n'était qu'un cas de délinquance juvénile que je considérais comme un grave délit. Je n'ai jamais, jusqu'à cet instant, trouvé cela comique. Ce qui confirme mon propos au sujet de Goodacre. Chacun de nous voit une histoire donnée à travers le prisme de sa propre subjectivité. Nous sommes incapables de nous montrer objectifs. Vous devez vous méfier de vos sources.

— Si personne ne peut faire preuve d'objectivité, rétorqua Layla, pensive, alors le problème est insoluble, et l'Histoire tout entière est suspecte.

— Vous êtes une jeune femme très astucieuse, commenta Mlle Betts en l'observant avec circonspection. Mais réfléchissez : c'est peut-être la revendication d'objectivité qui est suspecte. Et dans ce cas, la question devient : que voulez-vous que soit *L'Histoire de Macedonia* ?

— Moi ? Pourquoi ? Il n'y a pas d'enjeu pour moi dans cette affaire. Je n'ai aucune ambition particulière à ce sujet. »

À la seconde où elle articulait ces mots, elle comprit que ce n'était pas vrai. Elle voulait que *L'Histoire de Macedonia* amuse les gens d'esprit et pique au vif ceux qui en étaient dépourvus, qu'elle mette les Romeyn en valeur et écrase les Parker Davies, et montre qu'elle, Layla Beck, avait perçu tout ce qui leur avait échappé.

«Vraiment? Alors vous possédez un avantage sur nous, mademoiselle Beck, et la vérité prévaudra.»

Elle tapota la liasse de feuillets pour les mettre en ordre et les lui tendit.

20

Papa était parti depuis près d'une semaine. Bird lui avait écrit qu'il avait intérêt à rentrer vite s'il ne voulait pas qu'elle lâche les pensionnaires de son cirque de puces dans sa chambre, mais nous ne savions pas où envoyer la lettre. Les hauts talons de Mlle Beck claquaient dans l'escalier et les touches de sa machine à écrire crépitaient sous ses petits doigts, chaque fin de ligne étant ponctuée par un ding. Je me consolais en songeant que, où qu'il se trouve, Papa était aussi loin de Mlle Beck que de nous. Les journées filaient, Mae et Minerva fumaient, riaient et écoutaient la radio, et j'avais trouvé *Jane Eyre*, qui était le meilleur livre du monde. Je l'avais lu trois fois de suite.

Au bout de la troisième fois, j'attrapai un coup de chaleur. Ce matin-là, je m'étais installée à l'ombre pour lire, mais quand je refermai le roman, je me rendis compte que le soleil me cognait dessus depuis un bon moment déjà. Je levai les yeux et ne distinguai qu'un rectangle bleu de la taille d'une page.

Je me mis debout et regagnai la maison pour y retrouver un peu de fraîcheur. Mais il faisait chaud dans la cuisine. Pas aussi chaud que dehors, mais très chaud quand même. Et il n'y avait pas un bruit. Jottie n'étant pas là pour me l'interdire, j'ouvris le réfrigérateur et mis ma tête dedans. Le moteur gronda dans mes oreilles, et quand je la ressortis, bien rafraîchie, j'y voyais à nouveau. C'est alors que je remarquai de l'argent sous le sucrier de la table de la cuisine. Je ne pris pas la peine de compter les billets, ni même de les toucher. Je savais ce que ça voulait dire. Papa était rentré. C'était là qu'il les mettait toujours, sous le sucrier.

« Papa est rentré ! » m'écriai-je.

Personne ne répondit.

« Jottie ? »

Silence. Où pouvait-elle bien être ?

Je mis un doigt dans ma bouche puis le plongeai dans le sucre, faisant bien attention à ne pas déranger les billets.

« Papa ? »

Le silence était si profond qu'on aurait cru que le monde entier avait disparu dans un gouffre. Je me suçai le doigt une minute, puis pris un torchon à poussière dans un placard et je montai à l'étage sans faire de bruit. La chambre de Mlle Beck donnait sur l'arrière de la maison et se trouvait à côté de celle que nous occupions, Bird et moi. Jottie avait la grande chambre plus loin, sur le devant. La porte de la chambre de Papa était fermée – il était peut-être là, en train de dormir. Il dormait généralement longtemps quand il rentrait de voyage. J'avançai sur la pointe des pieds jusqu'à la chambre de Mlle Beck et j'écoutai une minute, l'oreille collée à sa porte, puis je frappai doucement en murmurant « Mademoiselle Beck ». Si elle répondait, je n'aurais qu'à dire que je venais faire un brin de ménage. Et je le ferais, même, au besoin. Il faut savoir consentir à des sacrifices si l'on veut arriver à quelque chose dans la vie.

J'ouvris la porte et me détendis. Personne. J'entrai et refermai la porte derrière moi. J'avais juré devant Dieu de ne toucher à rien. Je voulais simplement jeter un coup d'œil à ses affaires. Si Jane Eyre avait fait comme moi, elle se serait peut-être épargné bien des peines de cœur.

Je parcourus la pièce du regard. Elle avait fait son lit, mais elle n'avait pas bordé le drap. Il pendait sous la courtepointe, et les doigts me démangeaient de le remettre en place. Résistant à la tentation, je m'approchai de sa commode. Sur le dessus, elle avait disposé un ensemble de peignes et de brosses en argent, et dans un support également en argent un flacon de parfum avec vaporisateur. Mon nez n'arrivait pas assez haut pour sentir de quel genre de parfum il s'agissait. Il y avait également trois photographies sur le meuble. Une de sa famille sans doute, car elle était dessus : un père avec un gros ventre, une mère en robe vaporeuse, un homme renfrogné qui devait être son frère – et Mlle Beck qui serrait dans ses mains ses cheveux bouclés. Une autre de son frère, l'air tout aussi austère. La troisième photo représentait une jeune femme, si belle qu'elle aurait pu faire du cinéma. Elle portait une robe du soir et elle paraissait surprise. Sous son visage, deux lignes manuscrites : « Pour ma Layla chérie avec toute mon affection, Rose. »

Mlle Beck avait laissé un des tiroirs ouverts. Jottie disait toujours que seules les souillons avaient ce travers, mais pour être juste, les tiroirs de cette commode se coinçaient. Je n'allais toucher à rien, juste regarder. Il me semblait qu'il contenait ses chemises de nuit – difficile à dire sans les déplier – parce qu'il y avait des dentelles et des rubans roses satinés, tout cela mélangé. Je remarquai aussi un bout de satin brodé. Comprenant soudain qu'il s'agissait sans doute de sous-vêtements, je me sentis rougir. C'était tout à fait le genre de sous-vêtements que portaient les séductrices, ces choses en satin et en dentelle. L'image de Mae et de Waldon me traversa l'esprit : c'était pourtant la dernière chose à laquelle j'avais envie de penser. Je me détournai, mais pas assez vite pour empêcher mon estomac de se contracter un peu.

La table de Mlle Beck n'était pas du tout celle d'une souillon. Il y avait une machine à écrire entourée de piles de papier bien nettes, des feuilles blanches et d'autres sur lesquelles on avait déjà tapé des choses. Je faillis oublier ma promesse au bon Dieu et effleurai la pile de pelure blanche toute neuve. Je me ravisai à la dernière seconde. Je lus la première page de la pile :

~~M. et Mme Arwell Tapscott (connaissent Jottie)~~

~~M. et Mme John Sue~~

M. et Mme John Lansbrough

Mme Hartford Lacey (connaît Jottie)

M. Tare Russell (connaît Jottie ?)

Le Dr. et Mme George Averill (hôpital ?)

M. et Mme Tyler Bowers LUNDI, 15 h

M. et Mme Baker Spurling

M. et Mme Ralph Shank (Inusables Am.) JEUDI, 14 h

M. et Mme Sloan Inskeep

~~Mme Alexander Washington~~

M. et Mme Eugene Silver

Plutôt sans intérêt. J'y regardai néanmoins de plus près. Quelqu'un – Mlle Beck sans doute – avait tracé une flèche à côté du nom de M. Shank, une flèche pointée vers une note : «Pourquoi pas de boulot p. Felix, I. Amér.? Quand?» C'était facile à comprendre : elle se demandait pourquoi Papa ne travaillait pas à la manufacture. Occupe-toi de tes oignons, me dis-je avec un mauvais sourire. Et puis je réfléchis à ce que j'étais en train de faire et me mordis les lèvres pour ne pas éclater de rire.

Je m'intéressai ensuite aux autres objets qui se trouvaient sur la table : un encrier, un stylo à plume rouge, quelques crayons, un dictionnaire, un calepin que j'étais trop respectable pour ouvrir, et une pile de lettres. Elle recevait beaucoup de lettres. Je murmurai : «Passe derrière moi, Satan», et il obtempéra. Je me penchai juste un tout petit peu et soufflai légèrement, à peine plus fort qu'une brise. La pile bascula et une épaisse enveloppe crème tomba à terre. Au dos, quelqu'un avait écrit à

243

l'encre bleue, en caractères d'imprimerie : « Le sénateur et Mme Grayson Beck, Hillyer Place, Washington, D.C. »

Je jetai un œil à la photo du père de Mlle Beck. Se pouvait-il qu'il soit sénateur ? Il avait un ventre de sénateur, mais à part ça, il paraissait un peu trop jeune. Je baissai à nouveau les yeux sur la table et mon cœur bondit soudain dans ma poitrine. Là, sous la pile d'enveloppes qui avait glissé, un bout de papier dépassait, et sur ce papier, je reconnus l'écriture de mon père. Je ne pouvais voir que deux mots, mais j'aurais reconnu ces lettres longues et pointues entre mille. Et ces mots étaient : « en vie. F. »

Mon Dieu, la tentation surgit pour de bon et faillit me submerger. Qu'est-ce que ça voulait dire, « en vie. F » ? Je pouvais imaginer un million de choses, mais une seule comptait : « Je vous aimerai aussi longtemps que je serai en vie. F. » Jamais mon père n'aurait pu écrire une telle sottise, mais peu importait ; à cet instant, anéantie comme je l'étais, je le voyais bel et bien en train de le faire. Non, non, non, me répétai-je. Tu te fais des idées, comme quand tu pensais que Mlle Beck était de naissance royale. Je les avais vus partir ensemble, bras dessus bras dessous. Non, tu as des visions, c'est le fruit de ton imagination, me persuadai-je. Il y a un moyen d'en avoir le cœur net. Non, il n'y en a pas. Dieu va te foudroyer si tu fais ça. Dieu comprendra.

Ma main s'approcha insensiblement, d'elle-même.

C'est alors que la moustiquaire claqua.

« Il y a quelqu'un ? » demanda Jottie.

Ce n'est qu'après avoir dévalé la moitié de l'escalier que je repris mes esprits. Jottie m'avait sauvée.

*

Felix se matérialisa sans crier gare au moment du dessert. La porte était un rectangle vide et l'instant d'après, il était appuyé au chambranle à les regarder en souriant. Minerva, qui portait un morceau de tarte à sa bouche, poussa un cri.

Jottie leva les yeux au ciel.

« Il est ressuscité.

— Papa ! » gazouilla Bird.

Elle se glissa au bas de sa chaise sans prendre la peine de la repousser et l'entoura de ses bras.

Il posa la main sur sa joue.

« Salut, Birdie ! Salut, mon chou ! dit-il en souriant à Willa.

— Salut..., commença-t-elle, mais sa petite voix fut couverte par celle de Minerva.

— Mince, Felix, pourquoi faut-il toujours que tu t'approches à pas de loup comme ça ! »

Passant son bras sous celui de Bird, il entra dans la salle à manger.

« Il reste quelque chose pour moi, ou Layla a tout mangé ? »

La jeune femme leva les yeux, prête à protester, mais il lui fit un clin d'œil.

« Tu veux une part de tarte ? proposa Jottie.

— Bonne idée, répondit-il en s'asseyant à sa place habituelle. Allez, Bird, viens sur mes genoux. Tu me serviras de serviette.

— Je te préviens, ne me crache pas des bouts de tarte dessus, lança la fillette en se cramponnant à sa ceinture pour grimper sur lui. C'est ma quatrième plus jolie robe.

— Une chance que tu n'aies pas mis la première plus jolie. J'en aurais sûrement perdu la vue. »

Il prit l'assiette que lui tendit Mae.

« Merci. Il reste du café là-dedans ?

— Comment s'est passé votre voyage d'affaires ? s'enquit Layla.

— Pas mal, pas mal. Les filles ont été sages ? »

Jottie lui tendit une tasse.

«Moins insupportables que d'habitude, je dirais.

— Alors, quoi de neuf? demanda-t-il en parcourant la tablée du regard.

— Pas grand-chose, soupira Mae. C'est la canicule, mais ce n'est pas nouveau.»

Un ange passa.

«Aujourd'hui, Mlle Betts et moi, nous avons eu une discussion sur l'Histoire, annonça Layla. Elle m'a recommandé de bien vérifier mes sources.

— Ah bon?» s'étonna Jottie.

Layla finit d'avaler sa bouchée.

«Et j'ai entendu parler d'un certain incident dans le salon funéraire de son père. Une histoire de cercueil», précisa-t-elle, adressant un sourire entendu à Felix.

Il se contenta de hausser un sourcil sans lui rendre son sourire, et entoura Bird de son bras en remuant son café.

Décontenancée de voir qu'elle s'était fourvoyée, Layla passa à un autre sujet.

«Eh bien, en réalité, nous parlions de votre père. Et des Inusables Américaines. J'ai rendez-vous avec M. Shank jeudi prochain, afin de mener quelques recherches. Mlle Betts m'a raconté que votre père était très populaire. Très aimé, selon ses propres termes.

— Très aimé. Vraiment? dit Félix, dubitatif.

— C'est exact! intervint Minerva. Il était très aimé, Felix.

— Disons que cela dépend de ton interlocuteur, ironisa-t-il.

— Mlle Betts se souvenait de lui avec affection, précisa Layla, troublée. Il lui avait donné un penny pour s'acheter des bonbons, une fois.

— Ah, commenta Felix.

— Je le reconnais bien là, confirma Minerva. Papa faisait toujours ce genre de choses.

— Sans aucun doute. Il donnait des pennies aux gens sans amis, matin, midi et soir, lâcha son frère.

— Mlle Betts n'était pas sans amis, objecta Layla. Il s'agissait d'un penny.

— Elle lui avait peut-être dit qu'elle n'avait pas d'amis, pour qu'il lui en donne un », suggéra Bird.

Jottie pouffa :

« Tu as sûrement raison, elle est futée notre Mlle Betts. Je l'imagine tout à fait, dissimulée à un coin de rue, attendant que Papa passe pour lui sauter dessus en prétendant qu'elle est sans amis pour lui soutirer un penny. »

Felix leva les yeux de son café.

« Et si elle lui a fait la danse des sabots, elle a sans doute eu deux pennies.

— Papa ne pouvait pas résister à la danse des sabots, acquiesça Jottie. Ça le mettait dans le même état qu'une liqueur forte.

— Cela se fait rare, de nos jours, la danse des sabots, soupira Minerva.

— Et c'est bien dommage, commenta Felix. Mlle Betts a dansé avec les plus grands.

— Où avait-elle trouvé ses sabots ? questionna Willa, ses yeux brillants allant de sa tante à son père.

— C'est triste à dire, elle les avait volés, répondit son père.

— Non, arrête ! s'exclama Jottie avec une grimace. Je ne veux pas en entendre davantage !

— À une fillette.

— Une fillette avec des allumettes ? Une petite Danoise perdue ? »

Felix acquiesça :

« Elle les a arrachés de ses pauvres petits pieds violacés. »

Mae s'étrangla avec sa tarte. Jottie lui tapota dans le dos, ajoutant :

« Mais n'allez pas la juger trop sévèrement pour autant.

— Le pouvoir de fascination des sabots peut se révéler irrésistible, murmura Felix.

— Personne n'est à l'abri d'y succomber, approuva Jottie d'une voix grave.

— Si une dame comme Mlle Betts a été tentée, quel espoir avons-nous d'y résister ? renchérit son frère.

— Que la prière soit mon armure ! » s'écria Jottie.

Felix enfouit son visage dans les boucles de Bird et rit.

« J'ai gagné ! » conclut sa sœur, avec un sourire.

Il hocha la tête, lui accordant la victoire, et regarda Layla.

« Vous voyez, à votre place, je ne ferais confiance à cette Mlle Betts pour rien au monde.

— Comment pourrais-je, maintenant que je connais son vice secret ? » gloussa Layla.

Non, songea Jottie devant le visage ébloui de Layla. C'est toi qui as gagné, Felix, comme toujours. Lassée par l'invincibilité de son frère, lasse de ne pas être elle-même invincible, elle repoussa sa chaise de la table et se leva. Si seulement Sol m'avait vue, l'autre jour, songea-t-elle. Si seulement il était entré chez Statler. Alors, j'aurais su si je comptais encore pour lui. Sentant tous les regards se poser sur elle, Jottie glissa l'assiette de Willa sous la sienne, déposa leurs fourchettes dessus et prit une décision.

« Si vous voulez, Layla, je vous emmènerai à la manufacture, jeudi. »

Felix haussa un sourcil interrogateur que sa sœur ignora.

Layla se leva pour l'aider à débarrasser.

« Ce serait formidable, Jottie. Merci. »

Felix tira son étui à cigarettes de sa poche et se carra dans sa chaise.

Willa resta assise à table avec lui et observa les femmes qui allaient de la table à la cuisine, pleines d'assurance. Elle attendit qu'elles soient sorties sans accorder d'intérêt à leurs bras minces qui se tendaient et à leurs talons usés qui claquaient sur le sol dans un sens puis dans l'autre. Elle attendit que Layla n'ait plus rien à rapporter à la cuisine, puis attendit qu'elle pose le pied sur la première marche de l'escalier et se retourne pour voir si Felix la regardait. Elle attendit que Layla monte lentement se coucher, puis attendit que Felix prenne une cigarette dans son étui et lui jette un coup d'œil. Elle attendit le léger craquement de l'allumette, la bouffée de soufre et le panache de fumée montant au plafond, et alors, enfin, seulement, elle repoussa sa chaise et se leva.

« Je crois que je vais aller jouer dehors, maintenant, marmonna-t-elle.

— C'est ça », acquiesça son père avec un petit rire.

Elle s'immobilisa près de sa chaise, se pencha pour embrasser son épaule. Puis elle sortit dans le bleu du jour finissant.

21

2 juillet 1938

Layla Beck
47 Academy Street
Macedonia, Virginie-Occidentale

Layla,

Hier soir, chez Fiske – à une soirée improvisée en l'honneur du dernier de Larry, *La Lune au lasso* (un titre vraiment nul, à mon avis, mais il ne voulait pas en démordre) – je suis tombé sur Denton. Entre des diatribes contre le traité de non-intervention et la déculottée du syndicat des bouchers et découpeurs de viande, il a lâché une phrase à ton sujet. D'après lui, tu serais employée par la *Work Progress Administration* (les italiques sont de moi, évidemment ; Denton n'aime que ceux qui mettent un bifteck dans son assiette). Il n'en savait pas davantage – ou, s'il en savait plus, il était trop éméché pour le communiquer – alors, de chez Fiske, j'ai téléphoné à Lance et je lui ai demandé où tu étais passée. Il n'a pas voulu me répondre – l'éternel numéro du frère protecteur – mais il n'avait aucune chance, face au fin limier que je suis, et j'ai réussi à lui soutirer la vérité.

Mon Dieu, Layla, la Terre s'est-elle arrêtée de tourner ? Quand tu as dit que ton père te coupait les vivres, j'ai pensé qu'il allait te décrocher une petite sinécure bien confortable auprès d'un de ses courtisans – secrétaire du bureau des parfums du Delaware, ou quelque chose dans ce goût-là. Mais le WPA, franchement ? Est-ce un complot fomenté par le sénateur McNary pour tuer ton père ? Es-tu une taupe du père Coughlin ? Que fais-tu là-bas ? Lance m'a dit que tu étais partie dans le cadre du Federal Writers' Project et a évoqué un livre d'histoire. J'ai répondu : « C'est ridicule, Lance. Les notions de Layla en histoire tiendraient dans un mouchoir de poche. » Ça l'a énervé et il m'a dit que tu avais une jolie plume. Il a peut-être raison. Tu sais écrire – c'est ce que tu écris qui est absurde.

J'ai pratiquement élu domicile au bureau depuis que Teutzer est au tribunal. Ils ont brandi tous les chefs d'accusation possibles et imaginables (dont « turpitude morale » et « apologie des ennemis de la nation »), mais il va s'en sortir au nom de la liberté d'expression ; même les fascistes du bureau du procureur ne peuvent rien contre cela. En attendant, j'écris tous les numéros de *L'Unité* quasiment seul, et je dors presque toutes les nuits ici, sur le canapé. Je ne sais même plus à quoi ressemble mon appartement. D'un autre côté c'est peut-être aussi bien ; au moins, ici, les fenêtres s'ouvrent et – tu t'en souviens peut-être ? – le canapé est accueillant.

Néanmoins, j'ai des jours de congé à prendre et j'aimerais changer d'air. J'irais au bout du monde pour te voir vivre de subsides, ma délicieuse Layla. Et si je venais admirer les merveilles de Virginie-Occidentale – dont celle-là ? J'aimerais voir de mes propres yeux comment l'administration organise l'aide aux mineurs de charbon et cela pourrait m'amuser de voir Arthurdale. Si j'en tire deux articles, il se pourrait même que Marlon couvre mes frais. C'est peu probable, mais qui ne risque rien n'a rien. Es-tu descendue dans un endroit où ma présence passerait inaperçue ? Une vieille dame à col de dentelle veille-t-elle sur ta vertu ?

Tu me manques. Tu te rappelles les deux derniers mots que je t'ai dits ? Je les retire.

Affectueusement,

Charles

———◆———

5 juillet 1938

Charles Antonin
c/o *L'Unité*
7E 14ᵉ Rue
New York, New York

Charles,

Dire que je suis surprise d'avoir de tes nouvelles est un doux euphémisme. N'as-tu pas, lors de notre dernier échange, prononcé un oukase irréversible me condamnant au bannissement ? À moins que les ténèbres bourgeoises qui embrument ma raison (je te cite) ne se soient également répandues dans mes oreilles ? Se pourrait-il que je m'abuse, que tu n'aies pas dit que notre relation était fondée sur un individualisme décadent, et que je n'étais qu'une courtisane des classes privilégiées ?

Non, je m'en souviens très clairement. C'est bien ce que tu as dit. Ces ténèbres bourgeoises vont et viennent.

Comment oses-tu m'écrire une telle lettre ? Avec tes grands discours humanistes sur l'élévation de l'âme humaine, tu as le cœur aussi sec et froid que tous ces fascistes que tu prétends abhorrer. Tu n'as aucune considération pour moi, ni en tant qu'employée ni en tant qu'être humain. Tu devrais avoir honte de tourner mon travail en dérision et d'encenser le tien. Et quelle arrogance ! Tu te berces d'illusions si tu t'imagines que je ne vois pas clair dans tes manœuvres. C'est une insulte à mon intelligence. Il est évident que tu veux venir ici pour coucher avec moi et pas autre chose. Mais le plus insultant, c'est que tu penses arriver à tes fins grâce aux allusions, censées être charmeuses, dont tu émailles ta lettre.

Peut-être seras-tu fugitivement intéressé – et qui sait ? définitivement découragé – par la nouvelle que j'ai rencontré une personne qui t'est si infiniment supérieure par sa manière d'être, sa moralité et ses sentiments que j'ai peine à croire que tu sois de la même espèce, et plus encore du même sexe. Après avoir été bannie – le terme n'est pas trop fort – par tous ceux dont j'espérais le soutien, alors que j'arrivais ici sans un ami et encore hébétée, il m'a accueillie, aidée dans mon travail (au lieu de s'en moquer), et il a fait en sorte que je me sente chez moi. Tout cela sans arrière-pensée – c'est un gentilhomme, intelligent et soucieux de tous ceux qui l'entourent. Dans le moindre de ses actes, il réussit à faire ce que tu échoues à accomplir, malgré tes discours grandiloquents et tes grands airs : il rend le monde meilleur à ses proches en leur témoignant de la courtoisie et de la gentillesse.

Et maintenant, pour te citer encore une fois qui sera la dernière, adieu !

Layla

P.S. : Il n'y a pas de mines de charbon dans cette partie de la Virginie-Occidentale. Ta présomption et ton ignorance sont caractéristiques de la classe intellectuelle décadente.

———— ‹‹◇›› ————

5 juillet

Cher Ben,

Si j'assassine un communiste, serai-je acquittée pour
homicide légitime ?

Layla

———— ‹‹◇›› ————

5 juillet 1938

Très chère Rose,

J'écume de rage.

Figure-toi que Charles Antonin a eu le front, le culot inimaginable, de m'écrire pour s'inviter à Macedonia, après
m'avoir chassée il y a deux mois à peine arguant du fait que
j'étais une catin superficielle et incontrôlable (c'est la version édulcorée). Voilà qu'il m'adresse une épître pour ironi-
ser sur mon travail pour le Federal Writers' Project, dénigrer
ma capacité à écrire une histoire, se targuer de ses contributions essentielles à *L'Unité*, cette feuille de chou, et oser,
par-dessus le marché, me proposer de débarquer ici, à
condition qu'une logeuse trop collet monté ne lui barre pas
le chemin de mon lit.

Je suis restée une demi-heure rigoureusement pétrifiée
d'exaspération. J'étais plantée au milieu de ma chambre à
trembler de colère. Quand enfin j'ai réussi à m'asseoir, j'ai
rédigé un chef-d'œuvre de réponse. Je ne me suis pas gênée
pour lui dire ses quatre vérités. Je t'en envoie un double pour

que tu puisses t'en délecter. Éblouissant, non ? Je commence à croire que je suis douée pour l'écriture. J'espère que cela a réduit Charles au silence. Il a l'air de penser qu'il lui suffit d'annoncer que son intérêt s'est ravivé pour que je me pâme de plaisir.

Je sais, hélas, d'où lui vient cette impression. J'en ai le rouge qui me monte au front quand je pense qu'il n'avait qu'à me siffler pour que j'accoure à New York. Tu avais raison, ma Rosy, quand tu disais qu'il ne s'intéresserait jamais autant à moi qu'au prolétariat – ou plutôt, raye le mot « prolétariat » et remplace-le par « lui-même ». Il se gargarise de ces grands mots et il aime l'idée de se voir comme un révolutionnaire, mais si la révolution consistait à effectuer des tâches ennuyeuses, répétitives, loin des yeux du public, il prônerait la contre-révolution en moins de temps qu'il n'en faut pour le dire. Il aime moins l'idée d'une société sans classes qu'être au centre de l'attention générale, et les soirées passées à assener des arguments en brandissant le poing. Tout cela est affreusement clair pour moi, à présent. Je ne sais pas comment ni pourquoi j'ai cru en lui, avant. Ou plutôt si, je le sais : je l'ai cru parce que, tous les deux ou trois mois, il condescendait à m'accorder son attention exclusive pendant quelques instants, et désespérée comme je l'étais, je faisais semblant de croire que ces moments étaient un aperçu de notre avenir. Illusion, illusion... Je ne vaux pas mieux que ces soubrettes de romans victoriens, séduites par les promesses de respectabilité d'un fils de famille débauché. Je me suis laissée abuser, d'abord par Lance, qui m'avait dit que Charles était un bel esprit et valait vingt de mes soupirants habituels, et puis par Charles lui-même, qui me parlait de mon intelligence passionnée – quoique latente. Tu aurais pu résister à cela ? Moi pas. Tu as rencontré Lance, alors tu comprends que son approbation puisse monter à la tête. Être la sœur d'un génie n'est pas une affaire, crois-moi. Le dernier vrai compliment de Lance remontait au jour où j'avais menacé de révéler à la presse le salaire indécent que Père versait au jardinier. « Stupide, avait-il commenté, mais courageux. » Forte de ces trois mots, j'avais appelé le *Star*, et été aussitôt expédiée chez Mlle Telt où j'étais restée quatre ans. Bref, le fait que Lance appréciait Charles m'a tourné la tête. À vrai dire, je pense que c'est à cela qu'il devait près des deux tiers de son charme irrésistible. Le troisième tiers tenait à cette réplique sur mon intelligence passionnée.

Mais je n'ai consacré que trop de temps à Charles. Il ne mérite pas d'occuper mon esprit, ni le tien, une seconde de plus. Merci pour ta belle lettre, ma très chère Rosy. Les nouvelles de Paris me navrent, mais je pense que ta mère a raison. Cette affaire des Sudètes met tout le monde à cran, et Daladier a beau dire, il me semble évident que la France ne pourra pas éternellement faire comme si Hitler n'existait pas. Prends une carte et regarde à combien de kilomètres de Paris se trouve la frontière allemande ; très peu. Imagine comment tu te sentirais – et je ne parle même pas de ta mère ! – si tu te retrouvais au milieu d'une guerre. La tante Emily de Père s'est fait prendre en Belgique en 1914, et elle a dû rentrer à la maison en passant par Shanghai avec pour tout bagage les vêtements qu'elle avait sur le dos et une paire de jumelles de théâtre, son lorgnon étant tombé par-dessus bord à Port-Saïd. Père disait que pendant des années après cela, elle tremblait comme une feuille rien qu'en entendant prononcer le mot *wurst*. C'était adorable de ta part de m'inviter à prendre le large avec toi, et l'espace d'un instant j'ai songé avec nostalgie à Montmartre, mais je ne peux pas. J'ai un travail. Je n'avais jamais compris jusqu'à aujourd'hui ce que les gens voulaient dire quand ils disaient ça. J'avais l'impression que le travail était une chose à laquelle on avait envie

256

d'échapper. Pourtant ce n'est pas ce que je ressens. Je veux finir ce livre. Certes, Macedonia manque de cafés et de brasseries, mais je suis emballée par cette drôle de petite ville et son histoire. J'ai découvert des personnages plus pittoresques et des événements plus étranges que Paris ne m'en aurait jamais offerts, ses égouts compris, et je commence à penser que j'ai une responsabilité : leur donner vie à tous.

Sujet suivant : Mason. Je pense que tu devrais l'écouter. Je ne trouve pas ridicule d'épouser une personne que l'on connaît depuis l'âge de sept ans, surtout si on l'aime. Épouser un homme que l'on a vu pour la première fois en costume de théâtre n'est pas très différent d'épouser un homme que l'on voit pour la première fois en robe de mariée. Quand je pense à Mason, je ne le revois pas à sept ans (bien que je me rappelle encore la fête de Lulu, celle où il avait fait voler de la crème glacée). Je pense à Mason à vingt-deux ans, quand il a appris que tu étais malade. J'aurais voulu que tu le voies, Rose. Tu ne douterais plus si tu avais pu le voir ce soir-là. Il n'a pas dit un mot sur Louis ou je ne sais quoi d'autre – il voulait juste savoir si tu allais guérir. T'ai-je jamais dit combien j'étais jalouse ? Quand il est parti, je suis restée là à pleurer parce que je ne comptais pour personne comme tu comptais pour Mason.

Mon Dieu ! Regarde la longueur de cette lettre ! Les derniers rayons du soleil filtrent entre les feuilles du cornouiller, ce qui veut dire qu'il ne doit pas être loin de huit heures. Serais-je devenue naturaliste ? Non. Je n'ai pas d'horloge dans ma chambre et j'en suis réduite à regarder les arbres pour savoir l'heure. Quand la lune monte au-dessus de l'érable de l'autre côté de la rue, je vais me coucher.

En préparation de ce moment, j'appose ici mon sceau. Avec toute mon affection.

Layla

P.S. : N'oublie pas ce que je t'ai dit à propos de Mason. Contrairement à Paris, il n'est pas éternel.

P.P.S. : Ton sixième sens te permettrait-il de discerner l'identité du mystérieux personnage mentionné dans le dernier paragraphe de ma lettre à Charles ?

7 juillet

Chère Layla,

Si tu assassines un communiste, il est probable qu'on te décernera la médaille du Congrès.

Que se passe-t-il en Virginie-Occidentale... ?

Ben

22

Pendant des semaines, je consacrai toute la férocité et la détermination dont j'étais capable au mystère de Papa et de La Pomme rouge de Cooey, ce qui ne donna pas grand-chose, jusqu'à un après-midi de juillet où je fus prise d'une inspiration fulgurante. Après coup, j'eus peine à croire qu'il m'avait fallu tant de temps pour y songer, mais l'inspiration c'est ainsi.

J'annonçai à Jottie que Mme Bucklew m'avait demandé de passer la voir en feignant d'être embêtée pour égarer ses soupçons.

« Elle a appelé ? » s'étonna Jottie.

J'acquiesçai de la tête. Le péché était moins grave que si je mentais à haute voix.

« Eh bien, vas-y, et sois gentille avec elle. »

Je poussai un soupir funèbre.

« Tsss, fit Jottie. Ma mère disait toujours que faire une bonne action de mauvaise grâce était une abomination aux yeux du Seigneur. Mais je n'ai jamais trop adhéré à ce point de vue.

— R'voir », dis-je sinistrement, avant de sortir en traînant les pieds, le dos rond comme si j'étais accablée.

Une fois hors de vue, je me redressai et pressai le pas. Mme Bucklew avait beau être une adulte – et même une vieille dame –, c'était mon amie. Nous avions un secret, toutes les deux, depuis l'année de mes dix ans. Personne n'était au courant, pas même Jottie.

Mme Bucklew habitait chez sa fille, une grande maison très chic – comme sa fille, Mme John Lansbrough, que tout le monde appelait Mme John. Tout le monde, sauf Mme Bucklew qui l'appelait Wanzie. Je ne pense pas que c'était son vrai nom – chaque fois qu'elle l'entendait, Mme John pinçait les lèvres très fort –, et j'étais récemment arrivée à la conclusion que Mme Buckley faisait ça pour l'énerver. Ce qui aurait été assez dans son genre.

Je montai les marches de la terrasse et la trouvai assise, toute fraîche, toute droite et toute blanche dans son fauteuil, en train de faire un canevas. Dans la maison, tout ce qui pouvait être réalisé en tapisserie au point de croix était réalisé en tapisserie au point de croix, et notamment des petits coussins avec des proverbes, placés sous toutes les portes pour empêcher les courants d'air de passer. Comme s'il y avait des courants d'air.

« Bonjour, madame Lansbrough, dis-je poliment. Il fait chaud, n'est-ce pas ? »

Elle piqua son aiguille dans son canevas et leva les yeux.

« C'est Maman qui t'a dit de venir ?

— Oui, m'dame. En effet. »

Pas moyen de faire autrement que de mentir à voix haute. Mme John poussa un soupir. Je devais l'énerver, moi aussi.

« Bon, eh bien, tu ferais mieux de monter, n'est-ce pas ?

— Oui, m'dame. »

Songeant que je l'énerverais moins si j'avais l'air un peu abattue, je pensai à des choses lugubres jusqu'au moment où je pénétrais dans la fraîcheur de la maison. Ensuite, je gravis les marches quatre à quatre, frappai à la porte de Mme Bucklew et chuchotai :

« C'est moi. Willa.

« — Willa? fit-elle étonnée. – Je n'étais encore jamais venue sans qu'elle m'appelle. – Attends une seconde! – J'entendis des bruits sourds. – Tu peux entrer. »

Elle était assise dans son fauteuil, mais je n'étais pas dupe. Je voyais bien les petites marques rouges sur sa figure, là où elle avait été au contact de sa courtepointe.

« Comment vas-tu, Willa?

— Pas mal, madame Bucklew. Et vous?

— Tu as grandi.

— Jottie dit que je pousse comme une mauvaise herbe. »

Ses vieux yeux noirs parcoururent mon visage.

« Tu deviens vraiment jolie. – Je fis non de la tête. – Mais si. Rien à faire pour empêcher ça. Tu ne vas pas me croire, mais j'étais jolie, moi aussi, dans le temps. »

Elle se leva, prenant appui sur les accoudoirs de son fauteuil et claudiqua jusqu'à sa commode pour se regarder dans un miroir. Elle avait une jambe plus courte que l'autre, et quand elle marchait, on aurait dit deux moitiés de personnes qui auraient été cousues ensemble. Deux demi-personnes qui ne s'aimaient pas beaucoup. Elle se regarda dans la glace, puis se retourna et me dit avec une gaieté soudaine :

« Et cette jambe ajoutait à mon charme. Je te le dis, Willa, si jamais un train de marchandises te passe sur la jambe, ne te lamente pas. Les hommes feront la queue pour t'apporter une tasse de thé. »

Elle pouffa. C'était une vieille dame, mais à l'entendre parler, on aurait dit une jeune fille.

« Allons, ma petite demoiselle, j'espère que tu es venue m'apporter des nouvelles. Je suis à ça – Elle écarta un peu le pouce et l'index. – de devenir folle et de courir dans la rue en sous-vêtements en hurlant à la lune. Elle adorerait ça. »

Elle pointa le menton vers le plancher. Elle voulait parler de Mme John.

261

Mme John n'enfermait pas vraiment sa mère à double tour, mais elle ne l'emmenait jamais nulle part non plus, et avec sa mauvaise jambe, Mme Bucklew ne pouvait pas aller loin à pied. Nous l'avions vue une fois, Jottie et moi, essayer de se rendre en ville. Une vision pathétique. Elle se levait, faisait une dizaine de pas puis était obligée de s'arrêter et de s'appuyer contre un mur ou de s'asseoir au bord du trottoir, les pieds dans le caniveau. Elle était toute rouge et peinait à retrouver sa respiration. Jottie était allée chercher la voiture et j'avais attendu assise avec elle au bord du trottoir. Nous avions ensuite remonté Prince Street, pris le pont de Race Street, et regagné notre rue. Mme Bucklew n'avait pas dit grand-chose, mais elle regardait tout, partout, pendant que Jottie lui racontait des choses sur les gens que nous croisions, y compris des choses qu'elle ne m'avait jamais dites, comme ce qu'Irvin Weeks avait fait au juste pour se retrouver en prison. Quand nous en avions eu fini, Mme Bucklew avait déclaré qu'elle n'avait pas passé un aussi bon moment depuis des années, mais elle avait refusé que Jottie la dépose devant sa maison, prétendant que Mme John leur aurait «fait la peau à toutes les deux». Aussi l'avais-je aidée à marcher jusqu'à chez elle. D'après Mme Bucklew, sa fille ne s'en prendrait pas à une enfant.

Assise sur son lit, j'entrepris de lui raconter les dernières nouvelles. Je lui parlai des rouges qui arrivaient sur la Route 9, de M. Vause Hamilton qui avait brûlé une vieille botte et de Mlle Layla Beck et de ses recherches. Elle hochait la tête, ses yeux noirs rivés aux miens. Elle voulut savoir avec quelle arme Geraldine prétendait combattre les rouges, pendant combien de temps la botte de M. Hamilton avait brûlé, et surtout à quoi ressemblait Mlle Layla Beck.

«Elle est jolie. Et puis elle porte des vêtements très élégants.

— A-t-elle déjà des soupirants? demanda Mme Bucklew. Un amoureux?

— Non.»

Papa n'était pas le soupirant de Mlle Beck. On ne pouvait pas dire ça. Je décidai que le moment était venu d'en venir au fait.

«Madame Bucklew? Vous ne voulez pas que j'aille voir M. Houdyshell pour vous?»

Elle soutint mon regard, puis se releva péniblement et claudiqua jusqu'à sa corbeille à couture. Elle fouilla dedans et j'entendis tinter des pièces de monnaie.

«Je n'ai que cinq dollars et quatre-vingt-six *cents*.

— Ça en fait quand même deux.

— Et c'est toujours deux de plus que pas du tout, approuva-t-elle.

— Bon, eh bien...»

J'attendis. Je ne voulais pas éveiller ses soupçons.

Elle me tendit l'argent. Je fis le tour de la chambre et pris son grand cabas en paille et quelques vêtements dans la penderie.

«Bon, je vais mettre des choses bleues sur le dessus, comme ça je n'aurai besoin d'acheter qu'une seule bobine, d'accord? Inutile de gaspiller de l'argent.

— Que mijotes-tu, Willa?»

Je me redressai.

«Je me suis dit que je pouvais bien faire ça pour vous. Mais si vous ne voulez pas que j'y aille, je n'y vais pas.»

Ma ruse fonctionna.

«Non, mon chou, s'empressa-t-elle de répondre. Vas-y. Je... Allez, file.»

Je filai, prenant soin de refermer la porte derrière moi.

C'était notre secret. Je devais d'abord passer au magasin, pour que tout le monde me voie acheter du fil bleu pour Mme Bucklew. Mais c'était juste pour la galerie. Ensuite, je traversai la grand-place et remontai Unity Street jusqu'à la sellerie bourrellerie de G. Houdyshell. C'était une vieille baraque crasseuse et la porte faillit tomber en morceaux quand je la poussai, mais j'avais l'habitude. Je me frayai un chemin entre les vieilles brides et les selles poussiéreuses jusqu'à une autre porte, que j'ouvris aussi.

« Monsieur Houdyshell ? » appelai-je.

Silence.

Pour le faire sortir de son trou, j'appelai plus fort :

« Monsieur Houdyshell, je viens de la part de Mme Bucklew !

— Haut les mains ! Police ! » cria une voix derrière moi.

J'en ai encore la chair de poule rien que d'y penser. Je n'arrivais même pas à imaginer une seconde ce que Jottie me ferait si je me retrouvais en prison. Mais il n'y avait pas de policiers derrière moi. Juste un homme que je n'avais jamais vu, assis sur le tabouret de M. Houdyshell. À côté de lui, M. Houdyshell était enfoncé dans un profond fauteuil à fleurs qui aurait été plus à sa place ailleurs, dans un salon. M. Houdyshell avait une mine de déterré. Il n'avait jamais eu l'air fringant, mais là, il était effrayant : la peau jaune, les yeux rouges, et on aurait dit qu'il était bossu.

« Ne fais pas attention à lui, Willa, croassa M. Houdyshell. Il était en train d'échantillonner le stock. Il se croit vraiment malin. »

L'autre homme se mit à parler en même temps :

« Qu'est-ce que tu veux, petite fille ? »

Il avait une drôle de voix chantante. Je n'avais pas compris qu'il était étranger.

« Je fais une course pour Mme Bucklew, si vous permettez, répondis-je, hautaine.

— Si vous permettez, répéta-t-il d'une voix de fausset, moqueur. Une course. Et après quoi tu cours, fillette ? »

Je regardais M. Houdyshell, mais il avait les yeux fermés.

« Je ne sais pas ce que c'est. Juste ce que M. Houdyshell lui donne toujours. J'en veux deux. »

Je mentais comme une arracheuse de dents. Je savais ce que c'était : du whisky Four Roses. Macedonia était une ville sans alcool dans un comté où l'alcool était prohibé, ce qui voulait dire que s'ils en voulaient, les adultes devaient aller en chercher à l'ABC de Martinsburg. La pauvre Mme Buckley ne pouvait même pas marcher jusqu'au bout de la rue, et Mme John ne risquait pas de la conduire à l'ABC, si bien qu'elle était obligée de recourir aux services de M. Houdyshell. En faisant appel à moi.

L'homme sur le tabouret eut un rictus.

« Innocente comme l'agneau qui vient de naître, hein ? Et combien tu as ?

— Cinq dollars et quatre-vingt-deux *cents*. »

La bobine de fil avait coûté quatre *cents*.

Il renifla grossièrement.

« Six dollars les deux, fillette.

— Donne-lui en deux, Brennus, fit M. Houdyshell d'une voix rocailleuse, sans ouvrir les yeux.

— Merci, monsieur Houdyshell », jubilai-je et je dus adresser un sourire de triomphe à l'homme, parce qu'il devint tout rouge.

« Tu es une vraie poire, George.

— Deux », maugréa M. Houdyshell.

L'homme assis sur son tabouret se racla la gorge, se leva, traversa la pièce pour gagner une autre vieille porte croulante et disparut.

« Monsieur Houdyshell ! » soufflai-je.

Il hocha la tête sans rouvrir les yeux. Il m'entendait, au moins.

« Je suis désolée que vous n'alliez pas bien, mais j'ai quelque chose à vous demander. »

Je me mordillai la lèvre, ennuyée. À le voir, on avait l'impression qu'il était mourant.

« Est-ce que mon père est un trafiquant d'alcool ? »

M. Houdyshell ouvrit les yeux d'un coup. Il secoua la tête, sans me regarder pour autant.

« Monsieur Houdyshell, s'il vous plaît...

— Non. Ce n'en est pas un, répondit-il dans un souffle.

— Qui est ton papa, mon petit cœur? roucoula Brennus, déjà de retour. – Il n'avait pas perdu une miette de notre échange. – Je vais te répondre, moi. Comment s'appelle ton papa?»

Je le détestais.

«Ce n'est pas à vous que je parle.»

Il posa deux bouteilles sur le comptoir.

«On va voir si j'arrive à deviner.»

Il pointa un doigt vers mon visage. Je reculai d'un bond. J'aurais préféré laisser un rat me grimper dessus plutôt que de me laisser toucher par lui.

Je tendis aussitôt l'argent de Mme Bucklew. Les pièces de cinq et dix *cents* et le billet d'un dollar tout ramolli.

Il n'y fit même pas attention. Il me dévisageait toujours, la tête un peu inclinée sur le côté. J'étais tellement près de lui que je pouvais sentir son odeur, celle de la sueur acide que l'on peut avoir au saut du lit, et voir la tache jaune de chiqueur de tabac qu'il avait au coin des lèvres : je réprimai un frisson sans pouvoir détacher mon regard de ses yeux pâles.

«Nom d'un chien! Mais c'est la gamine de Felix Romeyn?» finit-il par s'exclamer, se tournant, incrédule, vers M. Houdyshell.

«Sauve-toi, Willa, dit M. Houdyshell de sa voix sifflante. Allez, ouste!»

Je m'empressai de glisser les bouteilles dans le panier de Mme Bucklew, sous le tissu bleu, mais Brennus secouait toujours la tête, stupéfait.

«La gamine de Felix et Sylvia. Bon sang! Ta maman était la plus jolie fille que j'aie jamais vue. Ah, ces cheveux...»

J'avais souvent entendu ça. Ma mère avait de longs cheveux dorés, tout le monde s'ingéniait à me dire combien elle était belle. Et finissait généralement par me regarder d'un air chagriné.

« Tu ne lui ressembles pas beaucoup, conclut Brennus, sans surprise.

— Je sais. Je tiens de mon père », répondis-je fièrement.

Il ricana.

« Y a pas de quoi se vanter. Ton père...

— Ferme-la, Brennus, coupa M. Houdyshell, avec un peu plus d'énergie tout à coup, au moins dans la voix.

— Écoute, tu diras bonjour à Sylvia de ma part, d'accord ? reprit Brennus après avoir considéré Houdyshell. Quand tu la verras, hein ? Tu lui diras que Brennus Gower la salue bien. »

Il se frotta les mains.

« C'est que, je ne vais pas la voir...

— Ben quand tu la verras, insista-t-il. Dis-lui que Brennus Gower a demandé de ses nouvelles. D'accord ?

— Ma mère se teint les cheveux, déclarai-je. Elle n'est plus blonde. Elle a les cheveux gris, maintenant. Et elle se les teint. »

Il recula, comme si je lui avais craché à la figure.

« Allez, Willa, reprit M. Houdyshell. Il faut que tu y ailles. »

Je pris le panier de Mme Bucklew.

« Je vous souhaite d'aller mieux, lui dis-je avant de regagner la porte, en zigzaguant entre les tréteaux.

Je sortais quand Brennus Gower hurla dans mon dos :

« Bien sûr que ton père est trafiquant d'alcool, petite ! Tout le monde le sait, en ville ! Il revend du whisky depuis des années, et c'est pas tout. C'est un escroc, aussi, sous ses grands airs. Un rapace ! Et tu pourras lui dire que je... »

Je claquai la porte si fort que je fus surprise qu'elle ne s'écroule pas.

Mme John se retourna en m'entendant pousser la mousti-quaire.

« Si elle voulait du fil, elle n'avait qu'à le demander, dit-elle piquant son éternelle aiguille dans son canevas.

— Oui, m'dame. Je suis ravie de l'aider un peu. »

Ce n'était pas la bonne réponse.

« Mais je l'aide, s'indigna-t-elle. Je passe chaque minute que Dieu fait à l'aider.

— Je vais juste lui monter ça, maintenant », éludai-je d'une voix mielleuse.

Elle haussa les épaules.

« Très bien. »

Je traversai la véranda et gravis l'escalier, très fière de la lenteur avec laquelle je me déplaçais. Je frappai à la porte de Mme Bucklew.

« C'est moi !

— Je commençais à croire que tu t'étais perdue. »

Elle m'attendait, assise sur son lit.

« Apporte-moi ça tout de suite. »

Je posai le panier sur le lit. Elle fouilla sous les tissus et le fil et en ressortit une bouteille étincelante de Four Roses.

« Dieu soit loué ! »

Elle fit sauter la bande de papier qui maintenait le bouchon, et marmonna « Excuse-moi » avant de porter la bouteille à ses lèvres. Je l'observai en silence. J'avais toujours pensé que ces roses-là ressemblaient à des tulipes. Elle s'essuya les lèvres et m'expliqua :

« Il fallait que je vérifie si George ne mettait pas d'eau dedans. – J'acquiesçai et elle s'octroya une nouvelle rasade de whisky. – Oh, seigneur, soupira-t-elle, scrutant le fond de la bouteille ambrée. Il vaudrait mieux que j'en reste là pour l'instant. J'ai intérêt à la faire durer, hein ? Merci, mon chat, ajouta-t-elle, me tapotant la joue. Je ne sais pas ce que je ferais sans toi.

— Est-ce que... M. Houdyshell est un criminel ? bredouillai-je.

— George ? Oh, non. Il vend juste un peu d'alcool sous le comptoir.

« — Mais c'est illégal. Il ne risque pas d'avoir des ennuis s'il se fait prendre ?

— C'est possible, fit-elle avec une moue dubitative. Mais tout le monde ici est au courant, mon chou. À commencer par le chef de la police. »

Je soupirai, un peu soulagée.

« Et, où M. Houdyshell le trouve-t-il ? À l'ABC ? Ou bien... chez Cooey ? demandai-je d'un ton dégagé.

— À La Pomme rouge ? Comment tu connais ça, toi ? s'étonna-t-elle en fronçant les sourcils.

— Je sais que c'est un endroit où on trouve de l'alcool de contrebande, répondis-je comme si c'était tout naturel.

— Ah bon.

— Pourquoi vous allez chez M. Houdyshell ? Pourquoi vous ne m'envoyez pas chez Cooey ? »

Elle referma ses doigts sur mon bras.

« Écoute-moi bien, Willa. La Pomme rouge n'est pas un endroit pour une enfant. Tu m'entends ? Garde-toi bien d'aller là-bas. »

Je déglutis. Mme Bucklew n'avait jamais semblé avoir la moindre réticence à m'envoyer chez M. Houdyshell, mais il y avait quelque chose chez Cooey qui lui donnait la chair de poule. Et ça me donnait aussi la chair de poule.

« Quelle différence y a-t-il entre ce que fait M. Houdyshell et ce qu'ils font chez Cooey ? demandai-je, anxieuse.

— Cooey, c'est pour... enfin, c'est différent, voilà tout. – Elle plongea ses yeux injectés de sang dans les miens. – Ne mets pas les pieds là-bas, tu m'entends ? »

Je fis oui de la tête. Je n'avais pas l'intention d'y aller, de toute façon.

« Ce sont des criminels ? Chez Cooey ? »

Je repensai à l'homme au chapeau blanc.

Elle pinça les lèvres et dévissa le bouchon de la bouteille.

« Non. »

Elle but une gorgée d'alcool et me fit un clin d'œil par-dessus la bouteille.

« Ce n'est pas à moi de leur jeter la pierre ! » dit-elle en gloussant.

Je repris le chemin de la maison, sans me presser, songeuse. Selon M. Houdyshell, mon père n'était pas trafiquant d'alcool. Brennus Gower prétendait le contraire. J'aimais bien M. Houdyshell. Il avait toujours été gentil avec moi. C'était la première fois que je voyais Brennus Gower et j'espérais ne jamais plus le revoir. Il s'était mis en colère contre moi. Pourquoi le croyais-je lui et pas M. Houdyshell ? Parce que j'avais vu de mes propres yeux Papa sortir de La Pomme rouge de Cooey. Parce que sa sacoche était fermée à clé. Parce que M. Houdyshell n'avait pas réussi à me regarder dans les yeux, contrairement à Brennus Gower.

Je marquai un arrêt et réfléchis. « Mon père est un trafiquant. Mon père ? Oh, il est dans la contrebande d'alcool. Il récupère du whisky chez Cooey, à La Pomme rouge. » Je revis l'expression de Mme Bucklew et je m'alarmai. Il ne passait sans doute pas beaucoup de temps chez Cooey. Peut-être qu'il n'y était allé qu'une fois. Il ne fallait pas tirer de conclusions trop hâtives. Rien ne prouvait qu'il travaillât pour ces gens-là. Peut-être l'avaient-ils sollicité, mais il avait refusé. Je me remis en route.

Papa était-il un criminel ? Je m'efforçai d'articuler ces mots : mon père est un criminel. J'essayai de les répéter à voix haute, en vain. Je ne pouvais même pas le prononcer à voix basse. De toute façon, il n'en avait pas l'air. Les seuls criminels que je connaissais étaient ceux des films, qui parlaient sans bouger les lèvres et tiraient des coups de feu par les vitres des voitures. Papa n'était pas comme eux. Je le revis me caresser les cheveux, entendis son rire doux et grave. Ce n'était pas un mauvais homme, quoi qu'il puisse être. Criminel n'était pas le mot juste. C'était plutôt une sorte de hors-la-loi. Comme les Trois Mousquetaires ou Robin des Bois. Tout à coup, je songeai que certaines personnes auraient pu me considérer comme une espèce de hors-la-loi, moi aussi. Après tout, je faisais de la contrebande d'alcool pour Mme Bucklew. Je me dis que c'était familial, un peu rassérénée. Nous étions presque une association de malfaiteurs, Papa et moi, même s'il l'ignorait. Peut-être qu'un jour, on se lancerait ensemble dans le trafic d'alcool. Il serait bien obligé de me raconter tous ses secrets, alors. Pour l'instant, je n'en connaissais qu'un. Mais j'étais décidée à bien le garder. Son secret était en sécurité avec moi.

23

Layla coula un regard en biais à Jottie. Elle s'était mis du rouge à lèvres, non ? Une chose était sûre, elle avait accordé une attention particulière à sa tenue. Pour visiter une usine ? Enfin, songea Layla, c'était peut-être considéré comme une sortie dans une petite ville. Quoi qu'il en soit, elle était séduisante avec ses immenses yeux noirs. Séduisante pour une femme qui n'était plus dans sa prime jeunesse.

L'ombre les enveloppa quand elles arrivèrent à l'angle d'East Main Street : la manufacture. Sa vaste façade de brique rouge occupait la longueur de deux pâtés de maisons et montait très haut dans un ciel qui vibrait comme une tôle chauffée à blanc. Elles traversèrent une large cour encombrée de camions et s'approchèrent de la seule partie un peu ornementée du bâtiment : un large escalier qui conduisait à une double porte en bois verni.

Jottie hésita au pied des marches.

« Il y a longtemps que je ne suis pas venue ici. J'ai un peu le trac. »

Layla lisait l'enseigne au-dessus de la porte : Manufacture de bonneterie Les Inusables Américaines, Depuis 1900. Les chaussettes d'une Amérique qui a les pieds sur terre.

« *Les chaussettes d'une Amérique qui a les pieds sur terre*, lut Jottie à voix haute. Une idée de Ralph. Elle a dû lui venir dans son sommeil.

— C'est quand même mieux que *Les chaussettes qui mettent l'Amérique à genoux*, rétorqua Layla.

— Ce n'est pas moi qui dirai le contraire. Venez, je vais vous montrer le chemin. »

Elles franchirent la porte et se retrouvèrent dans un immense espace qui ressemblait par la taille, mais bien peu par l'ameublement, à un hall d'accueil. Elles sentirent monter tout autour d'elles les profondes vibrations des machines leur parvenant par une multitude de sources invisibles.

« Hou-hou ? Il y a quelqu'un ? » appela Jottie en s'approchant d'un bureau vide.

En vain. Le vacarme couvrait sa voix.

« Il n'y a pas une sonnette ? » hurla Layla.

Non, apparemment pas. Elles restèrent un instant plantées là, à attendre une chose qui n'arriva pas.

« Eh bien, tout part à vau-l'eau par ici, déclara enfin Jottie. Venez ! »

Elle tourna les talons et se dirigea avec assurance vers un angle d'où partait un couloir. Évoluant visiblement en terrain connu, elle passa sans s'arrêter devant plusieurs portes vitrées et poussa une porte de métal qui donnait sur un grand escalier de bois ciré.

« Le bureau du président est au premier », lança-t-elle par-dessus son épaule.

Après le hall, le premier étage paraissait calme et silencieux. Layla suivit Jottie le long d'une rangée de fenêtres jusqu'à une sobre porte de bois sans marque distinctive, beaucoup plus imposante que celles qui l'encadraient. Jottie la regarda un instant, poussa un soupir, et l'ouvrit.

« Bonjour... Hé, mais c'est Jottie ! – Une femme assise à un bureau recouvert de papiers se leva, l'air enchantée. – Jottie Romeyn ! Dites donc, cela fait des années !

— Madame Tay ! s'exclama Jottie, les mains tendues.

— Appelez-moi Margaret, mon chou. Vous êtes une vraie dame, maintenant.

— Et Papa n'est plus là pour en faire une maladie, plaisanta-t-elle.

— Ce que je peux le regretter..., marmonna Mme Tay. Alors, Jottie, qu'est-ce que vous devenez ? Ça a l'air d'aller, dites-moi.

— Je n'ai pas à me plaindre. Et vous ? Comment va Quincy ?

— Oh mon Dieu ! Vous n'êtes pas au courant ? Il est parti pour la Floride en pensant y trouver du travail : je lui avais pourtant bien dit que c'était peine perdue. Et la première chose qu'il fait, c'est de rencontrer une moins que rien qui se trémoussait dans une revue burlesque. – Mme Tay leva les yeux au ciel dans une mimique suggestive. – Sitôt après, il m'appelle en PCV pour me dire qu'il l'a épousée ! Je vous jure, Jottie, je ne sais pas où ce garçon se trouvait le jour où on a attribué les cerveaux !

— C'est incroyable, ça alors ! soupira Jottie en s'efforçant de ne pas perdre pied sous ce déluge verbal.

— C'est qui ? » demanda Mme Tay désignant Layla du menton.

Contrariée de se voir ainsi éclipsée par la présence de Jottie, Layla répondit avec légèreté :

« Layla Beck. J'ai rendez-vous avec M. Shank à deux heures. »

Mme Tay se remit dans la peau de l'employée modèle et répondit :

« Je vais prévenir M. Shank. – Elle se leva, poussa une porte, derrière elle. – Monsieur Shank, Mlle Beck est arrivée.

— Qui ça ? »

Jottie et Layla échangèrent un regard.

« Mlle Beck, de... euh... »

La tête de Mme Tay apparut dans l'embrasure de la porte.

« Elle écrit L'Histoire de Macedonia, expliqua Jottie, en élevant la voix. Vous ne voulez pas être dans le livre, Ralph ?

— Jottie ! C'est toi ? »

Sol fit irruption du bureau de Shank, passa devant Mme Tay et vint se planter devant elle.

C'était arrivé. « Sol. » Elle releva la tête et lui sourit. C'était plus facile qu'elle ne l'avait imaginé.

Il la dévisagea sans rien dire, le visage empreint d'une angoissante question, toujours la même. Son malaise la rasséréna et lui permit de se ressaisir.

« Je voulais juste montrer le chemin à Mlle Beck, expliqua-t-elle. Elle vient interviewer Ralph. Pour son livre, *L'Histoire de Macedonia*. À l'occasion du cent-cinquantenaire. »

Layla fut frappée par la façon dont Sol gardait les yeux fixés sur Jottie tandis qu'il hochait la tête avec raideur. De toute évidence, elle était la prunelle des yeux de toute cette manufacture, s'étonna Layla. On croirait assister à une visite princière. C'était étonnant. À croire qu'elle avait vécu une enfance privilégiée comparable à la sienne. Layla repensa à la cuisine vétuste d'Academy Street, à la kyrielle de corvées ménagères auxquelles Jottie était astreinte, jour après jour. Que s'était-il passé ?

« Mademoiselle Beck. M. Shank va vous recevoir de suite, l'informa Mme Tay.

— Merci, répondit la jeune femme. Merci, Jottie, ajouta-t-elle en effleurant l'épaule de sa compagne. On se revoit au dîner.

— Bien sûr, acquiesça l'intéressée d'une voix un peu étranglée. À tout à l'heure. »

La porte se referma derrière Layla, et Jottie, devant le silence toujours aussi déconcertant de Sol, se tourna vers Mme Tay.

« Eh bien, Margaret, je ne vais pas vous déranger plus longtemps. J'espère avoir l'occasion de vous revoir très bientôt... »

Elle fit un pas en direction de la porte.

Ce mouvement sembla donner une impulsion à Sol.

« Il vaut mieux que je te raccompagne, Jottie. Ou tu risquerais de te perdre, ajouta-t-il avec un sourire en coin. Je ne voudrais pas que tu te perdes ! On ne voudrait pas qu'elle se perde, n'est-ce pas, Margaret ?

— Bien sûr que non, Sol », approuva Mme Tay avec un sourire indulgent.

Il ouvrit la porte d'un geste théâtral.

« Suis-moi, Jottie. Tu seras dehors en un rien de temps. Je connais un chemin secret. – Il s'effaça pour la laisser passer dans le couloir. – Oui, m'sieur, continua-t-il comme s'il se parlait à lui-même. Je connais un chemin secret, complètement secret. »

Il s'engagea d'un pas vif dans le couloir, un demi-pas devant elle et prit aussitôt à droite dans un autre couloir.

« Voyons, Sol, où m'emmènes-tu ? »

Elle était presque obligée de courir pour ne pas se laisser distancer.

« En bas ! répliqua-t-il avec allégresse, empruntant un autre couloir. Nous y voilà ! »

Il poussa une porte et s'engagea dans un escalier plus étroit, plus délabré que celui qu'elle avait pris avec Layla – plus poussiéreux, aussi. Le bruit des machines s'intensifia. Il s'arrêta à l'entresol et se retourna vers elle, le visage rayonnant.

« Je ne peux pas croire que tu sois ici, Jottie. Je suis terriblement heureux de te voir. »

Cela crevait les yeux. Sa joie faisait presque peur à Jottie.

« Moi aussi », répondit-elle, d'un ton qui lui parut trop sec. – Sec et mesquin. Elle chassa Felix de ses pensées. – Notre amitié m'a manqué. »

Elle crut voir ses yeux s'élargir avec son sourire.

« Vraiment ? Je pensais que... Enfin, je croyais que j'étais l'ennemi public numéro 1.

— Non. Ce n'est pas ce que je pense.

— Alors, pendant tout ce temps, tu n'as fait que suivre l'exemple ? L'exemple de Felix ? » rétorqua-t-il.

Soudain, une vague de lassitude s'empara d'elle. Peut-être n'avait-elle pas envie de cela, après tout.

« Je t'en prie, Sol, ne revenons pas là-dessus, soupira-t-elle, en portant la main à son front. Faisons comme si nous venions de nous rencontrer. Faisons comme si nous nous étions rencontrés la semaine dernière. »

Il fronça les sourcils.

« La semaine dernière ? Ça ne me laisse pas beaucoup de marge, une semaine.

— Mais si. Allons, Sol, et si tu me faisais visiter cette jolie manufacture dans laquelle tu travailles. Il paraît que tu fabriques des chaussettes ?

— Des chaussettes ? – Elle sentit son épine dorsale frissonner d'impatience. Enfin, il comprit. – Tu voudrais que je te fasse faire le tour de la manufacture d'articles de bonneterie Les Inusables Américaines ? Soit, Jottie, tu seras mon invitée de marque.

— Magnifique. »

*

Et en plus, il mâchonnait un cigare bruyamment, comme un magnat de dessin animé. Layla ravala un sourire et passa à la question suivante.

« En préparant notre interview, j'ai noté que Les Inusables employait plus de neuf cent cinquante personnes en 1928. Combien de salariés avez-vous aujourd'hui ?

— J'ai considérablement développé l'entreprise depuis, répondit-il, irrité. Je pensais que vous vouliez que je vous raconte son histoire. J'ai rédigé quelques lignes...

— Je préférerais vous poser quelques questions avant, rétorqua Layla en prenant un air offensé. M. Davies m'a expressément demandé de brosser un tableau de l'industrie locale.

— Parker ne vous a sûrement pas demandé de m'importuner avec des questions frivoles, mademoiselle. Disons juste que Les Inusables Américaines est la principale manufacture de Macedonia. Si vous voulez, on pourrait même dire que c'est la seule industrie de Macedonia. Ce ne serait pas faux.

— Et la briqueterie Leland ? La fabrique de pierre à chaux de l'Union. Les ateliers Equality. La fonderie et tréfilerie Spilman...

— Des affaires juives. Absolument, insista-t-il en la voyant hausser les sourcils. Et Equality n'a qu'une petite activité. Je doute qu'ils emploient plus de deux cents ouvriers. Rien à voir avec ça, lâcha-t-il en pointant son cigare vers le plancher et l'activité qui vrombissait en dessous.

— Eh bien, nous en revenons à ma question de départ : combien de personnes employez-vous ici, aux Inusables Américaines ?

Il la toisa avec froideur. La haute idée qu'il avait de lui-même était manifeste : ses cheveux clairsemés étaient soigneusement coiffés, ses ongles coupés avec une netteté méticuleuse et sa cravate s'épanouissait sous un superbe nœud Windsor. Layla se redressa sur sa chaise et lui décocha un sourire éblouissant. Qu'il finit par lui rendre à contrecœur.

« Vous êtes une fille obstinée, pas vrai ? Mille soixante. Plus ou moins. »

Elle prit note sur son bloc.

« J'ai lu dans le *Sun* que la manufacture Interwoven s'était proposé, il y a quelques années, d'acheter Les Inusables. Avez-vous l'intention de vendre l'entreprise ?

— Mademoiselle, je ne répondrai pas à cette question. Si je voulais céder l'entreprise, c'est au conseil d'administration que je soumettrais le projet, pas à vous. »

Vous pensez peut-être me faire peur, monsieur Ralph Shank ? Vous ne connaissez pas mon père, railla-t-elle intérieurement.

« Ce serait assurément un coup terrible pour Macedonia si la fabrication devait s'installer à Martinsburg.

— Cela n'arrivera pas. Ils n'ont plus les capitaux. Et je prends à cœur les intérêts de mes employés. Ce qui est tout à fait normal, ajouta-t-il avec un sourire qui dévoila ses dents. Ces gens font pour ainsi dire partie de ma famille. Je ne les laisserai jamais tomber.

— Et pourtant, il n'y a pas de syndicat dans l'entreprise, je crois ? »

Il s'empourpra.

« Mes employés sont bien traités, ils n'ont pas besoin de payer un syndicat pour le leur dire.

— Un certain nombre d'ouvriers n'ont-ils pas été récemment renvoyés ? J'imagine que cela aurait pu susciter...

— Vous êtes une espèce de socialiste, ou quoi ? la coupa-t-il brusquement.

— Pardon ?

— Les Inusables Américaines n'ont pas besoin de syndicat, décréta-t-il. – Il la dévisagea d'un air soupçonneux. – Et c'est tout ce que j'ai à dire sur le sujet. »

Elle consulta son bloc.

« Avez-vous apporté des modifications importantes au fonctionnement de l'entreprise depuis votre arrivée à sa direction ? »

Il rit.

« Ouais. Maintenant, on fait des bénéfices.

— Ce qui n'était pas le cas avant ?

— Tantôt oui, tantôt non. St. Clair était... eh bien, disons que ce n'était pas un homme d'affaires moderne.

— St. Clair ?

— Romeyn.

— J'ai cru comprendre que M. Romeyn était très aimé de son personnel », lança-t-elle, perfide.

M. Shank croisa les jambes.

« Très aimé, c'est certain. Mais ce que les ouvriers aiment en réalité, c'est avoir de quoi faire bouillir la marmite, pas vrai ?

Et c'est ce que je leur donne ; ils me respectent pour cela. On ne peut pas en dire autant de St. Clair. Il dirigeait cette usine comme le Père Noël. Pfff ! fit-il en décrivant une arabesque méprisante avec son cigare. En définitive, la seule chose qui compte pour les gens, c'est avoir du pain. Tout le reste s'efface comme... comme sur une vieille photo. D'accord, on la regarde de temps en temps et on se souvient du bon vieux temps, mais au bout de quelques années, on ne se rappelle même plus qui pouvaient bien être tous ces gens. – Il eut un sourire complaisant, satisfait de sa métaphore. – St. Clair a disparu, et tout le monde s'imagine que c'était une espèce d'âge d'or, mais est-ce qu'il a connu la Grande Dépression de 29 ? Non, et s'il s'était trouvé ici à l'époque, il aurait coulé l'entreprise. Écoutez bien ce que je vous dis, mademoiselle : avec lui, la manufacture aurait fait faillite. Mais ça, les gens détestent y penser. Ils me trouvent dur. Je les laisse dire. Ils me remercieront plus tard, en 1950, quand Les Inusables Américaines seront toujours debout. Là, ils me remercieront. »

Layla lui sourit, pour l'encourager à continuer, mais il avait terminé.

« Bien. Monsieur Shank, pouvez-vous me parler des autres changements qui ont eu lieu depuis votre entrée en fonction ? »

Il hocha la tête avec détermination et tendit la main vers une feuille de papier couverte d'une petite écriture minutieuse. Il la posa sur ses genoux et lut :

« Quand j'ai fait mon entrée aux Inusables Américaines, en 1922, je n'étais qu'un humble... »

Allons, que l'histoire commence..., soupira-t-elle intérieurement, son crayon inscrivant ses paroles presque avant qu'il les prononce.

*

Jottie se sentait insignifiante, écrasée par le vacarme des métiers à tisser. On ne s'entendait plus dans leur monstrueuse mastication cadencée. À côté d'elle, Sol gesticulait, ravi, devant un système giratoire dont l'ingéniosité apparemment particulière échappait cependant totalement à Jottie. Ça devait être nouveau. Son père leur avait toujours annoncé l'arrivée d'une machine neuve comme s'il s'était agi d'un nouveau-né, jusqu'à ce que la famille en fasse des gorges chaudes et qu'il arrête. Elle remarqua que des hommes la regardaient avec curiosité – peut-être la prenaient-ils pour la petite amie de Sol ? Allons, s'admonesta-t-elle, ils se demandent juste qui est cette vieille dame. Elle se redressa et lissa sa robe du plat de la main, heureuse d'en avoir choisi une jolie. Sa mère venait parfois à la filature. À Noël, bien sûr, et de temps en temps pour déjeuner avec son père. C'était une chose qui se faisait quand on était une femme mariée, on venait voir son époux au travail. Elle eut un petit sursaut, en notant le tour qu'avaient pris ses pensées.

Sol lui effleura le coude et la conduisit dans une pièce tapissée de cartes d'échantillons.

« Les pointes de pied renforcées, commenta-t-il. C'est notre produit phare. "Deux fois plus inusables" ! Je vais te confier un secret, ajouta-t-il en se penchant à son oreille. Moi, je préfère le modèle standard. Ne le répète pas à Shank. »

Il lui fit visiter le service publicité, l'emballage, les quais de chargement et le stock de bobines. Ils évitèrent la comptabilité – « Ils te casseraient les oreilles avec leurs bavardages. » – et arrivèrent à une vaste pièce occupée par de nombreuses tables, où trois hommes étaient plongés dans une conversation animée. En voyant entrer Sol, ils se tournèrent vers lui.

« Salut, les gars. Vous attendez M. Dailey ?

— Salut, Sol, répondit l'un d'eux, un gars étroit d'épaules au visage profondément ridé. Ouais, il est introuvable. La commande, là, c'est le bazar, poursuivit-il en tendant un bout de papier rose froissé. Je n'y comprends rien. »

Jottie prit un air absent tandis que Sol examinait le papier.

« Il y a marqué "violet", remarqua-t-il au bout d'un moment. Ça ne peut pas être ça.

— C'est bien ce qu'on se disait, confirma un deuxième homme en se grattant le cou, puis son regard tomba sur Jottie. Hé, vous êtes la fille de M. Romeyn, pas vrai ? Ça fait plaisir de vous voir ici, m'dame.

— Merci », répondit-elle, le cœur en fête.

L'homme aux épaules étroites poussa le troisième du coude. Il regarda d'abord Jottie, puis Sol.

« Vous êtes la sœur d'Emmett, mademoiselle ?

— En effet. Vous êtes un de ses amis ?

— Ouais. Charlie Timbrook pour vous servir. C'est un malin, Emmett, ça oui. Il a des tas d'idées intéressantes. »

Sol releva vivement la tête et jeta un regard appuyé à Charlie Timbrook.

« Je voudrais bien pouvoir en dire autant de Dailey », se contenta-t-il de répliquer.

Les trois hommes s'esclaffèrent.

« Bon, les gars, si vous vous occupiez de la commande Kenneshaw ? J'irai trouver Dailey pour lui demander de quoi il retourne plus tard, dans l'après-midi.

— D'ac-o-dac. On y va, fit l'homme étroit d'épaules. Merci, Sol. »

Jottie le salua d'un signe de tête tandis que Sol l'entraînait par un autre couloir vers l'atelier de teinture. C'était la fin de la visite ; l'atelier de teinture communiquait avec le hall d'entrée et son comptoir toujours désert.

« Il ne devrait pas y avoir quelqu'un, là ? » s'étonna-t-elle.

Sol fronça les sourcils.

« Je ne sais pas. »

Jottie lui tendit la main.

«Eh bien, Sol, merci pour la visite guidée...

— Jottie, euh... on ne pourrait pas, un jour... se dire un petit bonjour? débita-t-il avec précipitation.

— Bonjour, plaisanta-t-elle.

— Non, reprit-il impatiemment. Ce n'est pas ce que je voulais dire. On ne pourrait pas se revoir, tous les deux? Et ne me dis pas qu'on vient justement de se revoir.»

Son dépit avait quelque chose d'enfantin. Se sentant adulte, elle s'enquit :

«Se revoir comment?

— On pourrait peut-être... enfin, on pourrait aller au cinéma, par exemple.»

Elle retint un éclat de rire : le cinéma, une distraction innocente. Puis elle eut envie de prendre ses jambes à son cou : le cinéma? En public? Tout le monde pourrait les voir! À quoi pensait-il? Il n'a rien à se reprocher, se rappela-t-elle. Il n'a aucune idée de ce que c'est quand on est dans la situation inverse. Elle prit une profonde inspiration.

«Oui, on pourrait.

— Vraiment? Je peux... t'appeler?»

L'impatience le faisait bredouiller.

Ça, c'était plus compliqué. Pas innocent du tout. Elle ferma les yeux une fraction de seconde.

«Et si c'était moi qui t'appelais? Je peux t'appeler, n'est-ce pas?

— Mais le feras-tu?» demanda-t-il, connaissant déjà la réponse.

Ils y étaient arrivés si vite à ce moment où il lui faudrait faire demi-tour. Cette seconde même devait mettre un point final à l'idée d'un escalier fraîchement repeint, d'une Willa à l'abri de tout souci, d'une assiette toute simple de cookies, tout cela devrait redevenir poussière, un pur produit de son imagination. C'était un rêve éveillé, rien de plus, et elle avait été sotte de le laisser l'entraîner aussi loin. Parce que Sol avait raconté un terrible mensonge à propos de Felix, et que Felix ne le lui pardonnerait jamais. Et seule la loyauté pouvait payer la dette qu'elle avait envers son frère.

Elle releva les yeux et vit qu'il s'attendait à une déception. Il ne cillait pas, mais il paraissait tendu. L'homme qui se tenait debout devant elle n'était pas un doux jeune homme de vingt ans. Il était seul, songea-t-elle, attristée. Au moins, elle, elle n'était pas seule, pas la plupart du temps. Felix ne devrait jamais savoir. Elle avait le droit. Il ne s'agissait que d'aller au cinéma. C'était juste amical. Avant d'avoir compris ce qu'elle s'apprêtait à dire, elle répondit :

« Écoute, Sol. Si on se retrouvait au Sprague Palladium mardi prochain pour la séance de huit heures ? Je crois qu'ils passent un film avec Rosalind Russell. »

L'espace d'un instant, il en resta muet de surprise.

« D'accord, le Sprague Palladium, mardi soir, huit heures, s'empressa-t-il d'accepter. On se retrouve là-bas. »

Il lui serra la main, ravi.

Il était trop heureux ; il n'aurait pas dû être si heureux.

« Et si c'est un truc avec André Hardy, on n'aura qu'à aller acheter du whisky à George Houdyshell et se soûler avant la séance. – Il rit, beaucoup trop fort. – Oh, Jottie, tu m'as tellement manqué ! Tu me promets de venir ?

— Oui, répondit-elle, et elle le pensait.

— Même si Felix l'apprend ?

— J'ai le droit d'aller où bon me semble. Nous sommes dans un pays libre. »

Mais ce n'était pas vrai. Si Felix l'apprenait, il le lui ferait payer.

« Bien, conclut-il en lui serrant la main. Parfait. »

24

*C'est un énergique M. Shank qui nous le certifie : « La manufac-
ture Les Inusables Américaines sera là et bien là l'année prochaine
et l'année suivante. Et je suis convaincu que l'entreprise aura toujours bon pied bon œil en 1950 ! » Le second président de l'histoire
de l'entreprise a la réputation de...*

« Votre Coca-Cola. »

Layla remercia d'un hochement de tête la fille empâtée qui
se trouvait de l'autre côté du comptoir et se replongea dans la
lecture de ses notes. Énergique. Non mais franchement... Elle
écrivit au crayon « détestable » au-dessus de « énergique »

« Mademoiselle Beck ? »

Elle releva les yeux.

« Monsieur Romeyn ! Je vous en prie, asseyez-vous !

— Je ne voudrais pas vous empêcher de travailler, dit
Emmett, désignant les papiers étalés devant elle.

— Je suis en panne d'inspiration. C'est une faveur que vous
me faites. »

Il s'installa sur le tabouret voisin.

« Et d'où vient cette panne ?

— Du charmant M. Shank, répondit-elle en grimaçant.

— Il vous a ébloui par son charisme, n'est-ce pas ?

— On m'avait prévenue. Je n'ai pas été prise au dépourvu. »

La serveuse revint.

« Vous désirez quelque chose, Emmett ? demanda-t-elle, empressée.

— La même chose que Mlle Beck, s'il vous plaît, Mab. »

Layla la suivit des yeux alors qu'elle s'éloignait d'un pas pesant

« Elle s'appelle Mab ? » demanda-t-elle à voix basse.

Emmett acquiesça et s'autorisa un petit sourire en coin.

« Alors comme ça, vous avez du mal à coucher notre Ralph sur le papier ?

— Oh, mon problème n'est pas de le coucher sur le papier... – Elle lui présenta son bloc afin qu'il puisse lire ce qu'elle avait écrit. Il s'esclaffa. – Ce que je ne comprends pas, c'est comment il réussit à ne pas avoir de syndicat. »

Il lui jeta un drôle de regard.

« Vous comptez mettre ça dans votre livre ? »

Elle fit non de la tête.

« Je doute que ce soit ce que le conseil municipal a en tête. C'est juste que... je ne comprends pas. Ce sont des ouvriers du textile, non ?

— Shank leur fait signer... »

Emmett s'interrompit alors que Mab posait devant lui un verre plein à ras bord et une coupelle.

« J'ai ajouté des cacahuètes spécialement pour vous.

— Ça c'est vraiment gentil, Mab. Merci.

— Allez, buvez bien tout, Emmett. Vous êtes trop maigre.

— Comptez sur moi », l'assura-t-il avec chaleur.

Satisfaite, elle regagna la cuisine.

Layla la suivit des yeux.

« Ce doit être agréable que tout le monde se montre aux petits soins pour vous.

— Je vous céderais volontiers ma place.

— D'accord. Il se peut que ce soit parfois un peu pesant. Mais tout de même.

— Personne n'est aux petits soins pour vous ? s'enquit-il en traçant des huit humides sur le comptoir avec le fond de son verre.

— Pas en ce moment. Plus maintenant. Qu'est-ce que Shank leur fait signer ? »

Il lui exposa les faits, la regardant assimiler ses explications, s'indigner.

« Mais c'est ridicule ! C'est grotesque !

— C'est bien l'avis d'un tas de gens, approuva-t-il. Et vous seriez surprise si je vous disais qui. Mais il y en a beaucoup plus qui ont trop besoin d'un boulot pour discuter. »

Elle se redressa.

« Tout compte fait, je vais peut-être en parler dans mon livre. Juste offrir une petite description de la politique de l'emploi aux Inusables Américaines.

— Vous feriez ça ? Vous êtes une fille courageuse ! »

Elle lui jeta un regard troublé.

« C'est drôle. La dernière fois qu'on m'a félicitée pour mon courage, je me suis retrouvée dans de sales draps.

— Qu'aviez-vous fait ?

— Pas grand-chose. »

Elle tapota le comptoir du bout de son crayon, songeuse.

« À vrai dire, la situation était assez comparable. En moins sérieux.

— Soyez prudente, mademoiselle Beck, dit-il, inquiet. Je ne voudrais pas que vous perdiez votre emploi pour ça.

— Formidable, commenta-t-elle en souriant. J'ai besoin que quelqu'un soit aux petits soins pour moi. »

Après le retour à pied dans la chaleur écrasante, Layla lâcha son sac à main et son bloc sur le banc sous l'escalier, et se rendit à la cuisine. Elle s'appuya contre l'évier, savourant la relative fraîcheur des carreaux de faïence à travers le fin tissu de sa robe, se pencha, la main en coupe sous le robinet et se désaltéra avidement, avec un soupir de satisfaction quand l'eau lui ruissela sur les lèvres, la langue, la gorge. Elle s'aspergea le visage et renversa la tête en arrière, laissant les gouttes couler sur sa nuque.

« Dieu, qu'il fait chaud ! » murmura-t-elle en passant ses doigts humides dans ses cheveux.

La porte de la cave s'ouvrit à la volée et Felix entra dans la cuisine, une pomme à la main. Il s'arrêta net, les yeux écarquillés. C'était la première fois qu'elle le voyait manifester de la surprise, la première fois qu'elle avait l'avantage sur lui, et elle ressentit un frisson soudain de toute-puissance. Elle lui sourit, secoua ses cheveux noirs, consciente de flirter.

« J'étais juste en train de me rafraîchir un peu », dit-elle, rieuse.

Il franchit la distance qui les séparait en une inconcevable fraction de seconde et l'embrassa. Sa bouche avait goût de pomme et sa main était chaude sur sa joue. Il s'écarta un peu, puis, à la grande surprise de Layla, il pencha la tête et elle sentit sa langue au creux de son cou, où les gouttes d'eau s'étaient accumulées.

« Moi aussi, j'ai soif », murmura-t-il contre sa peau, et la légère caresse de ses lèvres lui donna le vertige.

Elle s'aperçut que la respiration haletante qu'elle entendait était la sienne. Elle était ivre de désir. Quand il se redressa, elle passa les bras autour de son cou. Il la renversa souplement en arrière et écarta ses lèvres avec les siennes.

La porte d'entrée claqua, et la voix de Willa s'éleva :

« ... de la tapisserie toute la journée, comme cette Mme Defarge ! »

Felix se raidit. Il posa son front sur l'épaule de Layla et resta ainsi, un instant.

« Enfer et damnation, lâcha-t-il tout bas.

— Felix... », souffla-t-elle.

Il agrippa ses hanches un instant et la plaqua vivement contre lui.

« Une goutte d'eau si minuscule », murmura-t-il, et il s'écarta d'elle.

La voix de Jottie se rapprochait.

« Au moins, le tricot sert à quelque chose. Alors que la tapisserie, personne ne... »

Elle s'arrêta sur le seuil de la cuisine, son regard allant et venant de Felix à Layla.

« Willa, lança-t-elle sans se retourner. Va vite me chercher mon sac. Je l'ai oublié sur la véranda.

— Ah ? Tu en es sûre ? » s'étonna la fillette, s'éloignant dans le couloir.

Ils n'avaient rien à se reprocher, se persuada Layla, sur la défensive. Elle jeta un coup d'œil à Felix, quêtant son réconfort, mais il rivait sur Jottie un regard indéchiffrable. Il est divorcé, non ? Ce n'est pas parce que c'est une vieille fille que je n'ai pas le droit d'embrasser qui je veux.

« Tu es rentrée, remarqua-t-il d'une voix douce.

— En effet, répliqua fraîchement sa sœur. Il faut bien que quelqu'un s'occupe des pénates.

— Et veille à entretenir les feux pour ces dieux, acquiesça-t-il.

— À entretenir certains feux, et à en éteindre d'autres, répliqua-t-elle.

— Une vraie petite caserne de pompiers à toi toute seule, pas vrai ? » ironisa-t-il.

Layla les dévisageait, déconcertée. Comment pouvaient-ils plaisanter de la sorte ? Ce n'était pas... galant. Oui, c'était le terme : ce n'était pas galant de sa part de tourner la situation en dérision. Il aurait dû être embrasé, comme elle. Il aurait dû avoir envie de la même chose qu'elle. Elle rougit, rien que d'y penser.

« Il paraît que des pompiers vont au feu pendant leurs jours de congés, pour se distraire. J'ai même entendu dire que certains vont jusqu'à allumer les incendies eux-mêmes.

— Pas possible ? » susurra Felix.

La moustiquaire claqua.

« Jottie, il n'est pas sur la véranda !

— Non, voyez-vous ça ? Je l'avais sous le bras !

— Ta tante perd la tête ! lança Felix, d'une voix forte.

— Papa ! s'exclama Willa en se précipitant dans la cuisine. Je ne savais pas que tu étais rentré ! »

Elle eut un mouvement de recul et se renfrogna un peu en voyant Layla.

« Bien sûr que je suis là, ma chérie. Regarde, Jottie a son sac sous le bras.

— Hum, soupira sa sœur, laissant tomber son sac sur le comptoir. Tu es plus vieux que moi, Felix. Tu perdras la tête avant moi.

— Je m'occuperai de vous quand vous deviendrez zinzin tous les deux, déclara la fillette, heureuse, excluant Layla de la scène, je vous emmènerai en promenade. »

Le frère et la sœur éclatèrent de rire.

« Je ferais mieux de monter rédiger quelques notes », déclara Layla.

Sur ces mots, elle quitta la cuisine, raide comme la justice.

*

Au cœur du sombre no man's land de la nuit, Jottie repoussa son drap à coups de pied et roula sur le côté, à la recherche d'un coin de fraîcheur. En vain. Elle se redressa à nouveau pour regarder la pendule : elle proclamait contre toute vraisemblance que dix minutes à peine s'étaient écoulées depuis la dernière fois qu'elle y avait jeté un coup d'œil. Sol, Sol – à quoi pensait-elle ?

Elle n'aurait pas dû lui parler. Elle était censée tourner la tête et regarder ailleurs. Mais elle ne l'avait pas fait. « Oh, Jottie, tu m'as manqué ! » Elle savait qu'il disait vrai. Elle soupira et se tourna de l'autre côté. Pendant des années, il avait fait partie de son cercle rapproché d'amis intimes, il avait même été une sorte de gardien pour elle. *Je te défends de monter sur ce toit ! Je vais le dire à ta mère, tu peux y compter !* Combien de fois l'avait-il ramenée de force, furieuse, vers la sécurité ? Des dizaines, et elle avait détesté à chaque fois. Mais à présent, la sécurité ressemblait au trésor des pirates, volé, enfoui et depuis longtemps disparu. Et c'était Sol qui le détenait. Sol, si enthousiaste, si heureux. Sol, si joyeux et confiant qu'il ne lui viendrait pas à l'idée qu'une simple séance de cinéma pourrait empêcher Jottie de trouver le sommeil. Mais elle allait le faire. Elle allait y aller. Pour Willa et Bird. Pfff, ironisa la voix sournoise. Tu le feras aussi pour toi. Il y a longtemps que personne ne t'a proposé de t'emmener au cinéma. Vause ne l'avait jamais fait, lui. Il n'y avait pas de cinémas, à l'époque ; quand il était encore en vie. Quand il était en vie – Arrête ! s'exhorta-t-elle –, la sécurité était le cadet de nos soucis. Il n'y avait que les poltrons qui pensaient à la sécurité. On faisait toutes sortes de bêtises et on en riait après. Même quand j'avais failli le tuer, Vause avait ri. Arrête. Ne pense plus à lui. Arrête...

« *Sors de là, Josie ! – C'était Vause, planté devant la porte de la grange. – Tu ne sais pas conduire.* »

Elle avait onze ans ; elle s'apprêtait à fuguer. Elle avait tout prévu : Vause et Felix allaient la conduire en voiture au ferry. Elle leur avait même donné un dollar pour cela et ils avaient promis. Et puis ils avaient oublié, ou du moins c'est ce qu'ils avaient prétendu. Et puis ils s'étaient moqués d'elle.

« *Va-t'en ! Je te déteste !* »

Elle regrettait de ne rien avoir à lui lancer.

« *Je te préviens, écarte-toi ou je t'écrase !* »

291

— Josie…

— Tais-toi ! Je te déteste, et je déteste Felix aussi ! Je n'ai pas besoin de vous, de toute façon ! »

Assise tout au bord du siège, elle appuya sur la pédale qu'elle croyait être la bonne et pressa le bouton du starter de toutes ses forces. Le moteur toussa.

Quelque part derrière elle, Felix hurla :

« Tu ne sais même pas démarrer !

— Je vais y arriver ! brailla-t-elle. Et puis je vais te tuer ! »

En priant pour ne pas se tromper, elle enclencha le levier de vitesse en position de marche arrière, enfonça à nouveau le starter et enleva son pied tremblant de l'embrayage.

« Tu as intérêt à faire attention ! »

La voiture jaillit de la grange à toute vitesse, la plaquant contre le volant. Elle eut la satisfaction d'entendre le rire de Felix se changer en exclamation de surprise.

« Freine, Josie ! »

C'était Vause qui criait. La voiture était sortie de la grange et il se trouvait à côté d'elle à présent.

« Freine ! »

Cramponnée au volant, elle se rassit sur le siège et leva les yeux vers le pare-brise, mais les grosses gouttes de pluie qui s'écrasaient maintenant dessus brouillaient sa vision. Furieuse, elle appuya sur les pédales : elle finirait bien par en atteindre une et alors elle filerait à toute vitesse et ils ne la rattraperaient jamais, ils ne la reverraient jamais, ils ne se moqueraient plus jamais d'elle, ils ne…

Il y eut soudain un affreux craquement, et la voiture s'arrêta avec un hoquet, renversant Jottie sur le côté telle une quille. Quoi ? Elle se redressa tant bien que mal, se retourna et comprit : l'érable se dressait en lieu et place de l'arrière de la voiture.

Sur la pelouse, juste devant, Felix était hilare.

Jottie éclata en sanglots rageurs.

« C'est ta faute ! s'écria-t-elle. Je te déteste ! »

Elle fusa hors de la voiture comme une furie, attrapa une branche par terre et se rua sur son frère.

Mais il courait trop vite. Il s'enfuit en riant, en criant, en dansant.

« C'est ce qui s'appelle un voyage éclair ! » lança-t-il par-dessus son épaule.

Elle se retourna d'un bloc, essuya avec sa manche son visage trempé de pluie et de larmes et chercha Vause du regard. Elle arrivait parfois à l'attraper. Il était là, à côté de la grange.

« Je te déteste ! s'écria-t-elle, courant vers lui. Je te déteste, Vause Hamilton ! Tout ça, c'est ta faute, et Papa va me tuer ! »

Elle agita rageusement son bâton dans l'espoir de lui faire au moins un peu mal avant qu'il ne rejoigne Felix pour rigoler.

Au moment où la branche s'abattait sur lui, il la saisit et la lui arracha des mains. Il était tellement plus grand qu'elle ; il allait probablement la mettre KO, mais avant qu'il ait le dessus, elle allait lui faire voir. Elle se précipita contre lui et lui flanqua un coup de pied dans la cheville, de toutes ses forces.

« Aïe ! Josie ! »

Il l'immobilisa, l'enserrant de ses deux bras.

« Arrête ! »

Elle se débattit et essaya de lui mordre l'épaule.

« Non, lâche-moi ! Je te déteste !

— Chut, murmura-t-il sans la lâcher. Chut, chut, chut.

— Je vais te tuer, sanglota-t-elle. Tu as pris mon argent et maintenant tu ne veux plus m'emmener au fleuve, et tout ça c'est ta faute, et je vous tuerai tous les deux, Felix et toi. »

Elle essaya de se libérer pour pouvoir le frapper à nouveau, mais il raffermit sa prise.

« Chut, chut... », fredonna-t-il en la berçant.

Elle se rendit compte qu'il n'était pas en colère. Il n'avait pas l'intention de la frapper. Il se contentait de lui tenir les bras. Alors qu'elle avait essayé de le renverser, il ne lui en voulait pas. Elle en éprouva de la surprise, de l'émerveillement, et cela la fit réfléchir.

Pourquoi la tenait-il comme ça? Pourquoi? Malgré elle, elle se laissa amadouer et se calma, bercée dans ses bras. Mais sa colère, en refluant, céda la place à la peur. Qu'avait-elle fait? Quelle folie s'était emparée d'elle? L'énormité du forfait la submergea. Elle avait abîmé la voiture. Elle avait abîmé la voiture de son père à laquelle elle n'aurait jamais dû toucher. Personne n'avait le droit d'y toucher, pas même Felix – bien qu'il le fît malgré tout. Elle se remit à sangloter sur l'épaule de Vause.

« Papa va me punir avec le martinet, gémit-elle. Il va, il va…

— Tais-toi un peu, murmura Vause contre son oreille. Ton père ne va pas te fouetter. Je lui dirai que c'est moi qui ai fait ça. Parce que c'est presque vrai, non? – Il la secoua gentiment. – Bon sang, pas étonnant que tu te sois mise en colère. On t'a pris ton dollar, Felix et moi, on s'est moqués de toi, et on ne voulait pas t'emmener au ferry comme on te l'avait promis. Je lui dirai que tout est ma faute. Ton père ne me punira pas. Il ne pourra pas, parce que je ne suis pas son garçon. »

Elle laissa échapper un gros sanglot.

« Mais c'est ton papa qui le fera, non? Il ne te fouettera pas? » demanda-t-elle angoissée, levant vers lui son visage bouffi de larmes.

« Oh, lui, ironisa Vause. Il est tellement chétif et faible que c'est à peine s'il arrive à lever le martinet et à le laisser retomber. C'est tout juste si je sens quelque chose. »

Elle renifla, pensive.

« Vause?

— Ouais?

— Pourquoi tu irais raconter que c'est toi qui as fait ça alors que ce n'est pas vrai?

— Eh bien… »

Un grand sourire s'épanouit sur son visage.

« Je dois dire que j'ai bien aimé te voir en colère, Josie. Je n'avais jamais vu un tel spectacle de ma vie. »

Elle lui rendit machinalement son sourire dans le noir. Oh mon cher, très cher Vause, pensa-t-elle, attendrie. Il avait encore fallu une minute ou deux avant qu'elle ne réussisse à se dégager. Il ne tenait pas à moi, se répétait-elle. Il ne m'a jamais aimée. Et pourtant, elle se sentait encore bercée dans le nid douillet de ses bras.

Dans la cuisine, l'atmosphère matinale était pesante. Willa, Bird et Minerva étaient à table, hébétées et déphasées, pendant que Jottie leur tournait autour, mélangeant et servant.

«Café, tu veux bien, mon chou?» marmonna Mae en s'affalant sur une chaise.

Sa sœur lui servit une tasse de café noir, fumant qu'elle poussa vers elle.

«Dans les magazines, les familles ont toujours le sourire quand ils prennent leur petit déjeuner, observa Bird. Ici, personne ne rit.

— Si quelqu'un rit, je le tue», marmonna Mae, le menton dans sa main.

Le silence revint, seulement troublé par le bruit des mâchoires en action.

Willa releva les yeux de son bol.

«Mme Roosevelt suggère de faire de la gymnastique pour lutter contre la torpeur.

— Je me demande bien ce qu'elle connaît à la torpeur, Mme Roosevelt», bâilla Minerva.

Bird finit son lait et se leva.

«Je vais chez Berdetta Ritt. Je parie qu'ils rigolent en prenant leur petit déjeuner, *eux.*»

En sortant, elle croisa Layla.

«Bonjour, Bird, lança la jeune femme, d'un ton guilleret. Bonjour, tout le monde!»

Elle fut accueillie par de vagues grognements. Mae agita mollement la main.

«Bonjour, répondit Jottie, plus cordiale. Café?

— Avec plaisir. – Layla s'assit et chercha le sucrier du regard. – On dirait qu'il va encore faire chaud.

— Comme tous les jours, à cette époque de l'année.

— Salut, tout le monde!»

C'était Emmett, dont on devinait la silhouette derrière la moustiquaire.

Il réveilla l'attention générale – Willa se redressa, intéressée – et Jottie se précipita pour le faire entrer.

«Emmett! Quel plaisir! Que fais-tu là? – Elle lui effleura l'épaule. – Qu'y a-t-il là-dedans?»

Il posa un sac de toile sur la table.

«Du beurre de pomme et autres.

— Mmm! dit Layla. J'adore le beurre de pomme.

— C'est vrai? dit Jottie, sans quitter son frère des yeux. Tu es venu jusqu'ici pour nous apporter du beurre de pomme?

— Et du bacon. Et deux ou trois autres choses. J'ai quelqu'un à voir en ville. – Il sortit un pot de beurre de pomme et le posa devant Layla. – Tenez, c'est pour vous.

— Merci beaucoup. C'est pour moi ou c'est pour tout le monde? demanda-t-elle, ravie.

— Non. Il y en a un autre pour eux.

— Parfait!»

Elle entoura son pot de ses mains. Il rit.

«Dieu du ciel. C'est quoi, ça? La semaine "Cuisines en fête"? lança Felix en entrant dans la pièce. Qu'est-ce que tu fiches ici, Emmett?

— Je ne fais que passer.»

Jottie regarda son frère aîné.

«Tu es bien matinal.

— Il faisait trop chaud pour dormir. Du café, du café !

— Il est là, rétorqua Jottie. Fais encore un pas.

— Mmm. »

Au passage, il tapota l'épaule de Layla qui leva son visage souriant vers lui. Devant le fourneau, il se bagarra avec la cafetière en ronchonnant doucement tout en se remplissant une tasse.

Emmett le regarda un instant et déclara :

«Je vous ai apporté un livre, mademoiselle Beck. Au cas où vous voudriez en savoir davantage sur ce dont nous avons parlé hier. – Il sortit de son sac un petit livre marron et le lui tendit. – C'est une histoire des fabriques de l'enclave orientale.

— Oh, merci, monsieur Romeyn ! C'est si gentil à vous. Voilà qui me sera sûrement très utile. – Elle l'ouvrit et en feuilleta quelques pages. – On dirait que c'est exactement ce qu'il me fallait. Du beurre de pomme et de l'Histoire ! Tout ce qu'une fille peut désirer ! »

Felix se retourna avec vivacité.

«Vous avez du beurre de pomme ? Donnez ça tout de suite, mademoiselle. J'adore le beurre de pomme.

— Vous n'avez qu'à prendre l'autre pot. Celui-ci est à moi.

— Allons, ne soyez pas si gourmande. »

Il se pencha par-dessus son épaule, saisit le pot et dévissa le couvercle qui sauta avec un pop. Il mit son doigt dedans et le suça avec délectation.

«Mmm...

— Felix, tu es en train de détruire le travail de plusieurs années, protesta Jottie. Tu veux que tes filles se comportent comme des petits cochons ? Willa, ne regarde pas ton père. Fais comme s'il n'était pas là.

— C'est bon. Je m'en vais », lança-t-il en riant.

Il sortit de la cuisine, le pot à la main.

«C'est *mon* beurre de pomme ! protesta Layla en le suivant. N'est-ce pas, monsieur Romeyn ? lança-t-elle à Emmett.

— En effet », répondit-il.

Ils avaient déjà disparu. Il s'appuya au comptoir. Mae s'affala sur sa chaise, les yeux clos.

«Bon, dit-il au bout d'une minute ou deux. Je crois que je vais y aller.

— Oh, mon chou..., commença Jottie, mais il se redressait déjà pour partir.

— Au revoir, les filles. Salut, Willa. »

Elle écarta le rideau d'une main pour le regarder se diriger, grand et droit, vers sa camionnette, son autre bras entourant l'épaule de Willa. Ne pouvait-elle donc protéger personne ?

Le petit livre marron gisait, abandonné sur la table.

25

Assise sur une causeuse en satin, Layla attendait que Mme Lacey émerge de sa rêverie. Cela ne la dérangeait pas : le salon de Mme Lacey était l'unique endroit frais de Macedonia. Il y régnait une fraîcheur surannée, comme sa maîtresse ; un résidu de courants d'air venus d'un lointain passé demeurait prisonnier des lourdes tentures qui dissimulaient les fenêtres éternellement fermées. Quand Layla avait franchi le seuil de la grande salle crépusculaire, elle avait même frissonné. Plus de peur que de froid, songea-t-elle.

Car Mme Lacey était terriblement vieille, si vieille que c'en était effrayant, voûtée sous le fardeau des ans, toute noueuse et ridée, et déjà à moitié dans l'autre monde. Jottie l'avait qualifiée de « dernière des grandes dames », et Layla comprenait ce qu'elle avait voulu dire. Il y avait quelque chose de monumental chez elle, la grandeur de la résistante, de celle qui était toujours là quand tous les autres avaient disparu.

Mme Lacey leva ses yeux embrumés sur Layla.

« Elle était noire de soldats », dit-elle de but en blanc.

Ce n'était pas, comme Layla l'avait d'abord pensé, que Mme Lacey perdait la tête, non, elle était simplement indifférente aux futilités du présent.

« Noire de soldats », marmonna-t-elle à nouveau.

Sa domestique, Sallie, se tenait en retrait, debout derrière son fauteuil. Elle se pencha sur son épaule.

« Vous voulez parler de la pelouse, madame ?

— L'herbe, oui, confirma Mme Lacey, songeuse. C'est là qu'ils sont morts, avant d'avoir pu entrer dans la maison.

— L'hôpital était installé à l'intérieur, n'est-ce pas, madame ?

— À l'intérieur, oui. La chambre de Maman était réservée aux opérations, aux amputations, mais partout ailleurs, il y avait des soldats entassés côte à côte, serrés comme des sardines.

— C'étaient des soldats confédérés ou des soldats de l'Union ? questionna Layla.

— Je ne sais pas, répondit Mme Lacey. Je ne me souviens plus.

— Leurs uniformes étaient-ils bleus ou gris ?

— Couverts de sang.

— Les deux, mademoiselle, glissa Sallie. Il y en avait des deux camps, selon les moments.

— Tous couverts de sang, précisa la vieille dame.

— Oui, madame.

— Maman avait enterré l'argenterie sous la grosse branche du houx, poursuivit Mme Lacey, et elle n'avait pas l'intention de la déterrer, quels que soient les vainqueurs. Elle disait qu'elle ne ferait confiance pour rien au monde à ces voyous de Caroline du Sud. – Elle marqua une pause, et reprit : – Un garçon de New York est mort ici, un jour ; ils sont allés l'enterrer plus haut, au bord du torrent, à l'endroit où la terre est meuble. Il était bien loin de chez lui. Maman lui a ôté ses chaussures pour me les donner, ajouta-t-elle, regardant Layla sans la voir. Quand ils l'ont emmené, j'ai vu ses pauvres pieds nus tressauter et sortir de sous le drap qui l'enroulait. C'était terrible. Je n'ai même pas réussi à crier, je suis restée là, à serrer ses chaussures, fort, contre ma poitrine. – Il y eut un long silence. – Maman m'a grondée. Pourquoi refusais-je de les mettre ? C'étaient de bonnes chaussures. Je lui ai raconté ce que j'avais vu. Alors elle a ordonné à Clarence de déterrer le corps. Pour que je voie qu'il était bien mort. »

Le silence qui suivit fut presque hypnotique. Pour rompre le charme, Layla risqua :

« Votre mère avait-elle un penchant pour l'un des deux camps ? »

Mme Lacey releva la tête, l'air égarée.

« Pour l'un des deux camps ? répéta-t-elle lentement. J'avoue que je l'ignore. On ne savait pas qui était vainqueur. Les garçons qui passaient par là l'ignoraient. Ils se battaient dans les montagnes, entre les arbres, et ils n'y voyaient pas à trois mètres devant eux. Ils ne savaient absolument rien. – Elle poussa un gros soupir. – Un jour, un garçon est venu. Il avait tourné en rond et il avait tiré sur les siens. Il avait tué ses frères. Le pauvre avait tellement peur qu'il avait brûlé son uniforme... Et pourtant, Sauk Reston prétendait pouvoir deviner de quel côté ils étaient rien qu'à leur nez. Les sudistes avaient le nez fin et pointu au bout, selon lui. Les Yankees, le nez rouge et mou. – Un léger sourire se dessina sur ses lèvres. – Après ça, j'y ai prêté attention et c'était très net. Il est mort, maintenant, Sauk. Il est mort sur une barrière. »

Layla leva sur Sallie un regard interrogateur.

« Empoisonnement du sang, mademoiselle, murmura-t-elle. À cause des barbelés. »

Mme Lacey acquiesça.

« Mais ça, c'est arrivé plus tard. »

*

Mlle Beck marchait très lentement devant moi dans Winchester Street, comme au ralenti. Je m'approchai d'elle, et compris alors pourquoi. Elle avait le nez dans son calepin : elle relisait ses notes. J'avais passé presque toute ma vie à essayer de lire en marchant, j'étais donc bien placée pour savoir que l'entreprise était périlleuse.

« Salut, mademoiselle Beck ! » m'écriai-je, espérant la voir tomber et se casser une dent.

Pas de chance. Elle se retourna, l'air ravie.

« Willa ! Comment vas-tu ? »

Elle ne semblait pas se rendre compte que je ne l'aimais pas.

« Chaudement, répondis-je.

— Je suis allée voir Mme Lacey, cet après-midi. Mon Dieu ! Son salon est une véritable glacière.

— Je sais. J'y suis allée des tas de fois, dis-je, renfrognée.

— Ah bon ? fit-elle, soudain intéressée. Et à quelles occasions ?

— C'était une amie de ma grand-mère. On allait la voir.

— Ah... »

Silence, silence. J'allais prétendre que j'avais une course à faire quand elle reprit :

« Cette grand-mère dont tu parles, était-ce la mère de Felix, ou celle de ta mère ? »

Ça alors ! J'en restai sans voix. L'appeler Felix, devant moi ! On ne désignait pas les adultes par leur prénom quand on s'adressait à leurs enfants ! Et comment osait-elle m'interroger sur ma mère ? Pour qui se prenait-elle ? Cette sournoise essayait juste de me tirer les vers du nez sur Papa. Comme Dalila ! Je lui aurais volontiers donné un coup de pied dans le tibia. Puis, j'eus une meilleure idée.

« Je parlais de ma grand-mère Romeyn, mais je suis sûre que ma grand-mère Peal la connaît aussi. »

Ce n'était même pas un mensonge. Elle connaissait sans doute Mme Lacey. Comme tous les vieux de Macedonia.

Elle se jeta là-dessus comme la misère sur le pauvre monde.

« Et ta, euh, grand-mère Peal, elle habite ici, à Macedonia ?

— Avant oui. Elle habite à Grand Mile, maintenant, pour être près de ma mère, pour la réconforter. Parce qu'elle a le cœur brisé.

— Le cœur brisé ? »

Elle manqua s'étrangler.

« Oui. Ma pauvre mère a un immense chagrin. À cause de Papa. »

Mentir à Mlle Beck, ça ne comptait pas. Elle ne méritait guère mieux. J'en rajoutai une couche.

« Et bien sûr, Papa a aussi le cœur brisé... à cause d'elle.

— Vraiment ? » dit Mlle Beck, soudain un peu plus distante. Très bien.

« Eh oui. Ils ont beau être divorcés, ils ont quand même le cœur qui saigne l'un pour l'autre. Voyez-vous – je m'approchai d'elle comme pour lui faire une confidence –, je pense que c'était un terrible malentendu, tout ça, à cause de la beauté de ma mère. C'était la plus belle fille du coin – c'est ce que tout le monde dit – et elle avait tant de petits amis, ou d'admirateurs, que Papa était jaloux, je crois.

— Jaloux ? »

Mlle Beck me dévisageait, attentive.

« Oui, mais ce n'était pas la faute de ma mère. Elle n'a jamais aimé que Papa. Et il n'aime qu'elle. Et je m'attends à ce qu'ils se réconcilient d'un jour à l'autre, maintenant.

— D'un jour à l'autre, répéta-t-elle. Et ce jour-là, tu seras bien contente, n'est-ce pas ? »

Elle n'avait pas du tout l'air affectée.

« Ah oui, alors ! Je serai contente parce que Papa sera tellement heureux. Si vous croyez l'avoir vu heureux, je vous garantis que vous vous trompez. »

Mlle Beck s'arrêta de marcher et posa la main sur mon épaule.

« Écoute, Willa... Je crois que je comprends ce que tu essaies de me dire...

« — Eh bien, tant mieux », répondis-je en me dégageant d'une secousse.

Nous parcourûmes le reste du chemin sans échanger une seule parole. De temps en temps, je lui jetais un regard en coin, et il me semblait bien qu'elle était ravagée de désespoir. J'avais gâché leur idylle et sauvé Papa, même si j'avais dû user de perfidie. Voilà pour la férocité et la détermination, me dis-je avec fierté.

Sauf que, comme nous le rabâchent les professeurs, l'orgueil précède la chute. Nous venions de franchir la porte d'entrée, quand Papa nous accueillit, un journal sous le bras.

« Salut, mon chou ! Où étiez-vous passées, toutes les deux ?

— Chez Mme Lacey. Pour son livre », dis-je avec un mouvement de tête en direction de Mlle Beck.

Il lui sourit et mon cœur se racornit dans ma poitrine. Enfin, j'étais certaine qu'il me remercierait, un jour. Je m'attendais à ce que Mlle Beck se détourne de lui, au supplice. Mais que fit-elle à la place ?

Elle écarta les boucles de son visage d'un mouvement de tête gracieux et déclara avec une telle assurance, une telle aisance que je faillis m'étrangler :

« Elle est fascinante, Felix ! »

Comme si elle n'avait pas entendu un mot de ce que j'avais dit !

« Regardez-moi ça : – Elle s'approcha de lui, ouvrit son calepin et Papa se pencha pour lire par-dessus son épaule. – sa mère était chirurgien. Incroyable, non ? – Elle leva ses grands yeux bruns vers lui. Il acquiesça. – Cette femme aurait mérité une médaille. D'après Mme Lacey, elle essayait de fabriquer ses propres anesthésiques à partir d'une recette qu'elle tenait d'un vieil Indien, mais ça ne marchait pas trop bien, pas mieux que le whisky en tout cas, alors elle en faisait aussi. »

Elle continua à babiller ainsi, l'air de ne pas se soucier le moins du monde de la beauté de ma mère ou de l'amour que mon père éprouvait encore pour elle. Je ne l'avais pas du tout découragée. Et Papa ne faisait rien pour m'aider non plus. Il ne donnait pas l'impression de se languir après qui que ce soit. Il avait l'air intéressé, peut-être même fasciné. L'espace d'un instant, je lui en voulus de ne pas être le héros tragique au cœur brisé de mon mensonge. Mais c'était idiot. Papa était parfait. C'était Mlle Beck qui était impitoyable et sans cœur.

*

Sol faisait les cent pas devant le Sprague Palladium quand Jottie arriva.

« C'est un film avec André Hardy », lui annonça-t-il.

Il tira une flasque d'argent de la poche de son veston.

« George devrait installer une échoppe devant la salle », commenta-t-elle en riant.

La mine réjouie, il tendit la main pour la prendre par le bras, mais elle esquiva son geste. Avait-il perdu l'esprit ? Elle jeta un œil autour d'eux. Personne ne les regardait. Arrête ça, se dit-elle. Arrête de raser les murs comme ça. Juste deux vieux amis qui vont au cinéma, c'est tout. Elle s'efforça de canaliser ses pensées.

« J'ai failli t'appeler…, disait Sol. Pour voir si tu n'avais pas changé d'avis, et puis je me suis dit que Felix risquait…

— Felix est sorti.

— Oh. »

À son tour, il balaya la rue du regard.

« Il n'est pas en ville, précisa-t-elle.

— Ah. Bon, reprit-il, rasséréné, tu veux voir autre chose ? On pourrait aller au Marquee.

— Non, c'est très bien. Allons voir ce que nous réserve ce vieil André Hardy », dit-elle, touchée néanmoins par sa sollicitude.

Ils traversèrent le hall clinquant, semblable à un palais de pacotille, qui sentait le beurre chaud et la poussière.

« Je nous ai pris des places au balcon, annonça Sol en la guidant vers l'escalier, les bras chargés de pop-corn et de confiseries.

— La grande vie, murmura Jottie.

— Rien n'est trop beau pour toi. »

Elle cilla, ne sachant trop s'il plaisantait ou s'il était sérieux. Le balcon était presque désert, juste quelques vieux couples au premier rang et une jolie fille à l'air fébrile assise toute seule au milieu.

Ils s'installèrent dans leurs fauteuils et Jottie entreprit d'ôter ses gants pour meubler le silence. Elle aurait préféré qu'ils s'asseyent en bas, à l'orchestre. Elle entendait les bavardages et les cris poussés par les garçons et les filles, les grommellements des adultes qui leur disaient de se tenir tranquilles. Un unique ouvreur tiré à quatre épingles était posté devant la porte du balcon, alors que les frottements et raclements de pieds d'une demi-douzaine de ses pareils se faisaient entendre en bas. D'un autre côté, songea Jottie, il ne viendrait jamais à l'idée de Felix de se montrer au balcon. Elle songea que Sol avait sans doute fait ce calcul. Voilà ce que c'est que d'être choyée, songea-t-elle, émerveillée.

Il surprit son regard.

« Ça va ?

— Oui, oui. Je suis contente qu'on soit là.

— Bien que ce soit un André Hardy ? souffla-t-il alors que les lumières s'éteignaient.

— Tiens-toi prêt à dégainer cette flasque. »

Il tapota sa poche en souriant. Ils regardèrent placidement le documentaire – « Le moment est venu pour Pat Fitzpatrick et Fitz Fitzpatrick de dire un adieu chaleureux aux Seychelles baignées de soleil... » –, le dessin animé – des souris qui assommaient des chats à grands coups de hamsters géants –, les actualités

– « Quatre villes bien tranquilles entrent dans la modernité au prix d'un sacrifice ultime alors que débute la construction du réservoir de Quabbin » – et la bande-annonce du film de la semaine suivante – « Bette Davis est la sulfureuse séductrice du Sud, mi-ange, mi-sirène, et femme jusqu'au bout des ongles ». Le film commença enfin : ils avaient englouti plus de la moitié des confiseries.

« Le veux-tu, Polly ? » hoqueta Mickey Rooney.

Ann Rutherford baissa chastement ses yeux aux longs cils.

« Mais bien sûr, André.

— GÉNIAL ! » glapit-il en se relevant d'un bond.

Jottie tapota le bras de Sol.

« Passe-la-moi. »

Il lui tendit la flasque et elle s'octroya une longue gorgée d'alcool. Silencieusement, sans quitter l'écran des yeux, ils se passèrent et se repassèrent la flasque.

André était accroupi, l'air inconsolable, devant le juge Hardy.

« Papa, je ne comprends rien aux filles d'aujourd'hui. Polly ne veut pas se laisser embrasser, alors que Cynthia, elle, se laisse embrasser où on veut et quand on veut. Elle ne veut pas aller à la piscine, elle ne veut pas jouer au tennis, elle ne veut pas aller se promener, elle veut juste qu'on s'embrasse tout le temps. »

Au milieu du balcon du cinéma, la jolie fille et un jeune homme qui l'avait finalement rejointe commencèrent à se bécoter passionnément.

Jottie murmura à l'oreille de Sol :

« Une petite partie de tennis ne leur ferait pas de mal, à ces deux-là. »

Il se hâta d'avaler, pour éclater de rire et elle ne tarda pas à l'accompagner. Ensemble, ils s'étouffèrent, reniflèrent et essuyèrent leurs yeux pleins de larmes, chaque nouvelle scène ravivant leur hilarité. Enfin, quand la lumière se ralluma, ils restèrent là, épuisés, la tête calée sur le velours râpeux. La jolie fille et son flirt se levèrent, remirent de l'ordre dans leur tenue et sortirent, et les couples âgés se dirigèrent, appuyés sur leur canne, vers la porte; Jottie et Sol étaient toujours assis, le visage sillonné de traînées de larmes séchées.

« Bon sang, il y a vingt ans que je n'ai pas ri comme ça, déclara-t-il.

— Dix-huit. Ça ne fait que dix-huit ans, rectifia-t-elle. Je crois que je suis un peu soûle. »

Il lui prit la main la porta ses lèvres.

« Ça alors ! » bredouilla Jottie.

Il se leva, riant toujours.

« Allez, viens. Je te ramène chez toi. »

Des profondeurs d'un rêve, Jottie sentit qu'on lui donnait un coup de coude.

« Ohé, Jottie ! »

Felix était debout à côté de son lit, tout habillé.

« Réveille-toi.

— Non. Va-t'en. »

Elle était loin d'avoir assez dormi pour que ce soit déjà le matin. Si ?

« Quelle heure est-il ?

— Je ne sais pas. J'ai une entaille et je n'arrive pas à trouver la teinture d'iode.

— Oh, pour l'amour du ciel, Felix ! »

Elle s'assit en clignant des yeux et aperçut deux minuscules reflets de la lune briller dans la pièce : les prunelles de son frère.

« Fais-moi voir ça. »

Elle tâtonna dans le noir jusqu'à ce qu'elle heurte la lampe, qu'elle alluma.

« Eh bien ! » s'exclama-t-elle en prenant sa main entre les siennes. Deux de ses jointures étaient éclatées et en sang.

« Que t'est-il arrivé ?

— Je me suis fait griffer par un chat. Où est la teinture d'iode ?

— Tu n'as jamais eu une bonne gauche. Tu devrais le savoir, depuis le temps.

— Tais-toi. La teinture d'iode. »

Elle se leva, faisant grincer le sommier.

« Allez, viens. Je vais te faire un pansement. »

Dans la salle de bains, ils cillèrent, aveuglés par la lumière, et Felix s'assit sur le bord de la baignoire. Il la regarda fouiller dans l'armoire à pharmacie.

« La voilà, la teinture d'iode. À sa place, bougonna-t-elle en s'asseyant à côté de lui. Tu t'es lavé les mains ? »

Il fit non de la tête.

« Lave-toi les mains. »

Il obéit avec un léger sourire.

« Là... – Jottie regarda avec une fascination renouvelée le liquide antiseptique jaune envahir la plaie. – Tu vois comment elle suit toutes les petites rides ? chuchota-t-elle.

— Tu sens l'alambic, remarqua-t-il. Tu as bu ?

— Oui. »

Elle n'était pas habituée à faire des cachotteries.

« Magnifique. Où l'as-tu trouvé ? »

L'espace d'une seconde, elle s'imagina en train de dire : C'est Sol qui me l'a donné. L'idée de la déflagration que cela provoquerait avait quelque chose de presque grisant. Non, de pas grisant du tout.

« Chez George Houdyshell. »

Il faudrait qu'elle perfectionne sa technique de dissimulation.

Son frère éclata de rire.

« Tu subventionnes la concurrence, je vois.

— Je t'avais oublié.

— Aucune loyauté. Aucune solidarité familiale. »

Elle entoura la main de gaze et fit un joli nœud bien propre sur les jointures. C'était pour ça qu'il l'avait réveillée, elle le savait. Il voulait qu'elle s'occupe de lui.

« Qui as-tu cogné ?

— Un minus. Un péquenaud. Qu'essayait de truander. Le crétin, conclut-il avec une grimace.

— Tu commences à te faire vieux pour te bagarrer.

— Comme si je ne le savais pas. J'ai vu rouge, conclut-il en se frottant le front.

— J'aimerais que tu arrêtes.

— Quoi ? De voir rouge ? Moi aussi.

— Non. Que tu fasses autre chose.

— Le sujet est clos. – Elle n'insista pas. – J'ai entendu dire qu'une grève couvait aux Inusables.

— C'est pour bientôt ? – Il haussa les épaules : il n'en savait rien. – Papa en aurait eu le cœur brisé, dit-elle se représentant leur père, face à un attroupement d'ouvriers, un sourire exubérant aux lèvres et les bras grands ouverts...

— Il n'en fallait pas beaucoup pour lui briser le cœur », rétorqua Felix sur un ton dégagé.

Il se releva et s'étira. Jottie entendit craquer ses articulations et, surprise, sentit son doigt se poser sur son crâne.

« Ne bois pas seule, Jottie. Si tu veux te soûler, dis-le-moi, on le fera ensemble. »

Il quitta la salle de bains.

Assise sur le bord de la baignoire, elle réfléchit. Il ne m'en dira jamais davantage. Il n'en fera jamais plus pour moi. Enfin, elle était touchée quand même. Par moments, Felix ressemblait à une maison vide, mais il n'était pas vraiment comme ça. Il gardait juste toutes ses richesses dans une pièce fermée à clé. Et quand, tous les deux ou trois ans, la porte s'entrouvrait un bref instant, elle se sentait étrangement émue de se voir à l'intérieur.

Elle inclina la petite bouteille marron de teinture d'iode et tenta d'en sonder les sombres profondeurs. Il faudrait qu'elle en rachète. Felix, Felix, pourquoi ça te tuerait qu'on sache qui tu es ?

«La sécurité pour TOUS... Avec Johnson & Johnson», lut-elle dans un bâillement, et elle pensa à Sol.

26

15 juillet 1938

M. Tare Russell
58 Fayette Street
Macedonia, Virginie-Occidentale

Cher monsieur Russell,

J'espère que vous ne me tiendrez pas rigueur de ma démarche. Permettez-moi de me présenter : je m'appelle Layla Beck et j'ai été retenue par le conseil municipal de Macedonia pour écrire une brève histoire de la ville. Ma logeuse, Mlle Romeyn, m'assure qu'aucune histoire de Macedonia ne serait complète sans le fleuron de votre formidable connaissance des événements qui se sont déroulés ici au cours de la guerre de Sécession. Si vous me permettiez de vous rendre visite à votre convenance afin de vous interviewer à ce sujet, je suis sûre que *L'Histoire de Macedonia* n'en serait que meilleure.

Sincèrement vôtre,

Layla Beck

16 juillet

Layla chérie,

As-tu reçu les bas que je t'ai envoyés la semaine dernière ?
Je redoute que tu en sois réduite à porter des bas ravaudés, ce
qui est rigoureusement inconcevable pour une dame, même
perdue au milieu de nulle part, parmi les fermiers et je ne sais
qui encore.

Ici, la chaleur est insupportable, une véritable fournaise,
mais nous partons pour la côte la semaine prochaine, Papa
l'a promis, à condition que la Chambre n'envoie pas une
proposition de loi au dernier moment, comme il faut s'y
attendre. À mon avis, ils font cela par pure perversité.
J'espère qu'il fait plus frais là où tu te trouves, ma chérie.

Pour en venir au fait, je t'écris parce que ton frère tient
absolument à épouser cette petite Alene aussi insignifiante
que malingre, en dépit des arguments que n'importe quel
homme doué de raison considèrerait. Par exemple, comment
le prendra-t-il quand tout le monde pensera que ses enfants
ont le ver solitaire ? Ton papa m'a dit que je devais la traiter
comme ma propre fille, alors je n'ajouterai pas un mot, mais
franchement, je me demande comment il peut supporter de
rester assis dans la même pièce qu'elle après avoir été presque
fiancé à Belinda. Je me retiens pour ne pas pleurer chaque
fois que j'y pense.

Enfin, je vais tendre l'autre joue et organiser la plus
grande fête de fiançailles qu'on ait jamais vue, dès que nous
serons rentrés de la plage. Raymond est à peu près certain
que nous pourrons disposer du club le 19 août, ce que j'espère vivement car sinon, ce sera la maison de Dover. Je
t'écrirai à la seconde même où je serai fixée. Il faut à tout
prix que tu viennes, que tu aies terminé ta brochure ou non.

J'ai tout d'abord songé à organiser un thé, mais à la réflexion, un dîner dansant sera plus amusant. Quant à Alene, tu la connais : elle se tord les mains et dit qu'elle sera ravie quoi que je décide, et entre nous, elle a intérêt. Tout ce que je sais, c'est qu'elle portera une robe effroyable. Ne parle à personne du projet de dîner dansant. À cette idée, Papa se comporte comme le plus épouvantable des vieux barbons – il n'arrête pas de dire qu'il ira dormir sous un pont de chemin de fer, mais tu sais comment il est : quand on danse quelque part, il n'y a pas plus heureux homme à des kilomètres à la ronde.

Ma chérie, Mattie a retrouvé ton maillot de bain blanc en fouillant dans les malles, et je te l'envoie. Il doit bien y avoir un club quelque part dans la région.

Baisers,

Ta mère

———◄◆►———

18 juillet 1938

Chère Mère,

Oui, j'ai reçu les bas, et je vous en remercie, quoique vos sinistres pressentiments soient infondés : quand bien même ma vie en dépendrait, je serais incapable de repriser une paire de bas. J'espère ne pas trop heurter votre sensibilité en vous disant qu'il y a des jours où je n'en porte même pas : je risquerais de me liquéfier avant midi, et l'on ne retrouverait de moi qu'une touffe de cheveux et une flaque de sueur. Je passe le plus clair de mon temps à écrire enfermée dans ma chambre, mes jambes nues décemment cachées, et je n'ai tout simplement pas la force morale d'enfiler des bas à mon seul profit.

Maintenant, Mère, en ce qui concerne Lance et Alene, permettez-moi de vous ramener à des sentiments plus chrétiens. *Il l'aime.* J'avoue que je n'en pense pas grand-chose, ni dans un sens ni dans l'autre, mais c'est une fille tout ce qu'il y a de plus agréable, et elle vénère le sol même qu'il foule (comme s'il n'avait pas déjà une opinion assez flatteuse de lui-même). La première fois que je l'ai vue, j'ai d'abord cru que c'était une petite amie comme il en a tellement eu – une fille du style mieux-que-pas-de-fille-du-tout, un pis-aller –, jusqu'à ce que je surprenne Lance en train de lui demander ce qu'elle avait fait de sa journée. Avec un intérêt sincère ! Et lui donner son avis sur ses centres d'intérêt ! J'ai cru que j'allais me trouver mal. Bref, dès cet instant, il a été évident pour moi qu'il était amoureux d'elle, et s'il est amoureux d'elle, nous devrions l'aimer aussi. Vous comprise.

Bien sûr que je viendrai à votre dîner dansant, même si je vous soupçonne de prendre un malin plaisir à organiser la fête la plus pénible possible pour la timide Alene. Vous savez qu'elle préférerait infiniment un thé. Cela dit, si vous êtes décidée à la torturer, je viendrai apporter à Lance et à l'heureuse élue mon soutien le plus affectueux. J'imagine que je pourrai venir accompagnée, moi aussi ? Il vous plaira, à Père et vous.

Je dois vous laisser, parce que j'ai plusieurs années de la guerre de Sécession à rédiger avant le coucher du soleil. Ce soir, je vais prendre le thé chez une dame qui jure que Stonewall Jackson a passé trois mois, au printemps 1862, dans la cave à légumes de sa mère. Elle m'a montré l'endroit précis, qui héberge désormais des pommes de terre.

Affectueusement,

Layla

P.S. : Dites à Mattie de m'envoyer le maillot de bain. Je le mettrai pour taper à la machine.

18 juillet 1938

Mlle Layla Beck
47 Academy Street
Macedonia, Virginie-Occidentale

Chère mademoiselle Beck,

Je veux croire que *L'Histoire de Macedonia* avance avec la célérité requise. Nous sommes soumis ici à forte pression, car nous devons présenter le manuscrit final à la commission consultative locale, et j'espère que votre silence s'explique par un travail acharné. Si je faisais preuve d'un optimisme déplacé, vous voudriez bien m'en informer de suite, surtout si la date limite de remise risquait d'être dépassée.

Par ailleurs, j'ai réussi, non sans difficulté, à convaincre l'administration de la sécurité agricole de mettre à notre disposition l'un de ses photographes pour les illustrations de *L'Histoire de Macedonia*. Le photographe en question – ou plutôt la photographe –, Mlle Colleen Echols, a consenti à faire une halte à Macedonia en regagnant Washington, lundi prochain, le 25 juillet, afin de prendre les photos dont vous aurez besoin. On m'a avertie que Mlle Echols était excessivement demandée, aussi vous conseillerais-je de sélectionner les sujets à l'avance. Anticipant votre accord, je vous ai fixé un rendez-vous avec Mlle Echols à midi sur la place de la ville (Macedonia ne doit pas en posséder trente-six).

Sincèrement vôtre,

Ursula Rookwood Chambers

18 juillet 1938

Ma chère mademoiselle Beck,

Je ronge mon frein depuis des semaines en attendant que vous veniez me rendre visite. Je me disais par-devers moi, Pourquoi cette fille accorde-t-elle son attention à cette crapule de Parker Davies et pas à moi ? Mon cœur était sur le point de se fendre quand j'ai reçu votre mot. Si vous venez vendredi après-midi, je vous promets une agréable visite. Dites à Jottie de vous accompagner, il y a une éternité que je ne l'ai vue.

Votre dévoué serviteur,

Tare Russell

Un après-midi, vers quatre heures, Jottie fit irruption dans le salon.

« Fais-moi voir tes genoux. »

Je me roulai sur le dos pour lui permettre d'y jeter un œil. Elle portait son chapeau. Je lui demandai où elle allait.

« *Nous allons* à Shepherdstown, figure-toi. Va te recoiffer, s'il te plaît. »

Je bondis sur mes pieds.

« Et pourquoi ça ?

— Parce qu'ils rebiquent d'un côté, répondit-elle, déjà à moitié dans le couloir.

— Non ! Shepherdstown ! ? »

Elle appela Bird de la terrasse. Je filai me brosser les cheveux qui étaient affreusement ébouriffés.

Quand je redescendis, Jottie tenait Bird par le col et lui infligeait ce qu'on appelait une toilette de chat.

«Seigneur, aie pitié de moi, misérable pécheresse», geignit ma sœur, se tortillant dans tous les sens.

Lorsqu'elle estima que nous étions assez propres, Jottie prépara une assiette pour Mlle Beck, la recouvrit d'une serviette et nous poussa vers la voiture. Nous descendîmes Academy Street à toute vitesse, manquant écraser le coq du père Puck au passage.

«Comment se fait-il que nous allions à Shepherdstown? redemandai-je.

— Il se trouve que pour des raisons qu'il est le seul à connaître, votre père a laissé sa voiture à Martinsburg et a échoué à Shepherdstown sans moyen d'en repartir. Il a besoin qu'on le ramène du point B au point A.»

Un silence songeur suivit.

«Mais comment est-il arrivé à Shepherdstown sans voiture? demanda Bird.

— Je n'en sais rien», répliqua notre tante, une note d'écœurement dans la voix.

Elle ne garda pas longtemps ce ton. Dès qu'on s'arrêta devant l'hôtel du Tribunal, et que mon père, surgi de nulle part, s'installa dans le siège passager, on commença à s'amuser.

«Dites donc, les filles, vous êtes rudement jolies, nous lança-t-il par-dessus son épaule. Et toi aussi, Jottie.

— Tu as intérêt à me dire ce genre de choses, commenta-t-elle, le menaçant de son poing. – Mais elle avait retrouvé sa bonne humeur. – M'obliger à faire tout ce chemin...»

Elle démarra le moteur. Il posa une main sur le volant.

«Il y a le feu à la maison?

— Pas à ma connaissance, répondit-elle.

— Dans ce cas, pourquoi cette précipitation ? Visitons un peu l'Amérique. Sortons dîner en ville. »

Jottie éclata de rire et secoua la tête.

« Je croyais que tu voulais récupérer ta voiture.

— C'est vrai, mais on n'est pas à une minute près. »

Il jeta un coup d'œil dans notre direction. Ma sœur et moi arborions notre expression la plus implorante. Bird mit même la main sur son estomac, pour montrer comme elle mourait de faim.

« Jottie, s'il te plaît, soufflai-je.

— Hmm, fit-elle, pas encore décidée à céder. Nous avons de quoi préparer un excellent dîner à la maison.

— Ils ont de quoi préparer un excellent dîner à la Taverne bavaroise, rétorqua Papa, tu n'auras pas besoin de faire la cuisine, ni la vaisselle après.

— La Taverne bavaroise ? Plutôt chic, hein, les filles ? dit Jottie.

— Je suis un homme riche », rétorqua notre père.

Il sortit son portefeuille et l'agita sous ses yeux.

« Je suis un nabab.

— Vous saurez vous tenir, les enfants ? » demanda-t-elle alors.

Ce qui voulait dire qu'elle acceptait.

« Oui, m'dame, oui, m'dame ! »

Notre réponse fut enthousiaste mais nous ne fîmes pas de bonds sur la banquette pour lui montrer à quel point nous savions nous tenir.

À la Taverne bavaroise, il faisait frais. Des ventilateurs tournaient au plafond, au-dessus des tables couvertes de nappes blanches avec deux verres différents pour chaque assiette. Papa dit qu'on pouvait manger tout ce qu'on voulait, et évidemment Bird demanda si c'était possible d'avoir uniquement des tartes. Pour ma part, je commandai le bœuf rôti façon La Fontaine.

Papa prétendit que c'était un célèbre plat bavarois fait avec des vieux Français morts. Quand je lui déclarai que je n'étais pas dupe, il dit à Jottie que je devenais trop futée, et qu'elle ne devrait plus me laisser lire autant. Mais il plaisantait.

La soupe, blanche comme la crème et délicieuse, était accompagnée de petits pains et de copeaux de beurre bien froid. Puis, mon bœuf rôti façon La Fontaine arriva, un roulé avec des champignons sur le dessus, une splendeur, mais je ne réussis pas à le finir. J'étais trop heureuse. Papa et Jottie riaient et bavardaient comme s'ils dînaient à la Taverne bavaroise tous les jours de la semaine. Notre père regarda à un moment autour de lui et déclara que tous les clients du restaurant devaient penser que Bird était une riche héritière.

Ma sœur faisait tellement attention à bien se tenir qu'elle avala une bouchée d'escalope de veau sans la mâcher ou presque afin de pouvoir parler :

« Pourquoi ? s'étrangla-t-elle, les larmes aux yeux.

— Parce que, répondit-il, tout le monde voit bien que tous les trois – son doigt décrivit un cercle nous incluant, Jottie et moi – nous sommes de la même famille. Alors que toi, avec tes grands yeux bleus et tes boucles blondes ? Ils vont s'imaginer que nous t'avons enlevée. Et pourquoi t'aurait-on enlevée si tu n'étais pas une riche héritière ? – Il se pencha pour essuyer une larme sur sa joue. – Sans parler de ta façon de te tenir à table. Tu m'aurais bien berné si je ne savais pas à quoi m'en tenir. »

Bird se redressa sur sa chaise, un sourire d'une oreille à l'autre, enchantée à l'idée d'être une héritière. Personnellement, ça me convenait ; être un ravisseur m'était égal si on était pareils, Papa, Jottie et moi.

Après le dessert – un gâteau à la mode de Boston, auquel j'eus droit bien que je n'aie pas fini mon assiette – Papa et Jottie repoussèrent leur chaise et burent leur café en parlant des fermes, de M. Roosevelt et de la neutralité de la Suisse. C'était la conversation la plus ennuyeuse du monde, mais je fis mine d'être intéressée pour qu'ils comprennent qu'ils pourraient me ramener au restaurant quand ils voudraient. Bird faisait des pliages avec sa serviette.

Papa paya l'addition, très grand seigneur, peu regardant sur la somme qu'il laissa sur le plateau en argent que la serveuse avait posé sur la table. Quand nous nous levâmes, les gens des tables voisines saluèrent Papa et Jottie de la tête, comme pour dire : À bientôt, ici ou dans un autre restaurant.

Le soleil descendait derrière les arbres sur la Route 45. Le ciel vira à l'oranger, puis au rose, au bleu, et enfin, au bleu nuit. Des hirondelles zigzaguaient dans la lumière multicolore ; je clignai des yeux, et elles se changèrent en chauves-souris. À Martinsburg, Papa nous laissa et reprit sa voiture, mais au lieu de s'éloigner à toute vitesse, il roula juste devant nous, et quand nous arrivâmes à la maison, il revint vers la voiture de Jottie pour soulever dans ses bras Bird qui s'était endormie. Il la porta contre son épaule jusque dans sa chambre où je le précédai pour ouvrir le lit avant qu'il ne la dépose. La porte de Mlle Beck s'était entrouverte sur notre passage et elle avait observé la scène, mais Papa faisait trop attention à Bird pour le remarquer. Tiens, tiens, me dis-je. Mais sans méchanceté, tellement j'étais aux anges.

27

J'étais encore sur mon nuage le lendemain matin. Au début, en tout cas. Nous étions assises à la table du petit déjeuner, Mlle Beck et moi, quand Papa fit irruption dans la cuisine avec fracas parce qu'il avait perdu son chapeau, qu'il était en retard et qu'il n'arrivait pas à mettre la main dessus.

Jottie le lui trouva, bien sûr, mais au moment où Papa s'en allait, Mlle Beck demanda :

« Où êtes-vous si pressé d'aller ?

— Je vais voir ailleurs si j'y suis. »

Il éclata de rire et sortit, euphorique et presque pétillant, comme il l'était parfois quand il partait pour affaires.

Mlle Beck se tourna vers moi :

« Tu y comprends quelque chose ?

— Peut-être qu'il aime bien voir ailleurs », répondis-je avec la plus grande candeur.

Elle hocha la tête et se remit à mastiquer son toast, l'air pensif. Ça ne me plaisait pas du tout. Je commençai à me dire que Mlle Beck était peut-être une fouineuse de mon espèce.

Plus tard, je sortis chercher le courrier. C'était moi qui allais le récupérer, en général, et je le posais sur la table de l'entrée. J'y voyais une occasion de fureter discrètement. Je ne lisais pas les lettres, bien sûr. J'aimais juste savoir qui recevait quoi. Du reste, c'était vite vu. Jottie recevait des piles de factures et quelques lettres, surtout de cousins et de son amie Raylene, missionnaire au fin fond de la Chine. Il n'y avait jamais grand-chose pour Papa, juste des missives de ma mère qui demandait à nous voir, Bird et moi. C'était Mlle Beck qui avait le plus de courrier : des lettres de Washington, du Delaware, du département de chimie de l'université de Princeton, de Cape May, dans le New Jersey, du Federal Writers' Project de Charleston, en Virginie-Occidentale. Et de M. Tare Russell.

L'enveloppe de M. Russell était élégante, épaisse et de couleur crème. Je repensai à l'assurance avec laquelle Papa s'était frayé un chemin entre les haies de buis de M. Russell pour entrer par la petite porte noire, à l'arrière de la maison. J'étais presque certaine que c'était là qu'il gardait ses bouteilles. Je m'étais faite à l'idée qu'il était trafiquant d'alcool. Je trouvais même cela plutôt amusant, surtout quand je me disais que c'était de famille, et que nous étions une bande de hors-la-loi. Mais en voyant cette enveloppe crème, je me dis que je ne savais pas vraiment pourquoi mon père allait chez lui. Je ne savais pas grand-chose, en fin de compte.

Je gagnai l'étage et frappai à la porte de Mlle Beck.

« Votre courrier ! »

Elle ouvrit, un crayon sur l'oreille, l'esprit visiblement ailleurs.

« Ouii... ? »

Je lui souris de toutes mes dents.

« Votre courrier. Je vous l'ai monté.

— Oh, merci ! dit-elle un peu surprise. Merci bien.

— J'ai vu que vous avez une lettre de M. Russell, l'apostrophai-je alors qu'elle retournait dans sa chambre. – Je me glissai par l'ouverture de la porte. – Vous comptez lui rendre visite ?

— Ah, parfait, dit-elle parcourant les enveloppes jusqu'à ce qu'elle trouve la bonne, qu'elle ouvrit avec une épingle à cheveux. Oui, en effet. J'ai entendu dire que sa maison était pleine de merveilles, que c'était pratiquement un musée... »

Elle s'interrompit pour lire.

« Il va vous faire visiter sa maison ? De la cave au grenier ?

— Humm, répondit-elle, un peu distraite. Du moins, c'est ce que j'espère. Mais pourquoi me demandes-tu ça ? » fit-elle sur un ton plus sec, levant les yeux de sa lettre.

Elle croyait avoir le droit de connaître Papa mieux que moi, parce qu'elle était adulte. Elle me prenait pour une gamine idiote, mais elle se trompait. Je connaissais les secrets de mon père mieux qu'elle, mieux que personne, sans doute, et je les gardais jalousement. Je *le* gardais jalousement. Le code d'honneur des voleurs, sauf que nous n'étions pas des voleurs, naturellement. Disons plutôt « Un pour tous, tous pour un », c'était une meilleure devise. Je décidai d'aller voir par moi-même ce qui se passait là-bas, derrière la porte noire de M. Russell.

« Oh, juste comme ça », dis-je, souriant jusqu'aux oreilles.

Je traversai le ruisseau assez vite compte tenu de la vase, et ressortis derrière la propriété de M. Tare. Je jetai un coup d'œil autour de moi. Il n'y avait pas âme qui vive dans le jardin qui s'étendait à perte de vue. Toutefois, je n'eus pas le courage d'emprunter, comme Papa, les sentiers qui zigzaguaient entre les haies de buis. Je fis tout le tour en longeant le mur. C'était un peu plus long, mais je finis par atteindre la petite porte noire. Je m'approchai, le cœur battant, et ne pus m'empêcher de penser à la femme de Barbe Bleue. J'avais toujours pensé qu'elle devait être un peu godiche pour aller fourrer son nez dans un endroit où on lui avait interdit d'aller ; je me sentais tout à coup plus d'affinités avec elle. Il y avait quelques marches devant la porte, mais au lieu de monter, elles s'enfonçaient dans le sol. C'était une porte de cave. Je descendis en retenant mon souffle et tournai la poignée, comme j'avais vu Papa le faire. Elle s'ouvrit comme par magie. Un puissant courant d'air frais monta vers moi. J'entrai et refermai la porte en prenant garde à ne pas faire de bruit, bien que ce ne fût pas nécessaire. Il n'y avait personne. Les battements de mon cœur commencèrent à se calmer un peu. J'étais dans un sous-sol, c'était évident : brique, terre battue et ciment, et des étagères, de longues tables hautes – peut-être des établis. Je fis lentement le tour, pas à la recherche d'indices, pas encore, juste pour m'habituer à la lumière verdâtre, crépusculaire, et à l'odeur de terre, forte, prégnante. S'il y avait eu à la maison un endroit aussi frais et calme, j'y aurais passé chaque minute. Mais on voyait bien que M. Tare Russell n'y venait pas souvent. Les étagères, les bancs et les tables disparaissaient sous la poussière ; elle enveloppait tout d'un linceul de saleté et d'abandon, de laissé-pour-compte. Quelques malles étaient oubliées dans un coin, et des bombes de peinture sur une étagère. Un fauteuil de velours cassé était appuyé contre un mur, à côté d'une porte envahie par les toiles d'araignées. Je me mis à chercher les bouteilles du regard, mais j'arrêtai vite. Papa était plus malin que ça. Il ne les aurait jamais laissées en évidence. Elles devaient être dissimulées quelque part.

Les malles se révélèrent décevantes – vides, et récalcitrantes, en plus. Je dus presque arracher la serrure de la première, qui émit un fort grincement quand je l'ouvris. Mon cœur se mit à battre la chamade. Je levai les yeux vers le plafond de la cave en priant pour que personne ne m'ait entendue. Après tous ces efforts, je ne trouvai dedans qu'une vieille courtepointe passée. Non, mais franchement... J'inspectai les quelques boîtes qui se trouvaient sur les étagères et regardai derrière le fauteuil en velours. J'allai jusqu'à ramper sous les établis, comme un rat, pour rien. C'était très contrariant.

Férocité et détermination, me rappelai-je alors. Aussi, je balayai les toiles d'araignées d'une porte qui donnait sur une autre cave et jetai un coup d'œil à l'intérieur. Plus petite, mais

aussi fraîche et sombre. Encore des malles – celles-là contenaient des vêtements de femme – et des tas de cadres vides. Les
étagères de la cave voisine étaient pleines... de boîtes en carton ! Je crus d'abord que j'avais touché le gros lot, mais les boîtes
contenaient des chaussures. Des paires de chaussures d'homme.
Il y en avait bien une quarantaine. Quarante paires de chaussures d'homme... Mais ce n'était pas le moment de m'interroger
sur ce mystère. Une autre porte s'ouvrait sur une autre cave.
Compte tenu de la taille de la demeure de M. Tare Russell, le
sous-sol pouvait comporter une douzaine de caves.

Le temps que j'arrive à la septième, je n'étais même plus nerveuse. Je sursautais encore un peu quand j'entendais un bruit,
mais pas parce que je craignais qu'on me surprenne, non, parce
que je pensais que c'était des souris, ou pire. Au-dessus de ma
tête, la maison était silencieuse comme une tombe.

Je m'aventurai dans la septième cave et la parcourus d'un œil
exercé, selon la formule consacrée. Encore des malles, et sur une
étagère pleine d'échardes, une rangée de bocaux de fruits sans
doute oubliés là depuis des années, à voir leur tête. Un bout de
chiffon était coincé à côté du dernier bocal. Rien d'intéressant,
en somme, alors je me dirigeai vers la porte suivante. Mais je
revins finalement sur mes pas. Le chiffon. Ce n'était pas grand-
chose, juste un bout de tissu oublié là, mais c'était le premier
signe de présence que je repérais depuis mon arrivée. Je le
ramassai. Ce n'était qu'un mouchoir jauni par le temps.

Je m'accroupis pour regarder sous l'étagère du bas. Rien. Rien,
jusqu'à ce que je perde l'équilibre, que je tombe à la renverse
doucement mais sûrement pour atterrir lourdement sur le dos,
des toiles d'araignées plein les cheveux. Je m'apprêtai à me relever quand je vis ce que j'étais venue chercher. Elles avaient été
poussées sous un établi. Il y en avait trois. Trois sacoches de cuir
noir, identiques à celle que j'avais vues dans la voiture de Papa.
Tâtonnant à quatre pattes dans le noir, je les tirai l'une après

l'autre. Et voilà : des lettres d'or, F.H.R., gravées à côté de la poignée – sur deux d'entre elles, du moins. Il n'y en avait pas sur la troisième. Et elle était plus usée que les autres. Plus vieille.

Elles étaient d'une légèreté surprenante ; je découvris vite pourquoi. La première sacoche marquée F.H.R. était vide. Rigoureusement vide. Je me dis que c'était une bonne nouvelle, et en même temps j'en fus un peu attristée. Je me donnais tant de mal pour protéger Papa qu'il aurait au moins pu faire un effort pour avoir besoin de protection. Dans la deuxième sacoche aux initiales F.H.R., c'était encore pire ; une espèce de harnais retenait dix bouteilles de verre, mais pas des bouteilles de whisky, des petits flacons soigneusement étiquetés : brome, chlorure de potassium, ammonium... Et enfoncés sur le côté, il y avait des papiers. J'en pris un. « DuPont Company : tout pour une meilleure vie... Grâce à la chimie ! » Sous ce slogan ronflant figurait la description de leurs merveilleux produits chimiques. Je remis le papier à côté des bouteilles et refermai la sacoche. Et si je m'étais trompée, si Papa vendait vraiment des produits chimiques ? Mais si c'était bien son métier, que faisaient ces sacoches dans le sous-sol de M. Russell ? Je ne savais plus que penser.

Découragée, je tendis la main vers la troisième, la plus vieille. Elle était plus lourde que les autres, et verrouillée. *Verrouillée.* Je poussai le fermoir dans tous les sens, tirai sur la courroie qui reliait les deux parties, mais elle était bien verrouillée. Tout à coup, mon sang ne fit qu'un tour. Je n'avais jamais été si furieuse de ma vie, et pour la première fois je compris ce que voulait dire l'expression « voir rouge ». J'étais hors de moi. Je tapai sur la sacoche de toutes mes forces, cognai sur la serrure à en avoir mal à la main. Puis, je fouillai dans ce satané sous-sol jusqu'à ce que je découvre un bout de tuyau que je glissai sous la courroie qui était attachée au fermoir. Debout, j'appuyai de toutes mes forces avec mon pied. La bande de cuir céda, avec un claquement sec.

J'avais réussi.

Difficile d'arrêter d'être en colère immédiatement. L'espace d'un instant, je me contentai de regarder ce que j'avais fait, haletante. Et puis, je me baissai pour saisir avec précaution la sacoche dont j'écartai les pans de chaque côté. Au début, j'eus du mal à identifier ce que je voyais. Du tissu. Du tissu blanc, jauni par les années ? Je le tirai de la sacoche et vis qu'il servait à emballer un objet. Je défis le paquet et constatai qu'il renfermait un autre bout de tissu. Marron, celui-là. Je le regardai fixement, essayant de comprendre ce que je voyais et le dépliai. C'était un veston. D'homme. Plutôt démodé. J'en inspectai le devant, et le dos. Pourquoi Papa aurait-il caché un vieux veston là-dedans ? Je haussai les épaules et commençai à le replier quand je me ravisai soudain. Il était trop grand et trop long pour Papa, j'en étais à peu près sûre. Ce n'était peut-être pas le sien. Je fouillai dans les poches. L'une d'elles contenait une pièce de cinq *cents*, avec un bison sur une face, mais je ne réussis pas à lire la date. Il y avait un mouchoir dans la poche de poitrine, jauni, lui aussi, mais propre et bien plié comme si on venait de le repasser. Je retournai le vêtement et trouvai un papier dans l'autre poche. Je le dépliai et reconnus l'écriture régulière et bien droite de Papa. Je lus : « V. Réussi à le faire baisser à deux cents dollars, mais il faudra un nouveau pneu, alors deux cent cinquante. F. » V : Vause Hamilton ? Je palpai le papier, contente de retrouver un peu du Papa d'il y avait longtemps et je le remis à sa place, plié comme je l'avais trouvé. Un peu déconcertée, je fouillais la poche intérieure du veston. Elle contenait un autre papier, plus épais. Une photo ?

Oui.

J'écarquillai les yeux en découvrant une Jottie plus jeune, avec les cheveux tirés en arrière. Le menton levé, elle avait un sourire en coin, on l'entendait presque rire, rayonnante, belle et pleine d'espoir. J'avais toujours trouvé Jottie jolie, avec sa chevelure sombre, épaisse, coiffée en chignon bien net sur la nuque, sa peau lisse et ses grands yeux si profonds, si brillants... Mais cette Jottie-là était plus ravissante que jamais. Elle ressemblait à Papa, elle était exactement comme lui, en plus léger, plus délicat. Elle avait quelque chose d'aérien.

Je restai un long moment à regarder cette photo. Je la voulais. Je la voulais de tout mon cœur. Mais je voyais bien qu'elle était trop précieuse. Je la remis, très soigneusement, dans la poche où je l'avais trouvée. Il y avait tant de choses que je ne comprenais pas – pourquoi Papa avait-il gardé ce veston, pourquoi dans cette sacoche miteuse, et pourquoi la photo de Jottie se trouvait-elle dans sa poche – mais je comprenais que mon père y tenait et qu'aucun mal ne pouvait en venir. Je repliai le veston avec soin et le remballai dans son tissu jauni avec toute la tendresse dont j'étais capable. Je n'aurais su dire pourquoi, mais il me semblait que c'était mal de le poser à même le sol, aussi je soufflai sur la poussière d'une étagère et je le plaçai là avant de retourner à la sacoche. Je ne trouvai rien d'excitant, juste des enveloppes, de grandes enveloppes marron. Il y en avait cinq, bien rangées. J'en pris une. Sur le haut était imprimé à l'encre noire un peu passée : « Manufacture de bonneterie Les Inusables Américaines », et dessous, d'une écriture en pattes de mouche – je dus me tordre le cou pour déchiffrer l'inscription – : 2 septembre 1920. C'était bien vieux. Je soulevai le rabat et faillis tomber à la renverse une nouvelle fois : l'enveloppe contenait de l'argent, une grosse liasse de billets. Je n'en avais jamais vu d'aussi épaisse. J'étouffai une sorte de hoquet, dont l'écho me causa ma plus grosse peur de toute la journée. Le cœur battant, je fis tomber l'enveloppe dans la sacoche que je refermai aussitôt. Je restai figée, pétrifiée, pendant une seconde, puis ma main se tendit à nouveau malgré moi et je rouvris la sacoche. Lentement, très lentement, je ressortis l'enveloppe et regardai dedans. J'en eus le souffle coupé. Je pris quelques billets. Des billets de dix dollars. Trop nombreux pour que je me donne la peine de les compter. Quelques-uns avaient l'air bizarre – ils étaient vieux, et brunis par le temps. Les mots « le salaire du péché » me traversèrent l'esprit, mais je les chassai. La gorge sèche, je pris une autre enveloppe. Des billets de vingt dollars, répartis en trois petits paquets. La suivante contenait des billets de cinq dollars, une grosse liasse, et des billets d'un dollar, en vrac. J'en pris une poignée, juste pour voir l'effet que ça faisait. La dernière enveloppe était la plus mince. Des billets de cinquante dollars, huit en tout. C'était la première fois que j'en voyais.

Soudain, je me figeai, consternée, et regardai l'argent étalé par terre autour de moi. Papa allait s'en apercevoir. Si les billets étaient mélangés, si les piles n'étaient pas bien comme il fallait, Papa saurait que j'étais passée par-là. Il pouvait revenir d'un instant à l'autre. Il était parti pour son travail, non ? Il allait probablement revenir tout de suite avec l'argent qu'il aurait gagné. J'en étais malade. Il fallait que je remette tout en place, exactement comme avant, et vite. Je replaçai l'argent dans les enveloppes, tremblant si fort que je n'arrivais pas à faire des piles bien nettes, et comme je n'y parvenais pas, je tremblai encore plus fort. C'était vrai. C'était donc vrai. Mon père était un trafiquant, un vrai. Je n'avais rien inventé. Et puis je ne sais pas comment, je réussis à tout remettre en place, à ranger les billets dans les bonnes enveloppes, ou presque, du moins je l'espérais. Hors d'haleine, je replaçai les enveloppes bien en ordre au fond de la sacoche et le paquet de tissu jauni par-dessus. Ensuite, je refermai la sacoche et enfonçai la languette de cuir dans la serrure. Ce n'était pas très solide, mais ça tenait. Je l'essuyai à l'aide du vieux mouchoir. Si on n'y regardait pas de trop près, on ne verrait pas l'éraflure que j'avais faite sur le cuir. Papa ne le saurait jamais. Personne ne le saurait jamais. Je remis les sacoches sous l'établi et sortis rapidement du sous-sol.

28

Sur l'écran, Charles Boyer arqua ses sourcils d'homme du monde et haussa les épaules.

« Toutes les femmes ont des yeux », roucoula-t-il.

La main de Sol se referma sur celle de Jottie. C'était leur troisième film en deux semaines. Elle commençait à s'habituer au velours rêche des fauteuils du balcon, au rituel des confiseries et du pop-corn, à la main de Sol, large, avec ses poils virils, ses ongles courts et nets recouvrant complètement la sienne, plus menue. Elle laissa Hedy Lamarr repoudrer son joli nez et considéra un instant les doigts de Sol. Il n'était pas nerveux ; sa paume était sèche. Une main d'honnête homme, songea-t-elle, ébauchant un sourire. Elle observa son visage ouvert, attentif, amusé juste ce qu'il fallait.

Soudain, il tourna la tête et lui souffla à l'oreille :

« Tu t'ennuies ? »

Elle fit signe que non. Il referma ses doigts autour des siens, désigna Charles Boyer du menton et murmura :

« Il me fait penser à Felix. »

Elle s'intéressa un peu à l'écran et vit ce qu'il voulait dire.

« Grâce au ciel, Felix n'a pas l'accent français, répondit-elle, pensive.

— Les rues seraient jonchées de filles tombées sous son charme ! » plaisanta-t-il.

Elle éclata de rire. Tout paraissait si simple, avec lui.

Après la projection, Sol suggéra une promenade dans Prince Street. Sa sérénité, son parti pris de normalité étaient contagieux, et Jottie accepta sans se poser de questions. Ils croisèrent des promeneurs qui saluèrent Sol, portant la main à leur casquette.

« Ils t'aiment bien », chuchota Jottie entre deux saluts.

Il jeta un coup d'œil alentour, intrigué.

« Qui ça ?

— Ces hommes. Ils travaillent à la manufacture, non ?

— Oui, bien sûr. C'était Tommy Boyes. Tu le connais, non ?

— Jamais vu de ma vie. »

Il esquissa un geste d'excuse.

« J'aurais dû te le présenter.

— Non. Sol, ce n'est pas ce que je voulais dire. C'est juste que... J'ai remarqué que tes employés t'aiment bien, voilà tout. »

C'était la même admiration respectueuse dont avait bénéficié autrefois son père – dont celui-ci avait vécu, à vrai dire –, et qu'elle avait jadis prise pour un don aussi éternel que le soleil. Elle savait à quoi s'en tenir, à présent. Cela se méritait, donc cela pouvait se perdre.

« Oh, fit-il avec une expression satisfaite. Je suppose. Ils aimaient ton père aussi. Ce sont de braves gens, pour la plupart. »

Elle acquiesça. Un jeune couple, élégant et guindé, venait à leur rencontre sur le trottoir.

« Monsieur McKubin », murmura le jeune homme en effleurant le bord de son chapeau.

Sa femme, qui s'efforçait visiblement de faire bonne impression, sourit avec coquetterie à Sol. Jottie sentit monter en elle une bouffée de nostalgie. Combien de fois avait-elle assisté, au bras de son père, au même scénario ?

« Brady, répondit Sol, la mine affable, le saluant d'un hochement de tête. Bonsoir », ajouta-t-il à l'adresse de la femme qui
minaudait.

Regarde, se dit-elle comme une touriste qui aurait tendu
le doigt vers un monument. Regarde ce qu'il a. Sol tient
Macedonia dans le creux de sa main.

Ils repartirent, passèrent devant la Nouvelle Épicerie, devant
Pie Dailey, le barbier, puis le Café Pickus et la quincaillerie
Columbia. La foule s'amenuisait au fur et à mesure de leur
marche, et dans l'ombre, devant le Grand Magasin Krohn, Sol
passa son bras sous le sien. Jottie se dégagea en feignant de
regarder la vitrine, mais il faisait trop sombre : elle ne distinguait que son propre reflet et celui de Sol, derrière elle. Elle se
retourna et examina les revers de son veston.

« Tu as acheté ce costume ici, chez Krohn ? »

Il baissa les yeux sur son complet.

« Celui-là ? Non.

— Est-ce qu'il t'arrive d'acheter tes costumes ici ? insista-
t-elle, les mains sur les hanches.

— Pourquoi me demandes-tu cela ? s'étonna-t-il.

— Je me posais la question, c'est tout.

— Eh bien... »

Son regard se perdit au-dessus de la tête de Jottie.

« Non. Non, je ne crois pas avoir jamais acheté de costume
chez Krohn. Tu crois que je devrais ?

— Non. Tu les achètes à Washington ? Tes costumes ? »

Il plissa les yeux.

« Oui.

— Dans quel magasin ? »

— Chez Woodward et Lothrop. Garfinckel's. Pourquoi
veux-tu savoir où je les achète ? fit-il en posant une main sur
son épaule.

— Juste comme ça. Et Violet t'accompagne ? »

Il opina du chef, posa son autre main sur sa taille et l'entraîna, là où il faisait encore plus sombre.

« J'ai acheté des costumes à New York l'an dernier.

— New York ! Tu es allé à New York pour acheter un costume ! »

Il fit d'abord oui de la tête, puis non.

« J'y étais pour autre chose. Pour affaires. Jottie ? »

Il se pencha et déposa un léger baiser sur ses lèvres.

« Qu'est-ce que... ? » commença-t-elle, mais il étouffa ses paroles en l'embrassant à nouveau.

New York, pour acheter un costume ! se dit-elle. Et puis : Felix va finir par l'apprendre. Dix secondes passèrent au moins avant qu'elle ne repense à la dernière fois où on l'avait embrassée.

Il faut que j'y aille, Josie. Allez, un baiser pour me porter chance.

Je veux bien, mais pourquoi as-tu besoin de chance ?

Bah, je n'en ai pas vraiment besoin. Embrasse-moi, c'est tout, d'accord ?

Dix secondes, ce n'est pas mal, songea-t-elle, ignorant le pincement de nostalgie. Je devrais tourner la page. Il serait plus que temps. Elle recula d'un pas.

« Qu'est-ce que... ?

— J'allais te demander si je pouvais t'embrasser, répondit Sol avec un sourire. Et puis j'ai pensé que tu risquais de dire non.

— J'aurais pu », avoua-t-elle.

Va-t'en, Vause. Et toi aussi, Felix. Aucun de vous deux n'est un honnête homme. Allez-vous-en et laissez-moi en paix. Elle leva les yeux sur Sol et lui rendit son sourire.

« Je suis contente que tu ne me l'aies pas demandé. »

Sol laissa échapper un soupir, soulagé.

« Moi aussi. »

Il se pencha à nouveau vers elle.

29

« Oh-oh…, souffla Jottie.

— Quoi donc ? demanda Layla.

— Vous avez déjeuné, j'espère ?

— Oui. D'un sandwich. Pourquoi ?

— Parce qu'ici, on ne vous proposera rien à vous mettre sous la dent. »

Jottie considéra l'herbe jaunie et les buissons étiolés.

« Il y a vingt ans, il employait trois jardiniers à l'année pour entretenir son jardin. Dont un, rien que pour tailler les arbres.

— Les temps ont changé, je vois.

— Oui. La crise l'a durement frappé. La maison grouillait de domestiques. Le domaine Tare, c'est comme ça qu'il l'appelait.

— Son nom de famille n'est pas Russell ?

— Tare est le nom de famille de sa mère. C'est de cette branche-là dont il est le plus fier. Les Russell avaient simplement de l'argent. Et encore, pas suffisamment. Pauvre vieux Tare », conclut Jottie.

Elles gravirent ensemble les marches et suivirent une large allée pavée qui serpentait dans le jardin pelé, passèrent devant une fontaine à sec et une corne d'abondance en stuc dressée sur un piédestal. Une voix les interpella :

« Ma parole ! Mais c'est Jottie Romeyn ! »

Tare Russell, un petit homme constellé de taches de rousseur, vêtu d'un costume de seersucker, leur faisait signe depuis le fond d'une vaste véranda plongée dans l'ombre.

«Et vous devez être mademoiselle Layla Beck! vocalisa-t-il alors qu'elles franchissaient la moustiquaire. Vous voudrez bien m'excuser de ne pas me lever, j'espère? Je fais de l'asthme.

— Bien sûr, monsieur Russell. Je suis ravie de vous rencontrer, déclara Layla en se penchant pour lui serrer la main.

— Tare, il faut que j'y aille, annonça une femme mince, coiffée d'un chapeau vert, en se levant avec vivacité de son siège – un fauteuil de rotin en piteux état.

— Anna! Déjà?

— Oui, décréta la femme en enfilant ses gants.

— Eh bien, quand il faut y aller, il faut y aller.»

Avec un mouvement de tête assez sec en direction de Jottie, et ignorant Layla, la femme se faufila entre les sièges, poussa la moustiquaire et disparut dans la blancheur du soleil.

Un instant de silence suivit son départ, puis Jottie braqua sur Tare Russell un regard noir.

«Vous l'avez fait exprès?

— Je pensais que ce serait plus drôle que ça, gloussa-t-il. Je suis un peu déçu. Elle respire l'ennui.

— Tare, vous êtes un vrai démon.

— Quelque chose m'échappe, dit Layla, interrogeant Jottie du regard.

— Alors, Tare? s'enquit celle-ci.

— Eh bien, commença-t-il, enjoué, c'était Anna May Bowers. Qui avait jadis espéré s'appeler Anna May Romeyn.

— Elle était fiancée à Felix», expliqua Jottie.

Layla rougit.

«Oh.

— Il l'a laissée tomber, insista Tare Russell avec un sourire mauvais.

— Tare ! Ça suffit !

— C'est pourtant vrai : il l'a laissée tomber pour s'enfuir avec Sylvia et elle a juré de se venger.

— Mais elle ne l'a pas fait. Elle avait bien le droit de... mal le prendre. Elle s'est très bien comportée.

— Elle a craché sur vos chaussures, oui ou non ?

— C'était il y a longtemps.

— Tout de même, j'espérais un petit scandale.

— Sans blague ? »

Tare se passa la langue sur les lèvres et se carra dans son fauteuil.

« Vous êtes bien jolie, ma chère, dit-il à Layla.

— Merci, monsieur Russell.

— Appelez-moi Tare. Comme tout le monde. Bien. J'ai des macarons à l'intérieur, poursuivit-il avec un geste élégant de la main, j'irai les chercher dans une minute, mais en attendant, parlons de votre livre. Votre *Histoire de Macedonia*. – Il la regarda en ouvrant de grands yeux. – La guerre de Sécession. C'était un poignard dans le cœur de Macedonia. Une blessure qui ne s'est jamais refermée. Des familles déchirées comme l'Union elle-même. Personne n'a été épargné. Si je vous disais qu'il y a des lieux où le sang coule encore certains jours.

— Je vous demande pardon ?

— Certaines choses ne veulent pas reposer en paix, continua-t-il d'un ton sinistre. Si vous vous trouvez un 7 mars sur le pont de Race Street, vous entendrez un coup de feu. Si fort que vous manquerez mourir de peur, et vous penserez : Seigneur, quelqu'un s'est fait tuer ! Et en effet, c'est l'écho du coup de fusil tiré par Ridell Fox qui a tué son frère Carson, le 7 mars 1863. Ridell était un soldat de l'Union et Carson un rebelle ; ils avaient tous les deux participé à des attaques dans la région, qu'ils connaissaient comme leur poche. Ce jour-là, Ridell était descendu de Pownall voler du fourrage pour les chevaux. Il se trouve sur le pont quand il entend un bruit de sabots. Oh, oh, se dit-il, voilà les rebelles ; j'ai intérêt à me cacher sous le pont. Ce qu'il fait, et juste à temps, parce qu'une troupe de cavaliers rebelles surgit en riant et en braillant qu'ils viennent de voler un beau chargement de fusils dans un wagon bâché. Ils s'engagent sur le pont et Ridell imagine de les effrayer afin de les mettre en fuite et récupérer les fusils pour l'Union. Il sera un héros. Il dégaine son pistolet, passe la tête au-dessus de la margelle du pont et tire – droit dans la cervelle de son propre frère. Quand il voit cela, il prend ses jambes à son cou, les rebelles sur les talons, laissant le pauvre vieux Carson agoniser tout seul sur le pont et rendre son dernier soupir en maudissant son frère. Désormais, le 7 mars, on entend le coup de feu qui l'a tué. Je l'ai entendu de mes propres oreilles. »

Il se cala, triomphant, contre le dossier de son fauteuil.

« Comment écrivez-vous Ridell ? demanda Layla qui prenait des notes à toute allure.

— Et puis cette maison, ici même, est hantée, déclara Tare Russell, ignorant sa question. C'est moi qui devrais écrire un livre.

— Comment savez-vous qu'elle est... hantée ? » s'enquit Layla.

Il la dévisagea.

« Me croirez-vous si je vous dis que j'ai une photo qui saigne du vrai sang ?

— Elle le fait toujours ? s'informa Jottie en croisant les jambes.

— Plus depuis quelques années. Mais elle l'a fait. Elle a saigné régulièrement pendant longtemps. Il s'agit d'une photo de mon grand-oncle, le commandant August Tare. À la date anniversaire des grandes batailles auxquelles il a pris part, le sang coulait bel et bien à travers le cadre. Et ce n'est pas tout, ajouta-t-il. Les esprits de la guerre ne sont pas apaisés. Les choses se déplacent. Par exemple, je dispose un sabre ou un objet de ce genre à un endroit où il sera en valeur, et quand je reviens, le lendemain, je le retrouve au milieu de la pièce. Si ce n'est pas l'œuvre d'un fantôme, je ne sais pas ce que c'est. »

Il jeta un coup d'œil à Jottie, quêtant son approbation.

« Et peut-être pas que d'un seul, murmura-t-elle.

— Attends ! »

Jottie s'arrêta en haut du muret.

« C'est la maison de Tare Russell.

— Ouais ouais, répondit Felix en passant une jambe par-dessus le mur.

— Qu'est-ce qu'on fait là ?

— Tu vas voir. »

Dans le jardin, les haies avec leurs alignements et leurs courbes composaient une sorte de labyrinthe qui n'en était pas tout à fait un. L'air était frais et pur ; chaque branche, chaque brindille, frémissait dans l'attente du printemps. Felix se précipita en se baissant le mieux possible vers la haie la plus proche et lui fit signe de l'imiter. En se relayant, ils coururent d'un couvert à l'autre : après les buissons, ils durent se réfugier derrière les troncs d'arbres. Jottie fila se réfugier derrière un hêtre, et y trouva son frère qui avait été plus rapide qu'elle. Ils se bousculèrent, se chamaillèrent, chacun poussant l'autre pour être mieux caché.

« Chut, chut ! » souffla-t-il comme elle riait trop fort.

Il agita gravement la tête.

« Si on se fait pincer… »

Il se passa un doigt en travers de la gorge.

« Tu m'avais dit que c'était sans danger ! chuchota-t-elle, alarmée.

— J'ai dit que je ne pensais pas que c'était dangereux. »

Elle lui assena une claque sur le bras, et il émit un petit rire.

« On va entrer par là, regarde, murmura-t-il en indiquant une porte noire, étroite, à la base d'un mur de brique. Elle n'est pas fermée. Le dernier arrivé est une femmelette ! ajouta-t-il en s'élançant.

Dans le sous-sol pareil à une immense caverne, ils enlevèrent leurs chaussures, se tenant sur une jambe puis sur l'autre, comme des cigognes.

« On va dans le salon, murmura Felix. C'est là qu'il y en a le plus.

— Felix, je ne suis pas une voleuse », murmura-t-elle.

Il se redressa.

« Qui a parlé de voler ? Je ne vole rien.

— Alors, qu'est-ce qu'on est venus faire ? »

Elle se dandinait nerveusement sur place.

« On rend la vie de Tare Russell plus intéressante. »

Felix monta quatre à quatre l'escalier de la cave envahi par les toiles d'araignées. Elle tenta de sonder les ténèbres silencieuses. Tout était calme. Elle aurait pu rester là, au calme. Mais elle se serait retrouvée toute seule. Le calme, ce n'était pas le fort de Felix. Il le réduisait à néant partout où il passait, l'abolissait aussi aisément que s'il avait traversé une toile d'araignée, ou une chose encore moins perceptible, qu'il n'aurait même pas sentie.

Jottie monta les marches en courant derrière lui.

« Tu les as, les draps ? demanda une grosse voix de Noir.

— L'eau de lavande ! réclama une voix haut perchée. Je l'ai oubliée ! »

Le Noir soupira.

« S'il te plaît, Wesley, tu peux apporter l'eau de lavande de M. Tare ? »

Le bras de Felix la plaqua contre le papier peint duveteux. Elle essaya de respirer sans faire de bruit. Il ébaucha un mouvement de tête. Ils s'élancèrent à travers le vaste hall et pénétrèrent dans le salon de Tare Russell. Felix referma derrière lui la porte aux gonds bien huilés.

C'était une pièce de réception suffisamment vaste pour être pourvue de quatre larges fenêtres tendues de rideaux de velours. À une extrémité, une cheminée de bois de rose encadrait un énorme foyer, et de l'autre côté, un homme en uniforme bleu dans un immense cadre rivait sur eux un regard sévère. Entre les deux, des îlots de chaises et de causeuses capitonnées de soie entouraient des tables de bois vernissées et des vitrines de verre. Jottie s'avança sur un gigantesque tapis de soie clair.

« Regarde ! » chuchota-t-elle.

Sur une table de bois satiné trônait un vase d'argent où s'épanouissait une brassée de lis blancs. Elle fit un pas et les huma avec ravissement.

« Le paradis doit sentir comme ça. – Elle tendit le bras pour l'attirer vers elle. – Sens. »

Il se pencha, docile, sur les étoiles parfumées.

« Ça sent bon. Maintenant, Jottie, écoute : Tare Russell croit qu'il habite une maison hantée, tu sais ?

— Oui, Maman dit qu'elle est hantée. Elle prétend qu'il a une photo qui saigne vraiment et des sabres qui bougent tout seuls. Il les a vus descendre l'escalier en volant. »

Son frère étouffa un rire.

« Il ne les a pas vus. Ça, il l'invente.

— Comment le sais-tu ?

— Parce que c'est moi. Je déplace des choses depuis des années. Je me faufile ici et je change ses tableaux et ses sabres de place. – Elle se plaqua une main sur la bouche. – Ouais. C'est moi, répéta-t-il avec jubilation. Et cette fois, je voudrais faire un truc spécial, dit-il en regardant une pendule dorée sous globe. Mais d'abord, il faut que je m'occupe de mon vieil ami... que voici. »

Il s'approcha d'un grand daguerréotype dans un étui de cuir posé sur une petite table. L'étui était ouvert et l'on y voyait un enfant soldat au visage de rongeur. Deux taches rose vif égayaient ses joues grises. Jottie se posta à côté de son frère.

« On dirait qu'il s'apprête à tuer quelqu'un.

— Ouais. C'est un grand héros », répondit Felix à voix basse, fouillant dans sa poche.

Avant que Jottie ait eu le temps de protester, il sortit un couteau et s'entailla légèrement la paume de la main. Un mince filet de sang apparut. Il inclina la main et les gouttes vinrent s'écraser sur le soldat gris.

« Je commence toujours par faire ça, je ne sais pas pourquoi, murmura-t-il. – Il tira son mouchoir et s'essuya la main. – Mais voilà pourquoi j'ai besoin de toi, mon chou. Je voudrais descendre ce grand tableau, et je ne peux pas le faire tout seul. J'ai essayé, mais il est trop large. »

Jottie considéra l'énorme et sinistre portrait.

« On ne va pas se contenter de le décrocher. On va le retourner face au mur », conclut-elle.

Une paire de pistolets brillait dans une vitrine.

« On va les croiser dans l'autre sens, murmura Jottie.

— On devrait ficher le camp, souffla Felix en jetant un coup d'œil inquiet à la pendule dorée. C'est la première fois que je reste aussi longtemps.

— Tu es un homme ou une poule mouillée ? »

Il se renfrogna et souleva le dessus de la vitrine pendant que Jottie glissait la main à l'intérieur et retournait les pistolets.

« Tu ne passes pas la cire aujourd'hui ? lança une voix forte derrière la porte, figeant le frère et la sœur sur place. On est mercredi, non ? »

De loin, une autre voix répondit quelque chose.

La voix la plus proche reprit :

« D'accord, mais c'est toi qui lui dis. Compte pas sur moi pour ça. »

Felix rabattit sans bruit le couvercle de la vitrine et indiqua une fenêtre au bout de la pièce. Jottie, silencieusement, récupéra ses chaussures au passage et suivit son frère au milieu du labyrinthe de

342

sièges. Posant délicatement le bout des doigts sur le châssis, Felix releva la fenêtre. Le grincement lui fit serrer les dents. Tout au bout de l'immense pièce, Jottie vit la poignée de la porte tourner.

«Vite!» murmura Felix, affolé, entraînant Jottie vers la grande véranda.

Ils se frayèrent un chemin entre des tables basses et des fauteuils de rotin, manquant en faire atterrir un dans une porte vitrée.

«Dépêche-toi!»

Arrivés en haut des marches qui descendaient vers le jardin, assurés de la victoire, ils se congratulèrent du regard : une silhouette qui s'affairait dans les buissons, plus bas, se redressa alors. C'était un jeune Noir, armé d'une longue scie très fine. L'espace d'un instant, les trois jeunes gens se regardèrent. Jottie se cramponna à la main de Felix et implora en silence le jeune Noir. Finalement, après un petit signe de tête, il retourna à son buisson et les deux autres dévalèrent l'escalier et filèrent comme le vent vers l'allée.

Ils y étaient presque arrivés.

«C'est toi, Felix? appela une voix perçante. Felix? Reviens ici tout de suite, jeune homme!

— Oh bon sang! murmura Felix. Ne dis pas un mot.»

Il fit volte-face et, tirant Jottie par la main, revint sur ses pas pour affronter Tare Russell.

«Felix Romeyn! Il y a des années que tu n'es pas venu me voir!» lança Tare sur un ton de reproche en descendant l'escalier.

— Hé, salut, monsieur Russell! C'est ma sœur, Jottie.»

L'homme posa sur elle un regard bienveillant.

«Ravi de faire votre connaissance, ma chère. C'est fou ce que vous ressemblez à notre jeune Felix!

— Ravie de vous rencontrer, moi aussi, monsieur Russell, répondit Jottie, se retenant d'esquisser une courbette.

— Appelez-moi Tare, tous les deux. Je ne suis pas tellement plus vieux que vous.»

Il ne devait pas avoir loin de trente ans, songea Jottie.

Felix fit tous les frais de la conversation.

« J'ai amené Jottie admirer votre sculpture. Elle ne savait pas ce qu'est une corne d'abondance — Jottie lui jeta une œillade outragée. —, et je n'arrivais pas à bien lui expliquer. Alors je l'ai amenée. Je n'ai pas fait de bêtise, dites-moi ? »

Tare effleura l'épaule de Felix de sa main constellée de taches de rousseur.

« Bien sûr que non. Je t'ai toujours dit que tu pouvais venir quand tu voulais, absolument n'importe quand, non ? — Sa main descendit le long du bras de Felix jusqu'à son poignet, qu'il tapota maladroitement. — Allons, vous voulez rester… picorer quelques cookies ?

— C'est-à-dire que… nous aimerions bien, monsieur Tare, mais Jottie a un cours de piano dans cinq minutes. Elle n'est pas très douée, et elle ne peut pas se permettre de manquer une leçon. Alors nous devons repartir tout de suite.

— Merci quand même, ajouta Jottie.

— Tant pis, conclut Tare, déçu, les yeux à terre. Il releva soudain la tête, surpris. « Mais tu es pieds nus ! »

Felix regarda ses pieds comme s'il les voyait pour la première fois. Et se redressa, la mine radieuse.

« L'état de nature est un état de grâce.

— C'est exactement ce que je dis toujours, leur confia Tare le souffle court. Le noble sauvage est… comme qui dirait mon idéal.

— C'est bien ce que je pensais, s'esclaffa Felix en prenant le chemin de la grille d'entrée.

— Attends ! » haleta Tare.

Son bras partit comme un ressort pour empoigner à nouveau Felix, puis il se domina, rougit et mit sa main dans sa poche. Les yeux de Felix brillaient d'amusement. Tare adressa un hochement de tête désolé à Jottie en se frappant la poitrine.

« L'asthme. Rien d'inquiétant. — Il essaya d'aspirer un peu d'air. — Mais il faut absolument que tu reviennes. Et toi aussi, Lottie.

— Nous n'y manquerons pas, répondit Felix. Lottie et moi. Promis. »

Le temps qu'ils arrivent à la maison, elle avait les pieds engourdis par le froid.

« Je pourrai revenir avec toi ?

— Prendre le thé avec M. Tare ?

— Non, déplacer des choses.

— Je t'avais dit que ce serait amusant, fit-il d'un ton suffisant.

— Je parie qu'il y a encore plus de choses à déranger dans les étages.

— Ouais. Des tas. Il a un drapeau rebelle au-dessus de son lit.

— On pourrait mettre un drapeau de l'Union à la place », gloussa-t-elle.

Il siffla, admiratif.

« J'aurais dû t'emmener bien plus tôt. »

Il la poussa du coude ; elle passa son bras sous le sien.

« Je ne saurais vous dire, mesdames, combien j'ai apprécié votre charmante compagnie, roucoula Tare, les raccompagnant cahin-caha vers la balustrade de la véranda. Après vous, tous mes autres visiteurs vont me paraître bien fades.

— Merci, Tare, répondit Jottie en lui tapotant la manche. Je ne me souviens pas de m'être jamais autant amusée.

— Moi non plus. Merci, monsieur Tare, d'avoir partagé votre merveilleuse collection avec moi, déclara Layla en récupérant son bloc et son chapeau.

— Vous serez toujours la bienvenue, ma chère. Revenez quand vous voudrez. »

Son sourire était aimable, mais il étreignait les doigts de Jottie d'une main dont les articulations blanchirent.

« Dites à Felix de passer me voir, poursuivit-il tout bas. N'oubliez pas, d'accord ?

— Je n'y manquerai pas, promit gentiment Jottie. – Tant d'années d'espoir inassouvi. Pourquoi ne renonçait-il pas ? – Vous pouvez compter sur moi. »

Il hocha la tête, mais évita son regard.

Les deux femmes se séparèrent au coin de la rue.

« À tout à l'heure, à la maison, fit Jottie en esquissant, de la main, un bref signe d'adieu. Je vais à la Nouvelle Épicerie.

— À tout à l'heure », répondit mollement Layla.

Elle prit le chemin de la maison, sentant la vapeur s'accumuler sous son chapeau. Sous le soleil de plomb, les rues de Macedonia baignaient dans la torpeur et l'abrutissement comme dans une étuve.

Je vais mourir, songea-t-elle en remontant d'un pas lourd le désert de Monongahela Street où il n'y avait pas la moindre parcelle d'ombre. Je vais fondre, et on ne retrouvera de moi qu'une petite flaque. La sueur coulait de ses bras et de son cou dans sa combinaison, imprégnant la bordure de dentelle.

Une voiture descendit la rue dans un vrombissement et freina brusquement au milieu du pâté de maisons suivant. Le conducteur fit grincer la boîte de vitesse et repartit en marche arrière.

« Dieu soit loué ! s'écria Layla. – Elle leva le pouce. – Vous pourriez me déposer, s'il vous plaît ?

— Si vous avez de quoi payer, répondit Felix.

— Avec plaisir. Combien voulez-vous ? demanda-t-elle en ouvrant la portière.

— Je vous le dirai après. Serait-ce que vous avez chaud ? ironisa-t-il, remarquant son visage empourpré et sa robe trempée de sueur.

— Oui, et je me demande bien pourquoi vous, vous n'êtes pas en nage. Pourquoi n'avez-vous jamais chaud, Felix ? lança-t-elle sur un ton plus accusateur qu'elle n'aurait voulu.

— Je suis presque liquéfié, répliqua-t-il joyeusement. Si on descendait en ville prendre un bon Coca-Cola bien frais ?»

Et pourquoi ne discutes-tu jamais ? pensa-t-elle, mécontente.

«Bonne idée, acquiesça-t-elle. Ça nous fera du bien.»

Elle se retourna pour poser son bloc sur la banquette arrière et remarqua une grosse sacoche noire.

«Hé, qu'est-ce que c'est ?

— Hmm ?

— Cette sacoche ?»

Elle s'attendait à ce qu'il élude la question.

«Oh, ça ? dit-il, jetant un coup d'œil par-dessus son épaule. Des produits chimiques.

— Des produits chimiques ? Comment ça ? Quel genre de produits chimiques ?

— Du chlore, surtout. Et des dérivés salins. Du brome. Du magnésium. De l'ammoniaque. Vous ne saviez pas ? demanda-t-il, un sourire dans la voix. C'est mon métier. Je vends des produits chimiques.»

Au fond d'elle-même, une chose qu'elle ne voulait pas nommer se détendit subitement. Pour un peu, elle se serait mise à rire. Elle appuya sa tête contre le haut du dossier.

«À qui vous les vendez ?

— On ne vous fait pas passer d'examen avant de vous laisser écrire des livres ? On dit : À qui les vendez-vous ?

— Vous avez très bien compris.

— À peine. Je les vends aux Forces armées des États-Unis. Entre autres.

— Mais pourquoi, Felix...»

Elle s'interrompit, trop heureuse pour continuer.

Il se rangea en douceur le long du trottoir.

«Pourquoi ? Et pourquoi pas ? – Ils échangèrent un regard, puis il se pencha sur elle pour lui ouvrir la portière. – Madame...

« — Quelle galanterie ! s'exclama-t-elle gaiement en mettant le pied sur le trottoir de Prince Street. La chaleur est moins terrible ici, non... ? »

Elle eut une hésitation quand elle avisa les hommes alignés devant la vitrine des Tabacs et Cigares de la Shenandoah, qui s'étaient tous retournés d'un bloc pour la regarder approcher.

Felix se matérialisa à côté d'elle. Elle lui jeta un regard comme pour réclamer sa protection et s'aperçut qu'il jaugeait de ses yeux sombres cette haie d'honneur. Il eut un hochement de tête affecté.

Des mentons se levèrent en réponse.

« Déjà dehors ? demanda-t-il à un homme dont les cheveux gris pendaient mollement sur son col.

— Tu as oublié ? Ils sont obligés de fermer quand le thermomètre dépasse les trente-huit degrés.

— Exact. Ravi de voir qu'il reste un semblant d'humanité dans cette bonne vieille boîte. »

Des ricanements accueillirent le commentaire.

« Te fais pas d'illusions, c'est pas pour nous, railla un grand gaillard. Shank veut juste éviter que les doubles cylindres fondent.

— Ouais, mais Sol fermerait de toute façon, ajouta le premier homme. Au moins, lui, il a un cœur. »

Felix souleva son chapeau et Layla sentit sa main dans son dos. Comme ils tournaient vers le Café Pickus, elle dit sur le ton de la conversation :

« Sol ? C'est celui que j'ai rencontré quand je suis allée aux Inusables Américaines, non ? Je crois bien que c'était ce nom-là. C'est un ami de Jottie, il me semble ? »

Felix marqua une légère hésitation.

« Je ne sais pas. Ils avaient l'air d'être amis ?

— Oui. Il est sorti de son bureau pour la voir. Felix ?

— Hum ? »

— Vous y avez travaillé, à la manufacture ?

— Moi ? Et comment ! J'occupais le poste de superviseur, là-bas.

— Qu'est-ce que ça fait, au juste, un superviseur ?

— Je ne sais pas chez vous, répondit-il avec commisération. Ici, un superviseur, ça supervise. »

Elle pouffa.

« Pourquoi êtes-vous parti ?

— J'aime bien les produits chimiques. Bon, si on allait boire ce Coca-Cola ? Et je vous parlerai de tous les produits chimiques que contient ma sacoche. »

30

La pendule sonna dix heures, et Jottie leva les yeux de son livre. Tel un fantôme, Felix était apparu sur le seuil de la porte. Elle sursauta.

« Je ne t'avais pas entendu rentrer.

— Surprise, surprise. »

Il s'avança silencieusement et gagna la fenêtre en passant devant elle. Elle le regarda écarter le rideau d'un doigt et jeter un coup d'œil dans la nuit. Cette attitude méfiante lui ressemblait si peu qu'elle sentit son estomac se nouer.

« Qu'y a-t-il ? demanda-t-elle. – Il braqua sur elle un regard interrogateur. – Il y a quelque chose dehors ?

— Des loups, répondit-il. Des assassins. Des Indiens. »

Il laissa retomber le rideau.

Jottie sentit son cœur cogner contre ses côtes. Il était arrivé quelque chose. Ou il allait se passer quelque chose. Elle dévisagea son frère. Ses traits trahissaient l'agitation. Elle tenta :

« Où étais-tu ?

— Allons faire un tour en voiture.

— Qui ça ? Nous ? » bredouilla-t-elle, désarçonnée.

Il parcourut la pièce vide du regard.

« Ouais. Je n'aime pas tous ces gens qui sont là.

— Et les filles ? »

— Je plaisantais, pour les loups. Allez, viens.

— Les filles s'en sortiront très bien seules », conclut-elle en acceptant la main qu'il lui tendait. Les questions se bousculaient dans sa tête. Avait-il eu vent de quelque chose ? Au sujet de Sol ? Non, arrête, se sermonna-t-elle. Tu es trop nerveuse ; tu trembles comme une feuille. Il ne sait rien. Sûrement pas. « Oh, la toile inextricable que nous tissons, lorsque nous pratiquons la tromperie[1] », récita-t-elle mentalement. Que cela te serve de leçon. Non, tais-toi. Tais-toi et calme-toi.

« Où allons-nous ?

— Tu verras bien. Le Seigneur pourvoit à tout. »

Ils traversèrent le jardin de derrière pour prendre la voiture que Felix garait dans la ruelle et Jottie sentit son inquiétude refluer à mesure qu'elle s'éloignait du salon. Elle eut un petit sursaut d'excitation. Le plaisir d'une escapade avec Felix ne disparaîtrait jamais complètement.

« Faisons comme si nous allions dans un endroit intéressant », suggéra-t-elle en prenant place sur le siège avant.

Felix embraya.

« Que dirais-tu de New York ? – Le moteur toussa puis se mit à ronronner. – La Grosse Pomme.

— Ça m'irait très bien. Je ne suis jamais allée à New York.

— C'est très surfait, tu sais », lui dit-il gentiment.

Elle baissa la vitre pour laisser entrer la fausse fraîcheur des courants d'air. Walnut, Kanawha, Locust, Maple... Les rues défilaient, les maisons blanches apparaissaient et disparaissaient sur leur passage, simples, familières, identiques à ce qu'elles avaient toujours été. Jottie sentit les muscles de ses épaules se dénouer au contact du tissu rugueux du siège.

---

1. *Marmion*, Walter Scott, 1808. (*N.d.T.*)

Ils étaient sur la route de la False quand Felix tourna brusquement à gauche. L'étroit pinceau des phares illumina un monde de verdure et d'insectes surpris, derrière lequel se déroulait une large bande noire et vide. Au-delà s'étendait une eau parsemée d'étoiles, et la masse inclinée d'une péniche croulante.

« Tu vois ça ? fit Felix. Dollar dit qu'elle aura sombré avant Noël. »

Il coupa le moteur : le silence fut de courte durée, bientôt anéanti par un déchaînement d'insectes. Il appuya sa tête contre le dossier, ferma les yeux.

Dans la voiture, tout était calme.

Immobile.

Jottie sentit dans ses chaussures ses orteils se crisper, se détendre.

Toujours rien.

Et puis la voix de son frère s'éleva, douce et grave.

« J'ai appris que tu étais allée voir Sol.

— Non ! s'exclama-t-elle avec un sursaut de panique comme un petit animal pris au piège. Non, je ne... – Mais si, je l'ai fait, pensa-t-elle, coupable. – Je l'ai vu... c'est tout. Quand je suis allée à la manufacture.

— Alors vous vous êtes enfin retrouvés, c'est ça ? – Il rouvrit les yeux d'un coup. – Maintenant, tout est exactement comme aux jours glorieux du bon vieux temps, hein ?

— Oh, Felix, commença-t-elle sur un ton implorant. Ne sois pas comme ça. Sol... – La voix lui manqua. Elle ne trouvait pas ses mots. Je savais que ça arriverait, pensa-t-elle. J'aurais dû m'y préparer. Elle n'était pas prête. – Écoute-moi, je t'en prie, écoute-moi, sans rien dire. – Elle scruta l'obscurité et passa la pointe de sa langue sur ses lèvres. – Je pense que c'est... idiot, pour moi en tout cas, de me montrer rancunière », dit-elle prudemment.

Elle attendit un éclat qui ne vint pas. Alors elle combla le silence par un déluge de paroles : elle n'essayait pas de le convaincre – elle savait qu'il ne changerait pas d'avis –, elle ne lui faisait pas de reproches, mais elle ne voulait plus être en colère. Elle voulait qu'ils soient amis, est-ce qu'il se rappelait quel bon ami Sol avait été ? Eh bien, elle trouvait idiot qu'ils soient fâchés pour toujours à cause de... d'une erreur. Juste une terrible, terrible erreur...

« Une terrible erreur », répéta-t-elle.

Elle ne voyait pas quoi dire d'autre. Le silence s'éternisa entre eux.

« Felix ? demanda-t-elle anxieusement dans l'obscurité.

— Ce n'était pas une erreur, Jottie, dit-il.

— Mais si ! Il était perturbé, et...

— Perturbé, tu parles ! s'exclama-t-il avec dégoût. Il était tout excité. Il a vu qu'il tenait sa chance et il a sauté dessus...

— Sa chance ? Comment peux-tu parler de chance ? s'écria-t-elle. Sol avait le cœur brisé au sujet de Vause !

— Ne te laisse pas berner. Le jour de la mort de Vause, Sol était le plus heureux des hommes. Il allait enfin pouvoir te mettre le grappin dessus, il n'allait pas laisser échapper une occasion pareille.

— Il ne voulait pas... Il n'était pas... »

Certes, Sol l'avait toujours bien aimée, mais il n'avait jamais été question de ça, il n'y avait jamais eu de calcul de sa part.

« C'est ridicule ! Sol ne me courait pas après !

— Oh que si ! répliqua-t-il avec un rictus.

— Il idolâtrait Vause. »

Ça, elle en avait la certitude.

« Évidemment qu'il l'idolâtrait. Il aurait donné n'importe quoi pour lui ressembler. C'était pour ça qu'il te convoitait, ma chérie. Désolé, fit-il avec un sourire narquois, mais c'est la vérité. Et c'est pour ça qu'il me détestait aussi. Parce que j'étais le meilleur ami de Vause. Je ne comprends pas que tu te refuses à l'admettre, ajouta-t-il en secouant la tête.

— Il ne te détestait pas, voyons », objecta-t-elle, consciente que sa voix tremblait.

Cela n'échappa pas à Felix non plus. Il lui tapota la main.

« Je sais que tu voudrais croire que c'était un ami. Mais ce n'était pas un ami. Il ne l'a jamais été. Il avait des vues sur toi, et moi, il voulait me voir loin. Écoute, tu te souviens de la nuit avant qu'on parte pour le camp Lee ? Pour notre formation de base ? Tu te souviens de la fête ?

— Je n'avais pas eu le droit d'y aller.

— En effet. C'est drôle, poursuivit-il avec un sourire affectueux, que Maman se soit tellement opposée à ce que tu ailles à cette soirée.

— Elle disait qu'il y aurait des filles faciles, des danses lascives et que jamais elle ne laisserait une de ses filles fréquenter des créatures de cette espèce », récita Jottie en repensant à ses ongles enfoncés dans la chair de ses paumes.

S'il te plaît, s'il te plaît, avait-elle prié, impuissante, Maman, je ne te demanderai plus jamais rien de ma vie.

« Ce que j'ai pu pleurer !

— Et pourtant, elle avait raison. Il y avait vraiment des filles légères ce soir-là. Et pas mal d'alcool. Et tu sais qui l'avait acheté ? – Il la regarda. – Sol. Il avait dû y mettre un mois d'argent de poche.

— Sol ? »

Elle fronça les sourcils. Sol n'avait jamais été un gros buveur. Felix hocha la tête.

« Mais ce n'était pas pour lui. Sol n'avait jamais enfreint une loi de sa vie – des principes, oui ; pas la loi. Non, la gnôle, c'était pour nous. Vause et moi. Il nous a conseillé de prendre une bonne cuite. Notre dernière occasion, et tout ce qui s'ensuit. J'ai trouvé ça plutôt comique – surtout venant de Sol – mais amical ; un geste amical, tu vois. Et puis j'ai remarqué que c'était surtout auprès de Vause qu'il insistait – il essayait de le soûler.

Quand Vause est parti pour te rejoindre, j'ai soudain compris pourquoi. Tu aurais dû voir la tête de Sol, s'esclaffa-t-il. On aurait dit que quelqu'un avait tué son chien.

— Tu inventes tout, dit-elle en secouant la tête.

— Crois ce que tu veux, répondit-il, imperturbable. – Il esquissa une sorte de grimace. – Pauvre vieux Sol. Il s'était dit que s'il réussissait à vous séparer tous les deux encore quelques heures, il aurait le champ libre. Une fois Vause neutralisé, Sol aurait ce qu'il n'avait jamais eu de toute sa vie : une chance de le supplanter auprès d'une fille.

— Il n'était même pas au courant pour Vause et moi. Personne ne savait, à l'époque, souffla-t-elle.

— Tout le monde savait que ça allait arriver, à un moment ou à un autre.

— Moi, je l'ignorais. Quand il a cogné au carreau, j'ai cru que mon cœur allait éclater.

— Un coup de veine que Maman ait eu un sommeil de plomb, remarqua-t-il avec un sourire.

— Ça lui aurait été égal. Elle adorait Vause. Tu te rappelles comme elle l'aimait ? »

Elle se tourna avidement vers lui, en quête d'autres pensées, d'autres mots, de tout ce qui pouvait avoir trait à Vause.

« Hum, hum », acquiesça-t-il aimable, et Jottie lâcha prise.

Côte à côte, sur le toit, ils avaient dissimulé entre eux comme un secret leurs doigts enlacés. Vause avait parlé, parlé – comment son uniforme le grattait, et pourvu que la guerre ne soit pas terminée avant qu'il arrive là-bas, et il lui enverrait une carte postale depuis le camp. Elle l'avait observé, attentive à chacun des mots qu'il prononçait, mais restant pour une part en retrait afin de savourer sa beauté illuminée par le clair de lune, de se délecter de tous les endroits où il aurait pu être et n'était pas, et de la chaleur de sa main enveloppant la sienne. Elle ressentait presque ce contact, à présent ; et tant pis pour la douleur, tant pis pour tout le reste, elle aurait donné n'importe quoi pour revenir au début avec lui, ça aurait valu la peine...

Stop.

Non. Elle se détacha, s'arracha à la main qui entourait la sienne. Non, Vause. Tu faisais juste semblant. Ce n'était qu'un jeu.

« Il aurait dû me laisser tranquille, murmura-t-elle.

— Pardon ? »

Elle se redressa.

« Pour ce que tu m'as dit, je ne sais pas. Je n'en sais rien. Est-ce qu'on ne pourrait pas simplement oublier tout ça ? Il y a dix-huit ans que Vause est mort.

— Dix-huit ans que Sol a essayé de m'envoyer au pénitencier, dit Felix, en se raclant la gorge. Je n'en serais pas encore sorti.

— Il a commis une erreur, c'est tout.

— Exact. Son erreur a été de croire qu'il pourrait se débarrasser de moi en même temps que de Vause.

— Il ne voulait pas se débarrasser de toi. »

Mais elle sentait qu'elle perdait pied, qu'elle reculait vers le précipice.

« Ah non ? insista-t-il, implacable. Alors il a raconté que c'était moi qui avais mis le feu et tué Vause par pure amitié ?

— Non. Non. Il le croyait...

— Il n'avait aucune raison de le croire, Jottie. Pas une foutue ombre de preuve. Il voulait juste détruire ma vie.

— Felix, écoute... »

Elle posa sa main sur la sienne.

« Écoute, même s'il avait voulu... même s'il avait vraiment essayé de gâcher ta vie, ce que je ne crois pas, ça n'a pas marché, hein ? Ta vie n'est pas fichue, n'est-ce pas ?

— Bien sûr que non. J'ai une vie de rêve, surtout la partie où tout le monde en ville se demande si c'est moi qui ai réduit les Inusables Américaines en cendres et tué mon meilleur ami. »

C'était vrai. Elle se mordilla la lèvre.

« La plupart des gens ne le croient pas. Je parie que la plupart des gens n'y pensent même plus.

— Sol y pense toujours, lui.

— Non... »

Il ne la laissa pas continuer.

« Il pense qu'il a failli avoir ce qu'il voulait et que ça lui a échappé d'un cheveu. Il doit détester ça. Je parie que ça le ronge : si seulement il avait fermé sa satanée bouche, il aurait fini par t'avoir, au bout d'un moment. Et par la suite, il aurait bien trouvé le moyen de s'attirer les bonnes grâces de Papa pour me prendre mon boulot.

— S'attirer les bonnes grâces de Papa ? Mais qu'est-ce que tu racontes ? »

— Ne fais pas l'idiote : il voulait ce que nous avions, Vause et moi. Tu crois que c'est une coïncidence qu'il soit directeur de la boîte ? Comme moi avant lui ? »

Tout cela paraissait si vrai. Il avait l'air tellement sûr de lui. Était-ce possible ? Elle céda du terrain, à la recherche d'un nouvel angle.

« Je ne sais pas. Je... tu n'as pas besoin de... Je parie que Sol était terriblement solitaire. »

Il emprisonna sa main sous la sienne.

« Sol a menti. Il a menti à mon sujet. – Il resserra les doigts au point de lui faire mal. – Et Papa l'a cru. Il l'a cru plutôt que moi. »

Ça aussi, c'était indéniable.

« *Merci Oscar. On passera demain mettre tout ça au clair* », dit leur père de sa voix sonore tout en refermant la porte derrière le chef de la police qui s'en allait, la mine sombre. L'espace d'un instant, il

*resta tête basse, la main sur la poignée de la porte. Et puis il se
tourna vers Felix.*

*« J'aurais voulu croire que tu as dit la vérité, Felix. Mais je n'y
arrive pas. »*

Et tout avait été fini entre eux.

«Une époque terrible, terrible, murmura-t-elle.

— Ouais. Et tout ça par la faute de Sol.

— Oui. »

Il y eut un silence.

«Je suis resté», dit-il tout bas.

Il était resté. Jottie regardait dans le vide, l'étendue d'eau
offerte aux étoiles, en pensant à son frère. Il ne m'a jamais fait
défaut; il est bien le seul. Il avait fait défaut à beaucoup
d'autres, mais pas à elle. Il était seul à savoir ce qu'elle avait
vécu, seul à avoir reconnu sa souffrance quand elle l'avait
perdu, seul à avoir jamais renoncé à tout pour elle. Et on lui
avait fait du tort. Sol lui avait fait du tort. Sol avait raconté
une histoire qui avait fichu sa vie en l'air. Il était indéfendable.
Elle ne pouvait ignorer ce qui s'était passé. Il n'y avait pas
moyen de l'ignorer. Le passé était la seule chose qui existait
vraiment; il ne pouvait y avoir d'avenir qui ne soit fondé sur le
passé. Elle devait choisir son camp et choisir celui de Felix.
Comment avait-elle pu penser bâtir quoi que ce soit sans lui?
C'était une idée ridicule.

Elle inspira un bon coup.

«C'est bon. J'arrête.

— Sol est un menteur», décréta Felix, victorieux.

Elle ferma les yeux et hocha la tête.

«Rentrons à la maison.»

Elle retira sa main de la sienne et laissa aller sa tête contre le
dossier.

«D'accord. Rentrons à la maison», dit-il, un sourire dans la
voix.

La clé s'introduisit dans le contact, le levier de vitesse s'enclencha avec un petit bruit sourd, le tissu de sa manche crissa alors qu'il passait le bras sur le haut du dossier de son siège pour regarder derrière lui. Il s'arrêta.

« Sol ne se languissait pas de toi, si c'est ce qui te met dans tous tes états. Il a une amie dans le Cumberland. »

Sans ouvrir les yeux, elle dit :

« Il y a des moments où je te déteste, Felix.

— Pfff, dit-il sur un ton aimable. Bien sûr que non. »

23 juillet

Cher Sol,

Je ne peux plus sortir avec toi. Je devais être folle de croire que je pouvais faire table rase du passé, et encore plus folle de penser que ce que tu as dit au sujet de Felix, il y a si longtemps, n'avait pas d'importance. Ça en a pour lui, et pour moi aussi, j'imagine. Je n'oublierai jamais notre amitié d'enfance et ces dernières semaines. Mais je ne peux plus sortir avec toi.

Je regrette.

[elle hésita un long moment]

Jottie

31

Dimanche, en milieu d'après-midi, au plus chaud de la journée, je lisais *Autant en emporte le vent* sous la maison. Bien obligée. Minerva m'en voulait d'avoir réduit son livre en lambeaux à force de le lire, Jottie m'en voulait d'avoir parlé à Bird du soldat qu'on avait amputé de la jambe sans chloroforme, et tout compte fait, la discrétion était la meilleure part de la vaillance, comme le disait toujours ma tante. Je m'étais donc installée sous la maison. Sous la terrasse, plus précisément. C'était le seul endroit où il y avait assez de lumière pour lire, grâce à un trou creusé en partie par des opossums, en partie par moi. Je méprise les opossums avec leur queue sans poils et leurs yeux larmoyants, mais pour Scarlett O'Hara, Rhett Butler et le pauvre vieil Ashley Wilkes, j'étais disposée à vivre ma vie et à laisser chacun vivre la sienne.

Scarlett racontait une ribambelle de mensonges, parée des vieux rideaux de sa mère, quand les pas de Papa résonnèrent au-dessus de ma tête. Je me redressai et tendis l'oreille. C'était rare qu'on l'entende se déplacer. Où allait-il ? J'écoutais le bruit, tel un limier, suivant son cheminement. Il descendit l'escalier de devant et je sentis mes oreilles s'orienter dans cette direction. Allait-il faire de la contrebande ? Il passa comme un courant d'air sur le côté de la maison. Pfff, il n'allait nulle part. Juste dans le jardin de derrière. Je me replongeai dans les démêlés de Rhett et Scarlett, mais je n'arrivai plus à me concentrer. En désespoir de cause, je sortis en rampant, secouai mes vêtement poussiéreux et coinçai *Autant en emporte le vent* dans la ceinture de ma jupe – simple mesure de sécurité. La dernière fois que Minerva m'avait surprise avec, elle l'avait caché et, à la place, Jottie m'avait fait lire *Elsie Dinsmore*. J'avais cru périr d'ennui.

Je m'aventurai l'air de rien sur le côté de la maison et jetai un coup d'œil dans le jardin de derrière. Papa fumait à l'ombre du chêne rouge, au bout de la pelouse. J'allais juste lui parler. Tout irait bien. Il n'y avait pas un souffle d'air et la pelouse bouillait littéralement. Papa me regarda approcher en souriant. Comme je ne savais que lui dire, je tendis les bras pour le serrer contre mon cœur – et c'est là qu'*Autant en emporte le vent* s'échappa de la ceinture de ma jupe pour atterrir sur sa chaussure.

Il sursauta en poussant un cri et j'étais en train de me confondre en excuses quand il ramassa le livre et me demanda après l'avoir considéré :

« C'est bien ?

— Euh, oui, bien sûr. Tu ne l'as pas encore lu ?

— Non. – Il le retourna. La couverture était prête à se détacher, maintenant. Minerva allait être dans tous ses états. – Je n'en ai pas trouvé le temps.

— Oh, ça te plairait. C'est extrêmement prenant.

— Extrêmement prenant, hein ? »

Il l'ouvrit à un endroit où la reliure était cassée.

« Tu l'as lu combien de fois ?

— Une vingtaine. Mais ne le répète pas à Minerva.

— Et pourquoi donc ?

— Elle croit que je ne l'ai lu que quatre fois et elle est déjà furieuse. »

Ça le fit rire, à ma grande fierté.

« Ce serait peut-être bien que tu en aies un à toi, tu ne crois pas ?

— Il coûte trois dollars. – Je préférais le prévenir. Il siffla. – Mais il fait plus de mille pages. Mille vingt-quatre, pour être précise.

— Bon, on verra. On verra ce qu'on peut faire. »

Il me rendit le livre et se remit à fumer. Je le regardai, m'en voulant un peu de lui avoir révélé le prix du livre. Et de ne pas lui avoir dit que je n'en voulais pas un. Et de ne pas avoir réussi à l'embrasser sans faire tomber quelque chose sur ses pieds ; de ne pas parvenir à lui dire que je l'aimais. J'avais lu des livres où des filles y arrivaient – *Elsie Dinsmore*, par exemple, mais d'autres aussi, dans de meilleurs livres. Leurs papas adoraient ça. Mais ma bouche refusait de s'ouvrir.

J'entendis une fenêtre à guillotine s'ouvrir.

« Felix ! »

C'était Mlle Beck qui l'appelait, penchée à sa fenêtre. Elle tenait un papier à la main.

« Vous avez entendu parler d'une piste appelée Tape-Gamelle ? »

Et voilà qu'il était tout sourire, subitement.

« Mais bien sûr. On n'obtient pas son diplôme de fin d'études secondaires si on ne connaît pas la piste Tape-Gamelle. »

Elle lui fit une grimace, mais c'était une grimace qui la rendait encore plus jolie.

« J'ai un diplôme universitaire, et je n'avais jamais entendu parler de la piste Tape-Gamelle.

— C'est une honte. Ils ne vous apprennent rien à Washington. »

Il ne le pensait pas vraiment. C'était juste pour la taquiner.

« Au lieu de nous rebattre les oreilles avec George Washington et Abraham Lincoln, ils feraient mieux de nous parler de la piste Tape-Gamelle, plaisanta-t-elle à son tour.

— Absolument. »

Ils échangèrent un regard en souriant sans rien ajouter. Je ne lui souhaitais pas précisément de se faire couper les jambes sans anesthésie, mais j'aurais tout de même bien voulu qu'il lui arrive quelque chose. Qu'elle tombe malade, peut-être. Sauf que cela ne changerait rien – elle resterait au lit jusqu'à ce que ça aille mieux, voilà tout. Peut-être qu'elle serait tellement malade qu'elle mourrait. Je regardai Papa, me demandant si la mort de Mlle Beck lui ferait de la peine. Il s'en remettrait.

« Vous allez descendre, ou il va falloir que je monte ? » finit-il par lancer.

Elle devint toute rose.

« Je descends.

— Bien. Apportez la carte. »

Je ressentis une douleur dans l'estomac. Peut-être était-ce moi qui allais mourir. Ce serait assez son genre, à Dieu, de me faire mourir pour avoir voulu la mort de Mlle Beck, non ?

« J'ai mal au ventre », dis-je.

Papa cessa de s'intéresser à la fenêtre de Mlle Beck pour poser les yeux sur moi.

« Tu as encore mangé des prunes pas mûres ? – Je fis non de la tête. – Tu ferais mieux d'aller le dire à Jottie. Elle va arranger ça », dit-il en me passant la main sur le dos.

Jottie n'avait pas l'air d'être à la maison. Je gagnai la chambre que je partageais avec Bird, à l'étage. Elle était assise par terre, à découper ses éternelles poupées en papier du catalogue Sears. Elle découpait des familles entières, et puis elle leur découpait des meubles, des voitures et des bicyclettes qu'elle rangeait dans une boîte à chaussures. Elle n'en faisait jamais rien ; elle se contentait de les découper.

« Je ne sais pas pourquoi tu les découpes alors que tu ne joues jamais avec. »

Elle leva ses grands yeux bleus sur moi.

« J'aime bien faire du découpage.

— Pourquoi tu ne leur coupes pas les bras et les jambes, alors, si ce que tu aimes c'est découper ? Tu pourrais te faire toute une famille d'éclopés.

— Je ne veux pas d'une famille d'éclopés, répondit-elle paisiblement. Je veux une jolie famille. Regarde. – Elle me montra une dame aux cheveux d'or en tailleur marron. – C'est la maman.

— Mais non. – J'avais envie de casser quelque chose. – Tu veux voir une maman ? Eh bien, va voir Mlle Beck, dans le jardin, derrière, parce que je crois que Papa va se marier avec elle ! »

Bird me dévisagea un moment et puis – chose insupportable – sourit.

« Vraiment ? Tu crois ?

— Ça t'est égal ? Mais c'est terrible ! » hurlai-je.

Bird secoua la tête.

« Je l'aime bien, moi, Mlle Beck.

— Mais non, tu ne l'aimes pas. »

Je me laissai tomber lourdement sur mon lit mais ce n'était pas suffisant. Je me retournai et enfouis mon visage dans mon oreiller.

Bientôt, je sentis la main de ma sœur sur mon épaule. Elle la laissa là.

« Si tu ne veux pas que Papa se marie avec elle, alors moi non plus. D'accord ? »

Je roulai sur le dos pour la regarder. C'était juste une petite fille. Elle ignorait tout ce que je savais – si Papa épousait Mlle Beck, il ne serait plus jamais à nous. C'était elle qu'il regarderait à notre place, à elle qu'il sourirait, et il ne nous attendrait plus jamais. Il lui raconterait ses secrets et nous serions condamnées à déambuler partout et à fouiller les poubelles pour avoir de ses nouvelles. Elle ne savait pas qu'avec Mlle Beck, nous en serions réduites à mendier ; pas de l'argent ou à manger, mais pour avoir Papa. C'était ma petite sœur, et c'était à moi de prendre soin d'elle. Alors je hochai la tête.

« D'accord. »

Elle récupéra la dame en papier aux cheveux d'or et les ciseaux, me regarda, et la coupa en deux.

Je ris.

« Donne-m'en une. »

Bird me confia une fille en combinaison de satin, que je découpai en morceaux. Presque toute la boîte de poupées en papier y passa.

*

Felix arrêta la voiture.

« C'est ça ? demanda Layla en scrutant les étendues de verdure qui se déroulaient devant le pare-brise. Je croyais que c'était dans les montagnes.

— Mm-mm. »

Elle se tourna vers lui en plissant les paupières.

« Felix ! C'est ça, la piste Tape-Gamelle ? Oui ou non ?

— Non », admit-il.

Elle ouvrit la bouche et la referma. Puis, avec un petit sourire, elle croisa les mains sur ses cuisses, s'adossa au dossier et attendit.

Quelques minutes s'écoulèrent ainsi. On n'entendait que le bruissement des insectes. Enfin, la portière claqua. Surprise, elle regarda sur sa gauche. Il était parti.

Il ne tarda pas à réapparaître.

« Venez. Il y a une rivière, en bas.

— Oh, vous alors ! » bredouilla-t-elle en riant : de lui, d'elle, de sa fausse résistance, de l'envie qu'elle avait de le toucher.

Se tenant du bout des doigts, ils descendirent ce qui avait jadis été un chemin, aujourd'hui abandonné, et entrèrent dans un bois de maigres arbres plantés très serrés les uns par rapport aux autres. Leur combat pour la survie les laissait décolorés et atones, et leurs feuilles, qui poussaient très bas, attrapaient les cheveux de Layla au passage.

Felix écarta une branche de son chemin.

«Là, dit-il avec satisfaction, comme si le torrent était son œuvre. Allons patauger.

— Patauger!» s'écria la jeune femme.

Mais comment lui résister? Et l'eau était noire, fraîche et tentante, bordée de gros blocs de pierre plats et d'arbres tombés. Elle jeta un coup d'œil à ses chaussures. Et à ses bas.

«Retournez-vous», ordonna-t-elle.

Felix s'exécuta docilement, regardant la rivière. Elle leva sa jupe pour défaire ses jarretelles, et ses bas de soie glissèrent sur ses jambes. Elle éprouva une soudaine impression de liberté, de légèreté. Elle enleva ses chaussures, posa le pied avec précaution sur les pierres chaudes, roula ses bas en boule et s'aperçut en se redressant que Felix la regardait, amusé.

«Vous n'auriez pas dû, protesta-t-elle. Seuls les mufles regardent.»

Il partit d'un petit rire et se pencha pour enlever ses chaussures.

«J'ai connu pire insulte.»

L'eau noire était d'une fraîcheur saisissante mais délicieuse. Ils marchèrent un moment le long des berges sans parler. Marchant lentement dans le cours d'eau, Layla écouta les bruits inexplicables que faisaient d'invisibles créatures vivantes et poussa un soupir d'aise.

«On est si loin de tout», murmura-t-elle.

Elle s'arrêta pour suivre le parcours d'un moustique sur la surface de l'eau.

Felix évita un arbre à moitié immergé dans la rivière, trouva un endroit où le fond de l'eau était plat et s'arrêta.

«Là, dit-il. On ne bouge plus.»

Elle s'immobilisa là où il l'avait conduite.

«Pourquoi?

— Parce que.»

Il l'embrassa.

Très vite, elle se mit à trembler.

«Je vais tomber», murmura-t-elle.

Il s'écarta et la dévisagea.

«Vraiment?»

Elle hocha la tête, égarée. Il la souleva dans ses bras et la porta jusqu'à un rocher bas qui s'avançait dans l'eau. Il la déposa sur la surface polie, fraîche et ombragée et l'observa un instant.

«Allongez-vous.»

Elle obéit, soulagée de sentir la solidité de la pierre sous son corps et ferma les yeux, presque somnolente dans le silence bourdonnant.

«Que s'est-il passé? demanda-t-il.

— Vous, dit-elle d'une voix indolente. J'ai l'impression de risquer ma vie quand je suis avec vous.

— Comment cela?»

Ses doigts se refermèrent autour de son avant-bras.

La dureté de sa voix lui fit rouvrir les yeux et elle vit son visage tendu au-dessus d'elle.

«Je ne voulais pas dire...»

Elle s'interrompit, troublée.

«Que vouliez-vous dire?

— Je veux dire... que vous... vous avez un certain effet sur moi. Quand vous m'embrassez, je suis comme grisée.»

Il relâcha son étreinte sur son bras et sourit.

«Oh. C'est donc ça.

— Que pensiez-vous que je voulais dire?»

Au lieu de répondre, il se pencha un peu plus.

«Il n'y a qu'un remède, vous savez.

— Lequel ?

— Et vous êtes déjà allongée. Comme ça, vous ne pouvez pas tomber. »

Il passa la main sur la courbe de sa hanche.

« Quel est ce remède ? insista-t-elle, impatiente.

— La pratique. »

Et elle sentit ses lèvres chaudes à travers le tissu de sa robe.

32

« Allô ?

— Jottie ? Ne raccroche pas ! »

C'était la voix de Sol, angoissée.

« Je ne peux pas te parler, murmura-t-elle, se retenant au mur,

— Je sais, je sais. Écoute-moi juste une seconde. »

Il y eut un blanc, comme s'il s'attendait à ce qu'elle raccroche. Puis il prit une profonde inspiration.

« Écoute, Jottie, tu es en train de gâcher ta vie. Je ne dis pas que tu devrais... me choisir, mais choisir Felix, c'est... c'est n'importe quoi. – Il s'interrompit, mais Jottie resta muette. – Tu sais comment il est, chérie. Il n'a jamais raconté que des mensonges.

— Tout le monde ment, souffla-t-elle. Même toi, de temps en temps. Je ne peux pas te parler.

— Je sais, soupira-t-il. Écoute, Jottie, j'aimerais que tu reviennes sur ta décision...

— Impossible.

— D'accord. Mais si tu changes d'avis, appelle-moi. Ou si tu ne peux pas m'appeler, viens me voir à la manufacture. Personne n'en tirera de conclusion, et je serai là. Je t'attendrai.

— Non. Je ne peux pas. Je dois te laisser, maintenant. J'aide Layla pour son livre. »

Il raccrocha.

Elle resta adossée au mur, songeuse.

M. McKubin traversait le champ, noir comme un corbeau.

Elle avait neuf ans. Peut-être dix.

Noir comme un corbeau, il marchait lentement, tête basse, dans les hautes herbes. Les enfants, juchés sur la palissade où ils étaient alignés, observaient sa patiente avance. Ils l'attendaient.

« Solomon », dit-il quand il fut tout près.

Sol descendit de son perchoir et vint se dresser, droit comme un i, devant son père.

« Dois-je comprendre que c'est toi qui as fait ça ? » demanda M. McKubin.

Il tenait un club de golf, ou ce qui avait été un club de golf et était maintenant un manche décapité.

Jottie baissa respectueusement les yeux, mais en regardant sur le côté entre ses cils, elle vit Felix et Vause se pousser du coude, les lèvres pincées, étouffant un rire.

« Oui, Père », répondit Sol. Il jeta un coup d'œil aux autres pour voir s'ils le regardaient.

« C'est ma faute. C'est moi qui ai fait cela. »

Jottie releva la tête.

« Mais non, ce n'est pas toi ! » balbutia-t-elle sans prendre le temps de réfléchir.

M. McKubin la regarda avec gravité, puis s'adressa à nouveau à son fils :

« Cette affaire n'est pas à prendre à la légère, Fils. Tu as brisé une chose de valeur. Je parle de ma confiance en toi. »

Sol releva la tête.

« Je regrette, Père. »

Jottie donna un coup de poing sur la palissade. Elle était indignée. Qu'est-ce qui n'allait pas chez lui ?

« Ce n'est pas lui qui a fait ça, monsieur McKubin. Ce n'est pas lui. C'était Felix… »

Son frère la foudroya du regard et sauta à terre.

« Ouais, monsieur McKubin. Sol est un menteur. C'est moi qui l'ai fait. J'ai emprunté vos clubs parce que... parce qu'on voulait jouer au polo », déclara-t-il après un sourire éclatant à l'adresse de Vause.

Sol blêmit.

« Je ne mens pas. C'était moi, insista-t-il.

— Mon père vous payera un nouveau club, monsieur McKubin, lâcha négligemment Felix. Ou plutôt, je crois qu'il vous en faudra deux. Il y en a un autre qui a été comme plié.

— C'est moi qui ai fait ça », répéta Sol d'une voix tremblante.

Jottie vit des larmes briller dans ses yeux.

« Tais-toi ! lui souffla-t-elle désespérément. Tais-toi ! »

Il y eut un silence ; Vause contemplait le sol, le visage figé de pitié et de gêne. Felix croisa le regard de M. McKubin et haussa les épaules. Les sourcils froncés, le père de Sol referma la main sur l'épaule de son fils. Celui-ci sursauta à son contact et promena autour de lui un regard fiévreux.

« C'est moi qui l'ai fait ! » chuchota-t-il.

Incapable d'en supporter davantage, Jottie fonça sur Sol et lui donna un coup de pied dans le tibia. Après quoi elle se sauva en courant, bondissant dans l'herbe haute comme un animal pourchassé.

Jottie regagna la salle à manger et s'assit à côté de Layla. Elle prit une feuille de papier pelure et poursuivit sa lecture.

... Les roches escarpées dressées au nord-est de Macedonia abritent un haut lieu de l'histoire de la guerre civile : la piste Tape-Gamelle (7 kilomètres au nord, sur la route du comté numéro 6, non loin de l'embranchement entre la route de Mount Heaven et DeBoult's Loft). Au cours de l'été 1861, le brigadier général confédéré Robert S. Garnett reçut l'ordre de chasser les troupes fédérales des passes situées au nord de la vallée de la Shenandoah. À cette fin, on lui confia quatre mille cinq cents soldats « dans un état des

plus déplorables à tous points de vue : armement, tenues, équipages et discipline ». Face à lui, le général George B. McClellan commandait vingt-deux mille recrues originaires d'Ohio et d'Indiana, bien armées et en parfait ordre de bataille. Dans ce combat inégal, Garnett n'avait qu'une ressource : compenser le déficit matériel par l'ingéniosité. Il élabora donc une stratégie consistant à faire croire à l'ennemi qu'il disposait d'une troupe importante et très bien équipée, ce qui était loin d'être le cas. Une de ces mystifications eut lieu au cours de la nuit du 30 juin 1861. Ayant appris qu'une des brigades de McClellan avait planifié un exode nocturne vers le sud de Sapony Mountain en empruntant la route de Mount Heaven, Garnett ordonna à ses hommes d'emprunter une piste accidentée, mal tracée, située au-dessus de cette route, et de s'y disperser en une longue file discontinue. Au lieu de fusil, chaque homme reçut un ustensile de cuisine métallique et une cuillère récupérés auprès de citoyens macédoniens sympathisants, avec pour ordre de taper sur sa gamelle à intervalles suffisants pour créer l'illusion d'un vaste corps de cavalerie et de canons faisant mouvement. Toute la nuit, les soldats de l'Union rapportèrent avec affolement avoir entendu le vacarme causé par un grand nombre de voitures, de sabots de chevaux et d'artillerie. Ils arrivèrent au camp de Bear Park, à trois kilomètres à l'est de Sapony Mountain, totalement démoralisés. « Aucun doute que l'ennemi a reçu des renforts et nous oppose désormais une force qui est trois fois celle de la nôtre », écrivit McClellan au général Rosecrans, le 1er juillet. « Nous devons nous replier ou nous sommes perdus. »

Le général Robert Garnett, qui devait perdre la vie douze jours plus tard à Corrick's Ford, écrivit à son cousin le général Richard Garnett : « J'en ai conçu une indéfectible estime pour la population de Macedonia, dont la batterie de cuisine nous a sauvé la vie. » La piste sur laquelle les troupes de Garnett s'étaient déployées et qui n'avait pas de nom fut désormais connue comme la piste Tape-Gamelle.

372

« C'est vraiment excellent ! Vous avez très bien traité le sujet, déclara Jottie en remettant la feuille de papier pelure sur la pile.

— Vous trouvez ? » demanda ravie la jeune femme, assise en train de travailler. – Elle tapota le dessus de la table avec son crayon. – Je n'arrive toujours pas à savoir où Jackson se trouvait au mois de mars suivant.

— En 1862 ?

— Oui. Mme Tapscott jure qu'il avait élu domicile chez sa mère, mais tout le monde dit qu'il était à Romney.

— Bah, ceux de Romney ! À les entendre, on croirait que toute la guerre s'est déroulée sur la pelouse de leur palais de justice, Appomattox et l'assassinat de Lincoln compris. Alors qu'Inez Tapscott n'irait pas inventer une chose pareille.

— D'accord. – Layla prit note sur son bloc. – Mlle Betts a peut-être quelque chose dans un tiroir.

— C'est fort possible. Elle adore ses coupures de journaux. »

Layla jeta un coup d'œil à la pendule et se leva.

« Je dois vous laisser. J'ai rendez-vous à midi avec la photographe de la Sécurité agricole. »

Jottie acquiesça et essuya des miettes imaginaires sur la table.

Layla hésita, et proposa :

« Ça vous dirait de m'accompagner, Jottie ?

— Je ne peux pas, soupira-t-elle. J'ai un grand projet pour cet après-midi : le nettoyage de l'armoire à linge. »

Elle regarda par la fenêtre Layla s'éloigner à vive allure sur le trottoir. Il fallait qu'elle se secoue. Le placard à linge n'allait pas se ranger tout seul. Sol lui manquait. Son calme bienveillant, ses yeux émerveillés quand ils se posaient sur elle, les regards pleins de respect qui les suivaient dans la rue : tout cela lui manquait. Et surtout, peut-être, le fait qu'il la trouvait séduisante. Les rendez-vous ! Le cinéma ! Se tenir par la main ! Autant de choses qu'une femme était en droit d'attendre. Désormais, elle n'aurait plus qu'à lire tout ça dans les livres. Il fallait vraiment qu'elle se secoue. Qu'elle se lève et qu'elle appelle Belle Fox pour lui proposer d'apporter une salade de fruits à la prochaine réunion des Filles de Macédoine. J'appartiens à un club de dames, se répéta-t-elle pour se rassurer. C'est la belle vie.

33

Mlle Coco Echols, la photographe, n'avait pas de temps à perdre à Macedonia. Sa présence était une faveur concédée au Federal Writers' Project, expliqua-t-elle, une grâce accordée par l'agence de Sécurité agricole, en cet instant gravement handicapée par son absence. Elle promena un regard minéral sur l'hôtel de ville. Il était clair que le Federal Writers' Project, Layla et la population de Macedonia avaient une dette considérable envers elle.

« La manufacture n'est pas loin, lui assura Layla, après que l'hôtel de ville eut été immortalisé, sans enthousiasme. Ce ne sera pas long.

— Je l'espère bien », déclara Mlle Echols.

Comme elle faisait le tour de son Oldsmobile pour se remettre au volant, un coup de sifflet déchira le silence, annonçant la pause de midi aux Inusables Américaines. Elle fit un bond impressionnant.

« Seigneur ! Qu'est-ce donc ?

— La sirène de midi, à la manufacture », répondit Layla, dissimulant un sourire.

Mlle Echols fit la grimace.

« De quel genre de manufacture s'agit-il ? »

Layla se racla la gorge.

« Une manufacture de chaussettes. La manufacture de bonneterie Les Inusables Américaines.

— Des chaussettes ? répéta Mlle Echols avec mépris. Dieu du
ciel ! Quel trou ! Allez, montez.

— C'est juste là, dans la rue.

— Peu importe. Tout mon matériel est dans le coffre. On y
va en voiture. »

Layla prit place sur le siège passager et guida Mlle Echols
jusqu'à l'énorme bâtisse en brique. L'immense voiture accosta le
long du trottoir d'en face et les deux femmes se retrouvèrent
devant un ruban de macadam désert.

Layla fronça les sourcils. C'était pourtant l'heure du déjeuner, non ? Les ouvriers prenaient-ils leur repas à l'intérieur ? Les
mille ?

Mlle Echols poussa un gros soupir et ouvrit la portière.

« Bon, allez, on accélère, d'accord ? Moi, je dois être à
Washington à cinq heures. »

Layla se pencha en avant et regarda le bâtiment.

« Où sont-ils ? Ils ne peuvent quand même pas tous déjeuner
sur place ? »

La photographe, qui se débattait avec la mallette noire
contenant son appareil, ne se donna pas la peine de lever le
nez.

« Ce n'est pas à moi qu'il faut le demander. »

Au lieu de la foule attendue d'ouvriers, un véhicule de police
noir et blanc s'avança lentement dans la rue et s'arrêta devant
le portail de la manufacture. Layla reconnut le policier appelé
Hank. Il n'avait pas l'air d'être là pour une raison précise ; il restait assis au volant, levant par moments la main pour se caresser
la moustache.

« Je me demande ce qui se passe, murmura Layla, intriguée.

— Hmm ? » fit Mlle Echols, une boîte de film entre les
dents.

À cet instant, le portail s'ouvrit. Un homme en costume de seersucker apparut et descendit lentement les marches. Layla inclina la tête. Était-ce le dénommé Sol, celui qu'elle avait vu dans le bureau de Shank et qui avait bavardé avec Jottie ? Peut-être. Il s'approcha du fourgon de police, se pencha vers la vitre et salua Hank comme une connaissance.

Pendant qu'ils discutaient, elle vit trois autres hommes déboucher d'une ruelle et se diriger vers le trottoir où la voiture de police était garée. Ces trois-là, d'apparence un peu miséreuse, avaient un visage dépourvu d'expression sous leur casquette. Puis, deux femmes apparurent au coin de la rue, l'une d'elles portant un panier couvert, le visage tout aussi inexpressif.

Fascinée par leurs physionomies à la fois vides et déterminées, Layla ouvrit sa portière et descendit de voiture. Quatre hommes rejoignirent les premiers. Ils restèrent plantés devant la manufacture, sans rien dire, les yeux rivés à la façade de brique. Elle suivit leur regard, scrutant le bâtiment à la recherche d'informations et repéra des têtes dans l'encadrement d'une fenêtre, à l'étage. L'une d'elles aurait pu être celle de M. Shank mais à cette distance, c'était difficile à dire.

Mlle Echols claqua sa portière, la tirant de sa rêverie.

« Vous voulez prendre la façade, d'accord ?

— Il y a quelque chose qui cloche, murmura Layla. Regardez la tête qu'ils font tous. »

Mlle Echols promena un regard indifférent sur les hommes et les femmes attroupés sur le trottoir.

« Je vais juste photographier la façade. »

Elle souleva son appareil et prit un cliché.

L'un des hommes siffla et Layla vit celui qui parlait au dénommé Hank lever la tête et jeter un rapide coup d'œil alentour. Leurs yeux se croisèrent, et, à sa grande surprise, il lui adressa un salut et un sourire.

« Ce n'est peut-être pas le bon moment pour prendre des photos, murmura Layla, mal à l'aise.

— Hein ? Ne faites pas votre poule mouillée, ironisa la photographe.

— Mademoiselle Beck ? »

C'était l'homme qui connaissait Jottie. Elle se tourna vers lui, soulagée.

« Oui ?

— Sol McKubin. Votre amie – votre collègue – et vous, vous feriez peut-être mieux de ne pas rester dans le coin. Il ne va rien se produire dans l'immédiat, et votre, hum, présence, pourrait inquiéter les gens. »

Il pointa le menton en direction des petits groupes d'observateurs.

« Qui sont ces gens ?

— Des badauds. Des épouses, des amis, vous voyez.

— Mais... les épouses et les amis de qui ? Que se passe-t-il ? »

Il haussa les sourcils.

« La grève. Je pensais que vous étiez au courant. Je pensais que c'était pour cette raison que vous étiez là.

— Non, non. Je n'en savais rien. Cette dame doit juste prendre quelques photos de la manufacture pour mon livre, *L'Histoire de Macedonia*, expliqua-t-elle.

— Vous pourriez peut-être revenir un autre jour ?

— Je crois que nous avons déjà ce qu'il nous faut. »

Layla regarda la manufacture silencieuse.

« C'est une grève très calme.

— Une grève sur le tas, expliqua-t-il. Dieu sait combien de temps cela va durer. »

Directeur ou non, elle eut un élan de sympathie pour lui.

« Vous craignez qu'il y ait du désordre ?

— Du désordre ? Je ne sais pas. J'espère bien que non ! C'est pour lui que je suis désolé, ajouta-t-il en regardant Hank. Ralph va les appeler d'une minute à l'autre, Arnold et lui.

— Et la garde nationale ? » demanda-t-elle, repensant aux autres grèves dont elle avait entendu parler.

Il sembla trouver l'idée amusante.

« À mon avis, la garde nationale a d'autres chats à fouetter. Les Inusables Américaines ne sont pas la General Motors. »

Elle releva les yeux vers la fenêtre.

« Je suppose que l'usine n'a pas de vigiles, non plus ?

— Non, à moins que vous nous comptiez, Richie et moi », plaisanta-t-il.

Il observa Mlle Echols qui mitraillait toujours la façade et reprit son sérieux.

« Auriez-vous un moyen de la convaincre de ne pas publier ces photos ? Je préférerais que la fédération américaine du travail reste en dehors de cela.

— Oh, ne vous en faites pas. Elle n'a même pas remarqué qu'il y avait une grève. Et ce n'est pas moi qui le lui dirai ! »

Il partit d'un éclat de rire.

« Pas étonnant que Jottie vous aime bien.

— Vraiment ? se réjouit Layla, étonnée.

— Oui. Elle m'a beaucoup parlé de vous. Euh..., hésita-t-il soudain, et ce fut comme si un nuage était passé devant le soleil. Gardez cela pour vous, d'accord ? – Bizarre. Elle acquiesça. – À part ça, Mademoiselle Beck... – L'espace d'un instant, il eut l'air aussi malicieux qu'un gamin. – En rentrant à la maison, vous voudrez bien appelez Emmett, à White Creek, et lui parler de la grève ? Dites-lui que c'est moi qui vous ai demandé de le prévenir. Il comprendra.

— D'accord. »

De plus en plus bizarre.

« Promis ?

— Oui, promis. »

Il tourna les talons, lui adressant un regard complice d'inquiétude exagérée quand il passa à côté de Mlle Echols, qui prenait toujours la façade en photo.

De retour dans Academy Street, Layla regarda l'énorme voiture de Coco Echols disparaître au loin puis elle se dirigea vers la maison. Dans l'entrée crépusculaire, silencieuse, elle hésita un instant puis elle décrocha le téléphone.

« Un appel longue distance, s'il vous plaît.

— Quelle ville ? demanda sèchement l'opératrice.

— White Creek. »

Elle entendit cliqueter les relais téléphoniques.

« White Creek, quel numéro, je vous prie ?

— Je voudrais parler à M. Emmett Romeyn. »

Du coin de l'œil, elle vit Jottie approcher, un couteau à la main.

« Ne quittez pas. »

D'autres déclics.

« Allô ? fit la voix d'Emmett, agréable, lointaine.

— C'est à vous, parlez, annonça l'opératrice.

— Merci. Monsieur Romeyn ?

— Lui-même.

— Ici Layla. Layla Beck.

— Layla ! Mademoiselle Beck. Comment allez-vous ?

— Bien, bien, merci. Je vous appelle parce que j'ai un message...

— Tout le monde va bien à la maison ?

— Tout le monde va bien, mais M. McKubin m'a demandé de vous prévenir qu'il y avait une grève à la manufacture. Elle a commencé aujourd'hui. C'est une grève sur le tas...

— Hein ? Une grève ? Et qui vous a demandé de me prévenir ?

— M. McKubin. Sol McKubin. Vous le connaissez, n'est-ce pas ? Il m'a dit de vous appeler pour vous mettre au courant ; que vous comprendriez pourquoi. »

Maintenant, Felix aussi était planté dans l'entrée, un journal à la main.

Le rire d'Emmett retentit à l'autre bout du fil.

« Sol vous a dit de m'appeler ? Et c'est lui qui me traite de fauteur de troubles !

— Pardon ?

— Non, non, rien. Parlez-moi de la grève. Et d'abord, qu'est-ce que vous faisiez là-bas ?

— J'avais besoin d'une photo de la manufacture pour mon livre ; j'y suis allée avec une photographe, expliqua Layla. Quand nous sommes arrivées, l'endroit était d'un calme mortel, alors que la sirène de midi venait de retentir. Il n'y avait pas un chat dehors, ce que j'ai trouvé bizarre, et puis un véhicule de police est apparu. »

Elle lui décrivit la scène à laquelle elle avait assisté à la manufacture, les passants étrangement inexpressifs et l'indifférence de Mlle Echols.

« Elle n'a absolument rien compris à la situation et elle avait commencé à prendre des photos quand M. McKubin est sorti et nous a demandé d'arrêter. C'est alors qu'il m'a précisé qu'il y avait une grève, une grève sur le tas.

— Mais tout était calme ?

— Oui, mais il a dit que Shank – M. Shank – s'apprêtait à appeler Hank et un dénommé Arnold et il était ennuyé pour eux.

— Pour les ouvriers ?

— Non, pour Hank et Arnold. Qui est Arnold ?

— Un autre policier, répondit Emmett, laconique. Mais vous êtes sûre qu'il a parlé d'une grève sur le tas ?

— Oui.

— Parfait. – Elle entendit presque son sourire satisfait. – En voilà, une bonne nouvelle !

— M. McKubin est-il... »

Elle s'interrompit, distraite par un mouvement fugitif entrevu du coin de l'œil. Felix s'était éclipsé.

« Quoi donc ?

— Est-il de leur côté ? Vous disiez que je serais surprise de savoir qui prendrait leur parti.

— Je devrais vraiment tenir ma langue.

— Alors, il est de leur côté ? C'est plutôt... étonnant.

— Sol n'est pas un patron comme les autres.

— De toute évidence.

— Enfin, reprit Emmett après une autre pause, merci de m'avoir appelé, mademoiselle Beck. Je vous en suis vraiment reconnaissant. Je viendrai peut-être demain voir cette grève de mes propres yeux.

— Il n'y a pas grand-chose à voir, répliqua-t-elle avec un petit rire.

— Espérons que les choses en resteront là. – Un silence. – On se verra peut-être là-bas.

— Je ne crois pas. Je suis censée écrire mon histoire.

— *C'est* de l'histoire. Vous ne voulez pas vous faire la championne de la cause ouvrière de Macedonia ?

— C'est très tentant, monsieur Romeyn. – Elle jeta un coup d'œil à Jottie, appuyée au mur. – Mais ce n'est pas encore de l'histoire. Ce n'est qu'une épreuve de force. Ce n'est pas de l'histoire tant que personne ne l'a emporté. »

Au dîner, la chaise de Felix demeura vide.

« Où est ton papa, ce soir ? » demanda Layla à Willa d'un ton dégagé, en prenant le beurrier.

Willa lui jeta un regard mauvais.

« Je ne sais pas.

— Il s'en va, il pourrait aller à Tombouctou sans que personne le sache, développa charitablement Bird. On ne sait jamais où il va.

« — Il vend ses produits chimiques quelque part, j'imagine », reprit Layla.

Willa ne répondit pas, mais Bird se pencha en avant.

« Il en a un qui pourrait faire exploser la planète.

— Bird, lança Jottie en entrant dans la salle à manger, tu mens comme un arracheur de dents. »

La soirée passa avec lenteur. La terrasse était agitée par les conversations excitées sur la grève, ponctuées par les tintements des cuillères à café ; l'obscurité résonnait des cris d'enfants qui se couraient après. Quand Layla prit congé et monta dans sa chambre silencieuse et suffocante, la chaleur l'enveloppa. Elle prit un bain avec indolence et se prépara pour se mettre au lit. Elle feuilleta sans conviction *La Virginie déchirée*[1] pendant quelques minutes avant de laisser tomber le livre et d'éteindre la lumière.

Beaucoup plus tard, elle se réveilla sans raison. Une petite brise entrait par la fenêtre. Elle se retourna avec un soupir d'aise et vit Felix assis dans l'encadrement, une cigarette aux lèvres. Elle le fixa un moment, essayant de décider s'il était réel.

Auréolé de bleu par le nuage de fumée, il regarda dans sa direction.

« Hé, vous !

— Felix, murmura-t-elle. Vous n'étiez pas au dîner.

— En effet.

— J'ai regretté de ne pas vous voir. »

Il fit tomber sa cendre sur le toit.

« Ma douce ?

— Moi ? finit-elle par demander après un silence.

— Oui, vous », répondit-il en souriant.

Elle hocha la tête. Parfait.

---

1. *The Rending of Virginia* de Granville Davisson Hall, grand historien de la guerre de Sécession en Virginie. L'ouvrage (1900) est inédit en France. (N.d.T.)

« N'allez pas à la manufacture. »

Elle s'efforça de comprendre ce qu'il voulait dire.

« J'y suis déjà allée.

— Alors, n'y retournez pas. N'y retournez plus. D'accord ? »

Il se leva.

Plus jamais ? Curieuse requête. Et pourquoi ça ?

« M. McKubin m'a déjà demandé de ne pas revenir.

— Je me fiche de ce que M. McKubin vous a demandé de faire. C'est moi qui vous dis de ne pas y retourner.

— Ah oui, murmura-t-elle, comme pour elle-même. Vous vous êtes chamaillés. »

Il rit.

« Chamaillés ? C'est comme ça que Jottie a présenté les choses ?

— Hum... Felix ?

— C'est un menteur, d'accord ? Ne vous approchez pas de lui, c'est tout. »

Elle secoua la tête, ensommeillée.

« Il a l'air tellement gentil. C'est un ami d'Emmett. »

Il écrasa sa cigarette avec un soupir et se posta devant son lit. Elle le regarda un instant l'observer. Il se pencha pour l'embrasser.

« Sol ou moi ? murmura-t-il.

— Cruelle décision », répondit-elle en souriant.

Il l'embrassa à nouveau, suivant l'arc de ses lèvres avec la pointe de sa langue.

« Sol ou moi ?

— Je suis incapable de décider. »

Il la plaqua sur le lit à l'aide de son genou.

« Sol ou moi ? »

Elle sentit la chaleur de son corps alors que ses mains l'attiraient contre lui, et elle se cambra pour venir à la rencontre de ses lèvres.

« Mon Dieu... Vous. »

Il la relâcha et caressa la courbe de sa mâchoire, de ses lèvres, avec son pouce.

« C'est bien. – Il se releva du lit. – À demain. »

Elle le regarda, les yeux écarquillés, refermer la porte derrière lui.

34

Le lendemain après-midi, en la voyant monter les marches de la véranda, Emmett se leva de son fauteuil.

«Mademoiselle Beck.

— Vous êtes venu!»

Elle gagna un coin ombragé et ôta son chapeau.

«Vous êtes allé à la manufacture? Ça continue?

— Oui, et oui, répondit-il avec un grand sourire. Mais asseyez-vous. Jottie est allée chercher du thé glacé. Je vais lui dire d'apporter un verre pour vous.»

Il disparut aussitôt dans le couloir crépusculaire. Il se tenait très droit et avait l'air exalté. Par la grève, sans doute. L'air plus jeune, aussi. Ils avaient pratiquement le même âge. Elle n'arrivait pas à comprendre comment elle avait pu le confondre avec Felix. Les deux frères n'avaient rien en commun.

Il revint avec deux verres.

«Oui? demanda-t-il, se sentant dévisagé.

«Vous êtes le seul qui teniez encore bon. Pour le *mademoiselle Beck*.

— Pardon?

— Il n'y a plus un seul Romeyn qui m'appelle mademoiselle Beck. Vous voulez bien m'appeler Layla?»

Il hésita.

«Emmett, s'il vous plaît... »

Elle lui tendit la main ; il la serra.

«Ravie de vous rencontrer, Emmett.

— Tout le plaisir est pour moi, Layla, répondit-il en s'inclinant légèrement.

— Je vois que vous avez été à bonne école.

— Jottie, répliqua-t-il en riant. Et ma mère.

— Qu'avons-nous fait, Maman et moi ? » demanda Jottie en sortant de la maison avec un pichet sur lequel perlait la buée.

Sur ses talons, Willa portait une assiette de cookies.

«Qu'est-ce qu'on a fait ?

— Vous m'avez appris les bonnes manières.

— Toi ! Tu es la courtoisie incarnée ! Ton oncle Emmett arrêtait les dames dans la rue pour leur dire qu'il les trouvait jolies, poursuivit-elle, se tournant vers Willa. Il avait trois ans. »

La fillette gloussa.

«Mais elles l'étaient vraiment ! s'exclama Emmett. Je les trouvais toutes tellement jolies et elles sentaient si bon !

— On n'a jamais vu un enfant recevoir autant de bonbons, renchérit Jottie. Ça mettait Mae dans tous ses états.

— Tiens ! Emmett », nota Felix en sortant de la maison.

Il lui donna une légère tape à l'épaule et se laissa tomber dans le fauteuil à côté de Layla.

«Tu te rappelles quand il disait à toutes les dames comme elles étaient jolies ? lança Jottie.

— Au point que tu arrivais tout juste à transporter tes bonbons.

— Tu m'aidais bien », souligna Emmett.

Regarde comme il est merveilleux, songea Layla, les yeux rivés sur Felix. Agréable. Normal – mieux que normal. Lance ne blague jamais avec moi, il n'a sans doute aucun souvenir de moi petite. Il ne me connaît pas, je ne suis rien pour lui. Je voudrais bien avoir un vrai frère... comme Emmett. Je voudrais que cette famille soit la mienne. Peut-être qu'elle le sera, un jour.

Jottie tendit un cookie à Willa et reporta son attention sur Emmett.

« Alors, comment c'était à la manufacture ?

— Eh bien... comme vous l'avez dit hier, Layla, plutôt calme. Une vingtaine d'hommes et quelques femmes sont plantés devant, deux ou trois pancartes proclament des choses du genre "Nous défendons le droit des travailleurs à se syndiquer", mais c'est calme. La femme de Charlie Timbrook, Cecile, tu la connais –, Jottie hocha la tête – dit qu'ils passent pratiquement tout leur temps à dormir.

— Où ça ? s'étonna Willa.

— Certains devant les métiers à tisser. Les autres, la plupart en fait, par terre.

— Que va faire Shank ? demanda Jottie.

— Il a appelé Hank et Arnold, hier après-midi, et ils ont arrêté cinq hommes pour s'être introduits dans les locaux. Ils n'avaient plus de place dans la prison pour en prendre davantage, et ils ne peuvent pas libérer Winslow car, je cite : il constitue une menace envers la communauté, ajouta-t-il avec un sourire éblouissant.

— Pauvre Mlle Betts, s'esclaffa Layla.

— Encore un espoir déçu, soupira Jottie.

— Alors ils ont laissé les autres gars où ils étaient et ils sont retournés au poste de police. Maintenant, Shank doit décider de la conduite à tenir : faire venir des briseurs de grève, laisser pourrir la situation, ou autre chose, mais quoi ? – Il se pencha en avant sur son fauteuil. – Sol pense qu'il va temporiser. »

Layla jeta un coup d'œil à Felix et elle vit Jottie faire de même. Il regardait son frère sans ciller.

« Il pense que Shank est trop radin pour embaucher des briseurs de grève.

388

— C'est quoi, des briseurs de grève ? s'enquit Willa.

— Des gens qui viennent dans les usines en grève, tabassent les grévistes et leur piquent leur boulot, expliqua Felix.

— Ooh. »

Elle rentra la tête dans ses épaules et se tourna vers sa tante.

« C'est mal, non ?

— Même très mal, confirma Jottie.

— Je parie que Sol a raison, reprit Felix, esquissant un faible sourire devant l'air surpris de sa sœur. Shank n'osera pas. Il a trop envie qu'on l'aime.

— Pfff, il s'en fiche, lâcha Emmett.

— Mais non, affirma Layla. Vous auriez dû entendre le portrait d'industriel bienveillant qu'il m'a brossé quand je suis allée l'interviewer.

— Un vrai conte de fées, ironisa Emmett.

— Certes, mais cela prouve bien qu'il voudrait être aimé de tous en ville », insista-t-elle.

Felix opina du chef et elle fut envahie par un sentiment de fierté. Se redressant dans une attitude toute professionnelle, elle poursuivit :

« Shank est toujours à la manufacture ?

— Ouais. Avec Sol, Richie, Arlen, et tous les membres de la direction. Ils ont renvoyé les vendeurs chez eux.

— Combien de temps peuvent-ils tenir ? » questionna Jottie.

Emmett haussa les épaules.

« Je dirais que cela dépend du ravitaillement. Les camarades ont bien apporté des vivres, mais qui ne dureront pas éternellement. Difficile de trouver le moyen d'en faire venir davantage.

— Ils ne pourront pas s'en faire monter par les fenêtres ? demanda Willa.

— Non. Ce serait une intrusion. Facile à repérer.

— Et par le toit ? suggéra Jottie.

— Non, trancha Felix, catégorique, s'attirant tous les regards. Les bureaux de la direction sont sous le toit, sauf du côté de Unity Street, où on ne peut rien tenter à cause de la pente verticale de la verrière. Et il est assez difficile d'accéder à la chaufferie, surtout quand on est chargé, ajouta-t-il en se frottant pensivement le visage. – Layla vit Emmett adresser un clin d'œil à sa sœur. – Mais il y a les camions. Sont-ils encore stationnés aux quais de chargement ? – Emmett acquiesça. – Alors c'est facile. Il y a un panneau au fond de la cabine ; il suffit d'ôter quelques vis pour passer dans la caisse. S'ils sont garés l'arrière tourné vers le quai de chargement, en cinq minutes, on est dans l'entrepôt. Et la dernière fois que j'ai regardé, il n'y avait pas de barbelés au sommet de la palissade, alors il ne serait pas difficile de se hisser par-dessus... »

Emmett et Jottie éclatèrent de rire.

« Quoi ? » demanda-t-il, l'air innocent.

Emmett secoua la tête alors que Jottie se carrait dans son fauteuil, hilare.

Layla les dévisagea un à un, intriguée. Qu'y avait-il de si drôle ? Même Felix souriait, à présent.

« J'ai toujours été un ami du travailleur, proclama-t-il. Toujours. »

26 juillet 1938

Chère Layla,

Un examen attentif du *Star* d'aujourd'hui m'a révélé que Macedonia était « déchirée par une lutte ouvrière », que les mécontents « étaient prêts à verser le sang si leurs revendications restaient lettre morte », etc. Après quatre paragraphes de ces sornettes, j'en ai déduit qu'une manufacture de bonneterie de la ville était le théâtre d'une grève sauvage. Il semblerait que cette grève se déroule plutôt sereinement, et tu ne t'en es peut-être même pas aperçue (à moins qu'il n'y ait pénurie de bas). Néanmoins :

Ma chère nièce,

Si tu constates le moindre trouble, je t'ordonne d'abandonner aussitôt ton poste et de regagner Washington. Dans toute l'histoire du Federal Writers' Project il n'existe aucun livre à ma connaissance qui puisse justifier que tu te mettes en danger.

Sois assurée que j'ai fait une copie de ce paragraphe pour archivage au fichier central. Je doute que Gray scrute le *Star* avec une attention suffisante pour tomber sur cet article (à mon avis, il ne lit que les papiers qui parlent de lui), mais si l'inestimable Mlle Kogelshatz le portait à son attention, il me tomberait dessus à bras raccourcis, et je préfère assurer ma défense par anticipation. Je sais que tu comprendras.

J'espère que tu t'amuses bien là-bas. Et que tu tiendras le délai.

Ben

P.S. : Au cas très improbable où cela tournerait mal, fais preuve de bon sens et quitte la ville. C'est un ordre. Un vrai. B.

28 juillet 1938

Cher Ben,

Vous ne me ferez pas bouger d'ici pour tout l'or du monde !

Layla

P.S. : J'étais à la manufacture quand la grève a éclaté.

P.P.S. : Travailleurs, syndiquez-vous ! Vous n'avez rien à perdre, que vos chaînes !

30 juillet 1938

Layla,

Tu veux me faire virer ?

Ben

1er août 1938

Oui !

35

Sur la terrasse, Bird s'affala dans un fauteuil en rotin, passa un genou sur l'accoudoir, mit le nez dans le journal et lut :

... M. Shank, président des Inusables Américaines, a contredit cette déclaration. «Je suis un patriote américain. Personne, dans cette ville, n'en a fait autant que moi pour les travailleurs et je ne vais pas rester les bras croisés à regarder les étrangers et les communistes détruire ce que j'ai construit.»

Construit ? Bird fronça les sourcils. M. Shank aurait construit la manufacture ? Ça n'avait pas de sens. Un bâtiment, peut-être, mais tout, impossible. Enfin, se rassura-t-elle, elle lisait le journal. Peu d'enfants de neuf ans lisaient le journal. Elle imaginait Minerva en train de dire : C'est une petite fille extraordinairement intelligente. *Géniale*, acquiesçait tout bas Mae. Confortée par cette admiration hypothétique, elle redoubla d'efforts. M. *Charlie Timbrook, le leader du mouvement* – qu'est-ce que ça pouvait bien signifier ? – *a contesté...*

Avec soulagement, Bird remarqua une silhouette derrière la moustiquaire. Une dame – l'ombre d'une dame toute menue –

se pencha, regardant à l'intérieur en se protégeant les yeux de sa main en visière : elle perçut l'enfant.

« Bonjour, mademoiselle », dit-elle.

Mademoiselle ! Conquise, Bird agita son journal avec ostentation.

« Bonjour, répondit-elle.

— Votre tante Jottie est-elle à la maison ?

— Oui, acquiesça Bird, regrettant qu'il n'y ait pas un mot plus long pour dire oui.

— Pourriez-vous lui demander de venir, s'il vous plaît, mademoiselle ? Dites-lui que c'est Zena qui la demande.

— D'accord. »

Elle trouva sa tante dans la cuisine.

« Il y a une dame appelée Zena devant la terrasse. »

Jottie plissa le front, intriguée, s'essuya les mains sur son tablier et se hâta de gagner l'entrée. Après s'être assurée qu'elle avait bien quitté la pièce, Bird posa le journal sur la table, se suça le doigt et le plongea dans le sucrier.

« Zena ? Pas possible ! s'exclama Jottie. Comment allez-vous, depuis tout ce temps ? Mais asseyez-vous, je vous en prie. »

Elle lui indiqua un fauteuil, s'efforçant de ne pas avoir l'air perplexe mais enchantée.

Zena rentra une mince mèche de ses cheveux à la couleur indéfinissable sous son chapeau et inclina la tête.

« Non. Non, merci, mademoiselle Jottie. Je suis venue...

— Mademoiselle Jottie ? Voyons, Zena. Nous nous connaissons depuis trente ans.

La visiteuse se passa la langue sur les lèvres.

« Sans doute. Si vous le dites.

— Allez, venez vous asseoir, insista Jottie, tapotant le fauteuil voisin du sien. Asseyez-vous et dites-moi ce qui vous amène. »

Zena s'assit tout au bord du fauteuil qui n'était qu'un imperceptible craquement.

« Merci. »

Jottie remarqua que sa robe était trempée de sueur. Elle n'était tout de même pas venue à pied par cette chaleur ; elle habitait à deux kilomètres, au moins.

« Et si j'allais chercher du thé glacé ? » proposa-t-elle.

Et tous les cookies qui tiendront sur une assiette, ajouta-t-elle mentalement à la vue de la minceur des bras de Zena. Je me demande si elle mangerait un sandwich.

« Je reviens de suite. Et puis on pourra avoir une bonne...

— Non ! Non, merci ! Je n'ai pas soif ! protesta Zena en levant la main. Je vous en prie... Je veux juste vous parler. »

Elle prit une profonde inspiration, comme pour réunir tout son courage, mais son souffle se brisa en un hoquet, et deux grosses larmes roulèrent sur ses joues creuses. Elle renifla très fort.

Prise de pitié, Jottie la regarda fouiller dans son corsage à la recherche d'un mouchoir. Zena n'avait jamais eu de chance. Elle la revoyait à sept ans, avec ses jambes fines comme des allumettes et ses robes trop grandes pour elle. À treize ans, au pique-nique des Inusables Américaines, poussant un cri perçant *J'ai réussi ! J'ai réussi*, parce qu'elle avait marqué un point au jeu du fer à cheval. À vingt ans, marchant sur la route de la rivière, les bras chargés d'un gros bébé, un mari silencieux et efflanqué à ses côtés.

« Allons, Zena, qu'y a-t-il ? Ne pleurez pas. Racontez-moi.

— Jerry a perdu son boulot. À la manufacture. »

— Je suis désolée de l'apprendre. Vraiment désolée.

— On a vendu tout ce qu'on pouvait, et maintenant, on n'a plus rien, on est au bout du rouleau, Jottie, et... je me suis dit, continua-t-elle, les paroles s'écoulant d'elle comme un torrent, que vous pourriez peut-être demander à M. McKubin. Je parie que si vous lui demandiez, il donnerait quelque chose à Jerry. Ça n'a pas besoin d'être le même travail qu'avant, juste quelque chose. Il le fera. Il ferait n'importe quoi...

Jottie écarquilla les yeux.

« Attendez ! Qu'êtes-vous en train de dire ?

— Vous pourriez demander à M. McKubin, répéta Zena. N'importe quoi, Jottie. Comme vous avez dit, on se connaît depuis trente ans, et je ne serais pas venue si... Mais on ne peut pas rester sans rien. Je vous en prie.

— Voyons, Zena... – La gorge nouée, elle s'interrompit, à la recherche d'une raison acceptable pour Zena. – Vous savez que c'est la grève. On ne peut embaucher personne pendant une grève. »

Zena ne la laissa pas poursuivre.

« Ouais, c'est exactement ce que je veux dire ! Jerry ne veut pas se syndiquer, de toute façon. Il serait ravi de travailler pour eux, même sans syndicat. Vous pouvez dire à M. McKubin que Jerry déteste Charlie Timbrook et l'a toujours détesté !

— Mais je ne peux pas, Zena, répondit Jottie se mordant la lèvre. Je ne suis pas en position de demander quoi que ce soit à M. McKubin.

— À d'autres ! lança Zena avec un air narquois. Je vous ai vus, tous les deux, l'autre jour. Vous étiez là, à boire des milk-shakes. Il y a un bout de temps que je n'ai pas bu de milk-shake, commenta-t-elle avec un rire sans joie. On dit que vous sortez ensemble. Qu'il ferait n'importe quoi pour vous.

— Ce n'est pas vrai, Zena ! Il n'y a rien de vrai dans tout cela. M. McKubin et moi nous sommes... Écoutez, je le connais depuis aussi longtemps que vous, je crois, mais c'est tout. Nous sommes de simples connaissances. – La voix lui manqua. – Je n'ai aucune influence sur lui. Jerry devrait aller lui parler lui-même.

— Vous croyez qu'on n'a pas essayé ? Il dit qu'il ne peut rien faire. Que c'est Shank qui décide des embauches.

— Et vous avez essayé de vous adresser à M. Shank ? suggéra Jottie, à court d'arguments.

— Pfff, fit Zena, méprisante. Il ne parle à personne, et de toute façon, il paraît qu'il ne sera plus là très longtemps. C'est ce que dit Charlie Timbrook.

— Comment ça?

— Vous êtes pas au courant? demanda Zena, tirant vanité de ce modeste et éphémère avantage. Les syndicalistes disent qu'ils ne veulent – comment vous dites ça? – *négocier* avec personne, à part M. McKubin, et maintenant, lui et les grosses légumes du New Jersey passent leur temps à discuter, et tout le monde dit qu'ils vont virer Shank et nommer M. McKubin président. »

Jottie la fixait, interdite. Sol, président? Sol, à la place de son père? Était-ce possible? Elle réfléchit à la source de cette information. Non. Zena avait mal compris. Ou bien elle exagérait. Ou encore elle avait tout inventé pour se donner de l'importance.

« Alors, vous lui demanderez? »

Jottie reprit pied avec la réalité.

« Zena, vous vous trompez sur M. McKubin et moi. Je n'ai plus...

— Parlez-lui, c'est tout ce que je vous demande. Je vous en prie.

— Zena, je ne... je ne peux pas...

— Vous pourriez si vous vouliez. Vous ne voulez pas, voilà tout. Vous l'avez eu, votre milk-shake.

— Écoutez...

— Non, c'est vous, Jottie Romeyn, qui allez m'écouter. Vous vous croyez tellement supérieure que vous estimez pouvoir traiter quelqu'un comme moi par-dessus la jambe, eh ben vous allez voir. Vous, les Romeyn, vous vous êtes toujours crus au-dessus de tout le monde. – Elle se dressa et fit face à Jottie. – Mais vous ne l'êtes pas. »

Jottie fit une nouvelle tentative.

« Ce n'est pas que je ne veux pas vous aider...

— Je n'ai pas besoin de votre charité ! La grande famille Romeyn a perdu de sa superbe, hein ? – Elle promena le regard sur la véranda décrépite. – Votre Felix, il va se faire pincer d'un jour à l'autre, maintenant, c'est ce que dit Jerry. – Elle redressa le col de sa robe. – C'est un voleur et un trafiquant d'alcool minable. Et puis c'est lui qui a mis le feu à la manufacture et qui a volé l'argent. Tout le monde sait que c'est lui qui a fait le coup et qui a tué Vause Hamilton, aussi. »

Jottie releva le menton.

« Sortez d'ici tout de suite, Zena.

— Vous serez peut-être moins arrogante quand il sera en prison, hein ? continua Zena avec une joie mauvaise. Et là, il faudra bien que vous trouviez du travail vous-même, hein ? Vous aurez qu'à demander à M. McKubin. Peut-être qu'il vous paiera vos faveurs.

— Fichez le camp tout de suite avant que je vous arrose au jet ! »

Zena avala une goulée d'air qui gonfla ses joues creuses et lança avec mépris :

« Et si ces petites gamines futées ressemblent à leur maman, vous avez pas fini de courir après pour les tirer de toutes les granges de la région, je parie. Les chiens ne font pas des chats. »

Jottie se leva, poussa la moustiquaire et alla chercher le tuyau d'arrosage enroulé en bas des marches.

« L'avantage des meubles en rotin, lança-t-elle par-dessus son épaule, c'est que je n'ai qu'à les arroser s'ils sont sales. Comme un chien. »

Elle ouvrit le robinet, posa son pouce avec dextérité sur le bout du tuyau, projetant une belle gerbe d'eau sur les rhododendrons, se tourna ensuite vers la terrasse, et, ce faisant, l'aspergea d'un magnifique mouvement circulaire.

«Hé! protesta Zena, s'abritant derrière la moustiquaire. Arrêtez! Vous pouvez pas m'arroser comme ça!»

Elle entrouvrit la porte et passa la tête dehors.

«Ah bon, vous croyez?

— J'ai mis mon beau chapeau!

— Ça m'est bien égal!»

Tandis que l'eau coulait joyeusement sur les rhododendrons, Zena évalua la situation, se mordillant l'intérieur de la joue. Au bout d'une minute, elle se redressa avec un air de défi et ouvrit la porte en grand.

«Vous ne me faites pas peur, proclama-t-elle. Je n'ai pas peur de vous, Jottie Romeyn!»

Elle descendit une marche d'un pas assez théâtral et s'arrêta.

«Coupez l'eau», ordonna-t-elle.

Jottie jeta le tuyau dans l'herbe et regarda Zena faire un autre pas, puis encore un autre, en regardant alternativement le tuyau et sa propriétaire.

Quand elle s'engagea dans l'allée devant la maison, ses maigres hanches se tortillant au rythme de ses pas, Jottie leva la main.

«Et ne remettez jamais les pieds ici! Ne m'adressez plus la parole et ne vous avisez pas de parler de moi ou de ma famille à quiconque. Ou je vous le ferai regretter.

— Moi, le regretter? Qu'est-ce que vous pourriez me faire? Me jeter en prison? ironisa Zena. Aux dernières nouvelles, vous ne dirigez pas le pays.

— Je raconterai à tout le monde que vous avez couché avec Shank, que vous lui avez refilé la chaude-pisse, et que c'est pour ça qu'il a flanqué Jerry à la porte. Je raconterai que Jerry est à deux doigts de devenir vraiment idiot – c'est l'une des complications de la syphilis, vous savez. Je raconterai à tout le monde que c'est pour ça qu'il boite.»

Zena ouvrit de grands yeux.

«Vous ne pouvez pas... Ce n'est pas vrai. Je n'ai pas... Shank... Je n'ai pas la syphilis, vous le savez bien. Et Jerry non plus... C'est son pied. Il est comme ça depuis qu'il est gamin.

— Et qui les gens préféreront-ils croire ? » rétorqua froidement Jottie.

36

Jottie nous avait dit de ne pas traîner du côté des Inusables, ma sœur et moi, qu'une grève n'était pas un lieu de promenade, surtout pour des enfants, et encore moins pour nous. Nous avions obéi, tout en sachant pertinemment que nous étions les seuls enfants de la ville à ne pas y être allés. Jun Lloyd nous raconta qu'il s'était faufilé à l'intérieur de la manufacture, une nuit. Il avait vu du sang couler sous le portail et il en avait déduit que les ouvriers se faisaient égorger un à un, de sang froid. Il prétendit que M. Shank faisait ça avec un couteau à cran d'arrêt, pour que les gens du dehors n'entendent pas de coups de feu. Il dit que son oncle qui travaillait à la manufacture lui avait relaté qu'il y avait du sang partout. Il s'était tapi dans un coin pour que M. Shank ne l'attrape pas.

Je n'en crus pas un mot, bien sûr, et pourtant Jun Lloyd était scout, il était censé dire la vérité, en plus d'être propre, gentil, et patriote. Ce qu'il n'était pas, de toute façon.

« Tu mens comme tu respires, Jun, lui dis-je. Personne ne poignarde personne.

— Qu'est-ce que tu en sais ? ricana-t-il. Tu n'as pas de famille là-bas, à la manufacture ? – Je fus bien obligée d'en convenir. – Donc, tu n'en sais rien. Alors que moi, mon oncle, il fait grève.

— Mon grand-père en était le président. »

C'est tout ce que je trouvai à répondre.

« Ben, il l'est plus, hein ? » rétorqua Dex Lloyd en me tirant la langue.

Le lendemain après-midi, je me rendis à la bibliothèque, comme presque tous les jours en été. En temps normal, on ne pouvait emprunter que cinq livres par semaine, c'était le règlement, mais Mlle Betts faisait une exception pour moi. Elle me laissait prendre deux livres par jour, ce qui était suffisant, mais tout juste. Mes choix étaient généralement déterminés par l'épaisseur de l'ouvrage. Je poussais la porte, mes nouveaux livres à la main, quand je vis Jottie dans la rue, sur les marches de la banque. Elle paraissait pétrifiée, ou comme si elle avait été frappée par la foudre, mais je savais ce qui se passait : elle faisait des calculs mentaux. Jottie ne pouvait pas marcher et calculer en même temps – moi non plus, d'ailleurs –, et quand elle sortait de la banque, elle restait toujours un moment immobile, à compter dans sa tête. Je me précipitai vers elle sans qu'elle me voie venir, plongée comme elle l'était dans ses soustractions, et criai :

« Quarante-deux ! Six ! Vingt-sept ! »

Elle sursauta, puis, voyant que c'était moi, éclata de rire.

« Willa, tu es la plus vilaine fillette que j'aie vue de ma vie ! – Elle descendit les marches et me prit la main : la sienne était toute fraîche. – Il nous reste soixante-dix-neuf dollars, ou soixante-dix-neuf *cents*, et maintenant, seul le bon Dieu connaît le fin mot de l'histoire. »

Je piaffai un peu sur place, fixant le pâté de maisons en bas de la rue. Je distinguais seulement le coin de la manufacture.

« Jottie ?

— Ne me demande pas de bonbons, petite pécheresse.

— Je n'allais pas le faire. – Je disais la vérité. – Ce que je veux ne coûte rien.

— C'est une bonne chose ! De quoi s'agit-il ?

— Si on allait jeter un coup d'œil à la grève ? S'il te plaît ? »
Elle fronça les sourcils.

« Nous n'avons rien à faire là-bas.

— Tout le monde en ville est allé voir, sauf Bird et moi, argumentai-je d'un ton plaintif. Jun Lloyd y est allé quatre fois, dont une en pleine nuit, et il dit qu'il y a du sang qui coule sous le portail d'entrée, parce que M. Shank égorge tout le monde...

— C'est ridicule, m'interrompit ma tante. J'espère que tu as assez de bon sens pour ne pas croire de pareilles bêtises.

— Je ne l'ai pas cru, mais Jun Lloyd prétend que je n'en sais rien parce que je n'ai personne de ma famille à la manufacture alors que lui si. – La voyant hésiter, j'insistai : – C'est la première fois qu'il se passe quelque chose à Macedonia depuis que je suis née, et je suis en train de tout rater. »

Jottie secoua la tête, mais je vis qu'elle comprenait mon point de vue.

« Je suis prête à parier que ce sera beaucoup moins excitant que de regarder manœuvrer un train, mais bon, allons voir la grève. Juste une minute. »

Nous remontâmes donc Prince Street en direction d'East Main. Jottie avait raison : il n'y avait pas grand-chose à voir. La manufacture était comme d'habitude : une grande et longue étendue de brique rouge. Une trentaine ou une quarantaine d'hommes et de femmes formaient une haie clairsemée le long de la façade. Certains brandissaient des pancartes mais comme ils les agitaient en direction des Inusables, je ne pouvais lire que quelques mots : « Unissez-vous ! » et « Le TWOC défend les droits de... » Je me demandai qui pouvaient bien être ces gens, si les grévistes étaient à l'intérieur. Peut-être leurs familles, me dis-je. Je remarquai alors mon oncle parmi eux.

« Hé, Emmett ! » appelai-je.

Il se retourna et son visage s'illumina, comme toujours.

Il s'approcha de nous, qui étions restées un peu à l'écart de la foule, entraînant avec lui un homme que je n'avais jamais vu. Les adultes échangèrent les politesses habituelles, les bonjours, les présentations, auxquels je ne prêtai guère attention puisqu'ils ne me concernaient jamais de toute façon. L'homme, un certain M. Bryce, était du TWOC.

« Et voici ma nièce, Willa Romeyn », ajouta Emmett, m'incluant dans la conversation.

Mon oncle était plus poli que la plupart des adultes. Sans doute parce qu'il était lui-même un cadet et qu'il n'avait pas tout à fait oublié les indignités de son enfance. Pas encore.

Ils discutèrent un moment et je compris que le TWOC était un syndicat de travailleurs du textile et je fus assez contente de moi. M. Bryce était venu de Washington pour voir la grève et il en était très satisfait. Selon lui, le syndicat était confiant : Macedonia n'était que la partie émergée de l'iceberg. Le problème, d'après M. Bryce, c'était qu'ils avaient commencé trop au Sud. Dalton n'était pas le bon endroit où compter sur le progrès. Et il parlait, il parlait, M. Bryce. Pendant qu'il parlait, mon regard fut attiré par le grand portail de la manufacture qui s'ouvrait. M. Shank apparut et resta debout sur la marche du haut. Il regarda la file d'hommes et de femmes sur le trottoir, et ses yeux s'arrêtèrent sur M. Bryce. Chaque fois que j'avais vu M. Shank, ce qui n'était pas arrivé si souvent, il était toujours très chic et d'un abord froid et rigide. Mais aujourd'hui, il était en manches de chemise et il avait la figure toute rouge et l'air furieux. Son apparition produisit une espèce de frémissement dans l'assistance et tout le monde se tut. La seule personne qui ne l'avait pas remarqué était M. Bryce, qui parlait toujours de la partie émergée de l'iceberg.

Tout à coup, M. Shank se mit à aboyer :

« Vous êtes tous de foutus imbéciles ! Vous êtes de foutus imbéciles d'écouter un agitateur communiste ! – D'un geste de la main, il désigna M. Bryce. – Vous voulez lui payer à dîner avec l'argent que vous gagnez si durement ? Vous voulez jeter par la fenêtre l'argent de votre paye en le donnant à une bande de rouges ? Nous avons une bonne usine américaine, ici ; j'ai maintenu des emplois pendant toute la crise, et voilà que vous vous retournez contre moi. Je vous ai nourris, j'ai nourri vos enfants... »

M. Bryce l'avait remarqué à présent. Il se tourna vers lui et cria :

« Je ne suis pas communiste ! Je suis un citoyen américain et je défends les droits de tous les citoyens américains, y compris le droit de se syndiquer ! »

Près de nous, quelqu'un l'applaudit.

M. Shank se remit à hurler :

« Laissez-moi vous dire encore une chose – si un certain Romeyn vous tient un discours sur le besoin de se syndiquer, ne l'écoutez pas ! – Il fusilla Emmett du regard. – Cette manufacture et sa gestion ne regardent pas les Romeyn ! On n'a pas besoin d'eux ici. »

Alors, deux ou trois choses se produisirent presque en même temps. Un homme poussa de grands « Hou ! Hou ! », Jottie m'entraîna au loin par la main, et Emmett et M. Bryce se mirent à hurler en chœur : le premier pour défendre la liberté d'expression, l'autre la liberté d'association.

Un homme lança une pêche dans la figure de M. Shank.

La foule se figea un instant, le souffle coupé, devant l'image choquante de M. Shank, la figure dégoulinante de jus et de petits bouts de pêche. On aurait entendu voler une mouche. Puis, une autre pêche s'écrasa sur sa chemise.

« Syndicat ! Syndicat ! » s'éleva une voix.

Je vis un visage blafard se coller à la vitre d'une des longues fenêtres de la salle de tissage. Il oscillait et je compris que c'était la tête d'un homme debout sur les épaules d'un autre.

« Faisons grève pour le TWOC !

— Sales lâches ! Communistes ! » beugla M. Shank, attirant un déluge de fruits sur lui.

Le portail s'ouvrit avec violence et un autre homme sortit du bâtiment. Il regarda sévèrement la haie de manifestants, et les fruits cessèrent de voler. Au lieu de rester à côté de M. Shank, il descendit les marches, sans l'ombre d'une hésitation. Je pris conscience qu'il se dirigeait vers nous, et dans le même temps, je le reconnus : c'était l'homme de la parade, M. McKubin. Les gens s'écartèrent pour le laisser passer. Il marcha jusqu'à Jottie, et lui demanda avec gravité :

« Ça va ?

— Salut, Sol », répondit-elle la gorge serrée.

Elle avait les joues toutes roses.

« Rentre chez-toi, maintenant. Ce n'est pas un endroit pour toi. Ce n'est pas prudent. – Il posa les yeux sur moi, puis sur Emmett, les sourcils froncés. – Je ne sais pas ce qui t'a pris de les amener ici.

— Ce n'est pas sa faute. Allez, on s'en va ! dit Jottie. Immédiatement ! »

Elle m'attrapa par la main et je la suivis, en traînant et presque à reculons. J'avais envie de voir ce qui allait arriver ensuite.

M. McKubin se tourna vers la foule.

« Bon, écoutez-moi tous, ça suffit, ce remue-ménage ! déclara-t-il. Tout cela n'a aucun sens. Ce qui a un sens, ce sont les négociations. C'est par la négociation que nous...

— Ne vous mêlez pas de ça, McKubin ! coupa M. Shank, d'une voix forte. Sol McKubin ne représente pas la direction des Inusables Américaines ! À partir d'aujourd'hui, il ne représente plus la direction et n'a plus aucune autorité pour mener des négociations ! – M. McKubin leva les yeux, fronçant les sourcils comme s'il ne comprenait pas. – J'aurais deux mots à vous dire, McKubin ! Dans mon bureau ! » tempêta M. Shank.

Il avait la figure plus rouge que jamais, et ses yeux jetaient des éclairs. Je n'avais encore jamais vu fulminer quelqu'un, mais c'était ce qu'il faisait.

« Mon bureau, tout de suite ! »

Il enleva d'une chiquenaude un bout de pêche sur sa chemise, ouvrit la porte, et retourna à l'intérieur.

Il n'y avait plus un bruit dans la rue ; tout le monde regardait M. McKubin qui fixait la porte. Il sembla recouvrer ses esprits, et emboîta enfin le pas de M. Shank. Les hommes qui l'entouraient lui tapotèrent l'épaule mais il n'eut pas l'air de s'en rendre compte. Emmett tendit la main comme pour le retenir puis se ravisa et il resta là, consterné, à côté de Jottie.

Quand M. McKubin arriva en haut des marches, il eut un regard pour Jottie. Elle se tint toute droite et lui fit signe de la main. Il hocha la tête et disparut à l'intérieur du bâtiment.

Tout le monde demeura silencieux pendant un instant. Puis Emmett laissa échapper un gros soupir.

« C'est trop fort ! s'exclama M. Bryce. Vous croyez que son compte est bon ?

— Maintenant, on y va », décréta Jottie.

Elle me prit par le bras et m'emmena loin de cet endroit.

Eh bien ! me dis-je, tandis que ma tante me ramenait à la maison en vitesse, j'avais enfin assisté à un épisode dramatique ! Et nous, les Romeyn, nous avions de toute évidence été au cœur de l'événement. Quant à ce qui s'était passé au juste, je n'en étais pas très sûre. Que voulait dire M. Shank ? Pourquoi avait-il appelé M. McKubin dans son bureau ? M. Bryce avait dit que son compte était bon – mais comment était-ce possible ?

« Jottie, lui demandai-je – ou haletai-je plutôt, tellement nous marchions vite. Que s'est-il passé ? »

Jottie gémit.

«On vient de faire perdre son travail à Sol McKubin.»

Comme elle avait l'air vraiment désespérée, je ravalai mes questions.

Le lendemain matin, en lisant le *Sun* de Macedonia, j'appris que M. Shank avait renvoyé M. McKubin pour «collusion avec le syndicat».

37

Arrivée en haut de la colline, Layla s'arrêta pour contempler la perspective consternante qui s'étendait devant elle. Zackquill Avenue était une longue artère délabrée particulièrement quelconque, bordée de maisons perchées en hauteur comme des oiseaux déplumés. Elle poussa un soupir. Une grève faisait palpiter le cœur de la ville, et elle était dans Zackquill Avenue. Mais elle avait promis à Felix. Pour se dédommager de sa docilité, elle s'autorisa à se remémorer les doigts de Felix effleurant secrètement l'arrière de sa jambe, la veille au soir. Au nez et à la barbe de tous – et personne ne s'était rendu compte de rien. Ils avaient ressassé leurs conversations habituelles, étrangers au torrent de chaleur qui se déversait de son corps, se répandait sur le plancher de la véranda, ruisselait sur l'herbe, dans le jardin, dans la rue...

Layla sortit de sa torpeur et jeta un coup d'œil à son exemplaire des *Combattants de Virginie-Occidentale*.

Les généraux John B. Imboden et William E. Jones assaillirent Macedonia pendant l'hiver et le printemps de l'an 1863, pillant la ville et la région environnante, réquisitionnant les réserves de vivres et brûlant les maisons des fédéralistes connus comme tels. Pace rapporte que ces troupes de guérilla effectuèrent un repli tactique vers Mount Edwards lorsque les forces de l'Union placées sous le commandement du général Benjamin Roberts entrèrent en ville, mais, d'après d'autres sources, les rebelles restèrent terrés à Macedonia même. Le lieutenant Calvin Rylands (des États confédérés) relata par la suite son « hiver douillet passé à bivouaquer dans Zackquill Avenue, chez Mme Kers, la plus gracieuse des hôtesses ».

« Douillet ? » Layla scruta les maisons maussades et les lugubres cours de terre battue à la recherche d'un détail « douillet ». Sans doute en pure perte. Que s'attendait-elle à trouver ? Une plaque au nom d'Imboden sur une façade ? Elle fronça les sourcils au souvenir de ses grands espoirs. Illusions de grandeur : une seule adresse, Zackquill Avenue, soupira-t-elle.

Un éclair de couleur attira son regard. Penchée sur la rambarde d'une terrasse, un peu plus haut dans la rue, une femme aux cheveux roux, en kimono d'un violet agressif, braquait sur elle un regard intense. Comme Layla feignait de ne pas la voir, la femme plongea une main experte à l'intérieur de son kimono, remonta sa généreuse poitrine et referma plus étroitement son kimono autour d'elle, tout cela sans la quitter du regard.

Non mais, vraiment ! se dit Layla, offensée par l'œil de professionnel avec lequel la femme la détaillait. Quel culot ! Une gourgandine de cette espèce, oser me dévisager ainsi !

Un sifflement admiratif vrilla l'air au-dessus d'elle et une voix de fausset l'interpella :

« Hé-ho, chérie ! »

D'autres sifflets se firent aussitôt entendre. Elle se retourna pour repérer leur provenance et avisa une bande de jeunes gens affalés sur une terrasse affaissée.

410

«Hé-ho, zyeutez-moi ça! Viens un peu par ici, chérie! Tu seras pas déçue de la compagnie!» chantonnèrent-ils en chœur, se gratifiant de sourires approbateurs et tripotant leur débardeur.

Layla les ignora superbement. Le menton levé, elle traversa vivement la rue tout en les surveillant du coin de l'œil.

«Allez, mademoiselle – l'un d'eux avait sauté sur le trottoir et se dressait maintenant devant elle –, faut être un peu gentille! – Il la toisa d'un regard insolent. – Tu vois c'que je veux dire?»

Avant que Layla n'ait eu le temps de répliquer, une grosse voix gronda au-dessus d'elle :

«Fiche-lui la paix, Bobby, ou je raconte à Mavis que tu cours après les filles dans son dos.»

C'était la femme en kimono.

«Ta gueule, Della. C'est ma nouvelle petite amie!» beugla le dénommé Bobby.

Il se glissa plus près de Layla et son odeur la fit légèrement tressaillir. La fragilité qu'il perçut chez elle le fit sourire.

«C'est ça, ouais, renifla la grosse femme. Ben elle a pas l'air d'être folle de toi. Vous voulez monter ici, fillette?» lança-t-elle à Layla.

Celle-ci hésita l'espace d'un instant.

«Je savais pas que t'étais de c'bord-là, persifla Bobby. Combien tu vas lui prendre, à elle?»

Layla gravit avec morgue les marches bancales de la véranda de Della, prenant un malin plaisir à imaginer la tête de son père s'il avait pu voir dans quelle situation délicate elle se retrouvait par sa faute. Bravo pour votre brillante idée, Père! Pour l'heure cela la menait sur la terrasse de Della.

«Merci, souffla-t-elle, les yeux baissés.

— Bah. Il va bien finir par s'en aller. C'est un crétin.»

Della passa sa petite main blanche sur le violet tapageur de son kimono.

« Je vais enfiler quelque chose. Une seconde, je reviens. »

Layla attendit, se balançant d'un pied sur l'autre. Il n'y avait pas de fauteuils sur la terrasse vermoulue, rien pour se mettre à l'aise. Enfin, à quoi t'attendais-tu ? se demanda-t-elle. C'est une maison close. Les gens ne viennent pas ici pour se prélasser sur une véranda. Elle jeta un coup d'œil vers la moustiquaire en piteux état. Elle avait toujours imaginé que ces endroits devaient être un peu luxueux, d'un luxe tapageur, certes, mais cossu quand même. Des divans de satin criard, par exemple. Des divans de satin criard élimés. L'entrée paraissait vide, elle ne distinguait qu'un porte-parapluie et un petit miroir accroché de guingois au mur blême. Des pelotes de poussière traînaient dans les coins. Comme elle se penchait pour examiner l'intérieur de plus près, elle entendit un long bâillement paresseux, suggestif, et battit en retraite.

Le retour de Della fut précédé par un effluve de Jungle Gardenia. Elle portait une robe à fleurs qui épousait étroitement ses courbes généreuses et s'épanouissait au-dessus de sa poitrine opulente. Ses lèvres d'un rouge écarlate contrastaient avec l'ovale poudré de blanc de son visage, mais elle était indéniablement jolie. Elle s'approcha de la rambarde.

« Il est encore là. – Il y eut un silence, puis elle proposa : – Que diriez-vous d'un verre de thé glacé ? »

Dans une maison close ? Layla s'apprêtait à refuser avec hauteur quand elle remarqua l'air circonspect de Della, et elle éprouva une pointe de honte.

« Avec plaisir, merci. Je meurs de soif !

— Eh bien, entrez ! Détendez-vous un instant ! »

Layla la suivit, traversant l'entrée indéfinissable pour pénétrer dans une cuisine sinistre. Là, Della s'affaira entre une glacière à la peinture écaillée et un placard à la peinture écaillée et déposa son butin sur une table à la peinture écaillée.

« Asseyez-vous », dit-elle en se laissant lourdement tomber sur un siège.

Layla se percha sur une chaise défraîchie et plongea ses lèvres dans un verre de thé infusé dans le péché. Il était délicieux.

« Alors, commença Della, qu'est-ce que vous fabriquez dans le coin ? »

Layla soupira. Ses espoirs fondaient comme neige au soleil.

« Je cherche une maison. La maison Kerns. »

Della étrécit légèrement les yeux.

« Pour quoi faire ?

— Vous comprenez, je suis en train d'écrire *L'Histoire de Macedonia*, et d'après ce livre – elle tapota la couverture des *Combattants de Virginie-Occidentale* – le général confédéré Imboden et ses hommes auraient passé l'hiver 1863 ici, dans la maison de Mme Kerns, sur Zackquill Avenue. Mais ça n'a jamais été confirmé et je me disais que si je trouvais la maison, je pourrais peut-être poser la question... En fait, poursuivit-elle en laissant traîner sa voix, je ne sais pas vraiment ce que j'espérais. »

Della fronça les sourcils.

« Je ne saisis pas. Vous voulez des renseignements pour un livre que vous écrivez. Quel genre de renseignements ?

— Je voudrais savoir si le général Imboden a bien passé l'hiver et le printemps de 1863 à Macedonia.

— Le général qui ?

— Imboden.

— Vous voulez savoir où il était ?

— Oui. S'il a bien habité chez Mme Kerns ou non.

— Et pourquoi ça ?

— Eh bien, répondit Layla avec une moue désabusée, les historiens ne sont pas d'accord sur ce point. C'est un sujet de controverse historique. Les gens aiment bien connaître les faits et gestes des généraux. »

413

Della attendit d'être bien sûre que l'explication s'arrêtait là, puis elle déclara :

« C'est ici. La maison Kerns. – Layla leva les yeux de son verre. – C'est ici, répéta Della avec un haussement d'épaules. Daisy Kerns. C'est elle qui tenait la maison à l'époque. Elle a fait de sacrément bonnes affaires, pendant la guerre. De Sécession, j'entends. La maison Kerns. – Elle tapa des doigts un petit coup sur le mur. – C'est bien ici. »

Layla ne put s'empêcher d'embrasser d'un coup d'œil circulaire l'affreuse cuisine : elle croisa le regard de Della qui l'observait.

« Pas assez bon pour un général ? Ouais, ben je parierais qu'il s'en fichait pas mal.

— C'était... à l'époque... Mme Kerns était... euh... ?

— Pourquoi pas "une belle de nuit" ? suggéra Della. Ça sonne toujours bien. »

Mme Kerns, la plus gracieuse des hôtesses. Les faits et gestes du général Imboden. Une controverse historique. Layla se sentit prise d'un fou rire. Et finit par exploser :

« Les hommes !

— Comme vous dites, ma petite ! acquiesça Della avec un grand sourire. Vous voulez savoir ce que le général fricotait ici ? La même chose que tous les autres ! Il n'y a pas d'énigme historique là-dedans ! »

Elle éclata de rire et une bouffée de Jungle Gardenia embauma la cuisine.

Layla ne pouvait plus s'empêcher de glousser.

« Je vais mettre ça dans mon livre, hoqueta-t-elle. La plus gracieuse des hôtesses ! Le général Imboden ! M. Davies va adorer ça !

— Parker ? C'est pour Parker que vous écrivez un livre ?

— Vous le connaissez ? s'esclaffa Layla.

— Mon chou, je connais tout le monde. – Della s'installa plus confortablement sur sa chaise et regarda Layla s'essuyer les yeux. – Sauf vous. Vous êtes pas d'ici.

414

— Non. Non, je viens de Washington. Je participe au FWP, le Federal Writers' Project. Je suis venue ici écrire *L'Histoire de Macedonia*.

— Vous êtes allocataire ?» s'exclama-t-elle incrédule. – Layla opina du chef. – Ah oui ? reprit Della en lorgnant sa robe d'un air dubitatif. Hmm. Où vous êtes descendue ?

— Sur Academy Street. Je loue une chambre, ajouta-t-elle, devant l'expression de Della.

— Ah. Et chez qui ?

— Une famille du nom de Romeyn.

— Une famille du nom de Romeyn, répéta Della, imitant son phrasé. Je connais les Romeyn, mon chou. Je vous rappelle, je connais tout le monde. – Elle riva sur Layla un regard vindicatif. – C'est là que j'ai grandi.

— Je vois », fit Layla, avec une certaine réserve.

Della croisa les bras.

« Ouais, j'étais une gamine, dans le temps, juste comme vous. Juste comme Felix et cette sœur qu'il a avec ce drôle de prénom. Les enfants ne sont que des enfants. Ils se fichent pas mal de ce que fait leur maman ; ils veulent jouer, c'est tout. N'allez pas me faire une crise cardiaque, ma petite, mais il m'est même arrivé de jouer avec Felix. Et Vause Hamilton, aussi. De vrais démons, ces deux-là, vous pouvez me croire, ajouta-t-elle avec un sourire mystérieux.

— Ah bon ? répondit Layla en se penchant un peu vers son interlocutrice malgré elle.

— Oh oui ! Si vous saviez ! Une nuit, je les ai vus grimper sur le toit de la salle de billard. Felix s'est aperçu que je les regardais, et il m'a crié d'en haut qu'ils allaient là pour prier. J'ai failli mourir de rire. »

Della secoua la tête au souvenir de ces temps heureux et poursuivit sur le ton de la conversation :

« Je ne crois pas que ce soit lui qui ait tué Vause. Pour moi, ça n'a jamais eu de sens. Pourquoi aurait-il brûlé la manufacture de son propre père et tué son meilleur copain ? Quoi, qu'y a-t-il ? » s'étonna-t-elle, voyant la tête que faisait Layla.

38

Après l'épisode dramatique à la manufacture, je m'attendis à une certaine effervescence ensuite. Et j'en fus pour mes frais. Je fus condamnée à inventer mes propres distractions. Par un après-midi torride, je faisais semblant de lire *Le Maître de Jalna* sur la véranda, écoutant en réalité Mlle Beck courir fébrilement d'un bout à l'autre de la maison.

Elle finit par pousser la moustiquaire, l'œil hagard.

«Eh bien, mademoiselle Beck! fis-je en levant les yeux de mon livre, l'air étonnée. Vous voilà bien agitée.

— Oh, Willa, il y a de quoi! répondit-elle, en se prenant la tête entre les mains. Je dois me rendre chez Mme Lansbrough, Jottie n'est pas là et je n'arrive pas à trouver ma carte!»

Parce que je l'avais cachée.

«Je vais vous indiquer le chemin, proposai-je. – La bonté incarnée. – J'y suis allée plusieurs fois.

— Bénie sois-tu! Je ne sais pas ce que j'aurais fait sans toi.»

C'était une sacrée trotte par cette chaleur, mais ça m'était égal. Peu m'importait de souffrir tant qu'elle souffrait aussi. En arrivant devant chez Mme John, je décidai de profiter de l'occasion pour la torturer également. Mlle Beck sonna.

«Mademoiselle Beck? Je suis ravie de vous rencontrer...»

Mme John s'interrompit et fronça les sourcils en me découvrant accrochée aux basques de Mlle Beck.

« C'est Maman qui t'a appelée ?

— Non, m'dame. »

Mlle Beck posa sa main sur mon épaule.

« Willa est mon éclaireur indien, madame Lansbrough. Elle m'a amenée chez vous.

— Comme c'est gentil ! », répondit Mme John en pinçant les lèvres.

Je lui fis un grand sourire de crocodile.

« Je peux aller voir Mme Bucklew, madame John ? Puisque je suis là, je m'en voudrais de ne pas lui rendre visite. »

Elle ne pouvait pas refuser devant Mlle Beck, mais je voyais bien qu'elle en mourait d'envie.

« Je suis sûre que Maman sera folle de joie. Vas-y vite », marmonna-t-elle en agitant la main en direction de l'escalier. Bien, mademoiselle Beck, si nous passions au salon ? »

C'est là qu'elle entassait tous ses coussins et autres travaux au point de croix.

« Magnifique ! », murmura Mlle Beck en ôtant ses gants.

Elle se dirigea vers la porte en arcade.

« Quelle pièce magnifique ! Ne me dites pas que c'est vous qui avez fait tout cela ? »

Mme John partit d'un rire argentin.

« J'avoue que j'ai une passion pour les travaux d'aiguille ! »

Mlle Beck fit écho à son rire.

« Madame Lansbrough, je vous admire. Ma parole ! Regardez tous ces merveilleux coussins... »

Elles échangeaient encore des petits cris extasiés quand j'arrivai devant la chambre de Mme Bucklew. Je frappai à la porte. Pas de réponse. Mais Mme John ne m'aurait pas laissée monter voir sa mère si elle n'avait pas été là. Je frappai encore. Toujours rien. De guerre lasse, je tournai la poignée sans faire de bruit.

Mme Bucklew dormait à poings fermés en travers de son lit. Elle ronflait même un petit peu. Je réfléchis. En temps normal, je n'aurais pas osé réveiller une adulte – en dehors de Jottie, qui le prenait toujours bien – mais Mme Bucklew, c'était différent. Elle pouvait dormir toute la journée si elle voulait et elle n'avait pas beaucoup de visites. Je posai la main sur son épaule et la secouai gentiment. Elle ne bougea pas et je n'eus aucun mal à deviner pourquoi. Elle empestait le whisky. Je parcourus la chambre du regard, à la recherche de la bouteille de Four Roses, en vain. J'approchai de sa commode. Il y avait un miroir dessus, une petite boîte en carton de poudre Coty et une photo d'un homme – sans doute M. Bucklew. Il était assis à côté d'une colonne en marbre, et cela avait l'air de le contrarier. Je fis un petit tour d'inspection, sans toutefois aller jusqu'à ouvrir les tiroirs. En réalité, il n'y avait pas grand-chose à voir : une bible. Une canne, bien que je ne l'aie jamais vue marcher avec. Une boîte de bonbons poussiéreuse.

Mme Bucklew poussa un long soupir, ou plutôt un ronflement. La voyant ainsi, je me pris à penser à tous les gens qui auraient bien voulu rester en vie et qui étaient morts : Mme Bucklew était vivante et regrettait sans doute de ne pas être morte. C'était injuste.

Je rouvris la porte, qui grinça un peu, et tendis l'oreille. En bas, les dames parlaient comme si de rien n'était. J'avançai jusqu'à l'escalier sur la pointe des pieds et descendis les marches une à une, pour aller m'asseoir sur la toute première, à un endroit où l'on ne pouvait pas me voir du salon.

Mme John disait :

« ... peut pas s'y consacrer sérieusement, il est trop pris par son travail, mais c'est une vraie passion chez lui. Il lit tous ces vieux livres et il les entasse... Il ne jette jamais rien, c'est le syndrome de l'écureuil ! Je lui dis toujours, John, mon chéri, si tu achètes encore un livre, on va être obligés de déménager, mais rien n'y fait.

— En tout cas, répondit Mlle Beck, c'est une formidable collection.

— Un professeur de l'université de Virginie-Occidentale est venu dîner, il n'y a pas deux mois, et vous savez ce qu'il a dit ?

— Quoi donc ?

— Il a dit qu'il espérait que John léguerait ses livres à la bibliothèque universitaire ! J'ai trouvé cela un peu morbide, mais John était transporté de joie.

— Je le comprends.

— Enfin, les livres – et d'autres documents – sur Macedonia se trouvent ici. Les journaux tombent en morceaux, c'est une vraie plaie : qui a envie de lire un vieux journal ? Je lui dis, John, quand c'est vieux comme ça, on ne peut plus dire que ce sont des nouvelles, mais il ne veut rien entendre !

— *Les Hellènes* ? De quoi s'agit-il ? questionna Mlle Beck.

— Oh, ça ! Ce sont les annuaires. Les annuaires du lycée de mon mari. Je ne sais pas où sont passés les miens.

— Vraiment ? C'est fascinant !

— Les miens étaient beaucoup plus récents, naturellement.

— Celui-ci date de... hum... 1917 ! Eh bien... Je peux y jeter un coup d'œil ?

— Je vous en prie.

— Vous pouvez me montrer M. Lansbrough ?

— Voyons un peu... John était délégué de classe, cette année-là. Je pense qu'il s'est toujours intéressé à l'histoire. C'est amusant, non ?

— Mm-mm.

— Ah, le voilà.

— Ah oui. Il a fière allure !

— Et il jouait au football, bien sûr. Tenez... »

Un bruit de pages qu'on tourne.

« Je vois. C'est lui ?

— Non, ça, c'est Tyler Bowers. Il est rond comme un ballon, à présent, étonnant, non ? John est là.

— Ah... »

Puis Mlle Beck demanda d'une voix flûtée :

« Et lui, qui est ce ?

— Ah ça, c'est Vause Hamilton.

— Vause Hamilton, répéta-t-elle avec une intonation qui sonnait faux. – Je tendis encore plus l'oreille. – J'ai l'impression d'avoir déjà entendu ce nom-là. »

Elle mentait. Elle savait parfaitement de qui il s'agissait.

« Le contraire serait étonnant. Chacun sait que le général Hamilton est le fondateur de Macedonia.

— Mais oui, bien sûr, répondit Mlle Beck un peu trop vite. Mais *Vause* Hamilton... Son prénom me dit quelque chose, aussi.

— Le père et le fils portaient le même prénom. Pauvre vieux M. Hamilton. Il est encore de ce monde, mais vous savez... – Elle dut se tapoter la tempe, à mon avis. – Il est un peu dérangé.

— Ah oui ? Comment cela se fait-il ? »

Je sentais bien que Layla mentait encore. Elle n'était pas comme moi, une menteuse née.

« Vause – ce garçon, là – est mort. Son père ne s'en est jamais remis. Le pauvre vieux. »

Il y eut un silence.

« Il a l'air séduisant. »

Mais que cherchait-elle ?

« Oh, pour ça oui. Il était beau comme un dieu. J'étais beaucoup plus jeune, évidemment, mais je connaissais au moins une dizaine de filles qui étaient folles de lui.

— Je suppose que c'était un grand sportif, commenta Mlle Beck, un sourire dans la voix.

— Ça, vous pouvez le dire ! Il battait les records l'un après l'autre. Au football, au basketball, en athlétisme, partout. Et c'était le plus gentil garçon du monde, vraiment. »

Exactement ce que Mae et Minerva disaient de lui. Et Mme Fox aussi. Vause Hamilton devait être décidément adorable. Jusqu'à un certain point, du moins.

« Alors, je suppose qu'il avait beaucoup d'amis, non ? C'était un ami de votre mari ?

— Eh bien... *Oui*. Vause était délégué de classe, alors ils se voyaient souvent. Pour organiser les bals, ce genre de choses. Et puis, bien sûr, Vause passait aussi beaucoup de temps avec votre... Comment l'appelez-vous ? Votre logeur ? Enfin, Felix et lui étaient amis d'enfance.

— Oh, vous connaissez Felix.

— Pas vraiment. J'étais beaucoup plus jeune. Mais j'avais entendu parler de lui, bien sûr. Qui ne le connaissait pas ? fit-elle avec un drôle de petit rire. Felix et Vause, Vause et Felix. Ils étaient inséparables. Jusqu'à... vous êtes au courant... ?

— De quoi donc ?

— Jusqu'à la mort de Vause.

— Ah bon ? Et comment est-il mort ? »

Mme John émit un petit gémissement qui paraissait sincère.

« Il est mort dans un incendie. Le pauvre garçon.

— Mais c'est affreux ! C'est sa maison qui a brûlé ? »

La menteuse ! Elle savait pertinemment qu'il avait mis le feu à la manufacture ; c'est moi qui le lui avais dit.

« La manufacture. C'est la manufacture qui a pris feu. Il venait de rentrer de la Grande Guerre – ils s'étaient enrôlés ensemble, Felix et lui, mais Vause avait attrapé la grippe en France et il n'était pas rentré tout de suite au pays. Enfin, il était de retour pour... je ne sais pas. »

Mme John donnait l'impression de se raconter l'histoire à elle-même. Elle soupira.

« J'ai hurlé, quand je l'ai appris. Hurlé de chagrin.

— C'est terrible, murmura Mlle Beck.

— Terrible.

— Il travaillait à la manufacture ?

— Vause ? Non ! Vause n'était pas un ouvrier de la manufacture.

— Je pensais plutôt à la direction, peut-être, dit Mlle Beck d'une voix onctueuse comme de la crème.

— Oh non. C'est Felix qui était le directeur.

— Que faisait-il à la manufacture, dans ce cas ? Quand elle a pris feu, je veux dire ?

— *Il semblerait* qu'il volait de l'argent dans le coffre, lâcha Mme John. C'est ridicule, Vause n'avait rien d'un voleur. Absolument rien d'un voleur.

— Mais il était là, non ? Quand elle a pris feu ?

— Il avait toutes sortes de raisons d'être là ! Franchement, ils étaient comme les deux doigts de la main, Felix et lui.

— Oh, Felix était là aussi, au moment de l'incendie ? » s'exclama Mlle Beck, sa voix remontant dans les aigus.

C'était clair, elle cherchait à savoir quelque chose sur mon père. Je retins mon souffle.

Mme John hésita.

« Non. Non, apparemment, il n'était pas là. Je ne sais pas. Ça a fait beaucoup de bruit, cette affaire. Il était chez Tare Russell, ce soir-là, en train de jouer au billard.

— Tare Russell ? » s'exclama Mlle Beck, surprise.

Mais pourquoi cet étonnement ? Des tas de gens jouaient au billard.

« Vous l'avez rencontré ? Tare ? Ma foi, c'est un drôle de numéro, mais vous devriez voir sa maison ! Ce vieux fou possède je ne sais combien d'objets historiques. Il les collectionne.

— Oui, mais pourquoi dites-vous que l'affaire a fait du bruit ? »

423

À mon avis, elle y allait un peu fort. Si elle voulait tirer les vers du nez de son hôtesse, elle s'y prenait mal.

«Oh, ça. Après l'enterrement..., reprit Mme John d'une voix évasive, des tas de gens ont refusé de croire que Vause ait pu... commettre ce genre de choses. Sa présence sur les lieux pouvait s'expliquer par toutes sortes de bonnes raisons : peut-être qu'il essayait d'éteindre le feu. Et l'argent, aussi : peut-être qu'il l'avait simplement trouvé. De toute façon, c'était sans importance. Pour des tas de gens, ça n'avait pas d'importance. C'était une bien triste affaire, c'est tout. Il y avait des centaines de personnes aux obsèques. John était l'un des porteurs du cercueil. Ils étaient douze.

— Douze... !

— L'église n'était pas assez grande pour tout le monde. On s'en fichait, tout le monde se fichait de ce qu'il avait fait – ça n'avait pas de sens. D'ailleurs, tout le monde est venu... Parce que c'était Vause. »

Sa voix s'amenuisait, comme si elle se parlait à nouveau à elle-même.

— Ça devait être déchirant, murmura Mlle Beck. Il avait une petite amie ?

— Une petite amie ? répéta Mme John d'une voix tendue. Vause Hamilton ? Non. Enfin, certaines personnes disaient qu'il sortait avec Jottie...

— Jottie ? »

Je revis la photo de ma tante dans le veston et mon cœur s'emballa.

«Mais ce n'était qu'une rumeur, s'empressa de reprendre Mme John. Il était toujours fourré chez elle à cause de Felix, c'est tout. Vause aurait pu sortir avec n'importe qui, avec toutes celles qu'il voulait. Les filles à son enterrement... Ce qu'on a pu pleurer ! Et pas que les filles, d'ailleurs. On aurait dit que Sol McKubin allait en mourir. Je n'ai jamais vu un homme pleurer comme ça.

— Et Felix ?

— Il n'était pas là. Il n'est pas venu aux funérailles.

— Ah ? Je suppose que puisque la manufacture appartenait à son... enfin, ça avait dû lui faire un drôle de choc.

— J'imagine, répondit Mme John d'une voix plus sèche, reprenant son ton habituel. Mais comment en sommes-nous arrivées à parler de tout ça ? Dieu du ciel ! Quelle histoire ! Voilà ce que je voulais vous montrer – c'est là. John l'a acheté à la fin du mois de... je pense que c'était au mois de mars – à un des Spurling. Ils ont bien dégringolé dans l'échelle sociale, ceux-là ! Vous voyez ?

— Hum, fit Mlle Beck. Mais c'est... c'est Prince Street, non ? Ah tiens ! Spurling Square...

— Peint en 1872. »

On aurait dit que Mme John l'avait peint elle-même.

« C'est vraiment fascinant...

— Je savais que ça vous intéresserait. »

Je remontai l'escalier en douce et attendis un moment devant la porte de la chambre de Mme Bucklew, me demandant ce que Mlle Beck pouvait bien chercher. Ça concernait Papa, c'était clair. Papa et l'incendie ; mais de quoi pouvait-il bien s'agir ? Elle avait demandé s'il était là. Et pourquoi y aurait-il été ? D'ailleurs, s'il s'était trouvé là, il aurait empêché Vause de mettre le feu. Mlle Beck était une roublarde. Il y avait des moments où je pensais qu'elle était amoureuse de Papa et des moments où je me disais qu'elle le soupçonnait de je-ne-sais-quoi. Enfin, elle avait beau ruser, Papa avait la chance de m'avoir pour veiller sur lui.

Je rouvris la porte. Mme Bucklew dormait toujours, étalée sur son lit, mais elle avait roulé sur le ventre et enfoui son visage dans sa courtepointe. Je me faufilai dans la chambre et m'assis dans son fauteuil pour réfléchir.

39

Dans le cimetière à l'autre bout de la ville, Jottie se fraya adroitement un chemin au milieu des tombes, balayant des yeux des noms qu'elle avait connus toute sa vie, jusqu'à ce qu'elle parvienne enfin au sien. *Romeyn. James. Forrest. Helen Arantha. St. Clair. Caroline. Charles Loy.*

Elle entendit un bruissement de pas dans l'herbe derrière elle. Sol était toujours ponctuel. Elle se retourna et s'efforça de sourire.

Lui-même – sans aucun effort – rayonnait.

« Ma chérie.

— Je suis vraiment désolée…, commença-t-elle ainsi qu'elle s'y était préparée.

— Désolée pour quoi ?

— Pour ton travail. Tu t'es fait renvoyer. Par ma faute. Je suis vraiment désolée. »

Il s'assombrit.

« C'est pour ça que tu m'as demandé de venir ?

— Ma foi, oui. – Il y eut un silence. – Je suis en train de m'excuser, reprit-elle.

— Et pourquoi, exactement ?

— Parce que tu es sorti pour… euh, pour me dire de rentrer chez moi. C'était bien ça, non ? – Il acquiesça. – Et Ralph t'a mis à la porte. Tu n'as plus de travail », clarifia-t-elle, comme s'il pouvait l'avoir oublié.

De fait, il semblait l'avoir oublié.

« Je suis désolée de t'avoir causé tous ces ennuis, Sol. »

Il leva la tête vers l'éventail de feuillage au-dessus d'eux.

« Je n'ai pas résisté à la belle dame.

— Pardon ?

— J'ai perdu mon boulot à cause de toi.

— Je sais, dit-elle, coupable. C'est à peine si je peux le supporter.

— Tu as une dette envers moi », dit-il, lui prenant la main.

Elle le dévisagea. Il avait l'air de prendre la chose du bon côté.

« Tu n'as plus qu'à me consoler. »

Du bout du doigt, il lui souleva le menton et l'embrassa.

« S-Sol...

— En vérité, ça faisait une semaine que Shank cherchait la bagarre, depuis que le comité de grève avait dit au conseil d'administration qu'ils voulaient négocier avec moi. Si on pouvait tuer d'un regard, je serais mort à l'heure qu'il est. Je suis bien content de ne plus avoir à y retourner.

— Mais c'était *ton travail*. Que vas-tu faire, maintenant ?

— Oh, je vais prendre un peu de vacances », dit-il nonchalamment.

Elle scruta son visage à la recherche d'une trace d'inquiétude, mais n'en perçut aucune. Un peu de vacances ? Et l'argent, alors ? Personne ne prenait de vacances comme ça.

« Je compte trouver un autre boulot dans peu de temps », ajouta-t-il.

Quel boulot ?

« Où ça ? »

Il haussa les épaules.

Zena avait-elle raison ?

«Directeur de la manufacture?

— Oui, c'est ça, directeur de la manufacture de rumeurs», plaisanta-t-il.

Il éludait la question avec une aisance qui ne lui ressemblait pas. Ça alors, songea Jottie. Sol, directeur des Inusables...

Aussitôt, un millier de portes donnant sur un millier de couloirs s'ouvrirent grand dans son esprit, et elle passa la tête dans chacune d'elles. 1) *Je pourrais retrouver tout ce que j'ai perdu*; 2) *Sol est fou de moi*; 3) *Felix ne m'adresserait plus jamais la parole*; 4) *Est-ce qu'il me reprendrait les filles?* 5) *Il n'est même pas capable de se prendre en charge*; 6) *Est-ce que je vais laisser Felix diriger éternellement ma vie?* 7) *Je pourrais combler tous leurs désirs*; 8) *Papa aurait été heureux*. La dernière porte enfin, *J'ai envie d'être désirée...*

Elle leva vers Sol un visage souriant.

«C'était très chevaleresque de ta part de venir à ma rescousse sous ce déluge de pêches.

— Je n'en croyais pas mes yeux quand je t'ai vue au milieu de tout ce bazar.»

Il grimaça au souvenir de la scène.

«Tu as bien choisi ton moment pour venir visiter la manufacture. Mais c'est vrai que je me suis montré plutôt chevaleresque.»

Il la souleva pour l'asseoir sur la tombe de James Romeyn.

«Alors, quelle sera ma récompense? demanda-t-il, se penchant sur ses lèvres.

— Je ne peux quand même pas t'embrasser sur les ossements de mon propre grand-père!

— Bon, très bien, lui murmura-t-il à l'oreille. Allons nous embrasser sur les ossements du mien, alors. Il est là-bas quelque part.

— Non, dit-elle défroissant sa jupe d'un geste nerveux, se bécoter dans les cimetières, c'est bon pour les adolescents.

— Je serais ravi d'aller faire ça ailleurs. Dis-moi simplement où. »

Elle lui posa la main sur le torse.

« Sol, si nous devons nous revoir, il faut nous montrer... discrets. »

Son sourire s'effaça.

« Pourquoi ? À cause de Felix ?

— Il y a un peu de ça », reconnut-elle, se demandant comment elle pourrait jamais combler le gouffre qui séparait les deux hommes.

Il faudrait plus que du tact, plus que de la diplomatie ou de l'honnêteté, plus que les souvenirs de leur amitié ancienne, pour les réconcilier. Au mieux, ils accepteraient peut-être de conclure un pacte de non-agression, se dit-elle pleine d'espoir. Comme la Pologne.

« Je ne veux pas me montrer discret, s'agaça Sol. Et tu sais quoi ? Je n'ai pas peur de Felix. Tu le sais, d'ailleurs. Je n'ai pas peur de lui.

— Tu devrais, pourtant.

— Ah, bon sang... »

Il se détourna dans un mouvement d'humeur, puis soutint de nouveau son regard.

« Ça ne te fait rien, Jottie ? Tu n'as pas envie d'avoir ce qu'ont les autres ? Ces petites choses banales de la vie : comme sortir avec un garçon, s'embrasser, se marier ?

— Je ne suis pas privée de tout, soupira-t-elle. Et puis, au cas où tu ne l'aurais pas remarqué, Sol ; aucun des êtres chers à Felix n'a ce qu'ont les autres.

— Parfait, comme Felix ne se soucie pas de moi, je devrais pouvoir avoir ce que je veux. C'est-à-dire toi.

— Oh, mais si, il se soucie de toi, dit-elle, se faisant soudain l'effet d'être son aînée d'une bonne centaine d'années. Tu l'intéresses beaucoup.

— Oui, je sais. Il passe ses moments de loisir à imaginer de nouvelles façons de me faire mourir. Écoute-moi, Jottie... – Il lui prit son sac et le déposa sur une tombe gravée des mots : *Notre petit ange.* – ... marions-nous. Là, tout de suite. Aujourd'hui. D'accord, ce n'est pas possible aujourd'hui, mais bientôt. Envoyons tout ça promener et marions-nous, s'enflamma-t-il, la serrant contre lui. Felix finira bien par se faire une raison. Si le choc ne le tue pas. – Devant son expression, il s'empressa d'ajouter : – Je plaisante. Ne fais pas attention à ce que je dis. Épouse-moi, c'est tout. Tu veux bien, Jottie ? Je t'en prie ? Oh, bon sang, tu ne pleures pas, dis ?

— Non, murmura-t-elle, s'essuyant la joue d'un revers de main.

— On dirait pourtant des larmes, ma chérie. »

Elle secoua la tête.

« *Josie ?* »

Non, supplia-t-elle, pas maintenant ; je ne pourrai pas le supporter.

Vause se redressa sur un coude et lui sourit. Rêveuse, elle admira le jeu des lumières et des ombres sur son visage. On n'entendait que le clapotis irrégulier de la rivière sur les pierres et le léger bruissement des arbres. Il se pencha à nouveau sur elle.

« Arrête ça ! – La pointe de la chaussure de Felix s'enfonça dans l'épaule de Vause. – Arrête tout de suite, ou je te provoque en duel.

— Je vais finir par t'accrocher une cloche autour du cou, Felix, fit Vause en s'écartant à contrecœur.

— Il est jaloux, c'est tout, dit Jottie, remettant sa coiffure en ordre et tamponnant ses lèvres encore humides de baisers. Il est jaloux parce qu'il ne reste plus une seule fille en ville qui accepte de sortir avec lui.

— Tu n'es plus à jour, rétorqua son frère en s'installant sur l'herbe. Il n'y a pas une seule fille en ville avec qui je voudrais sortir.

— On pensait que tu nous rejoindrais plus tôt, dit Vause.

« — Parce que vous ignorez à quel point je suis important. — Il ôta sa veste. — Je suis un rouage essentiel du grand mécanisme de la prospérité. »

Jottie pouffa. Il citait leur père.

« J'ai toujours su que tu étais un rouage… »

Il ferma les yeux et elle remarqua alors sa pâleur inhabituelle.

« La journée était si dure ? s'enquit-elle, radoucie.

— Tout est vanité et poursuite du vent, répondit-il sans ouvrir les yeux. "Suite à votre honorée du 4 courant dont le contenu a été dûment noté, nous avons le plaisir de vous adresser six paires de bas de laine pour dame, qualité supérieure, couleur claire, par colis séparé."

— Oui, j'imagine le plaisir que cela peut procurer, compatit Vause. — Puis, après un silence. — Au moins, tu ne travailles pas pour mon père.

— "Fils, j'aimerais que tu t'occupes de ces comptes. Oui, Père." — Puis, rouvrant les yeux : — Tu n'as rien à boire ? »

Vause fouilla dans sa poche. Une flasque argentée décrivit une courbe dans l'espace et Felix l'attrapa d'une seule main. Jottie avait assisté à cette scène un millier de fois.

« Je préférerais être encore à l'armée, déclara son frère, fixant les arbres devant lui tout en frottant la flasque contre son genou. J'aimerais mieux être coincé dans la boue jusqu'à la taille, à attendre qu'un Allemand franchisse des barbelés pour me faire sauter la cervelle.

— Oh, Felix… Pourquoi… Et si tu…, commença Jottie, impuissante à trouver les mots.

— Et si je quoi ? fit-il d'un ton tranchant.

— Démissionnais. Partais. Tu n'es pas obligé de rester à la manufacture, ni même à Macedonia. Tu peux aller où tu veux.

— Très futée, ma sœur. — Il dévissa le bouchon de la flasque et but une gorgée d'alcool. — Comment n'y ai-je pas pensé plus tôt !

— Où vas-tu aller ? avança-t-elle.

— Vause ? »

Son ami le dévisagea, pensif, avant de répondre :

« Nous avions une… une sorte de plan en tête, Felix et moi. Au moment de notre démobilisation. Nous comptions partir d'ici très vite. Aller ailleurs, quelque part.

— Où ça ? insista-t-elle.

— Chicago, Ottawa…, répondit Felix en haussant les épaules.

— Ottawa ? Pourquoi Ottawa ?

— Exactement ce que je lui ai dit. Je crois qu'il y a une fille là-dessous », ironisa Vause.

Jottie s'agenouilla.

« En Californie ! »

Felix éclata de rire.

« Écoute-la donc ! Elle meurt d'envie de se débarrasser de moi. Tu veux ma chambre, c'est ça ?

— Non, non, dit-elle d'une voix suraiguë. Nous trois… partons tous les trois ! Oh, Vause ! On s'amuserait comme des fous ! »

Les garçons échangèrent un regard,

« C'est pour toi qu'il a décidé de rester », lui avoua son frère.

Elle se tourna brusquement vers Vause, découvrant après toutes ces années, passé le bref instant de choc incrédule à la vue de sa beauté, qu'il l'aimait en retour !

« Je veux partir avec vous.

— Tu es censée aller à l'université le mois prochain, lui rappela-t-il d'un ton grave.

— Je me fiche bien de l'université ! » prétendit-elle en glissant les doigts sous le revers de sa veste.

Elle mentait, bien sûr. Elle avait durement gagné son admission à la faculté. Ce devait être un tremplin, sa chance de se réinventer, l'étape qui pourrait la mener ailleurs. Mais comparé à la possibilité de s'enfuir ? De s'enfuir avec Vause ? Non, l'université ne faisait pas le poids. S'enfuir était une perspective éblouissante qui éclipsait tout le reste. Elle saisit l'autre revers de sa veste.

« Emmenez-moi avec vous ! Je t'en prie, Vause, je t'en prie, partons ensemble. Tous les trois ! »

Il jeta un coup d'œil à son ami.

« Ce ne sont pas vraiment des vacances que nous avions en tête, ma chérie.

— Ce sera pour toujours, Jottie, renchérit Felix. Sans retour possible. Si nous partons, ils tireront un trait sur nous. Papa, Maman, tout le monde. Ils nous haïront. »

Elle voyait bien que l'idée lui plaisait. Qu'il souhaitait que leurs parents le haïssent. Qu'il le croyait, au moins. Ou plus précisément : qu'il voulait que leurs parents se rendent compte que lui les haïssait, qu'il était capable d'abandonner tout ce qu'ils lui avaient donné, sans regret. Il avait envie que leur père s'effondre sous le choc.

« Peut-être pas. Pourquoi nous haïraient-ils ? Nous partons tenter notre chance ailleurs. Ils nous trouveront peut-être courageux. »

Felix secoua la tête. Il ne voulait pas de ça.

« Je vois déjà la une des journaux : "L'héritier d'une famille locale déguerpit".

— Deux héritiers. Et une fille de dix-huit ans, corrigea Vause, prenant la main de Jottie. N'oublie pas que tu n'as que dix-huit ans, ma chérie.

— Emmenez-moi, implora-t-elle. Je ne suis jamais allée nulle part. Je veux voir les orangeraies de Californie et… et… et toutes les autres choses. »

Elle n'avait aucune idée de ce que ces choses pouvaient être, mais elle les voulait. Elle les voulait désespérément.

« Et nous serons ensemble, tous les trois, et tout sera nouveau. Un nouvel endroit rempli d'inconnus – de gens que nous ne connaissons pas depuis toujours. J'en ai par-dessus la tête de Macedonia et de tous ces curieux qui nous observent, cancanent et rapportent qu'ils nous ont vus ensemble. »

Elle s'agrippa de plus belle à la veste de Vause. L'idée se déployait, de plus en plus précise dans son esprit. Le voir chaque jour de sa vie, explorer de nouveaux lieux, avec lui et Felix... Elle en brûlait d'envie. Et s'ils refusaient de l'emmener ? Si Vause insistait pour qu'elle reste et devienne une dame ? S'il partait sans elle ? Elle en mourrait !

« Je crois qu'elle veut y aller, patron », déclara Felix après avoir observé sa sœur un moment.

Vause resta silencieux, ses yeux bleus plongés dans les siens. Il dit enfin :

« Ton Papa a dit que tu devrais m'oublier.

— Le tien a dit pire sur moi et tu es encore là.

— Il peut aller au diable. Tu partirais avec moi, Jottie ? Tu abandonnerais tout ?

— Oui. – Si elle arrivait à le faire rire, il l'emmènerait, elle en était sûre. – À condition qu'on aille en Californie. Je n'ai pas envie de m'arrêter dans le Kansas ou je ne sais quel trou de ce genre. »

Il éclata de rire.

« Ça n'a rien à voir avec moi, alors ? Tu partirais avec n'importe qui si c'était pour aller en Californie ?

— Tout juste, acquiesça-t-elle. Je partirais avec Porter Spurling, s'il me le demandait.

— Porter Spurling ? répéta Vause, songeur. D'accord. Et Nels ? Tu partirais avec Nels ?

— Oui, à condition qu'il me bande les yeux avec un foulard. »

Il l'attira sur ses genoux, hilare.

« Doux Jésus, prévenez-moi quand vous aurez fini, ronchonna Felix, s'allongeant et inclinant son chapeau sur son nez pour se protéger de la lumière.

— Est-ce que tu ferais ça avec Nels ? insista Vause, avant de l'embrasser langoureusement.

— Oui, c'est mon rêve le plus cher. »

Elle sentit son sourire contre ses lèvres. C'était un oui. Folle de joie, elle se plaqua contre lui pour attiser son désir et reçut un baiser encore plus profond et passionné. C'était extraordinaire – personne n'avait jamais osé faire une chose pareille – pas à sa connaissance, en tout cas. Elle tremblait d'excitation.

« Si jamais Nels Donag fait seulement mine de te toucher, je le tuerai, lui souffla-t-il à l'oreille. Si un autre que moi te touche, je le tuerai. Tu es à moi. »

Elle hocha la tête, dans l'attente d'un nouveau baiser.

« Dis-le.

— Je suis à toi. Je serai toujours à toi », chuchota-t-elle.

Rien d'autre au monde ne comptait.

« Comment puis-je t'aimer à ce point alors que tu es si petite, murmura-t-il, en posant sa main chaude sur son ventre. Quand nous serons en Californie, nous nous marierons.

— En Californie, répéta-t-elle, ne songeant qu'au contact de cette main. Ce sera bien, là-bas, oui.

— Dans une orangeraie. Hé, toi ! Tu voudras bien être mon témoin ? lança-t-il par-dessus son épaule.

— Bien sûr, marmonna Felix sous son chapeau. Mais ça m'étonnerait que tu réussisses à tenir jusque-là. »

Vause adressa un sourire complice à Jottie avant de ramasser un caillou pour le lancer sur son ami. Il atterrit en plein milieu de sa poitrine.

« Réveille-toi. On a des choses à organiser ! »

Felix chassa le caillou de sa chemise et s'appuya sur ses coudes. Il les couva tous les deux d'un regard affectueux puis se releva d'un mouvement souple.

« Où vas-tu ? s'enquit Vause.

— Il faut bien qu'on se trouve une voiture, non ?

— Si. Et tu vas en voler une ?

— Absolument pas ! Je vais l'acheter, comme tout le monde ! Je te jure, je me demande où tu vas chercher des idées pareilles, dit-il offusqué. Je vais gagner un peu d'argent, voilà où je vais. »

Les amoureux l'observèrent dans un silence respectueux jusqu'à ce qu'il ait disparu au loin. Puis Vause s'adossa à un tronc d'arbre, *soupira d'aise et ferma les yeux, ses longs doigts entrelacés à ceux de Jottie.*

La voix de Sol la ramena brusquement à la réalité.

« Je sais qu'il est ton frère, disait-il, embarrassé.

— Non, non, ce n'est pas... Tu peux dire ce que tu veux sur Felix. Tu en as le droit.

— J'imagine que tu ne veux pas m'épouser, reprit-il, les yeux fixés sur une urne en béton débordante de raisins.

— Sol... »

Elle s'arrêta pour reprendre son souffle. La douleur était effroyable, elle avait l'impression qu'on lui avait arraché un membre. Vause n'était plus là. Il n'était déjà plus là hier et il ne serait plus là ni aujourd'hui, ni demain ni l'année prochaine ni jamais jusqu'à sa mort : des centaines, des milliers de jours à vivre sans lui. Elle leva la main à sa bouche pour étouffer un gémissement.

« Qu'y a-t-il ? » demanda Sol, plein d'espoir.

Elle fit un effort pour se ressaisir.

« Ce n'était pas très romantique... », réussit-elle à formuler.

Il parut d'abord perplexe, puis son visage s'éclaira d'un large sourire.

« C'est pour ça que tu pleures, Jottie ?

— Un peu », avoua-t-elle.

C'était vrai, oui. Et aussi parce qu'elle brûlait du désir de revoir Vause. Les deux sentiments cohabitaient. Elle n'avait jamais pensé à cet aspect des choses. Elle n'avait pas envisagé que la cicatrice se rouvrirait ainsi. Elle n'avait songé qu'à la sécurité, au calme et à la plénitude que lui procurerait une promenade dans un paysage serein, entourée par toute la sollicitude de Sol ; elle ne s'attendait pas à se retrouver sur une plaine aride parsemée par de cratères résultant de bombardements. Elle espérait la chaleur, et voilà qu'elle se retrouvait face à la mort. Elle ne s'y était pas préparée.

«Tiens, voilà, dit-il en lui essuyant doucement les joues avec son mouchoir. – Il regarda les tombes autour d'eux et inspira profondément. – Je n'ai jamais fait de demande en mariage, et je ne m'attendais pas à en faire une aujourd'hui, tu t'en doutes. – Il quêta un sourire, en vain. – J'aurais sans doute dû m'entraîner un peu. Mais je saurai me rattraper, ma chérie, tu verras. Seulement, pas maintenant, et... pas ici, ajouta-t-il penaud. D'accord?»

Elle acquiesça.

Il se pencha pour la regarder dans les yeux.

«Je suis désolé, Jottie.»

40

Layla se faufila rapidement dans la bibliothèque et referma la porte derrière elle.

« Ah, mon Dieu, s'exclama-t-elle par-dessus le vacarme. Ça dure depuis combien de temps ? »

Mlle Betts remit en place une mèche de cheveux rebelle.

« C'est le quatrième jour. »

À l'étage du dessous, le chœur redoubla.

« Solidarité, mes frères et mes sœurs ! Solidarité, mes frères et mes sœurs ! Ensemble, nous vaincrons !

— On dirait que Winslow a rejoint le CIO[1], fit remarquer Layla avec une grimace.

— Ce John L. Lewis[2] a beaucoup à se faire pardonner, dit Mlle Betts. – Elle secoua la tête comme pour se dégager les tympans. – Que puis-je pour vous, mademoiselle Beck ?

— Oh, rien. Je voudrais juste vérifier quelque chose dans les vieilles coupures de journaux. »

La bibliothécaire lui désigna un meuble métallique.

---

1. Congress of Industrial Organizations, confédération syndicale active aux États-Unis et au Canada de 1935 à 1955. (*N.d.T.*)
2. John Llewellyn Lewis (1880-1969), syndicaliste américain qui fut l'inspirateur et le président du CIO de 1935 à 1940. (*N.d.T.*)

« Servez-vous. Mais nous fermons à cinq heures, vous savez, dit-elle en jetant un coup d'œil à l'horloge.

— Très bien, très bien ! Je n'en ai que pour un instant. »

Une voix accentuant les voyelles avec un vibrato passionné s'éleva :

« Enchaînés du matin au soir à la machiiine ! Pour notre peine, des salaires de famiiine ! Solidaaarité, mes frères et mes sœurs ! Solidaaarité ! SOLIDARITÉ ! »

Mlle Betts se leva.

« Je descends dire deux mots à Hank ! »

Penchée sur le tiroir, Layla hocha distraitement la tête. « Hamilton » était un dossier assez imposant. Elle le feuilleta rapidement : Hamilton élu à la Chambre des délégués de Virginie, Hamilton achète quatre-vingts hectares, Hamilton décède à soixante-sept ans, Hamilton construit, Hamilton se marie, Hamilton encensé, Noces de Bowers-Hamilton, Hamilton arrive, Hamilton épouse, Spurling née Hamilton épouse, Hamilton investit, Héritier Hamilton accusé, Hamilton en visite à Boston, Spurling née Hamilton décède, Hamilton ex-habitant de cette ville, Passé historique de Pella, Hamilton conduit le défilé, Le grand Macédonien, Naissance de jumeaux dans la famille Nevius, ÉDITION SPÉCIALE ! MANUFACTURE DES INUSABLES AMÉRI-CAINES RAVAGÉE PAR UN INCENDIE ! VAUSE HAMILTON III RETROUVÉ MORT DANS LES DÉCOMBRES CALCINÉS !!! ...

Layla sauta les gros titres accrocheurs pour se concentrer sur l'article :

4 septembre 1920. La manufacture des Inusables Américaines a été dévastée par un gigantesque incendie qui s'est déclenché vers minuit la nuit dernière, un sinistre qui a tourné au drame quand le corps de Vause Hamilton III a été découverts sous les ruines fumantes.

Le capitaine des pompiers, Halbert Leed, a déclaré que la cause de la mort était l'asphyxie par les fumées, et a révélé l'information stupéfiante que le corps de M. Hamilton gisait près d'un sac contenant deux mille dollars, une somme manifestement prise dans le coffre-fort de la compagnie, lequel, à l'épreuve du feu, a été trouvé ouvert et entièrement vidé de son contenu ce matin, dans les décombres des bureaux de la société. M. St. Clair Romeyn, directeur de la manufacture, a certifié qu'il y avait six mille dollars en liquide dans le coffre quand il a quitté les bureaux la veille. Le chef de la police, Oscar Whiting et le capitaine Leed s'accordent à penser que M. Hamilton a «cambriolé» le coffre et l'a vidé, allumant ensuite un incendie criminel pour masquer les traces de son forfait. Un deuxième sac contenant le reste des billets a sans doute été perdu pendant la tentative désespérée d'Hamilton pour échapper aux flammes. Le corps a été découvert sous un escalier en partie préservé jouxtant la porte donnant sur Unity Street. Un long couloir reliait cette partie de la manufacture aux bureaux de la compagnie, où se trouvait le coffre-fort.

St. Clair Romeyn s'est effondré en apprenant ce cambriolage. Il a déclaré : «Il était comme un fils pour moi. Je ne peux pas croire que Vause ait fait une chose pareille.» Le jeune Hamilton était un proche camarade de M. Felix Romeyn. Ils ont fait leurs études ensemble et ont embarqué pour la Grande Guerre dans la même compagnie. Felix Romeyn, un des contremaîtres de la fabrique, a confirmé aujourd'hui les soupçons du capitaine Leed sur le fait qu'Hamilton détenait la combinaison du coffre. «Bien sûr qu'il l'avait. Il connaissait la manufacture comme sa poche », a déclaré M. Romeyn, dont le visage décomposé attestait des épreuves de la nuit.

L'incendie a été le plus important que la ville ait jamais connu. Des pompiers ont été appelés en renfort de Keyser, Leesville et White Creek afin d'aider les trois engins de Macedonia à maîtriser le sinistre, mais les vaillants efforts des équipes ont été impuissants devant la puissance effrayante des flammes, et alors que l'aube pointait, ce matin, les bâtiments de la fabrique, incluant les bureaux, les magasins, les entrepôts et les ateliers, n'étaient plus, à de rares exceptions près, qu'un monceau de ruines fumantes. Par deux fois au cours de la nuit, St. Clair Romeyn a tenté d'apporter son aide aux pompiers, mais il a été retenu par son assistant, M. Parnell Rudy. Des dizaines de badauds observaient le combat mouvementé depuis la...

Mais elle savait déjà tout ça. Cet article n'expliquait rien. Layla remit le papier fragile à sa place et passa à la coupure suivante. Mort de Vause Hamilton III, avec le même visage souriant que celui qu'elle avait vu dans *The Hellene*.

Elle parcourut la notice nécrologique :

20 ans, mort asphyxié par les fumées, corps découvert dans les décombres de l'incendie du samedi 4 septembre à la manufacture des Inusables Américaines, rentré l'an dernier des champs de bataille de France au domicile de ses parents, où il résidait au moment de sa mort, la cérémonie funèbre a eu lieu, le cercueil était porté par, outre ses parents lui survivent, inhumé à, Hamilton était probablement le plus remarquable athlète jamais produit par le lycée de Macedonia, nombreuses victoires en, capitaine de, membre de,

directeur de, président de, éditeur de, vice-président de, connu dans tout l'État pour son...

Rien.

Elle jeta un coup d'œil par-dessus son épaule et ouvrit le tiroir marqué des lettres « R-T ». « Romeyn », une chemise considérablement plus mince que celle d'Hamilton. Prochain mariage de Forrest Romeyn, Retour de St. Clair Romeyn samedi, Prochain mariage de Mlle Cappilanti, St. Clair Romeyn inaugure la manufacture des Inusables Américaines, Pas de panique aux Inusables, Naissance de jumelles chez M. et Mme Romeyn, Pas de nuages de guerre à la fête des Inusables, Le gouverneur nomme Romeyn président de la guilde du textile, Mme Romeyn va présider le thé de la Rose League, Romeyn nie toute culpabilité...

Felix Romeyn, dix-neuf ans, habitant de cette ville, a rejeté hier les accusations portées par Solomon McKubin, vingt ans, également originaire de Macedonia, selon lesquelles Romeyn aurait provoqué l'incendie qui a détruit la manufacture des Inusables Américaines le 4 septembre dernier. Dans une déposition faite au commissariat de police de Macedonia le 14 octobre, M. McKubin a déclaré que M. Romeyn était l'instigateur à la fois du cambriolage et de l'incendie qui se sont produits aux Inusables, provoquant la mort du jeune Vause Hamilton, dont le corps a été découvert dans les décombres calcinés des bureaux de la compagnie dans East Main Street. On présume que M. Hamilton était en train de cambrioler la société quand il a été asphyxié.

« Je sais que Vause n'a rien fait de tel, pas de sa propre initiative en tout cas. Cette affaire est du Felix tout craché. Peu m'importe ce qu'il dit, il ment, a déclaré M. McKubin jeudi. Je veux qu'on ouvre une enquête. Il faut qu'ils enquêtent sur Felix. Il ne peut pas s'en tirer comme ça.»

Les accusations de M. McKubin ont été rejetées hier par M. Romeyn. «Je ne sais pas ce que Sol [McKubin] veut dire. Pourquoi irais-je incendier l'usine de mon père? C'est Vause qui l'a fait, pour une raison que j'ignore. Je le prenais pour mon meilleur ami.» Il a été établi qu'au moment du sinistre, M. Romeyn se trouvait au domicile de M. Tare Russell. «Nous avons joué ensemble au billard, a confirmé M. Russell. Mon domestique a fait entrer M. Romeyn à vingt heures le soir du 3, et nous avons joué jusqu'à deux heures du matin. Il a gagné.»

M. Henry Odell, un ami de M. Romeyn ainsi que du défunt et de M. McKubin, a commenté : «On dirait que Sol est devenu fou. Je ne sais pas pourquoi il a dit tout ça.»

Le chef de la police, Oscar Whiting, promet «un examen complet et minutieux de tous les éléments de preuve» dans les prochains jours.

Layla se redressa d'un coup et la feuille de journal jaunie lui échappa des mains. Elle la rattrapa de justesse avant qu'elle ne touche le sol et la remit dans le dossier. Autre chose ? Juste une page : Mort de St. Clair Romeyn à cinquante-neuf ans. Elle explora la pile, feuille après feuille, examinant soigneusement chacune des coupures fragiles. Il n'y avait rien d'autre sur Felix. Elle regarda de nouveau dans le dossier Hamilton, sans rien y trouver de plus sur la mort de Vause Hamilton.

Elle se redressa, se massant les reins machinalement, et contempla un long moment les minuscules grains de poussière qui virevoltaient dans les rayons de lumière avant d'ouvrir le tiroir « L-M ». Il n'y avait pas de dossier sur McKubin.

Cela n'avait abouti à rien. Une accusation sans preuve. Écartée.

Tout paraissait clair, à présent. *On aurait dit que Sol McKubin était au seuil de la mort. Je n'ai jamais vu un homme pleurer comme ça.* Il était devenu fou et avait accusé Felix d'avoir provoqué l'incendie qui avait tué son meilleur ami – pas étonnant que Felix le haïsse. *Sol est un menteur.* Et, sans doute mû par un désir de revanche, Shank avait embauché Sol pour être son bras droit – une sorte de gifle en pleine figure pour les Romeyn. Ils avaient peut-être même tout manigancé ensemble pour empêcher Felix d'avoir le poste qui lui revenait de plein droit. *Et je suis certaine que le pauvre homme espérait que Felix assurerait la relève, mais, enfin, cela n'a plus été possible après...* Parce que Shank et Sol McKubin l'avaient évincé. C'était une insulte. C'était une honte.

Quelque chose la chiffonnait encore...

Emmett. Emmett était un ami de Sol. Pourquoi ?

Elle se mit à réfléchir aux complexités des liens fraternels. N'avait-elle pas entendu parler un million de fois de mésententes entre frères ? Discorde, méfiance, et surtout, jalousie. Caïn et Abel. Mais Emmett et Felix n'avaient pas l'air d'être rivaux. En fait, il semblait y avoir une réelle affection entre eux. L'hostilité pouvait néanmoins couver sous une cordialité apparente. C'était une possibilité. Nouer une amitié avec l'ennemi de son frère était peut-être une forme de déclaration d'indépendance qu'Emmett adressait à Felix. Terriblement puéril. D'un autre côté, il était le plus jeune des deux. C'était généreux de la part de Felix, cette affection qu'il lui manifestait en dépit de tout. À sa place, elle n'était pas certaine qu'elle se serait montrée aussi généreuse.

Et puis il y avait Jottie. Elle avait salué Sol à la manufacture. Ne se rendait-elle pas compte qu'il avait failli détruire la réputation de Felix ? Certes, elle était restée au côté de son frère aîné – après tout, elle s'occupait de lui et de ses enfants depuis des années –, mais ce salut désinvolte paraissait quand même un brin déloyal. Et elle l'avait traité d'inconstant ! Le pauvre était si isolé. Layla eut soudain envie de se dresser entre lui et cette solitude, de le protéger. Son meilleur ami l'avait trahi et, au lieu de recevoir du réconfort, il s'était trouvé accusé de vol sinon de meurtre. Sur un simple caprice, à en croire le journal. Et quand ? Six semaines après les faits ! N'y avait-il donc personne pour se demander pourquoi Sol McKubin avait attendu six semaines avant de porter ces accusations ? C'était ridicule ! Et pourtant, aujourd'hui encore, le soupçon subsistait. Des gens comme Mme Lansbrough continuaient à insinuer et à cancaner. De véritables roquets lancés sur ses talons. Mais peu importait ce que les autres pensaient de lui. Elle se tiendrait à son côté. Que les chiens aboient tant qu'ils veulent, Felix. Tu m'as, moi. Je te protégerai.

41

L'anniversaire de Jottie approchait, et le choix de son cadeau nous agitait beaucoup, Bird et moi. Quand nous étions petites, le plus souvent, nous lui fabriquions une crème pour le visage avec de l'aspirine et de la lotion pour les mains, ou nous allions cueillir des fleurs dans son jardin ; mais cette année, nous voulions lui offrir un vrai cadeau, un cadeau acheté. Mae et Minerva devaient nous emmener faire les magasins. Mae avait promis que ce serait une aventure, une expédition intrépide au cœur même de la ville palpitante : le Grand Magasin Krohn.

Notre argent de poche hebdomadaire s'élevait à dix *cents* chacune. Ce n'était pas beaucoup, et c'était encore moins après la quête du dimanche où nous devions nous dépouiller de la moitié. Il nous restait à peine de quoi nous acheter une glace, et encore, un cornet simple, pas un double. Il fallait économiser pendant deux semaines pour avoir un milk-shake. À dix ans, j'avais succombé à la tentation du diable et appris à plonger ma main dans la corbeille, le poing serré, pour la retirer aussitôt en gardant ma piécette bien au chaud. Mais ma conscience me tourmenta tant que je regagnai vite le droit chemin ; ce dont le Seigneur me récompensa bientôt puisque je fus embauchée pour retirer les tiques des chiens, à un *cent* la pièce. Un *cent* la pièce ! J'eus du mal à en croire mes oreilles. Mme Harvill fut ma première cliente. Elle manquait toujours de s'évanouir à la vue des tiques, surtout quand elles étaient gorgées de sang et bien accrochées à son chien, Sénèque (M. Harvill enseignait le latin). Je gagnai beaucoup d'argent avec Sénèque. Mme Harvill en parla à Mme Fox et à la mère Pucks, qui m'embauchèrent à leur tour. Puis, Harriet me demanda de m'occuper de son Touffu. C'était un vilain chien couvert de tiques ; et j'avoue que quand j'en eus terminé avec celui-là, j'étais un peu barbouillée. Mais je ne dis rien à Harriet. C'était une très gentille dame et j'avais besoin de cet argent. Mon pécule s'élevait à un dollar et soixante-huit *cents*, et j'étais prête à tout mettre dans le cadeau de Jottie.

Je savais exactement quoi lui acheter. J'avais remarqué un petit sac à main qui existait en plusieurs coloris – feuille d'automne, prune, vert d'Arabie et lie-de-vin –, et qui contenait un poudrier, un peigne et un minuscule porte-monnaie. Il y avait aussi la place pour un mouchoir. Il coûtait un dollar et quatre-vingt-dix *cents* au Grand Magasin Krohn. C'était un prix tout à fait raisonnable pour un sac aussi merveilleux, mais j'avais besoin de Bird pour compléter la différence. Or, elle ne voulait pas. Elle avait vu un film avec Myrna Loy la semaine précédente et était décidée à acheter un déshabillé en soie.

« Jottie préférerait mourir que d'être vue dans un déshabillé, lui fis-je remarquer sur le chemin.

— Tu n'en sais rien, elle n'en a pas, répliqua ma sœur, faisant tinter ses pièces qu'elle transportait dans un sac en papier.

— Pas question de mettre mon argent dans un stupide déshabillé. Attends de voir ce sac. Le vert d'Arabie est le plus beau des quatre.

— Ils vendent ces gants en faille de soie, fit remarquer Mae à Minerva.

— Trop chaud », répondit sa sœur avec une grimace.

La chaleur était effroyable. Même des dames comme mes tantes avaient de grandes auréoles humides sous les aisselles et dans le dos.

« Je transpire aussi des genoux. J'aimerais bien que quelqu'un nous prenne en voiture. »

Mais personne ne passait et nous continuâmes à marcher le long de Council Street.

« Et un parfum ?

— Ils ont des coffrets Soir de Paris, avec de la poudre et du savon », dit Minerva, songeuse.

Sa sœur fronça le nez.

« Soir de Paris...

— Ou un Coty ?

— Peut-être, oui. On va renifler pour voir. – Elle poussa un soupir. – Tu te souviens quand Vause lui apportait de l'essence de muguet ? »

Minerva se tamponna la nuque avec son mouchoir.

« Oui, oui.

— Ça sentait bon ? m'enquis-je.

— Hmm... Comme dans un rêve, répondit Mae, nostalgique.

— J'imagine qu'elle a tout jeté », dit Minerva.

Nous étions dans Prince Street à présent et Bird déclara que la seule chose au monde qu'elle désirait vraiment était une toute petite bouchée de glace, mais Minerva rétorqua qu'il n'était pas question de se relâcher.

« Krohn d'abord, le devoir avant le plaisir. »

C'était très amusant de parcourir les rayons avec elles. Jabots, manchettes, mouchoirs, gants, foulards, bas, coiffes, peignoirs, liseuses, chemises de nuit, rien ne nous échappait. Nous eûmes le droit de sentir tous les parfums que nous voulions, et je pus même essayer le nouveau bâton de rouge à lèvres que Mae s'acheta. Je l'appliquai avec soin, sans oublier la petite pointe de la lèvre supérieure. Il s'appelait Tarte aux cerises, et dans la

448

glace, je ressemblai à une dame d'au moins vingt ans de plus que moi.

« Il faut que tu l'estompes un peu, me conseilla ma tante.

— Non, je l'aime bien comme ça.

— Il n'y a que les dévergondées qui n'estompent pas leur rouge.

— Les gourgandines, confirma Minerva.

— Les filles avec des bracelets aux chevilles, renchérit Mae.

— Laissez-moi le garder, les suppliai-je. Juste un peu, s'il vous plaît. Je l'essuierai avant de rentrer à la maison.

— J'imagine que personne ne risque de te prendre pour une gourgandine, concéda Minerva. Allons jeter un coup d'œil aux bijoux. »

Mae pensait que Jottie serait contente d'avoir un médaillon.

« Elle pourrait y mettre une photo de chacune de vous.

— Ou deux de moi, dit Bird.

— Oui, une de face et une de dos », ripostai-je.

Il fallut aux jumelles une bonne vingtaine de minutes pour convaincre ma sœur que Jottie n'avait pas besoin d'un déshabillé en soie bleue, et vingt autres pour me convaincre qu'elle préférerait un pendentif au petit sac à main vert d'Arabie. Et comme le médaillon, en or véritable, coûtait quatre dollars et quinze *cents*, nous dûmes toutes participer ; mais il resta néanmoins à Minerva de quoi nous régaler d'une crème glacée.

Quand nous ressortîmes de chez Krohn, l'après-midi avait beau être bien entamé, il faisait toujours chaud comme dans un four. Quelques passants s'étaient groupés sous l'auvent du magasin, espérant y trouver un peu d'ombre.

« En parlant de ne pas se relâcher... », dit tout à coup Minerva.

Accoudé à la rambarde d'un escalier, Papa buvait une bouteille de Coca-Cola humide de condensation. Mae posa les poings sur ses hanches.

« Je te jure, Felix, si tu étais un tout petit peu plus détendu, tu aurais l'air mort. »

Il releva la tête et leva sa bouteille, tout sourire.

« Hello, les filles. Santé et prospérité.

— Tu parles. Offre-nous plutôt des glaces ! » lança Minerva.

Mae éclata de rire, mais je n'entendis pas ce qu'elle dit ensuite car le regard de Papa s'était détourné de ses sœurs pour se poser sur moi.

« Qu'est-ce que tu as fait ? » demanda-t-il, les sourcils froncés.

Je me sentis rougir jusqu'à la racine des cheveux. J'avais oublié de m'essuyer.

« Mae m'a laissée essayer son rouge à lèvres, marmonnai-je.

— Tu as l'air d'une grande personne, dit-il, me dévisageant toujours. Ah, bon sang, que je me sens vieux.

— Ne joue pas les rabat-joie, Felix, intervint Mae. C'est mignon. »

Il fit une grimace.

« Si tu le dis...

— Tu ferais mieux de t'y habituer, ajouta Minerva. C'est une grande fille. Elle va bientôt commencer à fréquenter des garçons. Sortir et danser. Et il sera bientôt temps pour toi de l'accompagner à l'autel.

— Et après ça, tu seras grand-père ! »

Les jumelles éclatèrent de rire mais Papa ne se dérida pas pour autant. Il m'enveloppait de ce regard méfiant qu'on a lorsqu'on soulève une grosse pierre pour voir ce qu'il y a dessous.

Je m'empressai de faire disparaître le rouge à lèvres d'un revers de main.

Le soleil s'était couché, mais la chaleur ne se dissipait pas. Il faisait trop chaud pour manger. Nous nous contentions de picorer sans conviction quand Jottie déclara :

« Bon, laissons tomber. »

La terrasse résonnait des grincements des fauteuils et des rocking-chairs d'Academy Street mais on n'entendait aucun «Ohé, bonsoir!» Il faisait trop chaud, même pour ça. Bird s'étendit à même le sol comme un chien. Je me laissai tomber dans un fauteuil, et le regrettai aussitôt, sentant ma peau coller à chaque fibre de rotin. Papa était assis à côté de Mlle Beck, à l'extrémité de la terrasse éclairée par la lumière du petit salon. De temps en temps, il se penchait vers elle et chuchotait, mais je n'arrivais pas à entendre ce qu'il lui disait. Minerva et Mae ne cessaient de se plaindre de la chaleur tandis que Jottie se contentait de remuer pensivement sa cuillère dans son café frappé. Je me demandai si elle pensait à son anniversaire et s'interrogeait sur le cadeau qu'elle allait recevoir de nous.

Richie et Harriet finirent par arriver, puis mon oncle Henry, et enfin, cette idiote de Marjorie Lanz, les manches remplies de ses sempiternels mouchoirs. Quand elle en tira un pour l'agiter comme un éventail, je songeai à lui dire qu'elle ne faisait que s'échauffer mais je n'en eus pas la force.

Richie parlait de la grève, d'introduire de la nourriture dans les ateliers, me semblait-il. J'écoutais seulement d'une oreille. Richie avait la voix la plus grave que j'aie jamais entendue. Comme le moteur d'un gros bateau sur l'eau. Il disait, «... Ça rend Shank complètement dingue», lorsque je vis Mlle Beck toucher le genou de Papa. Il lui adressa un sourire si doux et si chaleureux que je faillis pousser un grognement indigné. En fait, je grognai bel et bien, mais juste un petit peu.

Jottie posa son verre avec une certaine brusquerie et s'éclaircit la voix. Personne n'avait eu de geste aussi vif de toute la soirée. Tous les regards convergèrent sur elle, attentifs.

«Aujourd'hui, en France, on fête la prise de la Bastille, déclara-t-elle.

— Non, pas du tout, dit Henry, assis dans un rocking-chair, les deux pieds par terre pour ne pas se balancer. La fête de la Bastille, c'est le 14 juillet.

— La prise de la Bastille marque le début de la Révolution française, m'expliqua Jottie, sans lui prêter attention. Les pauvres gens ont forcé les portes de la prison et les prisonniers se sont rués dehors et ont coupé la tête de Louis XVI. Et celle de Marie-Antoinette, aussi. Qui avait dit : "Qu'ils mangent de la brioche."

— Ça ne s'est pas passé comme ça...

— Oh, Henry..., soupira Minerva.

— Mais c'est la vérité », insista-t-il, décidément incapable de comprendre Jottie

Les yeux pétillants, ma tante poursuivit :

« C'était un peu comme la fois où les ivrognes se sont échappés de la prison et ont envahi la bibliothèque.

— Je n'ai jamais entendu celle-là. Raconte ! » dis-je, le cœur rempli d'amour.

Papa se pencha à nouveau vers Mlle Beck :

« Si j'étais vous, je ne mettrais pas ça dans le livre.

— Chut ! » lui ordonna sa sœur en agitant un index péremptoire.

Il rit et se renfonça sagement dans son fauteuil.

« Bon, reprit-elle alors. Tout a commencé parce que le maire, M. Tapscott, trouvait que les prisonniers mangeaient trop...

— Ce qui était vrai, intervint Henry.

— Qu'est-ce que ça veut dire, "trop" ? Tu n'as jamais connu la faim de ta vie.

— Si, corrigea Minerva. Il a failli mourir d'inanition une fois, à Pittsburgh.

— Ah oui, *Pittsburgh*... » ricana Jottie.

Les jumelles s'étranglèrent avec leur café.

« Tu disais, Jottie ? fit Richie, très solennel.

— Je disais que le maire Tapscott pensait – à tort ou à raison, qui saurait le dire – que les indigents dépensaient toutes leurs allocations sociales en alcool frelaté, pour se donner la force de troubler l'ordre public et bénéficier ainsi de repas gratuits en prison.

— Ce qui est parfaitement exact, dit Henry.

— Il a donc réduit leur ration quotidienne à un demi-navet et un morceau de pain frotté de lard.

— C'est tout à fait inexact, protesta Henry, indigné. Ils avaient...

— Ah, non, je me trompe ! Ils avaient aussi droit à un verre d'eau. Bien entendu, au bout d'une journée de ce régime, ils étaient déjà affamés comme des ours, et au bout de deux jours, ils ont commencé à grignoter leurs semelles. C'est là qu'ils ont décidé de se révolter. »

J'étouffai un rire.

« Ils se sont révoltés comment ?

— Eh bien, ils ont commencé par maîtriser le gardien – une simple formalité puisque c'était Dale Purlett, et qu'il n'a qu'un pied –, et puis ils se sont rués dans la bibliothèque. Là, ils ont pourchassé Mlle Lucinda Mytinger jusqu'aux toilettes, où ils l'ont enfermée à double tour. Ensuite, ils ont pris tous les livres sur les étagères et ils les ont mélangés.

— Et raconte ce que tu as fait, dit Papa, les yeux brillants de malice.

— J'ai rassemblé un groupe d'amies et nous sommes allées chanter des cantiques sur le trottoir en contrebas. Nous pensions qu'un chœur de voix angéliques les amènerait peut-être à se repentir de leur conduite coupable.

— C'est ce qu'ils ont fait ? questionnai-je.

— Ils nous ont jeté des livres à la figure en nous disant d'aller au diable. »

Tous – sauf Henry – éclatèrent de rire.

« Cette famille est complètement folle, bougonna-t-il.

— Trop tard, dit Minerva. Tu en fais partie, maintenant. »

42

« Au revoir, ma chérie ! lança Harriet d'une voix chantante, disparaissant dans la nuit, accrochée au bras de Richie.

— Regarde où tu mets les pieds », lui grommela celui-ci de sa voix de basse.

Jottie ferma les yeux, s'adossa à son fauteuil, et écouta le claquement des talons hauts d'Harriet s'éloigner dans Academy Street.

« Elle finira par se casser la cheville, murmura-t-elle.

— Elle est un peu imposante pour porter ce genre de talons, convint Layla en bâillant. Je vais débarrasser les tasses à café, proposa-t-elle sans conviction.

— Allons, restez assise une minute. Je crois avoir senti un souffle d'air.

— C'était moi, quand j'ai ouvert la porte, lança Felix, apparaissant coiffé de son chapeau.

— Où allez-vous ? » demanda Layla en s'efforçant de prendre un air dégagé. Elle distinguait l'éclat lumineux de son sourire dans la pénombre.

« Voir des amis.

— Maintenant ?

— Ma foi, oui.

« — Avez-vous besoin de compagnie ? s'enquit-elle, s'étirant un peu pour montrer ses jambes.

— Ma foi, non. »

Il jeta un rapide coup d'œil autour de lui puis il se pencha pour l'embrasser et s'écarta aussitôt, sans lui laisser le temps de le retenir.

« Les filles de votre âge ont besoin de sommeil. Allez vous coucher, il faut que je parle à Jottie. »

Elle se leva sans enthousiasme, sa main s'attardant le plus longtemps possible dans celle de Felix.

« Je ne suis même pas fatiguée, dit-elle avec une moue boudeuse.

— Tant pis. – Il lui sourit et lui posa un pouce sur les lèvres. – Allez, au lit. »

Quand elle fut rentrée dans la maison, il se tourna vers Jottie.

« Réveille-toi.

— Je ne dors pas, dit-elle en ouvrant les yeux. Je m'efforce juste de maintenir un voile de décence.

— Tu n'as qu'à avoir des pensées plus saines, rétorqua-t-il en riant.

— Mes pensées sont tout à fait saines. Ce sont les tiennes qui laissent à désirer. – Elle se redressa. – Que veux-tu ? »

Un éclair silencieux zébra le ciel, illuminant la modeste véranda.

« Combien d'argent te reste-t-il ? demanda-t-il de but en blanc.

— Quatorze dollars et quatre-vingts *cents*.

— Ah, mince... C'est tout ?

— Tout ce que j'ai ici, oui. Si tu attends demain, je pourrai aller à la banque.

— Non. Je ne peux pas attendre. Donne-m'en dix.

— Tu peux tout prendre. »

Il secoua la tête d'un air buté.

«Non, dix dollars suffiront.»

Ce qui signifiait qu'il ignorait ce qui l'attendait. Quand il ne voulait pas la laisser sans argent, c'était ça que ça voulait dire. Elle se raidit.

«Ne fais pas ça... – Il haussa un sourcil interrogateur. – Ne fais rien de mal.

— Je ne fais jamais rien de mal.

— Je vais chercher mon sac», se contenta-t-elle de répondre.

Quand elle revint, il observait la rue, les mains dans les poches.

«Merci, dit-il, acceptant les deux billets qu'elle lui tendait. Je te rembourserai.

— Je sais. – Elle le regarda ouvrir son portefeuille. – Felix?» tenta-t-elle d'une voix hésitante.

Il grogna.

«Tu ne pourrais pas la laisser tranquille?»

Il releva la tête, surpris.

«Qui ça?

— Layla, pardi!

— Ah. Je ne savais pas que je l'embêtais.

— Arrête. Elle est folle de toi.

— Non, vraiment?

— Ne plaisante pas. Elle est amoureuse de toi, insista Jottie en essuyant la sueur qui perlait sur sa lèvre.

— Elle est si mignonne.

— Elle croit que tu vas l'épouser.

— Alors elle va avoir une grosse surprise.»

Un nouvel éclair silencieux traversa le ciel.

«Ne lui brise pas le cœur, Felix. Je t'en prie.

— Jamais je ne ferais une chose pareille, dit-il, ouvrant de grands yeux.

— Hum! Et que comptes-tu faire?

— Moi? Sortir.

— Pour Layla, Felix ! »

Il se pencha et lui murmura à l'oreille :

« La mettre dans mon lit à la première occasion. »

Elle lui saisit le bras.

« Non ! Pour l'amour du ciel, laisse-la tranquille !

— Qu'est-ce que ça peut te faire ? demanda-t-il agacé.
Depuis quand te soucies-tu plus d'elle que de moi ? »

La tension montait mais elle ne comptait pas en rester là.

« C'est une fille bien. Elle ne mérite pas de voir sa vie gâchée.
Pour une fois, Felix, aie un peu de pitié !

— De la pitié ? Elle n'a pas besoin de pitié. Et laisse-moi te
dire une chose, Jottie, coucher avec moi ne gâchera pas sa vie.
Tu ne sais rien de ces affaires-là.

— Si, j'en sais quelque chose : j'ai eu le cœur brisé, j'aurais
voulu mourir. Je ne souhaite pas à un chien de vivre ce que j'ai
vécu. »

Il prit une profonde inspiration.

« Ce n'était pas moi.

— Je ne dis pas que c'était toi. C'était Vause. Mais je sais de
quoi je parle. S'il te plaît, Felix ? Tu ne peux pas la laisser tranquille ? »

Il contempla un instant la profonde obscurité de la rue, puis
baissa les yeux sur Jottie et lui tapota doucement l'épaule.

« Tu te fais trop de souci. »

Elle avait échoué. Encore une fois. Comme toujours.

« Tu ne t'en fais pas assez, rétorqua-t-elle, lasse.

— Mais si, éluda-t-il en s'éclipsant à la faveur d'un éclair.

— Sois prudent ! » lança-t-elle dans son dos.

Elle distingua encore un instant sa silhouette sur le trottoir
avant que les ténèbres ne l'engloutissent. C'est peut-être la dernière fois que je le vois, songea-t-elle, avec un étonnant petit
frisson de soulagement.

9 – non, 10 août 1938

Chère Rose,

Tu voudras bien excuser mon écriture, ma chérie, quand je t'aurai dit que ce n'est pas la boisson mais l'amour qui fait trembler ma main. Mon estomac fait les montagnes russes, et je ne peux rien avaler – bien que ce soit peut-être à cause de la chaleur. Ressens-tu la même chose pour Mason ? Si c'est le cas, je me demande comment tu arrives à jouer au tennis comme tu le fais. En ce moment, je serais incapable de toucher une balle quand bien même ma vie en dépendrait.

Oh, Rosy, jamais, pas un instant, je n'aurais imaginé que je pourrais un jour ressentir cela : me sentir comme liée par le sang à un autre être humain. Ce serait terriblement inquiétant si ce n'était pas aussi merveilleux – je perçois sa présence dès qu'il pénètre dans une pièce, mes sens sont soudain décuplés, et pour la première fois de ma vie, je crois vraiment à l'évolution, parce que tout cela est *instinctif, chez moi* –, il doit se trouver un loup parmi mes ancêtres pour que je puisse ainsi avoir une conscience aiguë du moindre de ses mouvements. Et il y a toute cette tendresse, aussi, ce désir farouche de le protéger. Je crois, ma chérie, que je suis – enfin – en train d'apprendre ce que c'est que de tenir à un autre être plus qu'à soi-même et d'être chère à quelqu'un. Il veille sur moi, si calme et serein, si généreux et indulgent – tu verras comme il est merveilleux quand tu feras sa connaissance. Et toi, toi seule, sauras ce qui nous lie. Parce que personne d'autre n'est au courant, ma chérie. En apparence, aux yeux du monde, nous sommes des camarades. Mais en profondeur, nos cœurs palpitent. Nos regards se croisent, et c'est délicieux de partager ce secret – personne d'autre ne peut voir les fils invisibles qui nous attirent toujours plus près l'un de l'autre.

L'émotion est si forte que je crains que mon cœur n'éclate, parfois.

Quand je pense que j'ai supplié Ben de ne pas m'envoyer à Macedonia, je suis contente qu'il me déteste, contente que Père m'ait coupé les vivres, contente même qu'il ait voulu me marier à Nelson. Mais bien sûr, il ne faudrait surtout pas leur dire à quel point je suis heureuse. Ils désapprouveraient mon bonheur. Je suis ici pour apprendre à la rude école de la vie, pour affronter les dures réalités et m'en sortir par mes propres moyens. Voilà pourquoi, au cours des prochaines semaines, tu devras garder mon secret telles les cryptes ceux des pharaons et manger cette lettre si jamais quelqu'un menaçait de la lire. Ne t'inquiète pas, je ne t'obligerai pas à l'emporter dans la tombe, car j'ai échafaudé un plan astucieux pour amener Felix à la réception qui sera donnée pour les fiançailles de Lance. (Tu es au courant, n'est-ce pas ? Mère ayant juré qu'elle n'en parlerait à personne, je m'attends à ce que la moitié de Washington – toi comprise – ait déjà été invitée.) Ainsi, tu pourras le rencontrer et Père également. J'aurai alors la divine satisfaction d'observer mon père lorsqu'il découvrira que son projet pour me rendre la vie impossible a échoué et que mon bonheur ne dépend plus de lui – mais de Felix.

Ah, mon Dieu, regarde-moi tous ces tirets ! Ne t'inquiète pas, ils trahissent davantage le rythme des battements de mon cœur que le nouveau style de ma prose. Mon livre avance à grands pas, même si ma machine à écrire semble affectée par un esprit frappeur. Je pense qu'il s'agit d'un fantôme des confédérés offusqué par mes sympathies pour l'Union. Malgré tous mes efforts pour rester impartiale, je pousse un petit cri de triomphe chaque fois que les troupes nordistes se montrent plus rusées que les rebelles qui ont mené des raids dans cette partie de l'État.

Cape May est-il merveilleusement frais et venteux ? Je t'envierais bien, sauf qu'il n'y a pas de Felix Romeyn à Cape May.

Avec mon affection,

Layla

P.S. : Peux-tu m'imaginer en belle-mère ? Je dois te l'avouer, moi pas. Toutes celles dont j'arrive à me souvenir ont aussitôt essayé d'empoisonner leurs nouveaux enfants, ce qui semble un peu excessif. Je crois que je tenterai une approche plus modérée.

43

L'anniversaire de Jottie devait avoir lieu le vendredi suivant. Aussi, le jeudi, Minerva, Mae, Bird et moi, nous étions enfermées à double tour dans la cuisine pour y préparer un gâteau. Seulement, il y avait un problème : Jottie était la seule qui sache faire la cuisine. Mae et Minerva fumaient comme des locomotives en étudiant une vieille recette jaunie découpée dans un journal tandis que Bird et moi courions dans tous les sens pour sortir les ingrédients des placards.

« Mélangez les ingrédients secs, lut Mae. Avec quoi ? »

Un peu plus tard, quand Mlle Beck nous rejoignit, force fut de constater qu'elle n'en savait pas davantage que nous en la matière. Elle nous suggéra néanmoins d'allumer le four, mais Mae protesta qu'il faisait trop chaud et qu'elle préférait attendre la dernière minute.

Tout semblait plutôt bien engagé avant d'enfourner le gâteau puis quelque chose d'imprévu se produisit. La recette parlait d'une consistance « mousseuse », mais sans doute pas dans un sens aussi littéral. Nous contemplions la chose qui débordait du moule quand Bird déclara :

« De toute façon, Jottie préfère les glaces. »

Les jumelles éclatèrent de rire. C'est alors que Jottie nous cria à travers la porte que nous n'aurions rien à dîner si nous ne la laissions pas bientôt entrer, et que Minerva décida de nous donner de l'argent, à ma sœur et à moi, pour que nous achetions de la crème glacée chez Statler le lendemain après-midi. À ce moment-là, elle et Mae auraient regagné leurs maisons respectives, mais elles estimèrent que nous étions assez grandes, qu'elles pouvaient compter sur nous pour ne pas nous enfuir et dépenser tout l'argent avec des danseurs de music-hall. Puis, elles se remirent à fumer comme des pompiers en critiquant notre manière de faire la vaisselle.

Le lendemain matin, quand je me levai, il faisait déjà chaud, tellement chaud et lourd qu'on pouvait à peine respirer. Tout était immobile et silencieux. J'imagine que les oiseaux souffraient trop de la canicule pour avoir envie de chanter. J'étais si triste qu'ils ne gazouillent pas pour l'anniversaire de Jottie, que j'entonnai « Sifflez en travaillant », en descendant l'escalier. J'arrivai même à faire les parties sifflées. Jottie disait que j'étais de la graine de phénomène.

Il était encore très tôt. Ma tante avait abaissé les stores pour empêcher la chaleur d'entrer, mais en vain : la cuisine était illuminée d'une couleur jaune vif. On aurait dit que le monde était en feu de l'autre côté des stores. Elle me servit un bol de céréales et s'assit pour me tenir compagnie pendant que je mangeais. Je n'arrivais pas à comprendre comment elle pouvait boire du café dans une pareille fournaise.

Les autres arrivèrent peu après. Bird d'abord, qui embrassa Jottie en disant qu'elle plaignait les adultes, parce que personne ne s'intéressait à leurs anniversaires, puis Mae et Minerva, qui bâillèrent et lui chantèrent « Joyeux anniversaire » en buvant leur café. Papa était en voyage d'affaires. Il était parti le soir où Jottie nous avait parlé de la Bastille, après que nous étions montées nous coucher. N'y tenant plus après les avoir écoutées un moment se plaindre de la chaleur, Bird et moi apportâmes le médaillon, tout bien enveloppé de papier de soie rouge. Jottie déclara qu'elle n'avait jamais vu un si bel objet de sa vie. Elle se l'attacha aussitôt autour du cou, même si elle allait devoir l'enlever pour y mettre nos photos – elle savait exactement lesquelles, nous dit-elle – et nous serra toutes dans ses bras. Bird marmonna quelque chose à propos de déshabillés en soie, mais elle voyait bien que Jottie était contente de son médaillon. Mlle Beck arriva sur ces entrefaites et lui souhaita aussi un bon anniversaire. Elle lui offrit un mouchoir avec une rose brodée dessus – ce qui n'était pas si mal comme cadeau, supposai-je.

Les effusions durèrent encore un peu, et puis il fut temps de commencer la journée pour de bon. Minerva alla prendre un bain et Jottie servit des céréales à Bird et à Mlle Beck. Henry passa la tête par la porte de service et annonça qu'il ferait jusqu'à trente-neuf degrés dans l'après-midi. Il l'avait lu dans le journal, avec une histoire sur des vaches mortes d'insolation.

« Mes meilleurs vœux pour cette belle journée, Jottie », ajouta-t-il et il se fâcha en nous voyant toutes éclater de rire.

Après son départ, Mae alluma sa première cigarette.

« Il y a intérêt à ce que cette journée soit la plus chaude de l'année, dit-elle.

— Ou sinon ? demandai-je.

— Ou sinon, je rends les armes. »

Bird et moi restâmes cloîtrées dans la maison toute la matinée, retardant le plus possible le moment où nous aurions vraiment trop chaud. Tant que nous resterions dans la pénombre sans bouger, nous éviterions de suer à grosses gouttes. Essayant la buanderie de ma grand-mère – je ne me souvenais pas d'y avoir passé plus de cinq minutes dans ma vie – nous nous y allongeâmes par terre. On tenta ensuite le vieux salon abandonné, plein de poussière et de meubles noirs. Il y faisait plus frais que dans le reste de la maison, et quand je posai ma joue contre le plateau de marbre d'une petite table, je ressentis une brève sensation de fraîcheur sur ma peau. Bird s'allongea sur le canapé en crin pour voir combien de temps elle pourrait tenir sans se gratter. Elle prétendit ensuite avoir tenu une minute, mais elle mentait.

Nous ne transpirions pas mais nous mourions d'ennui, si bien qu'après le déjeuner, il fut décidé que nous sortirions voir ce que faisaient les frères Lloyd. Nous espérions les surprendre en train de jouer avec un tuyau d'arrosage, mais nous fûmes déçues : Jun, Frank et Dex creusaient une tombe. Ils comptaient enterrer vivant leur petit frère Neddie. J'avais du mal à respirer rien qu'à les regarder soulever de grosses mottes de terre au milieu de l'herbe piétinée du jardin. Mais pas Bird. Elle trouvait l'idée formidable et proposa de leur servir de cobaye tandis que j'allais m'effondrer à l'ombre pitoyable de leur vieil érable. Pas une feuille ne bougeait sur les branches quand je levai la tête. Pas une. À travers le feuillage, le ciel était gris clair comme du métal chauffé à blanc et toutes les couleurs du jour avaient pâli.

Bird me rejoignit en sautillant, couverte de sueur.

« Jun veut bien m'enterrer vivante ! s'écria-t-elle, aux anges.

— C'est une blague, dis, Jun ?

— Hum, hum », se contenta-t-il de me répondre en secouant la tête avant de pelleter à nouveau la terre.

Je me relevai en soupirant. La sueur ruisselait le long de mon dos. Il faisait trop chaud pour se battre.

« Tu n'as pas intérêt à faire ça, Jun Lloyd. Elle mourrait étouffée.

— Oh, *Willa*, protesta Bird. Arrête de t'en prendre à nous. »

Jun avait douze ans, comme moi, mais il était costaud. Il me flanquerait sans doute un œil au beurre noir. Mon seul espoir était que son père lui ait appris qu'on ne frappait pas les filles.

« Il m'a donné une paille en verre pour respirer, ajouta ma sœur qui me la tendit. Tu vois ? »

Oh.

Je regardai un instant les épaules des garçons se soulever et s'abaisser, à mesure qu'ils retournaient la terre. Ils s'amusaient bien, même s'il faisait cent degrés. Et Bird n'était pas en reste. Elle gambadait autour du trou, leur indiquant les pierres qu'ils devaient retirer pour qu'elle puisse s'allonger confortablement dans sa tombe. Ils étaient tout joyeux : j'avais l'impression qu'ils étaient d'un côté d'une fenêtre et moi de l'autre. Je réfléchis un moment sous mon arbre. Peut-être était-ce le résultat de tout ce temps passé à fouiner et à espionner ? J'étais peut-être devenue une espionne à vie.

« Bon, évitez de la tuer, au moins », lançai-je par-dessus mon épaule en retraversant la pelouse.

Je me dirigeai à pas lents vers la maison. À l'intérieur, tout serait calme et sombre et je pourrais écouter les rouages de la pendule égrener les heures de l'après-midi. J'ouvris la porte sans faire de bruit, afin de ne pas troubler la sacro-sainte sieste de Jottie. Elle était installée dans son fauteuil rose, les yeux fermés, une main sur le livre posé sur ses genoux. Je traversai la pièce sur la pointe des pieds si précautionneusement qu'elle ne frémit même pas.

Une fois dans la cuisine, je passai un peu la tête dans le réfrigérateur et en profitai pour me glisser trois glaçons dans la bouche. Je me retournai après avoir refermé la porte, quand je vis l'argent sous le sucrier. Il y en avait beaucoup, cette fois. Presque une liasse. Papa était à la maison, il dormait, songeai-je heureuse. Jottie dormait aussi. J'étais la seule de toute la maisonnée à être éveillée. J'étais seule pour veiller sur eux.

C'est alors que le téléphone sonna.

*

Jottie se réveilla en sursaut, saisie de terreur.
Oh. Le téléphone.

Elle avait encore le souffle court quand elle décrocha.

« Allô ?

— Joyeux anniversaire, ma chérie.

— Qui est à l'appareil ? demanda-t-elle interloquée.

— C'est moi, Sol. Tu dormais ? »

Elle pouvait entendre le sourire dans sa voix.

« Non, non, je ne dormais pas.

— Tu as l'air un peu ensommeillée.

— Tu me traites de paresseuse ?

— Jottie. C'est ton anniversaire.

— Comment le sais-tu ?

— Je m'en suis souvenu.

— C'est vrai ?

— Pendant toutes ces années, je m'en suis toujours souvenu, mais c'est la première fois que je peux faire quelque chose pour. Joyeux anniversaire.

— Merci. – Elle ferma les yeux pour mieux se le représenter. – Où es-tu ?

— Hein ? Dans mon cabinet de travail.

— Tu as un *cabinet de travail* ? »

Elle rouvrit les yeux sous le coup de la surprise.

« Euh, oui. Tu te souviens de la maison, non ? »

Oh. Le cabinet de son père. Mais quand même, Sol, dans un cabinet de travail...

« Écoute, Jottie...

— Tu ne fumes pas la pipe, au moins ? s'enquit-elle, soupçonneuse.

— Jottie, écoute-moi. J'ai eu une idée. Et si nous faisions une excursion... toi et moi. Pour ton anniversaire.

— Une excursion ?

— Un voyage.

— Un voyage ? »

Que lui racontait-il ?

«J'ai pensé que nous pourrions peut-être aller à Charles Town. Il y a la foire hippique en ce moment et je me suis souvenu que tu aimais beaucoup les courses de chevaux. C'est toujours le cas ? demanda-t-il, inquiet.

— La foire hippique ! s'exclama-t-elle avec enthousiasme. Ça fait *des années* que je n'y ai pas mis les pieds.»

Il s'en était souvenu. Il s'en était souvenu et voulait l'y emmener. Sol était merveilleux. Et Felix le chat n'était pas là. Les souris pouvaient danser, songea-t-elle, amusée par sa propre plaisanterie. De toute façon, il ne l'avait pas volé, se dit-elle en repensant à leur dernière conversation. Que le diable l'emporte. Elle avait le droit d'y aller. C'était son anniversaire, après tout.

Sol interrompit le fil de ses réflexions.

«J'ai pensé que nous pourrions en faire de vraies vacances. Dîner au restaurant, et même dormir sur place. Alors j'ai réservé des chambres à l'hôtel Jefferson. Deux chambres... séparées, bien entendu. C'est un hôtel très agréable..., je me suis dit que nous pourrions... prendre du bon temps. Ensemble.»

Elle ne dit rien. Il voulait réitérer sa demande en mariage. Enfin, cette fois, elle serait préparée. Elle ne souffrirait pas autant. Vause n'occuperait pas ses pensées. Non, Vause était un menteur, elle le bannirait de son esprit. Il n'y aurait que Sol, cette fois, et elle serait heureuse.

«Jottie ?

— C'est très gentil de ta part. Je serais ravie de t'y accompagner.

— Vraiment ?»

La voix de Sol monta dans les aigus.

L'image de Felix s'interposa soudain, mais elle la repoussa avec indignation. Quel droit avait-il de lui dicter sa conduite ? Aucun. Sol ne lui avait menti qu'*une seule fois* – pas même menti en réalité : il s'était trompé. Felix avait menti à toutes les femmes qu'il avait connues.

467

«Oui, vraiment, confirma-t-elle.

— Je me suis assuré que Felix n'était pas là avant de t'appeler.

— C'était très malin de ta part. »

Ils restèrent silencieux un moment, puis Sol reprit :

« J'arrive de suite.

— Tu veux dire immédiatement ? s'écria-t-elle.

— Euh... oui. Mais on peut partir plus tard si tu veux. »

Écoutez-le : prêt à changer ses plans pour lui faire plaisir ! Elle éclata d'un rire joyeux.

« Non, c'est bien. Parfait. Mais je préfère te rejoindre, Sol, si tu veux bien. Je te retrouverai à l'angle de Winchester Avenue et de Morgan Street. Devant Maple Shade. D'accord ?

— Dans combien de temps ? »

Elle jeta un coup d'œil à l'horloge, sentant son cœur s'emballer à l'idée de cette aventure, cette escapade, cette évasion.

« Dans une heure. Le temps de tout organiser avec les filles et j'arrive. »

Elle raccrocha avec la sensation d'avoir presque le sourire de Sol dans l'oreille.

« Willa ! Bird ! » appela-t-elle.

*

J'avais compris que c'était M. McKubin avant même qu'elle prononce son nom. Elle chuchotait dans le téléphone, elle ne parlait jamais aussi doucement, d'habitude. Et je compris aussi qu'elle allait partir : à cause de ce qu'elle avait dit sur la foire hippique. J'aurais bien aimé pouvoir l'accompagner. J'aimais bien regarder les chevaux racés, galopant sur la piste dans un grondement de sabots, et les jockeys dans leurs habits de soie aux couleurs vives.

Je gagnai l'entrée et m'adossai au mur.

Jottie était toujours immobile devant le téléphone. Soudain, elle se retourna et m'adressa un drôle de petit sourire.

« Willa, ma chérie, j'ai un secret à te confier. Tu dois me promettre de ne le répéter à personne. »

Je hochai la tête pour faire bonne mesure et ajoutai : « Croix de bois, croix de fer.

— Je pars pour la foire hippique de Charles Town.

— Pourquoi c'est un secret ? »

Elle fronça le nez.

« Parce que je te le dis.

— Parce que tu y vas avec M. McKubin ?

— Et comment as-tu deviné, cette fois ?

— Je t'ai entendue l'appeler Sol. C'est bien son prénom, n'est-ce pas ?

— Oui, mais ne le répète à personne. Même si je ne vois pas vraiment à qui tu pourrais le dire. »

J'acquiesçai, revoyant Mme Jungle Gardenia le jour du grand défilé. « Une bonne chose que ce vieux Felix ne soit pas là. » Jottie s'imaginait que Papa était en voyage, mais il était rentré, et j'étais la seule à le savoir.

« Voici ce que nous allons faire, ma chérie, reprit-elle précipitamment en fouillant dans un tiroir pour trouver un crayon. Je vais laisser un mot à Minerva pour lui expliquer que je me suis mis en tête de rendre visite à Irene à Moorefield – une petite sortie d'anniversaire –, et que j'aimerais que ta sœur et toi restiez chez elle en mon absence. Vous pouvez vous y rendre à pied. Tu veux bien mettre ta brosse à dents et ta chemise de nuit dans un petit sac, avec celles de Bird, pendant que je rassemble mes affaires ? Où est-elle, à propos ?

— Chez les Lloyd. Je ne peux pas t'accompagner ? Je ne t'embêterai pas. »

Elle se baissa pour me serrer dans ses bras.

« Tu ne m'embêtes jamais, ma chérie. Mais pas cette fois. La prochaine, c'est promis. J'y fais juste un saut, je serai de retour demain après-midi au plus tard. La prochaine fois, nous y resterons plus longtemps, toi et moi, et nous parierons sur chaque course. – Elle prit ma main et me balança le bras. – Allons faire nos valises, ensuite j'écrirai à Minerva. »

Une pensée me traversa tout à coup l'esprit, mais je la gardai pour moi.

« Qu'est-ce qu'on fait pour Mlle Beck ? me contentai-je de demander.

— Oh, eh bien...

— Eh bien ? répétai-je de mon air le plus innocent. Pour son dîner ? »

Jottie me regarda de travers

« Voilà que tu t'inquiètes pour le dîner de Mlle Beck.

— Tu es censée lui fournir le gîte et le couvert, non ? insistai-je, la mine sévère. J'essaie juste de t'éviter des ennuis.

— Heureusement que je t'ai, dit-elle avec un grand sourire qui me rappela Papa. Je vais lui laisser un mot, à elle aussi. Cela te convient-il ?

— Oui, sans doute. »

Une idée prenait forme dans ma tête.

Ma tante hocha la tête, distraite, et se dirigea vers l'escalier, d'un pas presque dansant.

Je la suivis à l'étage et posai quelques affaires sur mon lit. Chemise de nuit, brosse à dents, dentifrice. Jottie fit irruption dans ma chambre alors que je n'en étais qu'à la moitié ; elle fourra tout dans une petite valise avec les affaires de Bird avant de m'entraîner en bas.

Là, elle me tendit une enveloppe sur laquelle elle avait juste écrit « Minerva ».

« Bien. Quand elle te demandera ce qui se passe, tu lui expliqueras que je ne tenais plus en place et que j'ai appelé

Irene. Elle n'aura jamais l'idée de demander un appel interurbain. Dis-lui que j'ai prévu de passer vous récupérer demain, ta sœur et toi. Et que c'est un caprice d'anniversaire. – Elle soutint mon regard. – Et pas un mot sur... M. McKubin, entendu ?

— J'ai promis de ne rien dire. »

Elle posa une autre enveloppe sur la table de l'entrée. Celle-là était adressée à Layla.

« Tu as pris ton médaillon ? »

J'avais envie de m'accrocher à sa jupe, comme je le faisais autrefois.

Elle me sourit. Il était bien là, brillant sur le devant de sa robe.

« Tu veux que je te montre ? »

Je fis oui de la tête.

Elle s'assit et glissa son ongle dans la fente pour l'ouvrir. Il y avait une photo de Bird avec son menton volontaire, d'un côté, et moi de l'autre. Je ne souriais pas.

« Je t'adore là-dessus, dit-elle en tapotant la photo.

— Pourquoi ?

— Parce qu'on dirait que tu réfléchis à une chose intéressante. Et sans doute parce que tu me ressembles, aussi ; ça me rend fière. »

Elle referma le médaillon et me tendit la main. Je la pris dans la mienne.

« C'est une chance que vous me l'ayez offert aujourd'hui, déclara-t-elle en se relevant. Chaque fois que tu me manqueras, je n'aurai qu'à l'ouvrir et regarder à l'intérieur. »

Je détournai les yeux.

« Peut-être que je ne te manquerai pas.

— Si, tu me manqueras, affirma-t-elle, serrant ma main plus fort.

— Tu reviens demain, dis ? »

Ma voix n'était pas très assurée. J'étais habituée aux absences de Papa, mais pas de Jottie. J'avais l'impression que l'air me manquait.

« Promis.

— Tu n'es jamais partie avant.

— Je sais. Mais tu peux te fier à ma parole, non ? Ai-je déjà failli à une promesse que je t'avais faite ? »

Je fis un effort pour me souvenir. Elle ne me promettait jamais grand-chose à part : « Tu le regretteras si tu fais ceci ou cela. » Et, jusqu'à présent, elle avait toujours eu raison. J'acquiesçai.

« Tout va bien, alors. – Elle se baissa pour me faire face. – Tout va bien, n'est-ce pas ? – J'étais incapable de parler, je fis oui de la tête. – Bon, alors j'y vais. Va chercher Bird, et filez chez Minerva, d'accord ? »

Je lui adressai un autre oui muet. Elle déposa un baiser sur ma joue et sortit, sa petite sacoche à la main.

« Dieu tout-puissant, souffla-t-elle, sentant la chaleur l'envelopper. Quelle *journée*... »

Elle avait l'air heureuse, cependant. Elle me sourit une dernière fois et disparut.

Mon écriture était plutôt jolie, mais ce n'était rien comparé à celle de Jottie. La sienne était parfaite, sauf qu'on n'arrivait pas à la lire. Elle m'avait avoué un jour que c'était sa revanche contre un professeur de calligraphie qu'elle avait détesté.

Je m'exerçai un long moment à imiter ses boucles, ses déliés et les petits traits incompréhensibles qu'elle ajoutait au-dessus des mots. Mais rien à faire : c'était encore lisible. Enfin, peut-être que Minerva ne remarquerait rien.

Je tirai mes affaires de la petite valise, rabattis le couvercle sur celles de Bird, et sortis par la porte de devant que je refermai soigneusement derrière moi pour empêcher la chaleur d'entrer. Appuyés à leurs manches de pelle, Jun et Frank Lloyd examinaient le trou qu'ils avaient creusé. Je ne voyais ma sœur nulle part.

«Où est Bird?» leur criai-je en approchant.

Ils me jetèrent un rapide coup d'œil avant de contempler à nouveau leur œuvre.

Une petite voix s'éleva alors de la fosse.

«Elle n'est pas assez grande!

— Parce qu'elle n'est pas pour toi. Elle est pour Neddie, rétorqua Jun, comme s'il l'avait déjà dit plusieurs fois.

— Je suis votre cobaye, tout de même, protesta Bird. Je ne peux même pas m'allonger.

— Elle est bien assez grande pour Neddie, insista Frank.

— Il faut enlever encore un peu de terre là!

— Et si tu la fermais un peu?» hurla Dex.

Il était assis sous un arbre, l'air à moitié fondu.

«Dex», gronda Jun.

En sa qualité d'aîné, c'était à lui de veiller aux bonnes manières de ses frères – aussi rudimentaires fussent-elles.

«Bird! Il faut que tu ailles chez Minerva.

— Quoi? Pourquoi? grogna-t-elle.

— Jottie et moi allons à Moorefield rendre visite à la cousine Irene.»

Elle s'assit. La sueur et la terre lui avaient plaqué les cheveux sur le crâne.

«À Moorefield? Aujourd'hui? Et pourquoi je ne peux pas venir?

— Parce que la dernière fois que nous y sommes allées, tu t'es plainte que Minerva te manquait beaucoup. Jottie a pensé que tu préférerais rester chez elle.»

J'attendis sa réaction. C'était l'un des points faibles de mon plan. Si Bird faisait de la résistance, il volerait en éclats et je me verrais obligée de prétendre que tout cela n'était qu'une plaisanterie.

Les veux au ras de la fosse, elle balaya le jardin du regard. Pauvre Neddie, elle semblait drôlement profonde, cette tombe.

« Où est Jottie ?

— Elle est allée faire le plein au garage de l'Union. »

Pas mal pour une improvisation, me félicitai-je intérieurement.

Dex balança une petite motte de terre dans le trou. Bird la reçut sur le nez.

« Hé ! s'indigna-t-elle.

— Tu vas t'allonger, oui ou non ? dit Jun.

— Tu es née poussière, tu redeviendras poussière », ajouta Frank avec enthousiasme.

Elle se leva.

« Je n'ai pas l'intention de laisser des minables comme vous m'enterrer dans une tombe pour bébé. Vous pouvez mettre Neddie là-dedans si ça vous chante. »

Elle se hissa hors de la fosse. Je ne l'avais jamais vue aussi sale.

« Moi, je vais chez ma tante Minerva. Qui porte le nom d'une déesse grecque, je vous ferai dire ! »

Dex la visa avec une autre motte de terre. Je ramassai l'une des pierres qu'ils avaient exhumées et la fis sauter dans ma main.

Il leva les bras.

« Bon, d'accord, d'accord. Il fait trop chaud pour se battre.

— On va le transformer en piscine, proposa Frank en regardant le trou.

— En pataugeoire, plutôt, ironisa Bird. Minerva m'emmènera sûrement nager à la rivière, pas vrai, Willa ?

— Peut-être, dis-je, l'entraînant vers la rue. Nous ferions bien d'y aller, maintenant. »

Nous nous mîmes en route d'un pas lent ; nous avions beau marcher dans les parties les plus ombragées des rues, nous avions l'impression de nous frayer un chemin à travers une couche de crème épaisse. Nous étions au plus chaud de la journée la plus chaude de l'été. Sentant une goutte s'écraser sur ma joue, je levai les yeux, mais ce n'était pas de la pluie : les arbres transpiraient, eux aussi.

Au coin de Governor Street, je sortis ma lettre de ma poche.

« C'est un mot de Jottie pour Minerva, dis-je à ma sœur. N'oublie surtout pas de le lui donner. »

Je lui tendis la petite valise. Elle pencha la tête de côté. Elle ne s'en donnait pas souvent la peine mais, quand elle faisait l'effort, elle était capable de lire en moi comme dans un livre ouvert. Je lui adressai mon sourire le plus impénétrable.

« Pourquoi tu ne m'accompagnes pas jusqu'à la porte ? me demanda-t-elle.

— Jottie est pressée. »

Elle plissa tant ses yeux bleus que ses pupilles disparurent presque.

« Hum..., fit-elle.

— Au revoir. On se voit demain. »

Je fis demi-tour et m'éloignai, sentant son regard dans mon dos. Un autre moment critique. Mais il ne se passa rien. Quand j'eus marché une vingtaine de mètres, je jetai un coup d'œil par-dessus mon épaule : Bird n'était plus là. L'espace d'une seconde, je craignis qu'elle ne soit pas entrée dans la maison de Minerva, puis j'éclatai de rire. Ma sœur n'était pas du genre à s'esquiver en douce. C'était mon genre à moi.

44

Je me glissai dans la maison sans faire de bruit, et réfléchis un instant pour faire le point de la situation. Ce dont j'avais le plus envie, c'était de prendre un bain, mais je n'osais pas monter à l'étage. Papa dormait dans sa chambre et Mlle Beck pouvait très bien se trouver là-haut, elle aussi, à écrire son livre. S'il lui arrivait de sortir pour interviewer des gens, la plupart du temps elle restait à la maison à taper sur sa machine du matin au soir, ou à griffonner sur son gros bloc-notes jaune.

Il était trois heures passées de quelques minutes, à en croire l'horloge de l'entrée. Il régnait un silence de mort. Pour l'instant, je devais me contenter de ne faire aucun bruit. Je traversai le salon sur la pointe des pieds pour gagner la bibliothèque. Ils croyaient pouvoir cacher *Autant en emporte le vent* derrière le *Decameron* de Boccace, mais j'étais bien trop maligne pour eux. Je me rendis soudain compte que je tenais une occasion d'élargir mes horizons, alors je pris *Les Heureux et les Damnés*, livre que je n'étais même pas censée toucher. Et *Mondes privés*, cette histoire qui se passait dans un hôpital psychiatrique, dont Jottie disait qu'elle me donnerait des cauchemars. Et *Crime et Châtiment* – elle affirmait qu'il valait mieux se taper la tête contre les murs que de le lire. Ça t'apprendra à me laisser, lui dis-je en pensée. Je me rendis au salon, aussi silencieuse qu'un Indien. Ce matin-là, j'avais remarqué qu'en m'asseyant derrière la porte ouverte à moitié, je voyais très bien l'entrée. Le parquet était dur mais frais. J'ouvris *Les Heureux et les Damnés*.

J'en étais à la page 92 quand l'horloge sonna cinq heures. Je ne comprenais pas pourquoi ils étaient damnés, à moins que ce ne fût parce qu'Anthony Patch faisait des remarques désobligeantes sur son grand-père. Ou à cause des cocktails. Mais j'aimais bien. Ça me plaisait qu'ils aient tous l'air si désespérés.

Quelques minutes plus tard, Papa descendit l'escalier en se tapotant les joues, comme chaque fois qu'il se rasait.

« Ohé ! Jottie ! Je suis rentré ! » lança-t-il en arrivant en bas.

Je ne répondis pas, bien sûr. Personne ne lui répondit.

Il marmonna je ne sais quoi – ou peut-être chantonnait-il ? – et se posta devant le miroir.

« Nom d'une pipe ! » marmonna-t-il.

Puis il remarqua l'enveloppe portant le nom de Layla. Il hésita une seconde, l'ouvrit, la lut et rit. Il retourna au pied de l'escalier, l'enveloppe à la main, et cria :

« Layla ? Tu es là-haut ?

— Oui, je suis là. C'est toi, Felix ?

— Oui, descends deux secondes. »

Papa souriait. Je savais que c'était à elle que s'adressait ce sourire, même si je ne la voyais pas encore.

« Tu es de retour !

— Héhé, fit-il, en lui tendant le billet de Jottie. Et j'ai de très mauvaises nouvelles, ma mignonne.

— Oh, mon Dieu, dit-elle inquiète.

— Tout à fait affreuses. Jottie va passer la nuit à Moorefield. Les filles sont chez Minerva. Mae est à la ferme. – Il s'approcha des marches. – Nous sommes seuls. »

J'aperçus la main de Layla sur la rampe.

« Ah, c'est vraiment terrible... tout seuls ? »

Je pouvais entendre le plaisir dans sa voix.

« Descends un peu ici. »

Elle obéit, et je les vis tous les deux. Elle se plaqua contre lui et leva son visage vers le sien.

« C'est terrible », répéta-t-elle.

Je sentis monter la nausée. Je n'avais pas du tout pensé à cela.

Il l'embrassa.

« On risque de mourir de faim », dit-il.

Il lui déposa un baiser dans le cou.

« Je peux faire des toasts, proposa-t-elle.

— Non. C'est juste bon pour le petit déjeuner. Il faut qu'on survive une nuit entière. »

Elle rougit. Il avait l'air heureux. À nouveau, il la serra contre lui et l'embrassa.

« Oh, j'ai une idée, lui dit-il, s'écartant un peu. Tu as chaud ?

— Bien sûr. Je cuis littéralement.

— Alors allons nager.

— Où ça ? Oh, Felix, je donnerais n'importe quoi pour une seule minute de fraîcheur.

— C'est vrai ? Je connais un bel endroit, au bord de la rivière. À l'ombre des arbres. – Il prit sa main et pressa ses doigts contre ses lèvres. – Qu'en dis-tu ?

— Je vais chercher mon maillot de bain.

— Non.

— C'est un très joli petit maillot. Il te plaira, dit-elle, rieuse.

— Non, il ne me plaira pas. »

Je me couvris les yeux. Je ne voulais plus voir ça. Au bout d'un moment, je l'entendis soupirer :

« Tu es certaine de vouloir y aller ?

— Oui, s'il te plaît. Il fait si chaud...

— D'accord, ma chérie. Va chercher ton joli petit maillot. Je m'occupe de la voiture. »

Il la garait dans l'allée, derrière la maison. Elle le retint un instant par la main.

478

« Quoi ? demanda-t-il.

— Je suis contente que tu sois rentré.

— Moi aussi. »

Elle remonta les marches quatre à quatre. Quand elle eut disparu, Papa sortit de la maison sans un bruit, comme à son habitude.

Et je retournai à ma solitude.

Je pris un bain. J'aurais pu lire *Les Heureux et les Damnés* dans la baignoire, mais je ne l'ai pas fait. Je me contentai de rester assise à regarder mes jambes. Elles prenaient presque toute la longueur de la baignoire à présent. Je pouvais fourrer mon gant de toilette dans le robinet avec le doigt de pied tout en restant adossée à l'autre bout. Et j'étais obligée de plier les genoux pour mettre la tête dans l'eau. Il n'y avait personne pour m'interdire de mouiller mes cheveux, qui flottaient autour de ma nuque.

Comment savoir si ce que je pensais était juste ? Je pensais que Papa ne préférerait jamais Mlle Beck à nous. Je pensais qu'elle l'avait ensorcelé, qu'elle l'avait transformé en quelqu'un d'autre. Je pensais que si j'arrivais à le faire revenir, à lui montrer la lumière, il me remercierait. Mais je n'en étais pas certaine. Dans les livres – même dans *Les Heureux et les Damnés* –, tout était lié. Les gens faisaient une chose qui en entraînait une autre. Mais en dehors des livres, dans le monde réel, les choses semblaient se produire sans que je puisse en saisir la raison. Il n'y en avait peut-être pas. Les gens erraient peut-être ici et là, sans but, bêtement. Mais non. Les gens avaient été chassés du jardin d'Éden parce qu'ils *savaient*, il devait donc y avoir quelque chose à savoir, des raisons, tout le temps et partout, à leurs actes. Des raisons que je ne percevais pas encore, malgré tous mes efforts. J'avais toujours espéré que Jottie me ferait venir un jour dans sa chambre pour me confier le secret, la chose qu'il fallait que je sache afin de comprendre la raison pour laquelle les gens agissaient comme ils agissaient. Pour l'instant, elle ne l'avait pas fait. Quand elle m'avait appelée dans sa chambre pour m'expliquer d'où venaient les bébés, j'espérais apprendre quelque chose d'intéressant, mais j'avais été déçue. J'espérais bien plus : une couverture géante capable de contenir le monde. J'étais devenue féroce et dévouée à cette quête des vérités secrètes, mais elles m'échappaient encore. Papa aimait-il Mlle Beck ? Plus que moi ? Je n'arrivais pas à comprendre pourquoi, ni comment, ni même si. Ça me semblait vraiment très difficile de trouver les réponses par moi-même, mais je n'avais pas le choix. Je devais continuer à chercher, essayer de deviner ce qui allait suivre, me battre pour que tout finisse bien, essayer de les sauver tous.

Ignorant combien de temps Papa et Mlle Beck seraient partis, je sortis de la baignoire que j'essuyai avec ma serviette au cas où ils vérifieraient – ce que je trouvai drôlement malin de ma part. Je commençais à avoir un peu faim. Je descendis dans la cuisine pour voir ce que je pourrais glaner. S'ils revenaient, je pourrais toujours me replier dans l'escalier du sous-sol. Je me fis une tartine avec du beurre et des tomates et pris soin de ne laisser traîner aucune miette. Après quoi, je lavai mon verre de lait et mon assiette, que je rangeai aussitôt. Même M. Sherlock Holmes aurait eu du mal à déceler des traces de mon existence, ici. Frank et Joe Hardy y auraient perdu leur latin, eux aussi – d'un autre côté, ils le perdaient facilement.

Il faisait encore assez jour pour que je puisse lire au salon. Je récupérai un coussin pour mes fesses et m'assis par terre avec mon livre. Je n'arrivais pas à croire qu'Anthony Patch fasse autant d'histoires parce qu'il avait embrassé Gloria dans un taxi. Si tu venais ici, lui dis-je, tu deviendrais dingue.

Il faisait presque nuit quand ils rentrèrent. Seule une mince bande orangée luisait encore à l'extrême bout du monde. Fatiguée, j'avais fini par m'allonger par terre. J'étais toujours derrière la porte, mais ils auraient pu voir mon pied s'ils avaient jeté un œil du côté du salon. Ce qu'ils ne firent pas.

« Tu es sûre que tu n'as pas faim ? disait Papa.

— Pas du tout. Avec toute cette crème glacée que j'ai mangée. »

Je pensai aux glaces que nous étions censées avoir pour l'anniversaire de Jottie.

« Ça n'était pas grand-chose.

— C'était amplement suffisant.

— Veux-tu un peu de café ? »

Je ne voyais pas Mlle Beck. Juste lui. Il avait l'air propre et frais.

« Non.

— Autre chose ? »

Je l'entendis inspirer puis soupirer :

« Toi. »

Il s'avança vers elle hors de mon champ de vision. De toute façon, je ne crois pas que j'aurais voulu voir ça. Je pensais que je les en empêcherais, mais je ne le fis pas. J'aurais pu bondir hors de la pièce, leur faire peur. Pourtant je ne fis rien de ce que j'avais prévu. Je me recroquevillai et laissai les larmes couler sur mon nez et sur le coussin, en silence.

Au bout d'un moment, elle prononça son nom et il murmura :

« Là-haut, d'accord ? »

J'entendis les marches craquer, et puis, avec un petit rire :

« Ta chambre ou la mienne ?

— Pas question de faire ça dans le lit d'Emmett, répondit Papa.

— Ainsi ma chambre... est celle d'Emmett ?

— Chut. »

Il y eut une seconde de silence puis elle poussa un petit gémissement.

Papa éclata de rire.

Charles Town était envahie par une nuée de jockeys, d'entraîneurs et de turfistes. Le champ de courses avait fermé à cinq heures et demie, mais cela semblait n'avoir eu pour seul effet que de pousser cette foule vers de nouveaux sommets de gaieté. Ils s'étaient tous répandus dans les rues tranquilles pour fêter leurs gains – gagnant ou placé – ou, à défaut, leurs projets pour le lendemain. Il était à présent huit heures du soir, le ciel orangé pâlissait, virant au bleu, et les trottoirs débordaient d'hommes exubérants et de dames qui étaient restées trop longtemps dans la chaleur.

Sol s'arrêta devant un restaurant.

« Je jette juste un coup d'œil », dit-il sans prêter attention à la meute humaine à l'intérieur.

Jottie haussa les sourcils.

« Ça m'a l'air bondé. »

Il ouvrit la porte et un joyeux « Chaaaar-lieeee ! » s'échappa dans le crépuscule. À travers la vitre, Jottie le vit se frayer un chemin jusqu'à un serveur, tel un homme avançant au milieu d'une tempête de neige. Elle essaya de le voir avec les yeux d'une personne qui ne le connaîtrait pas : ses cheveux blonds – trop longs –, ses yeux écartés, ses larges épaules et son dos bien droit. Il avait l'air intelligent, efficace, serein. Ses pieds étaient gigantesques. Une chance qu'il travaille dans une fabrique de chaussettes. Si elle l'épousait, elle enroulerait le haut de ses énormes chaussettes l'une contre l'autre pour les ranger par paires.

Elle secoua la tête pour s'éclaircir les idées. Au lieu de penser à ses pieds, elle ferait mieux de penser à l'homme merveilleux qu'il était. Oui, Sol était merveilleux. Bon. Honnête. Elle songea à Willa, espérant qu'elle allait bien. Évidemment. Il n'y avait aucune raison de s'inquiéter. Willa était sans doute sur le canapé violet de Minerva, le nez plongé dans un bouquin. Elle avait dû l'oublier sitôt qu'elle avait passé le seuil de la maison. Il n'y avait aucune raison de s'inquiéter.

« Regarde ce que je nous ai trouvé », déclara Sol, triomphant, en réapparaissant à son côté.

Il lui tendit une grande assiette sur laquelle étaient disposés un demi-poulet et deux petits pains beurrés.

« L'homme rentre de la chasse, plaisanta Jottie.

— Allez, viens, dit-il, joyeux. Trouvons-nous un banc. Il faut que je rende l'assiette avant dix heures, ou ce garçon me plantera un couteau dans le ventre.

— Allons là où ils ont pendu John Brown[1]. Ça me plaît de l'imaginer se balançant au bout de sa corde.

— Tu es une confédérée ? questionna-t-il alors qu'ils se mettaient en route.

— Moi ? Non. Pour l'Union à jamais. C'est juste que je n'aime pas John Brown. – Elle s'écarta pour laisser passer un homme qui approchait en titubant. – C'était un crâneur. Le vieil imbécile. »

Ils entrèrent dans une petite cour située entre deux bâtiments. Dans cette ville en pleine effervescence, c'était le seul endroit calme et solennel. Un banc avait été obligeamment placé devant le site du gibet, lequel était indiqué par trois pierres.

« Prises dans sa cellule, commenta Jottie en s'asseyant.

— Pardon ? fit Sol, calant l'assiette entre eux.

— Ces pierres. Elles ont été prises dans la cellule de John Brown. Il a écrit dessus avec son sang. »

Elle perçut le sourire de Sol dans la pénombre qui s'épaississait.

« On dirait que tu t'es intéressée de près au vieux bonhomme.

— Je ne l'aime pas », répéta-t-elle, un peu abattue, soudain.

---

1. John Brown (1800-1859). Abolitionniste activiste, condamné à mort pour trahison contre l'État de Virginie et pendu à Charles Town. (*N.d.T.*)

Willa aurait aimé savoir ce qu'il avait écrit. Même Bird. Felix ? Il aurait prétendu qu'il le savait déjà – il serait certainement en train de leur servir quelque citation ridicule.

Ils mangèrent en silence, entourés d'un chœur de grillons. Jottie avala sa dernière bouchée et s'essuya la bouche avec son mouchoir.

« Il ne fait pas plus frais ici qu'à la maison », dit-elle, histoire de faire la conversation.

Sol acquiesça.

« Qu'as-tu dit à Violet ?

— À quel propos ?

— À propos de... ça, répondit-elle en agitant un os de poulet pour englober Charles Town.

— Oh, juste que je devais rencontrer quelqu'un d'Interwoven. – Il mâchonna, pensif. – Ça ne l'a pas vraiment intéressée.

— C'est comment, d'habiter avec elle ? »

Il la dévisagea, surpris.

« Bien. – Il réfléchit un peu avant d'ajouter : – J'aimerais qu'elle se marie.

— Pourquoi ? demanda-t-elle avec un petit rire.

— Elle s'ennuie, j'ai l'impression. Alors elle s'agite. Elle s'agite et s'invente toutes sortes d'occupations.

— Elle a besoin d'un travail.

— Tu as peut-être raison, oui. Je pensais à un mari.

— C'est peut-être un peu tard pour ça.

— Elle est plus jeune que toi, et je veux t'épouser, lui fit-il remarquer. – Elle acquiesça. – Tu as fini de manger ?

— Oui. »

Elle se tenait prête. Elle s'était préparée.

Sol prit l'assiette, la posa par terre et il s'approcha d'elle.

« Je n'aime pas trop l'idée de faire ma demande devant un gibet, mais il faudra bien s'en contenter. »

Elle eut un rire nerveux.

« J'ai un faible pour ce gibet.

— Jottie, commença-t-il en lui prenant la main et en la serrant dans les siennes. Le mois dernier, le jour où tu es venue à la manufacture a été le plus beau jour de ma vie. Il m'était déjà arrivé de penser que nous pourrions recommencer à... à nous parler, toi et moi, redevenir amis. Que nous pourrions nous rencontrer, par hasard, et nous mettre à discuter. Seulement, tu détournais toujours les yeux. – Il serra sa main plus fort. – Et puis, tu es arrivée avec cette fille, Layla, et cette fois tu..., j'ai eu l'impression que tu avais envie de refaire connaissance avec moi. J'étais si heureux, Jottie, tu n'imagines pas. Je ne trouve pas les mots... Tu semblais la même qu'autrefois, quand nous étions gamins, et tu paraissais contente de me voir.

— Je l'étais, dit-elle d'une voix douce.

— Tu n'imagines pas ce que j'ai ressenti, ma chérie. Tu me manquais depuis si longtemps que je commençais à m'habituer à ton absence. Je me disais même que je finirais peut-être par rencontrer une autre femme et me marier. Mais, chaque fois que je te voyais – et même de voir Emmett, me faisait cet effet-là – je me sentais à nouveau tout vide à l'intérieur. J'ignore ce qui s'est passé, j'ignore pourquoi tu es venue à la manufacture, ce jour-là. Mais j'en croyais à peine mes yeux, et... bon, je me lance, je vais essayer de m'y tenir. Veux-tu m'épouser, Jottie ? »

Elle s'adossa aux lattes du banc, sentant les mains de Sol, sèches et tranquilles autour de la sienne.

« Pourquoi moi, Sol ? Pourquoi me veux-tu à ce point-là demanda-t-elle, en lui jetant un regard du coin de l'œil.

— Tu quêtes les compliments ? » plaisanta-t-il.

Elle rougit.

« Non ! Mais tu pourrais avoir qui tu veux, une fille gentille, jolie...

— Tu es jolie et gentille.

— Beaucoup plus jeune que moi.

— Je ne veux pas d'une fille plus jeune que toi. Je t'ai toujours aimée, d'aussi loin que je me souvienne. »

Est-ce que ça pouvait être vrai ? Pourquoi es-tu si soupçonneuse ? se reprocha-t-elle aussitôt. C'est Sol, un homme honnête. Un homme merveilleux. Il t'aime. Si tu l'épouses, tu seras une nouvelle femme. Tu seras Mme McKubin. Tu prendras un nouveau départ.

« Je me souviens avoir décidé que je me marierais avec toi alors que j'avais à peine douze ans, se rappela-t-il. Tout était clair dans mon esprit.

— Tu ne me l'as jamais dit.

— Non. »

Il prit le visage de Jottie entre ses mains et déposa sur ses lèvres un baiser délicat d'abord, puis passionné. Du bout du doigt, il dessina la ligne de son cou.

« Tu es si petite, murmura-t-il comme pour lui-même. Je n'imaginais pas que tu serais aussi petite, ajouta-t-il en lui enserrant la taille des deux mains.

— Felix dit que je suis grande par le caractère », répondit-elle dans un souffle, s'exhortant à ne pas se souvenir que Vause avait fait ce même geste.

Sol la souleva pour l'asseoir sur ses genoux.

« Felix n'est pas invité à cette petite soirée », murmura-t-il dans son cou.

Il y eut un silence.

« J'ai toujours rêvé de faire ça, avoua-t-il.

— Ah ? »

Si un autre que moi te touche, je le tuerai. Va-t'en, va-t'en.

« Hunhun. Toutes ces années : c'est ainsi que je rêvais que ça se passe. – Elle posa une main hésitante sur sa joue. – J'avais tellement peur qu'il t'arrive quelque chose avant que je puisse te demander de m'épouser. Vous faisiez tous des choses si étranges. »

Elle leva les yeux vers la liberté du ciel qui s'assombrissait. Laisse-moi partir, Vause, supplia-t-elle. Je suis tellement lasse du passé.

« Pourquoi ne m'en as-tu jamais rien dit ? questionna-t-elle.

— Parce que tu étais amoureuse de Vause. – Il l'écarta de lui un instant. Parce que je ne suis pas idiot. »

Elle hocha simplement la tête, en regrettant de l'avoir obligé à le dire.

« Ah, bon sang, fit-il en l'attirant de nouveau à lui. Épouse-moi, Jottie.

— D'accord », dit-elle.

*

Il était impossible de dormir sur le canapé en crin et, bien sûr, je ne pouvais pas monter dans ma chambre. J'entrouvris la fenêtre du salon et posai quelques coussins devant. Ça n'était pas trop mal. Je me réveillai quand l'horloge sonna une heure, sentant la toute petite brise qui venait de la fenêtre me caresser la nuque. Puis, à nouveau, plus tard, en entendant de l'eau couler à l'étage. L'un des deux prenait un bain ? Est-ce que ça faisait partie de la chose ? Ne trouvant pas de réponse, je me rendormis.

*

Jottie se réveilla aux prises avec les impeccables draps fins de l'hôtel qu'elle repoussait. Elle se figea un instant, haletante, la terreur fouettant son sang au point qu'elle ressentait des picotements au bout des doigts. Elle avait rêvé de Willa et de chatons. C'était un rêve horrible dans lequel elle essayait d'arracher la fillette à un océan de chatons qui l'entraînaient avec leurs minuscules griffes en la fixant de leurs yeux laiteux. Jottie frissonna, chassant le cauchemar mais pas la terreur. La terreur demeura. L'esprit embrouillé, elle s'efforça d'en déterminer la cause : que se passe-t-il ?

Sol. Elle avait dit oui. Elle avait accepté de l'épouser.

Son cœur se mit à battre plus fort, à galoper. Que m'arrive-t-il ? demanda-t-elle à l'obscurité. Elle posa une main délicate sur sa poitrine et sentit les battements incontrôlables, sous sa peau. Comme un oiseau qui se brise les ailes contre les barreaux d'une cage, songea-t-elle. Mais pourquoi ?

Elle avait dit oui, elle avait accepté d'épouser Sol.

Oh, mon Dieu, qu'ai-je fait ? Elle roula sur le côté et replia les genoux contre sa poitrine. C'était un peu mieux. Dans cette position, la voix de la raison, aussi perçante fût-elle, pouvait se faire entendre :

Qu'as-tu fait ? Ma foi, tu as fait ce que tu avais décidé de faire ! Tu t'es offert un nouveau départ, un nouveau nom, un nouveau tout ! Sol t'aime ! Et Sol est merveilleux, tu le sais bien ! Tu vas l'épouser, emménager dans sa maison, et être très heureuse !

Non.

Bien sûr que si ! C'est ce que tu voulais !

Je me suis trompée. Ce n'est pas ce que je veux.

Si, tu le veux. Tu veux être aimée. Tu vas épouser le directeur de la manufacture ! Tout le monde te sourira, en ville. Les filles n'auront plus aucun souci à se faire ! Elles grimperont le perron quatre à quatre, et tu seras là, un plateau de cookies dans les mains !

La scène avait perdu tout semblant de vie à force d'être rejouée.

Et Felix ne lui adresserait plus jamais la parole. Il la haïrait pour avoir brisé la confiance qui existait entre eux.

Pardonne-moi, Felix, le supplia-t-elle mentalement. J'avais trop peur qu'il arrive du mal aux filles et je ne pouvais pas te changer, alors j'ai été obligée de me changer moi-même. Il fallait que je mette Macedonia de mon côté, pour Willa, pour Bird, pour qu'elles n'aient pas honte. Je suis désolée. Il faut que j'arrête d'être une Romeyn. Il le faut.

Felix ne m'a pas quittée. Il aurait pu, mais il ne l'a pas fait. J'ai une dette envers lui.

Non, tu ne lui dois rien. Tu ne dois ta vie à personne. Calme-toi et fais le compte des avantages. Tu peux t'estimer heureuse. Sol est un homme bien. À ta place, la plupart des femmes seraient folles de joie.

Je sens que je vais vomir.

Là, là, respire. Encore. Encore. C'est bien. C'est normal que tu sois un peu inquiète. C'est un grand changement. Mais c'est ce que tu voulais, changer. *Felix posa la main sur ses doigts tremblants. « Tu n'es pas obligée de regarder qui que ce soit. Accroche-toi à moi, je saurai leur faire baisser les yeux. »* Oh, mon Dieu, qu'ai-je fait ? J'ai trahi mon meilleur ami.

Elle s'enroula dans son drap et enfouit son visage dans l'oreiller. Rien ne pouvait la soulager, rien ne pouvait l'aider. Vause ? appela-t-elle dans son désespoir. Aide-moi, mon chéri, s'il te plaît. Mais il ne viendrait pas, ne l'aiderait pas tant qu'elle l'invoquerait. Il apparut ensuite sous la forme d'une image fugace, celle du dernier jour de sa vie : l'amour de Jottie était alors si fort qu'il n'y avait pas assez d'air dans le monde entier pour qu'elle puisse reprendre son souffle. Il la serrait très fort contre lui parce qu'il devait partir, il avait quelque chose à faire, il la retrouverait plus tard. *Il faut que j'y aille, Josie. Allez, un baiser pour me porter chance.*

Je veux bien, mais pourquoi as-tu besoin de chance ?

Bah, je n'en ai pas vraiment besoin. Embrasse-moi, c'est tout, d'accord ?

C'était insupportable. Elle s'assit dans le lit et contempla le mur blanc qui la séparait de Sol. Elle pourrait cogner – il avait insisté pour qu'elle le réveille si elle avait besoin de quoi que ce soit. Non. Il accourrait aussitôt, le visage rayonnant d'espoir, pensant qu'elle le voulait dans son lit. Elle se couvrit le visage des mains. Voilà ce que les autres veulent, se dit-elle. C'est ça qui est normal. Et si je dis : Non, j'ai commis une terrible erreur, je ne peux pas t'épouser, je serai obligée de regarder le bonheur déserter son visage, de le voir s'effondrer comme un mur de briques. Je ne peux pas faire ça. Je ne peux rien faire. Je ne peux pas avancer et je ne peux pas reculer. Je veux rentrer à la maison.

*

Layla ouvrit les yeux et resta immobile. Dehors, par la fenêtre, le ciel était passé du noir au bleu. Le jour se lèverait bientôt. Mais la chose importante, se dit-elle, la chose fondamentale, c'était l'emplacement de la fenêtre. À sa gauche. Ce qui signifiait qu'elle n'était pas dans sa chambre. Qu'elle était dans celle de Felix. Dans le lit de Felix. Elle s'étira un peu et savoura la sensation de langueur dans ses hanches.

Il lui tournait le dos, mince et hâlé, ses cheveux noirs frisant dans le cou. Son épaule et le haut de son bras se soulevaient et s'abaissaient doucement. Elle se retourna, en faisant bien attention de ne pas le réveiller, de ne pas gâcher la chance qui s'offrait. Elle voulait le voir. Elle n'avait jamais eu l'occasion jusqu'ici de l'observer, de se le rendre familier. Ses yeux suivirent la courbe de l'épaule, le bras, le dos, pour remonter vers l'omoplate délicatement dessinée. Il avait une cicatrice sur l'épaule, un petit rond presque parfait de chair sombre et flétrie. Étrange, ce petit cercle parfait. Mue par la curiosité, elle tendit la main, laissa flotter son doigt au-dessus de la cicatrice, puis la toucha.

Sans bruit, on aurait presque dit sans un mouvement, Felix fut hors du lit. Il tâtonna dans le noir, s'adossa au mur et resta, là, silencieux.

Layla se redressa.

« Felix ? Mon chéri ? »

Il lui jeta un regard féroce.

« Felix ? Je t'ai réveillé ? Je suis désolée, je... j'imagine que tu n'es pas habitué à avoir de la compagnie. »

Il resta silencieux.

Elle regarda sa poitrine se soulever au rythme de sa respiration.

« Tu es rapide. Je n'ai même pas senti le lit bouger quand tu t'es levé. »

Son regard balaya la pièce et revint vers elle.

« Il n'y a personne ici, expliqua-t-elle. Je t'ai touché le dos. Ta cicatrice. Je l'ai touchée. C'est ça qui t'a réveillé. »

Il expira lentement et hocha la tête. Puis, il tourna les yeux vers la fenêtre et les minutes s'écoulèrent tandis que le ciel pâlissait. Layla lut l'inquiétude sur son visage. Il finit par s'approcher du lit, souriant. Sans un mot, il écarta le drap dont elle s'était enveloppée.

Elle se détendit et s'adossa aux oreillers, soulagée.

« Je sais pourquoi tu m'as réveillé, dit-il. Tu n'as pas besoin de mentir. »

45

Je me réveillai à l'aube. Le ciel était embrasé d'orange, de rose et d'or. Je n'avais jamais rien vu de tel. Je regardai un instant les branches noires redevenir des arbres à mesure que le jour se levait. Il faisait encore un peu frais, mais ça ne durerait pas. Les frémissements de la brise nocturne avaient depuis longtemps disparu, l'air était immobile, la journée attendait.

Pour la première fois, je songeai au retour de Jottie et osai envisager la somme d'ennuis qui m'attendait. M. McKubin parviendrait peut-être à distraire son attention, mais j'en doutais. Il n'y avait aucun moyen de masquer ma faute. Je n'en voyais aucun, en tout cas. Je pouvais tenter d'acheter le silence de Bird, mais pas celui de Minerva. Bon, j'étais prête à accepter ma punition, quelle qu'elle soit, tant que Jottie accepterait de ne pas rapporter à Mlle Beck que j'étais restée dans la maison pendant tout ce temps. Sinon, je n'oserais plus jamais la regarder dans les yeux. Ce dont je n'avais d'ailleurs pas spécialement envie. Plus j'y réfléchissais, plus je me sentais gênée. Je me levai et reposai les coussins sur les jolies chaises du salon. Il était temps d'aller prendre mon petit déjeuner, décidai-je. Papa aimait dormir tard, mais Mlle Beck pouvait fort bien le pousser hors du lit.

La tâche me parut plus difficile que la veille, car je ne pouvais pas me permettre de faire le moindre bruit. Je me coupai un morceau de pain et jetai les miettes par la fenêtre. Je mis deux bonnes minutes à ouvrir la porte du réfrigérateur en silence et restai plantée devant, indécise. Finalement, je bus un peu de lait au goulot et plongeai mes doigts dans un pot de compote de pommes. Ce que Jottie ignorait ne pouvait pas la contrarier.

Je fis encore deux ou trois choses, sur la pointe des pieds – me brosser les cheveux, tout ça – et me mis à attendre. Comme le salon commençait à me faire l'effet d'une prison, je me cachai un moment dans le placard à balais, puis gagnai la terrasse, à l'arrière de la maison, où je me blottis contre la machine à laver. Il ne se passait toujours rien. Le soleil caressait déjà la cime des arbres. L'horloge sonna sept coups, huit coups, neuf. Le téléphone sonna, mais personne ne répondit. Le ciel commençait à se gorger de chaleur et l'atmosphère devenait poisseuse. L'horloge sonna dix heures.

J'aurais bien aimé lire, mais plus j'attendais et plus je craignais de retourner au salon, devinant qu'ils n'allaient pas tarder à se lever. J'attendis, encore et encore, jusqu'à ce que cet endroit me rende folle, et décidai de tenter ma chance. Je me faufilai dans la cuisine et gagnai le salon le plus vite possible. J'étais encore dans le couloir quand j'entendis une porte s'ouvrir à l'étage. Mon cœur fit un bond dans ma poitrine. Je me repliai dans la cuisine, mais j'avais trop peur d'ouvrir la porte d'accès à la terrasse, parce qu'elle grinçait, aussi je plongeai plutôt vers la cave. La porte ne fermait pas bien, elle restait toujours un peu entrebâillée, je ne risquais donc pas de faire de bruit. Il faisait noir dans l'escalier et je sentais des fils sur mon visage, mais il y faisait un peu plus frais, au moins : c'était le bon côté des choses. Je m'assis sur la deuxième marche, *Les Heureux et les Damnés* sur les genoux.

*

Sept heures. Jottie ne le réveillerait pas avant. C'était la décision qu'elle avait prise à quatre heures. À ce moment-là, sept heures paraissait tout proche, imminent pour ainsi dire. Elle se rendormirait peut-être, sachant qu'elle pourrait bientôt réveiller Sol. Elle frapperait à sa porte, toute habillée, voire coiffée de son chapeau, afin qu'il ne se fasse pas d'idées, et elle lui dirait la vérité. Sept heures : elle n'avait que trois heures à attendre.

À six heures moins le quart, elle sentit qu'elle ne pourrait plus tenir longtemps. Elle lui dirait : Sol, je ne peux pas t'épouser. J'ai beaucoup d'affection pour toi... Non : je t'aime. Mais je ne peux pas briser ma famille. Je ne peux pas abandonner Felix.

Sol deviendrait fou. Il lui dirait : Tu m'as promis. Il lui dirait : C'est ta dernière chance de devenir une vraie personne, une personne normale, et tu t'apprêtes à la gâcher.

À six heures moins dix, elle se leva et prit un bain. La salle de bains était minuscule et sombre, avec une petite fenêtre donnant sur un puits de lumière. Elle se frotta avec énergie et se lava les cheveux pour faire bonne mesure. Elle s'observa dans la glace tandis qu'elle se recoiffait. Cela faisait des années qu'elle ne s'était pas regardée d'aussi près.

Un coup frappé à sa porte la fit sursauter et sa brosse lui échappa des mains.

« Oui, deux secondes ! » lança-t-elle.

Après un instant de panique, elle enfila sa chemise de nuit et alla ouvrir.

Sol entra dans la chambre, le visage rayonnant de bonheur.

« Je n'arrivais pas à dormir. Je n'ai pas fermé l'œil de la nuit. – Il s'adossa au mur et secoua la tête, l'air ébahi. – Mais je suis tout à fait réveillé. Je ne me suis jamais senti aussi bien de ma vie. Je ne pouvais plus attendre de te voir, ma chérie. Plus une minute. Je songeais déjà à venir te retrouver à quatre heures, mais j'ai réfléchi. Je me suis dit que j'attendrais sept heures. Mais je n'y tenais plus. »

Elle ne put s'empêcher de sourire.

« C'est amusant, je me suis dit la même chose.

— C'est vrai ? – Il lui prit les mains. – Tu ne dormais pas non plus ?

— Non. »

Il ne remarqua pas son ton grave. Il éclata de rire.

« Tu aurais dû taper contre le mur. Je serais venu te rejoindre.

— Toi aussi, tu aurais dû taper contre le mur.

— Je ne voulais pas que tu... que tu me trouves... euh... importun.

— Importun ? – Elle adorait Sol, vraiment. – Importun ? »

Il rougit.

« Oui, tu comprends...

— Tu voulais te montrer délicat », reprit-elle, en faisant un effort pour demeurer impassible.

Il acquiesça.

« Ça nous change agréablement, commenta-t-elle.

— Je peux t'embrasser ? En l'honneur de la délicatesse dont j'ai fait preuve à quatre heures du matin ? »

Elle s'abandonna dans ses bras.

« Bonjour, ma chérie », murmura-t-il.

C'était merveilleux, la manière dont il la tenait. Comme une chose précieuse. Elle se radoucit. Avait-elle décidé trop vite ? Peut-être pourrait-elle trouver un moyen de tout concilier. Peut-être pourrait-elle l'épouser et continuer à vivre chez elle, comme Minerva...

Le souffle chaud de Sol caressa son oreille :

« Un petit déjeuner, ça te dirait ? Il y a un café au... comment s'appelle cet endroit, déjà ? Le Paddock, non ? Il se trouve juste de l'autre côté de la rue. On pourrait y grignoter quelque chose avant la première course.

— La première course, répéta-t-elle.

— Ça ne commencera pas avant dix heures. Nous avons tout notre temps, dit-il, en s'écartant d'elle. Mais pour l'heure, j'ai faim. »

Son cœur se serra.

« Bon, je ferais mieux de m'habiller, alors.

— Oui. Je vais t'attendre à côté.

— De façon non importune. »

Il sourit.

« Ne t'inquiète pas. Je saurai être importun à souhait quand nous serons mariés. »

Il lui serra affectueusement l'épaule avant d'ouvrir la porte.

« Je n'arrive toujours pas à croire que tu vas être *à moi*. »

Elle hocha la tête, incapable de prononcer un mot.

« Sol ? »

Il fronça les sourcils en voyant l'assiette de Jottie.

« Tu n'aimes pas tes crêpes ?

— Oh, si, elles sont très bonnes, répondit-elle en considérant l'océan de sirop dans lequel elles nageaient. C'est un vrai luxe de ne pas avoir à préparer mon petit déjeuner. Mais... Il faut que je te parle, Sol. Au sujet de ce... projet, reprit-elle, incapable de prononcer le mot *mariage*. Il y a des tas de choses à régler. »

C'était un bon début, se dit-elle.

Il reposa lentement sa fourchette.

« Tu n'es pas en train de revenir sur ta décision, dis-moi, Jottie ? »

Elle rougit.

« Non, non ! Ce n'est pas ça. Je me pose des questions, voilà tout.

— À quel propos ?

— À propos des filles. – Elle s'humecta les lèvres. – Je... je dois penser à elles. Vois-tu, j'ai promis à Willa que je rentrerais.

496

— Que tu rentrerais quand ?

— Eh bien... aujourd'hui. Mais elle... tu sais, je dois m'occuper d'elle. Et de Bird. Je me suis toujours occupée d'elles. »

Il fronça les sourcils.

« Felix te fait trimer comme un galérien.

— Non ! »

Elle posa la main sur son poignet.

« Non, ce n'est pas lui. C'est ma décision. Ce sont mes petites. – Elle revit les yeux noirs de Willa. – Ce sont mes enfants.

— Ce sont les enfants de Felix, dit Sol. Et de Sylvia. »

Elle haussa les épaules.

« Oh, Sylvia... C'est moi qui les ai élevées. Et Willa est une enfant particulière. D'une intelligence très vive. Et elle prend les choses terriblement à cœur, vois-tu. Elle va de l'avant. Et seule, qui plus est. Elle ne demande pas d'aide. Elle veut tout comprendre, elle veut trouver un sens à tout, et Dieu sait que des tas de choses n'en ont pas beaucoup...

— Surtout quand on est la gamine de Felix, assena Sol.

— Oui, c'est vrai, mais elle adore son père. – Elle comprima ses tempes. – Je dois maintenir le lien avec elle, Sol. Il faut qu'elle sache qu'elle n'est pas seule. Je dois la protéger.

— Et sa petite sœur ?

— Bird ? Que Dieu la bénisse, Bird est aussi robuste qu'une semelle de cuir depuis le jour de sa naissance.

— Elle ressemble à Felix, alors. »

Il ne comprenait pas.

« Oui, sans doute. Mais Willa aussi. À ce que Felix est... »

Elle en resta là, incapable de terminer sa phrase, incapable d'exprimer son malaise.

Sol tendit la main par-dessus la table. Elle hésita, puis y posa la sienne.

« Écoute, Jottie. Elle pourra habiter chez nous, si tu veux. On pourra les prendre toutes les deux. Si cela peut te rendre heureuse, alors c'est ce que nous ferons. »

Il ne se rendait pas compte que sa générosité n'apportait rien : parce qu'elle ne s'était jamais imaginée un seul instant vivre sans elles. Elle détacha les yeux de leurs mains jointes et lui sourit.

« Tu es adorable, Sol. Vraiment adorable. »

Il y avait une cabine téléphonique dans un coin de la salle, derrière les tables. Elle se leva.

« Quelle heure est-il ? »

Il consulta sa montre.

« Presque neuf heures.

— J'ai juste un coup de fil à donner. »

Les sourcils foncés, il la regarda se frayer un chemin entre les tables.

Tout de même, se dit Jottie à la huitième sonnerie. Minerva pourrait faire un effort.

« Bonjour », lui répondit-on enfin.

C'était Henry.

« C'est Jottie à l'appareil. Comment ça va ?

— Bien. Je vais bien. Où...

— Je ne vais pas tarder à reprendre la route, Henry. Mais j'ai un bout de chemin à parcourir. Je ferais mieux de parler à Minerva.

— Elle n'est pas là. Bird et elle se sont levées à l'aube. Elles sont allées à la rivière avec Mae.

— J'imagine qu'il fait drôlement chaud. Je vais parler à Willa, dans ce cas.

— Willa ?

— Oui. Tu m'as dit que Bird était à la rivière avec Minerva.

— C'est bien ça, mais Willa est avec toi. C'est ce que Minnie m'a dit. »

Henry n'écoutait jamais rien.

« Willa est *chez vous*, s'impatienta Jottie. Elle a dormi chez vous.

— Non, pas du tout. Elle t'a accompagnée à Moorefield, c'est ce que Minnie m'a dit. »

Le cerveau de Jottie refusa d'enregistrer l'information.

« Elle est chez vous, répéta-t-elle.

— *Non*, elle n'est pas venue, insista Henry.

— Willa n'est pas venue chez vous ? fit-elle d'une petite voix.

— Non. Tu veux dire qu'elle n'est pas avec toi ?

— Non.

— Non oui, ou non non ? » demanda Henry.

Perdue. Elle ferma les yeux, en essayant de trouver où elle pouvait être.

« Jottie ! » hurla Henry.

Où diable était-elle ? Qu'avait-elle voulu faire ? Elle n'arrivait pas à réfléchir. Aucune idée, aucune image, rien. Enfin, au bout d'un temps qui lui parut une éternité, elle vit une petite étincelle briller dans le noir. Hier. Qu'avait-elle dit ? Quelque chose à propos de Layla qui allait rester seule à la maison. Elle avait trouvé cela si étrange... Qu'elle semble s'inquiéter pour Layla, elle qui se moquait pas mal de la jeune femme. C'était à son père que Willa pensait, or Felix n'était pas rentré. Il était encore... mais elle n'avait pas vérifié.

« Il faut que je te laisse, Henry. Je rappellerai plus tard. ›

Jottie poussa le crochet du téléphone vers le bas, en regardant sans la voir une tablée de vieux messieurs, devant la cabine. Elle fouilla dans son sac et glissa une autre pièce dans la fente.

« Un appel en PCV, s'il vous plaît, dit-elle à l'opératrice. Encore pour Macedonia. »

*

Layla se réveilla dans l'éclat d'une matinée chaude et lourde. Coincée sous le poids de la jambe de Felix, et prisonnière de son bras. Elle s'agita pour se dégager, et sentit sa peau moite de sueur se détacher de la sienne.

Il ne bougea pas.

Elle pouvait attendre. Après tout, n'était-elle pas là où elle voulait être ? Elle sourit avec une satisfaction de propriétaire en voyant l'entrelacs de leurs deux corps. Elle savait qu'elle l'avait surpris. *Ton pensionnat de jeunes filles, ça devait être quelque chose...* Elle pouffa.

« Chut... »

Il était réveillé ! Elle se lova contre lui.

« Il faudrait qu'on se lève », murmura-t-elle.

Rien.

Elle l'embrassa dans le cou.

« Lève-toi », chuchota-t-elle.

La main de Felix passa de sa taille à sa bouche et la couvrit.

Elle rit contre sa paume. Elle voulait exulter avec lui. Il fallait qu'il soit réveillé pour qu'elle puisse l'aimer.

« Il est tard, insista-t-elle. Allez, debout, une magnifique journée t'attend. »

Il roula sur le côté, lui tournant le dos. Au loin, dans l'entrée, le téléphone sonna.

« Téléphone ! » s'écria-t-elle pour le faire réagir.

Rien.

La sonnerie finit par s'arrêter. Elle attendit, les yeux au plafond. Son estomac gargouillait, elle mourait de faim. Il ne voudrait pas qu'elle meure de faim. Elle se pencha au-dessus de lui, hésita un instant, au souvenir de son étrange réaction de la veille, et finit par s'exclamer :

« Il est neuf heures passées ! »

Silence. Elle fit une nouvelle tentative :

« Tu sais combien de temps nous sommes restés au lit ? Douze heures ! Presque douze heures.

— Être au lit, ce n'est pas forcément dormir, marmonna-t-il.

— Je sais. Mais tu n'as pas faim ? »

Il hocha la tête, les yeux toujours fermés.

Elle pouvait le toucher, à présent, décida-t-elle. Elle se pencha par-dessus son épaule, ses longs cheveux tombant comme un rideau autour de son visage.

« Nous aurons des années pour dormir, Felix. Des années et des années pour dormir ensemble, toi et moi. Je suis trop heureuse pour dormir maintenant. »

Il ouvrit alors les yeux et la regarda de biais. Il sourit.

« Tu veux que je te dise une chose ?

— Oui, quoi ?

— Jottie a toujours raison. »

Il riait presque. Elle le chatouilla avec ses cheveux.

« Jottie ? – Elle caressa son torse. – Pfff ! C'est *moi* qui ai toujours raison. »

D'un geste preste, il l'attrapa et la fit basculer sur le dos avant de rouler sur elle, lui maintenant les poignets. Elle fut parcourue d'un petit frisson d'inquiétude devant son air pensif.

« Jottie avait raison à quel sujet ? demanda-t-elle timidement.

— Hum, grogna-t-il.

— Quoi ? »

Elle se tortilla mais il l'immobilisa.

« Qu'est-ce qu'elle a dit ? » insista Layla.

Il plongea ses yeux dans les siens.

« Je te le dirai plus tard. Tu seras surprise. »

Il la relâcha et se leva.

*

« Arrête-toi là, dit Jottie alors qu'ils traversaient Martinsburg. Il y a un drugstore. Je vais réessayer d'appeler la maison. »

Sol se gara le long du trottoir.

Dans une cabine étouffante, elle écouta son téléphone sonner quatorze fois. Elle entendait presque la sonnerie rageuse rebondir sur les murs de sa maison. Pourquoi ne répondaient-ils pas ?

Elle avait la bouche sèche.

« Encore Macedonia », annonça-t-elle à l'opératrice avant de lui donner le numéro de Mae.

Le téléphone sonna pendant une éternité.

« Il n'y a personne, apparemment, dit la voix claire de l'opératrice après la quinzième sonnerie.

— Ah, bon Dieu..., chuchota Jottie.

— Voyons, madame, dit l'opératrice sur un ton de reproche.

— Très bien. Essayez celui-là. »

Emmett, je t'en supplie...

« À Macedonia ?

— Non, celui-là est à White Creek. »

Mon Dieu, faites qu'il soit à la maison...

Il n'y eut que deux sonneries.

« Allô ?

— Emmett ! » s'écria-t-elle.

L'opératrice l'interrompit.

« Acceptez-vous un appel en PCV d'une certaine Mlle Jottie Romeyn ?

— Oui, j'accepte.

— Allez-y.

— Emmett, est-ce que tu peux passer chez nous ? Willa a disparu, et je pense...

— Quoi ? Où es-tu ? Jottie ? »

Elle éclata en sanglots.

« Emmett, je... euh, je suis à Martinsburg en ce moment, je t'expliquerai tout ça plus tard, mais j'ai dit à Willa d'emmener

Bird chez Minerva pour y passer la nuit pendant mon absence, et elle n'y est pas allée, je crois qu'elle est chez nous avec Layla, mais elles ne répondent pas au téléphone, et... – Elle s'efforça de reprendre sa respiration. – ... est-ce que tu pourrais y faire un saut pour vérifier ? J'en ai encore pour une quarantaine de minutes, et je ne peux pas...

— Oui, bien sûr, j'y vais tout de suite. Où est Bird ?

— Elle est avec Minnie. Elles sont allées à la rivière, je crois. C'est Willa. Elle n'est pas...

— C'est bon, j'ai compris. Je me mets tout de suite en route. J'y serai dans un quart d'heure.

— N'hésite pas à appuyer sur l'accélérateur.

— D'accord. – Il semblait si calme et sûr de lui. – Je la trouverai.

— Oui, s'il te plaît. Trouve-la. »

Dehors, sur le trottoir écrasé de chaleur, Sol l'attendait devant la voiture. Sans un mot, il lui ouvrit la portière. Elle se glissa sur le siège et appuya le pied très fort contre le plancher, comme pour faire démarrer la voiture en trombe.

46

J'entendis Papa entrer dans la cuisine. « Du café, du café… », grognait-il comme il le faisait toujours. Mon cœur se remit à battre normalement et je me sentis un peu mieux. Je m'étais peut-être trompée. Le monde allait peut-être retrouver sa place normale, en fin de compte. Je me penchai pour jeter un coup d'œil par l'entrebâillement de la porte et constatai qu'il n'en était rien. Je ne pouvais distinguer qu'une petite portion de la cuisine – la table, une partie du plan de travail près de la cuisinière –, mais Papa était là et il n'était pas normal. Il portait une chemise, mais elle était déboutonnée sur son maillot de corps, les manches relevées jusqu'aux coudes.

« Du café, gémit-il en faisant le tour de la cuisine. Où est-ce qu'elle peut bien le ranger, à ton avis ?

— Dans le garde-manger ? fit la voix de Mlle Beck.

— Peut-être, marmonna-t-il en s'éloignant.

— Ou dans le frigo ? »

Je me figeai. Le réfrigérateur se trouvait juste à côté de la porte de la cave. Elle s'approcha et se pencha pour en examiner les étagères. Elle portait la robe de chambre de Papa, celle en soie avec la ceinture dorée, qu'elle s'était serrée autour de la taille. Elle était pieds nus.

« Ah, le voilà.

— Bravo. Et maintenant, la cafetière.

— Elle est là-bas, je crois. Tu sais comment ça marche ?

— Bien sûr. Aucun secret pour moi. Le camping.

— Tu fais du camping ? dit Mlle Beck en riant. Je n'arrive pas à t'imaginer.

— Eh bien, essaie. »

Il s'affaira dans la cuisine.

« Il faudra que j'apprenne à faire le café, reprit-elle. Jottie m'a montré, une fois.

— Jottie ne le fait pas assez fort.

— Elle a dit que ça me ferait pousser des poils sur la poitrine... »

« Voyons voir un peu ça », dit Papa en riant, et Mlle Beck poussa un petit cri.

Je sursautai quand le téléphone se mit à sonner mais ils ne m'entendirent pas. Ils avaient dû sursauter, eux aussi.

« Je vais répondre, lança Mlle Beck au bout de trois sonneries.

— Non, l'arrêta Papa assez sèchement, laisse sonner. »

J'étais bien contente. Elle n'était pas chez elle, après tout.

Nous étions là, tous les trois, à écouter le téléphone. Quatorze sonneries.

« Tu n'avais pas parlé de faire des toasts ?

— Si. Je m'en occupe. – Je l'entrevis avec du pain dans les mains. – Combien en veux-tu ?

— Quoi ? »

Il n'écoutait pas. Un petit bruit, moitié crachotement moitié explosion, annonçait que le café était presque prêt. C'est ce que guettait Papa.

« Combien de tranches ?

— Oh. Deux. Non, trois. J'ai faim. »

Ils passèrent un moment à s'occuper des toasts et à chercher le sucre, puis elle dit d'une voix douce :

« Je vais apprendre à faire la cuisine, Felix. »

Je ne le voyais que de dos. Il reposa délicatement la cafetière sur le réchaud :

« Pourquoi voudrais-tu faire une chose pareille ? »

Il y eut un très bref silence.

« Eh bien, pour nous. »

Il se tourna vers elle et but une gorgée de café.

« Ah, nous. Les gens de la maison, tu veux dire. Et moi qui ai toujours cru que les sénateurs avaient des cuisiniers. À défaut de maîtres d'hôtel, au moins des cuisiniers.

— Pardon ?

— Tu es en train de me dire que ton papa n'a pas de cuisinier ?

— Attends, dit-elle. Attends un peu.

— C'est ce que je fais, j'attends. J'attends de savoir pourquoi notre sénateur du Delaware n'a pas de cuisinier à son service. Je ne veux pas croire que c'est parce qu'il est radin.

— Comment l'as-tu su ? »

Je ne voyais pas pourquoi elle aurait honte d'avoir un père sénateur, mais c'était l'impression qu'elle donnait.

Il but une autre gorgée de café et soupira.

« Layla, je crois t'avoir déjà dit il y a longtemps que c'est un secret professionnel.

— Tu as lu mon courrier ?

— Même pas besoin, ma mignonne. C'est écrit sur les enveloppes. Sénateur et Mme Grayson Beck.

— Oh...

— Tu es venue faire des petites recherches pour le compte du sénateur, ma chérie ? Pour voir comment vivent les classes inférieures ?

— Non ! Felix ! Ce n'est pas ça du tout ! – Elle s'approcha et posa une main sur sa poitrine. – Non. Il m'a jetée dehors. Mon père. Je ne vis que de mon allocation. C'est la vérité. Tu dois me croire.

— Pas de problème. Ça me va tout à fait si tu as envie de t'encanailler. J'y ai pris du plaisir. En particulier ces... – Il jeta un coup d'œil à l'horloge – ... quinze dernières heures, dit-il, déposant un baiser sur ses lèvres. Et je ne parlerai pas non plus à ton papa de ton petit ami communiste.

— Felix ! Qu'est-ce... comment le sais-tu ? Ce n'est pas mon petit ami, il n'est plus rien du tout. C'est toi que... – Elle posa les mains sur ses épaules et inspira profondément. – C'est toi qui m'importes. »

Je me rendis compte soudain que j'avais mal aux mains à force de serrer mon livre. Je relâchai les doigts.

« Je t'aime. – Elle agrippait le tissu de sa chemise. – Tu dois le savoir, après la nuit dernière. »

Il y eut un silence. Il lui caressa la joue.

« Pauvre petite Layla. Tu ne sais rien de moi. – Elle l'enlaça, passant ses bras autour de son cou, mais il la repoussa. – Tu ne sais absolument rien.

— Je m'en fiche, dit-elle, sans cesser de lui étreindre les mains. Je sais tout ce que j'ai besoin de savoir. Père est sénateur, c'est vrai, et alors ? Ça n'a rien à voir avec ce que je suis, ce que nous sommes, ce que nous ressentons l'un pour l'autre.

— C'est très démocratique, dit-il. Très émouvant. »

Elle tapa du pied.

« Ne sois pas ridicule, Felix. Comment peux-tu penser que... comment aurais-je pu... – Elle rougit – ... faire ce que nous avons fait si je ne t'aimais pas ? J'ai su dès le premier instant où tu m'as touchée que nous étions faits l'un pour l'autre. Rien d'autre n'a d'importance : ni d'où je viens, ni d'où tu viens. Tu pourrais être un... un Esquimau que je t'aimerais ! »

Il éclata de rire.

« Les Esquimaux du monde entier peuvent dormir sur leurs deux oreilles, ce soir.

— Felix ! »

Il riait encore, mais elle posa les mains sur ses joues pour l'obliger à la regarder. Elle insistait drôlement !

« Mon passé n'a pas d'importance. Le tien non plus. Rien de ce qui s'est passé avant ne compte pour moi. Ce qui compte, c'est l'avenir. – Elle leva la tête pour qu'il l'embrasse. – Notre avenir. »

Il ne l'embrassa pas. Il se contenta de la regarder.

« Notre avenir, hein ? Le tien et le mien.

— Oui ! Toi et moi, ensemble, pour toujours. Toute la vie. »

Je me relevai, sans me soucier de faire du bruit. C'était de nous qu'elle parlait. Nous, le passé de Papa. Et elle était en train de lui dire que nous n'avions aucune importance, Bird et moi. C'était le moment que j'attendais : le moment était venu de l'affronter, de prouver ma valeur. Je lâchai *Les Heureux et les Damnés*, qui dégringola les marches, et posai la main sur la porte de la cave.

« Papa... »

C'est alors que Jottie fit irruption dans la maison, M. McKubin sur les talons.

Je me rassis aussitôt.

*

« Ah, Dieu soit loué, tu es là ! s'écria Jottie. Où est Willa ? »

Felix recula d'un pas, regardant sa sœur et Sol tour à tour.

« Willa ! cria-t-elle.

— Fiche le camp de ma maison, ordonna Felix à Sol.

— C'est aussi la sienne, répliqua Sol impassible, en indiquant Jottie.

— Qu'est-ce qu'il fout ici ? demanda-t-il à sa sœur.

— Felix... j'ai envoyé les filles passer la nuit chez Minerva, mais Willa n'y est pas allée, bredouilla-t-elle ; elle n'y est pas allée, et je ne sais pas où elle est, je ne sais pas... elle est ici ? Est-ce que tu l'as... »

Il la saisit par le bras qu'il serra très fort, ce qui l'arrêta net.

« Tu es allée à Moorefield pour rendre visite à Irene, dit-il d'une voix posée. Tu as envoyé les filles chez Minnie parce que tu allais à Moorefield.

— Mais Willa...

— Willa va très bien, assura-t-il.

— Elle est là ? s'exclama-t-elle, pleine d'espoir.

— Elle est à l'étage. – Les doigts de Felix s'enfoncèrent encore dans sa chair. – Et si tu me disais où tu étais ? »

Jottie regarda son bras.

« Je n'étais pas à Moorefield.

— Elle était avec moi », s'interposa Sol.

Felix pâlit.

« Non... Pas lui...

— Tu lui fais mal », dit Layla avec un air de reproche.

Il raffermit encore son étreinte.

« Tu es partie avec Sol ?

— Je suis revenue, non ? »

Sol commençait à s'agiter.

« Lâche-la, Felix.

— La ferme, toi. Tu m'avais promis, Jottie. On avait un accord.

— Tu parles d'un accord : elle fait tout ce que tu lui dis et tu fais tout ce que tu veux, assena Sol en avançant d'un pas vers lui. Tu vas la lâcher, oui ?

— Une seconde, Sol, tempéra-t-elle. Felix, lâche-moi. »

Son frère obéit.

« N'oublie pas, je t'ai soutenue. Et je suis revenu avec les filles. N'oublie pas ce que j'ai fait pour toi. »

Elle n'eut pas le temps d'ouvrir la bouche que Sol explosa :

« Bon Dieu, Felix, à t'entendre, on croirait que tu lui as fait une fleur...

— Sol..., fit Jottie, secouant la tête pour le mettre en garde.

— Non, je ne vais pas m'arrêter là... Tu te comportes comme si tu lui avais fait une fleur, espèce de salopard, alors que tu es simplement revenu ici en rampant quand ton mariage est parti en quenouille, et tu as fait d'elle ton esclave. Alors, arrête tes conneries, tu ne lui as fait aucune fleur !

— Va te faire foutre, Sol. Tu ne sais rien du tout, et tu n'as jamais rien su.

— Non, c'est *toi* qui ne sais rien. Tu veux que je te dise juste un truc que tu ne sais pas ?

— Sol, le pria Jottie, est-ce que tu pourrais...

— Non, je ne pourrais pas, répondit-il avec impatience. J'en ai plus que marre de prendre des gants quand il s'agit de lui. Ras-le-bol de toi, Felix. Tu ne me fais pas peur. »

Layla fronça les sourcils.

« Peur ? J'espère bien que non..., commença-t-elle avant que Sol ne l'interrompe :

« Jottie et moi allons nous marier. Elle a dit oui. Tu m'entends ? – Il le défia, les yeux étincelants. – Elle a dit oui. »

Felix dévisageait sa sœur, incrédule, tandis que Sol poursuivait :

« Nous sommes allés à Charles Town hier, pour la foire hippique. Je l'ai demandée en mariage et elle a accepté de m'épouser. Elle a dit oui. N'est-ce pas ? insista-t-il, triomphant.

— Oui, c'est vrai », dit-elle en posant sa main sur son front.

Un bruit de pas arriva du perron arrière.

« Vous avez fait plus vite que moi ! lança Emmett dont la silhouette se découpa derrière la moustiquaire de la porte. Cacapon Road a fondu hier, j'ai été obligé de faire un détour par la 9. – Il ouvrit la porte toute grande. – Mais maintenant que je suis là, je vais... »

Il s'arrêta net en voyant Sol puis, après une légère hésitation, entra et balaya les visages du regard.

« Eh bien…, dit-il enfin en reculant vers l'évier auquel il s'adossa. Voilà qui n'est pas ordinaire. »

Il y eut un bref silence. Sol s'éclaircit la voix.

« Ta sœur et moi étions en train d'annoncer nos fiançailles. »

Jottie ouvrit la bouche et la referma aussitôt devant l'air stupéfait d'Emmett.

« Félicitations », finit-il par formuler.

Felix adressa un large sourire à son frère.

« Et Layla et moi allions annoncer les nôtres. »

La jeune femme releva brusquement la tête. Il s'empressa de la rejoindre et lui passa un bras autour de la taille.

« C'est une drôle de coïncidence, vous ne trouvez pas ? Tu ne trouves pas, Jottie ? – Sa sœur hocha la tête, les lèvres pincées. – Pendant que Sol et toi roucouliez là-bas, à Charles Town, Layla et moi faisions la même chose ici même, dans le confort de la maison. C'était divin, n'est-ce pas, Layla ? »

Ne sachant trop que répondre, elle acquiesça.

« Oh, mon Dieu, la pauvre enfant…, souffla Sol.

— La ferme, lança Felix sans quitter Jottie des yeux. Et si on organisait un double mariage, qu'est-ce que tu en dis ? Tu te souviens de Minerva et de Mae ? J'avais trouvé ça charmant. On pourrait marcher vers l'autel ensemble, un dernier tour de piste, en somme ? Et puis nous nous dirons adieu. Adieu, et bonne chance. Une poignée de main et il sera temps pour toi d'embrasser les filles. Tu les croiseras peut-être en ville, de temps à autre. Sauf que j'envisage de déménager, peut-être à Chicago, la ville aux "larges épaules". Mais ne te fais pas de souci, parce que Layla ici présente sera une excellente belle-mère. – Il jeta un coup d'œil à la jeune femme comme pour la jauger. – Disons qu'elle ne les mangera pas, ajouta-t-il en riant.

— Ne fais pas ça, Felix, dit Jottie.

— Quoi ? – Il resserra son bras autour de la taille de Layla. – Tu ne crois pas qu'elle fera une bonne belle-mère ? Tu en doutes ? N'est-ce pas que tu seras une bonne belle-mère, ma chérie ? »

Layla essaya de sourire.

« Je ferai de mon mieux. »

Derrière le comptoir de la cuisine, Emmett eut un geste de contrariété. Felix s'en prit aussitôt à lui :

« Qu'y a-t-il ? Tu devrais te trouver une petite amie, Emmett. Je crois que tu serais plus heureux.

— Arrête, maintenant, Felix, dit Jottie en élevant la voix. Nous savons tous que tu es en colère, mais ce n'est pas juste, ce que tu fais. Ce n'est pas juste envers Layla.

— Et pourquoi ça ? Elle est heureuse. C'est tout ce qu'elle désire. Elle me le disait à l'instant. N'est-ce pas, Layla ?

— Oui, répondit-elle, relevant le menton. Bien sûr, et je ne comprends pas ce que vous voulez dire, Jottie. Il n'y a rien d'étonnant à ce que Felix soit un peu fâché, quand vous vous fiancez avec un... un homme qui a pratiquement détruit sa vie avec ses mensonges et ses calomnies. – Elle toisa Sol avec dédain. – Je ne comprends pas comment vous pouvez faire ça. Ça ne me regarde pas, bien sûr, mais je ne comprends vraiment pas. »

Felix rayonnait.

« Tu entends ça, chérie ? Elle ne comprend pas. Et moi non plus. – Son sourire s'effaça. – Moi non plus. »

Layla posa sa main sur celle de son amant et la serra.

« Personne n'y croit. Tout le monde sait que c'est un mensonge. – Elle se tourna vers les autres, désireuse de s'expliquer. – Je veux dire que... bien sûr, c'est triste que ce garçon soit mort, mais il est évident, *absolument* évident, que vous... – s'adressant à Sol – ... vous avez eu une sorte de... je ne sais pas, une sorte de confusion mentale, c'est le terme le plus charitable que je trouve. Je n'arrive pas à comprendre qu'on ait pu vous prendre au sérieux. Six semaines après les événements. C'est ridicule, conclut-elle, avec mépris.

— Il l'a fait. Ce n'est pas de la confusion mentale. C'était lui. Je sais que tu étais derrière tout ça, Felix, d'une façon ou d'une autre.

— Tu es fou. Je n'y étais même pas.

— Oh, non, *arrêtez*, gémit Jottie. Je vous en supplie. Ne pourrions-nous pas...

— Non, la coupa Sol, sans quitter Felix des yeux. J'ignore pourquoi et comment, mais je sais que tu es à l'origine de ce qui est arrivé. Je sais que tu as tout organisé. Je sais que tu as menti. Parce que c'est ta manière d'agir.

— *Je n'y étais pas*. C'était Vause.

— Oui, bien sûr, tu ne diras jamais rien d'autre, reprit Sol, un rictus sur les lèvres. Tu t'es toujours fichu des autres comme d'une guigne, tant que tu avais ce que tu voulais. Et ce que tu voulais, tu le prenais comme si c'était à toi. Bon sang, je t'ai vu forcer l'entrée de la manufacture au moins une dizaine de fois – sans compter la moitié des autres bâtiments de la ville. Et tu t'en es toujours tiré.

— Et c'est ce qui te hérisse, pas vrai, Sol ? De savoir que je faisais ce que je voulais en toute impunité. Tu espérais toujours que je m'attirerais des ennuis, tu mourais d'envie que je me fasse attraper, alors tu as fini par prendre toi-même les choses en main. Tu m'as toujours haï.

— Non, c'est faux, et tu le sais bien. Quand nous étions gamins, je voulais être comme toi. Aussi intelligent, aussi courageux... toutes ces choses que tu faisais. Et plus tard, quand toutes les filles sont devenues folles de toi, je rêvais encore de te ressembler. Et à Vause, aussi. J'étais si fier d'être votre ami, presque l'un des vôtres. Sans l'être tout à fait. Pas vraiment. »

Felix ricana.

« On avait pitié de toi, c'est pour ça qu'on te laissait t'accrocher à nos basques. Bon sang, tu étais toujours là à nous servir tes jérémiades, à nous dire de ne pas faire ci ou ça, que nous allions nous blesser. Un trouillard, voilà ce que tu étais. Tu as toujours été un trouillard.

— Oui, je sais. Mais je ne te haïssais pas.

— Tu étais jaloux, dit Felix, méprisant.

— Oui, c'est vrai, mais je voulais surtout être avec vous.

— Tu étais jaloux, c'est pour cette raison que tu as menti sur moi.

— Non. Je ne pensais même pas à toi, en réalité. Je pensais à Vause. Le Vause que je connaissais n'aurait jamais fait ça, pas tout seul. Il n'aurait pas volé l'argent et il n'aurait pas mis le feu à la manufacture. Il t'aurait suivi jusque-là, ça je l'imagine tout à fait, mais il ne l'aurait pas fait sans que tu l'y aies obligé.

— Je ne l'ai obligé à rien ! Je n'ai rien à voir avec ça. Il l'a fait tout seul !

— Non. Pas lui.

— Il l'a fait, insista Felix. Il savait comment ouvrir le coffre et il est allé là-bas, il a volé les six mille dollars, et ensuite il a mis le feu.

— Ce n'est pas le genre de chose que Vause aurait pu faire, s'entêta Sol. Pas vrai, Jottie ? »

Elle leva les yeux.

« Je n'ai jamais... Non, je ne pensais pas qu'il pouvait le faire. »

À présent, Sol semblait presque parler pour lui-même.

« Ça ne pouvait pas être lui. Il n'était pas comme ça. Il était si... si pur, tu sais ?

— Et il ne mentait pas beaucoup, confirma-t-elle. Presque jamais. Sauf pour nous éviter des ennuis, à Felix ou à moi. – Elle se tourna vers son frère pour l'inclure dans la conversation. – Tu te souviens ? »

Felix la dévisagea sans rien dire, puis il soupira et répondit d'une voix douce :

« C'est ce que tu veux croire, Jottie, mais tu sais que ce n'est pas vrai. Tu connais la vérité... Allons, insista-t-il, tu sais pourquoi il l'a fait. Il a volé cet argent parce qu'il fallait qu'il quitte la ville. Il s'était trop engagé avec toi, il voulait rompre. Tout avait commencé comme une plaisanterie...

— Nom d'un chien, Felix! s'exclama son frère. Ce n'est pas...

— Silence, Emmett. Tu ignores tout, gronda-t-il avant de reprendre, de sa voix lente, insistant sur chaque mot. C'était une plaisanterie, Jottie, il voulait juste s'amuser un peu avant de passer à autre chose, mais il a vu que tu prenais l'affaire au sérieux. Et tu as aggravé les choses quand tu as commencé à parler de mariage...

— Non! s'écria-t-elle. Ce n'est pas moi. C'est Vause qui en a parlé le premier!

— Allons, mon chou, fit Felix en secouant la tête, j'étais *là*. C'est toi qui en as parlé. Vause ne voulait pas te faire de peine, mais il ne voulait pas non plus se marier. Je peux t'assurer qu'il n'était pas prêt à se ranger : il y avait deux autres filles avec qui il sortait...

— Non, protesta-t-elle. Ce n'est pas... tu ne m'as jamais dit ça. »

Elle leva les mains comme pour arrêter ses mots. Il haussa les épaules d'un air résigné.

« Je ne voulais pas... mais on dirait que le moment est venu. Il a menti, Josie. Il n'était pas amoureux de toi. Il me l'a avoué. Il craignait un peu que je me mette en colère, mais je ne pouvais pas lui en vouloir. – Sa voix était chaude, hypnotique. – Voyons, réfléchis un peu, mon chou, c'est l'évidence même. Vause avait roulé sa bosse, et tu n'étais qu'une gamine dans une petite ville. C'est pour ça qu'il avait besoin de cet argent. Il fallait qu'il prenne le large avant de se retrouver coincé ici avec toi... »

47

Je me relevai d'un coup, comme tirée par des ficelles.

Papa était en train de dire :

« Et tu as aggravé les choses quand tu as commencé à parler de mariage... »

J'entendis alors la voix de Jottie. Je ne pouvais pas la voir, de là où j'étais, mais sa voix était épouvantable.

« Non ! Ce n'est pas moi. C'est Vause qui en a parlé le premier ! »

J'eus soudain très peur. Très peur de cette voix-là. Oh, Jottie... Je plaquai ma main contre ma bouche pour m'empêcher de crier. Papa continuait à parler et mon cœur battait très fort dans mes oreilles, m'invitant à la rejoindre, si fort que je ne n'arrivais pas à tout entendre, seulement quelques bribes de phrases :

« Il y avait deux autres filles avec qui il sortait. »

Non, c'était faux ! Vause Hamilton portait une photo de Jottie contre son cœur, et Papa le savait. Il mentait ; je l'entendais à sa voix, comme on anticipe la note suivante dans un morceau de musique qu'on connaît par cœur. Je me demandai combien de fois je l'avais entendu mentir de la sorte, tant le sentiment m'était familier.

Jottie murmura : « Non. »

Je m'enfonçai les ongles dans le bras pour partager un peu sa souffrance. Papa était en train de la briser, et si elle se brisait, moi aussi je me briserais en mille morceaux.

« Il n'était pas amoureux de toi. Il me l'a avoué. Il craignait un peu que je me mette en colère, mais je ne pouvais pas lui en vouloir. Voyons, réfléchis un peu, mon chou, c'est l'évidence même. Vause avait roulé sa bosse, et tu n'étais qu'une gamine dans une petite ville. C'est pour ça qu'il avait besoin de cet argent. Il fallait qu'il prenne le large avant de se retrouver coincé ici avec toi. Il faut voir les choses en face, Jottie, tu n'étais pas vraiment son type... »

Jottie cria, comme si on l'avait frappée, et ce fut la goutte qui fit déborder le vase. Je crois que c'est à ce moment-là que je fis mon choix entre mon père et ma tante. Je crois que je sus dès cet instant que je faisais effectivement ce choix, et que, d'une certaine manière, je me prononçais en ma propre faveur : parce que si j'avais attendu une seconde de plus, j'aurais cessé d'être qui j'étais.

J'ouvris grand la porte et me précipitai dans la cuisine. J'étais restée si longtemps dans le noir que j'étais presque aveugle, mais je marchai droit vers Jottie, et les mots se bousculaient sur mes lèvres tandis que je passais mes bras autour d'elle.

« Il t'aimait, Jottie. Il t'aimait, ne pleure pas, Jottie, ne pleure pas, parce qu'il t'aimait, je le sais. J'ai trouvé sa veste, elle est dans la cave de M. Russell, dans une des valises de Papa, et il avait ta photo dans sa poche, tout contre son cœur... – Je l'étreignis de toutes mes forces pour l'obliger à m'écouter – ... et c'est une belle photo de toi, en plus, et il l'avait sur lui parce qu'il t'aimait et qu'il voulait que tu sois là, tout contre lui. Je la voulais, cette photo, mais je ne l'ai pas prise parce que je voyais bien qu'elle était précieuse. Il t'aimait et moi aussi, je t'aime, ne sois pas triste, Jottie. Papa ment, je le vois bien. – Elle m'enveloppa de ses bras, mais comme elle tremblait encore, j'ajoutai :

– Crois-moi, Jottie, il t'aimait. Je sais qu'il t'aimait et Papa aussi le sait. »

Cette fois, elle me serra très fort contre elle. Et c'est à peine si j'entendis la voix lointaine de M. McKubin :

« Elle est *où* ?

— Dans la cave de M. Russell. »

Je voulais que Jottie arrête de trembler.

« La veste de *Vause* se trouve dans la cave de M. Russell ? De Tare Russell ? » reprit M. McKubin.

Je relevai la tête pour qu'il puisse m'entendre et cesse de poser des questions :

« Oui.

— Et tu as dit qu'elle se trouvait à l'intérieur de quelque chose ? insista-t-il.

— Willa », coupa Papa.

Mais il ne me regardait pas, il regardait M. McKubin, avec un large sourire.

« Elle ne sait pas ce qu'elle dit. Elle a trouvé une veste. Elle peut appartenir à n'importe qui. Willa a une imagination fertile », conclut-il avec un petit rire condescendant.

Il essayait de me faire passer pour un bébé, pour une idiote. Il me balayait d'un geste, sans aucune hésitation. Après tout ce que j'avais fait pour lui, après avoir essayé de le tirer des griffes de Mlle Beck, après avoir gardé ses secrets tout l'été, après ce que j'avais vécu la nuit dernière... J'étais à deux doigts de le haïr à ce moment-là.

« Ce n'est pas la veste de n'importe qui, répliquai-je sèchement. C'est celle de Vause Hamilton, parce que dans une autre poche, il y a un billet de toi. Il dit : "V. Réussi à le faire baisser à deux cents dollars, mais il faudra un nouveau pneu, alors deux cent cinquante. F." C'est ton écriture : tu es F, alors V, c'est Vause Hamilton.

— Oh, mon Dieu... », murmura Emmett.

Jottie se raidit dans mes bras.

« Attends. »

Je m'écartai un peu pour lui caresser la joue. Elle était mouillée de larmes.

« Il t'aimait, Jottie, répétai-je, parce que j'avais besoin qu'elle le sache.

— Willa... où se trouve cette veste, exactement ? »

Encore des questions.

« Dans une des valises de Papa. Tu sais, ces valises noires avec F.H.R gravé dessus. Elle est dans une de celles-là, dans la cave de Tare Russell.

— Qu'est-ce que tu fichais dans la cave de Tare Russell ? » me demanda Papa.

J'étais furieuse, mais je ne le haïssais pas au point de le trahir. Je ne dis pas un mot sur le trafic d'alcool.

« J'étais là, c'est tout. Je jouais.

— Quoi ? Tu t'introduis en douce dans la maison de Tare ? C'est une violation de propriété privée !

— Elle a de qui tenir, commenta M. McKubin.

— La ferme. »

Papa s'approcha de moi et me posa la main sur l'épaule.

« Willa, nous réglerons ça plus tard. Monte dans ta chambre et nous...

— Non, s'interposa Jottie. Dis-moi ce qu'il y avait d'autre dans la valise. Avec la veste de V... avec cette veste. »

Je n'avais pas l'intention de le lui dire, mais ses yeux étaient plongés dans les miens et je ne pouvais pas regarder ailleurs ; je fus incapable de mentir.

« De l'argent.

— Combien ?

— Pas grand-chose. – Elle posa la main sur ma joue. – Beaucoup...

— Quoi d'autre ?

« — Rien. Juste des enveloppes.

— Des enveloppes ?

— Ces grandes enveloppes marron de la manufacture, tu sais, celles qui portent l'inscription Les Inusables Américaines en haut, mais celles-là sont vieilles, parce qu'il y a une date en bas, je ne sais plus quel jour, septembre 1920. L'argent est dedans.

— Septembre 1920 ? répéta M. McKubin, incrédule.

— Oui. »

J'essayai de revoir la date dans mon esprit, en vain. De toute façon, ça ne me paraissait pas essentiel.

« Mais la photo était juste contre son cœur, une photo de toi, répétai-je à Jottie.

— Maintenant, on te tient, espèce de salopard », déclara alors M. McKubin.

Je me retournai aussitôt, et m'arrêtai presque de respirer en voyant le visage de Papa.

*

Le silence se prolongea. Seule l'horloge de l'entrée semblait vivante.

« Vause voulait me quitter. C'est ce que tu as dit. – Felix acquiesça. – Mais ce n'est pas vrai. – Il secoua la tête. – Ce n'est pas vrai, insista-t-elle. – Il secoua encore la tête. – Tu as menti. – Il ferma les yeux et acquiesça. – Est-ce qu'il... est-ce qu'il m'aimait ?

Encore un oui.

Elle baissa la tête.

« Tiens, tiens, fit Sol en joignant les mains, qui donc avait raison depuis le début ? – Il jeta un regard à la ronde. – Qu'est-ce qu'on va faire ? Il faut faire quelque chose.

— Tais-toi, Sol, dit Emmett.

— Mais il... »

Comme si elle ne l'avait pas entendu, Jottie poursuivit :

« C'est l'argent qui t'intéressait – parce qu'il nous manquait deux cents dollars pour la voiture. Tu as donc décidé de les voler à Papa et puis tu t'es résolu à tout prendre, pas seulement les deux cents dollars, parce que ça n'aurait pas été suffisant pour lui faire du mal. – Elle parlait de plus en plus lentement à mesure qu'elle comprenait. – Et une fois là-bas, tu as mis le feu à la manufacture, parce que tu la haïssais et que tu voulais la voir brûler. Et Vause, tu l'as obligé à t'accompagner... – Elle s'interrompit et ouvrit de grands yeux. – Il n'était au courant de rien, n'est-ce pas ? »

Felix contemplait le plancher.

« Il savait pour les deux cents dollars, répondit-il d'une voix rauque. J'ai prétendu que c'était une avance sur ma paye. »

Elle réfléchit un instant.

« C'est la vérité ?

— Oui.

— Il ne savait même pas, murmura-t-elle. Un baiser pour me porter chance, mais il ne savait pas... Oh, mon Dieu », dit-elle en se cachant les yeux.

Felix fit un pas dans sa direction. Elle découvrit son visage.

« Ces choses qu'il m'a dites ?

— Il les pensait », reconnut son frère.

Elle se dressait devant lui, son regard de plus en plus profond à mesure qu'elle remontait dans le passé.

« Cette fois, tu dois payer, assena-t-elle.

— Jottie... »

Elle le coupa, implacable :

« Non. Non. Il n'y a pas d'autre solution. Tu étais prêt à faire ça à Vause ? À moi ? Pendant toutes ces années ? Tu m'as laissée vivre comme ça, en croyant que Vause m'avait rejetée ? J'ai failli en mourir, Felix. – Il tressaillit en la voyant approcher. – J'ai failli en *mourir*. – Elle l'agrippa par la chemise. – Et ça ne te faisait rien ?

— Si, bien sûr, mais j'étais obligé de...

— *Non !* – Elle se mit à lui marteler la poitrine avec le poing. – Non ! Tu aurais pu me dire la vérité !

— Jottie... »

Il lui saisit délicatement les poignets. Elle cessa de le frapper et appuya la tête contre son épaule.

« Jottie, reprit-il d'une voix douce, devant son silence. Je sais que c'est moche. Vraiment moche. Mais pas autant que lorsqu'il est mort. Ça, c'était le pire, et on a réussi à le surmonter ensemble. On peut encore y arriver, j'en suis sûr, à condition de l'affronter ensemble. Tu veux ? – Elle secoua la tête. – Tu ne veux pas ? Bon, mais écoute-moi, au moins. Je sais que c'est moche. Mais souviens-toi de notre situation, à l'époque ; nous ne pouvions compter que sur nous-mêmes, toi et moi. Personne d'autre ne comprenait, tout le monde s'en fichait, même. Et c'est pareil, cette fois encore, tu le sais bien. Tout ce qui a pu arriver par le passé, nous l'avons toujours surmonté ensemble, n'est-ce pas ? – Il lui serra tendrement les mains. – N'est-ce pas ? – Elle ne répondit pas. – Nous ne pouvons pas arrêter maintenant. Nous devons rester ensemble. »

Elle s'écarta de lui, le visage dépourvu de toute expression.

« Non.

— D'accord. – Il s'humecta les lèvres. – D'accord. Tu es furieuse, et tu as des raisons, je ne le nie pas une seconde, mais tu ne dois pas épouser Sol, comme ça, sur un coup de tête. Ne fais pas cette folie. Sol n'est pas l'homme qu'il te faut. Tu t'imagines que tu veux une jolie petite vie confortable et normale, mais tu te trompes. C'est terminé tout ça et ça n'en vaut pas la peine. Ça ne vaut pas un clou, Jottie.

— Pas un clou, répéta-t-elle.

— Ne te l'ai-je pas toujours dit ? insista Felix. Hein, ne te l'ai-je pas toujours dit ?

— Oui, tu l'as toujours dit et j'ai toujours pensé que tu te trompais, rétorqua-t-elle d'une voix claire et incisive. Mais comment pouvais-je en être sûre ? Je m'étais tellement trompée au sujet de Vause que je n'avais plus confiance en moi. Je me disais, Comment être sûre de quoi que ce soit, moi qui croyais connaître Vause. Tu m'as *juré* que tu n'y étais pas. Tu me l'as juré sur la Bible, tu te souviens ?

— Je sais...

— Et maintenant, tu me dis que je serais mieux sans Sol ? Que je serais mieux avec *toi* ? *Menteur !* lança-t-elle, pleine d'un dégoût qui se lisait sur son visage.

— Si tu crois te venger de moi en épousant Sol...

— Cela n'a rien à voir avec toi. Je sais que tu as du mal à l'imaginer, mais je ne pensais même pas à toi quand j'ai dit oui. J'ai dit oui parce que je le voulais. »

Sol émit un petit grognement de satisfaction que tous deux ignorèrent.

« Très bien. Parfait. Ce qui est bon pour l'un le sera aussi pour l'autre. – Il se glissa vers Layla. – Ma promise, déclara-t-il en lui posant la main sur l'épaule. »

Willa poussa un cri étouffé mais il ne réagit pas. Il garda les yeux fixés sur Jottie.

« Alors, ça te plaît ? »

Layla se dégagea.

« Non, dit-elle écarlate. Non.

— Non quoi ? demanda Felix.

— Non. Tu... tu as menti. Au sujet de ce pauvre garçon. C'était ton meilleur ami et ta sœur l'aimait, et tu l'as laissée croire... tu l'as laissée souffrir pour éviter de souffrir toi-même. – Elle leva la main à sa joue, comme si elle avait reçu une gifle. – Je ne peux pas croire... Jottie, je suis tellement désolée de... de ce qui est arrivé. Et je suis désolée pour ce que j'ai dit tout à l'heure, monsieur McKubin. Je ne savais pas. – Se tournant vers Felix. – Pendant tout ce temps, les gens faisaient des allusions et je pensais qu'ils mentaient. Je ne me suis pas posé de questions... parce que j'étais amoureuse de toi... Mon Dieu, tu n'as jamais eu aucun sentiment pour moi, n'est-ce pas ? conclut-elle, dans un éclair de lucidité.

— Bien sûr que si. Je suis fou de toi. »

Jottie grimaça.

« Non. Ne fais pas ça, Felix.

— Tout dépend de toi, mon chou, dit-t-il à sa sœur, impassible.

— Tu ne peux pas... »

Layla les interrompit :

« De Jottie ? Ça dépend de Jottie ? Non, tout ne dépend pas de Jottie. Tu t'imagines que je serais assez... *nigaude* pour t'épouser sachant que tu es un menteur et un voleur ? Sachant que tu as brisé le cœur de ta sœur ? Sachant que tu te fiches de moi comme d'une guigne ? Non, Felix. »

Il eut un sourire moqueur.

« Je n'ai pas eu trop de mal à te faire changer d'avis la dernière fois. Cela ne m'a pas pris plus de cinq minutes. »

Elle tressaillit.

« Non. Pas ça, dit-elle en reculant.

— Et c'était amusant. Surtout la dernière partie. Tu t'en souviens ? Quand tu as...

— Arrête !

— Où vas-tu comme ça ? aboya Felix en voyant son frère s'avancer vers Layla. Ne la touche pas ! »

Emmett se figea sur place.

« Ça suffit. J'en ai assez entendu. Je veux que tu partes, gronda Jottie droite comme un I.

— Non.

— Si. C'est terminé. J'en ai fini avec toi.

— Tu n'as pas le droit.

— Si, j'ai le droit. Je le fais. Dehors. »

Willa gémit, enfouissant son visage au creux de l'épaule de sa tante, qui la serra contre elle.

Felix les observa un instant.

« Les filles. Elles sont à moi. »

Jottie le fusilla du regard.

« N'essaie même pas. Tu sais ce que je ferais. Elles restent avec moi. – Il scruta son visage en une interrogation muette. Elle fit non de la tête. – Pas cette fois, Felix.

— Pas cette fois », répéta-t-il.

Il ne bougeait toujours pas. Il se balançait légèrement sur les talons, comme s'il attendait quelque chose. Il finit par secouer la tête comme pour s'éclaircir les idées.

« D'accord, marmonna-t-il. Bien. »

Il prit une inspiration et s'approcha de Willa. Il posa un doigt sur son épaule, mais elle ne réagit pas.

« D'accord », répéta-t-il.

Ignorant les autres, il quitta la pièce et disparut.

48

Je l'entendis partir. Je sentis sa main sur mon épaule, j'entendis ses pas. Il fait du bruit pour que je sache qu'il s'en va, me disje. C'est sa manière de me dire au revoir. Et cependant, je gardai la tête baissée. J'étais pétrifiée. Je ne pouvais pas le regarder, je ne pouvais pas parler, je ne pouvais rien faire. Enfin, quand je fus certaine de son départ, je m'écartai de Jottie et me mis à haleter. Je ne me souviens pas bien des minutes qui suivirent, parce que la cuisine tournait et tanguait, s'éclaircissait et s'assombrissait, basculait d'avant en arrière et d'arrière en avant. Mon cœur battait trop vite. Je me disais qu'il fallait que je rejoigne mon père. Qu'il fallait que je *coure*. Mais je ne réussis qu'à me retenir à la table pour ne pas tomber. Alors que je me stabilisais, tentant de reprendre mon souffle, l'idée me vint que ma place était sans doute à l'hôpital.

« Willa ? »

C'était Jottie, inquiète. Elle passa un bras autour de mes épaules.

« Willa ? Ma chérie ? »

Je clignai des yeux. Son visage aussi roulait et tanguait.

« Il faudrait qu'elle s'asseye », dit Mlle Beck.

Elle me toucha le bras et je ressentis comme une brûlure sur ma peau. Je fis un ou deux pas en titubant, puis traversant la cuisine moitié courant, moitié tombant, je sortis sur la terrasse arrière et dévalai les marches pour me précipiter vers la grille qui menait à l'allée. Je l'ouvris et j'aperçus sa voiture tout au bout, qui s'engageait dans Walnut Street. Je m'élançai à nouveau – mon Dieu, je n'avais jamais couru aussi vite de ma vie – mais l'allée était si longue, des kilomètres semblait-il ; et le temps que j'arrive au bout, il avait disparu. Je ne songeai même pas à crier. Serait-il revenu pour moi si j'avais crié ?

Emmett me souleva de terre comme une plume et me porta jusqu'à la maison. Sans me gronder. Sans dire un mot. Ce qui fut un gros soulagement.

« On ferait mieux de la mettre dans ma chambre », résonna la voix de Jottie.

Il me déposa sur le lit, telle une malade. Peut-être l'étais-je. Je sentis sa grosse main me caresser les cheveux et je fondis en sanglots. Je croyais avoir versé toutes les larmes de mon corps la veille, mais non.

« Tout va s'arranger, ma chérie. – Encore la voix de Jottie. – Tout va s'arranger. »

J'aurais voulu lui raconter que j'avais tout raté : que j'avais voulu protéger Papa de Mlle Beck, que je n'avais pas ménagé ma peine pour les surveiller sans faire de bruit, que j'avais essayé de me montrer dévouée à ma cause et féroce, et qu'au bout du compte, j'avais tout détruit, tout anéanti, tout perdu. Mais j'en fus incapable. Je n'étais capable de rien d'autre que de pleurer.

*

Jottie garda Willa dans ses bras jusqu'à ce que les sanglots se tarissent et que la fillette s'enfonce dans le sommeil. Elle resta encore un peu au chevet de sa nièce endormie, examinant les sillons des larmes, évaluant les dégâts, les imputant à Felix, et laissant sa fureur, telle une tornade triomphante, le balayer hors de son cœur.

Quand elle finit par redescendre au rez-de-chaussée, elle trouva Sol qui l'attendait au salon. Il se retourna brusquement, le visage rayonnant.

«Ma chérie. Jottie. Ah, mon Dieu!»

Elle releva le menton.

«Désormais, je déciderai par moi-même de ce qui est bien et ce qui est mal. À compter de maintenant.

— Très bien, ça me va, dit-il en la prenant dans ses bras.

— Tout ce que Felix m'a volé, je veux me le réapproprier. Tout.»

Une vie entière lui était due. Elle se blottit dans ses bras.

«Doux Jésus..., souffla-t-il. Marions-nous, tout de suite. – Il s'écarta et lui sourit. – Tu vas m'épouser, enfin!

— Oui, c'est ce que je vais faire, répondit-elle en repensant aux scrupules qui l'avaient tourmentée vis-à-vis de Felix, la veille. C'est exactement ce que je vais faire.

— Bien. – Il jeta un œil autour de lui. – Et on va habiter ici. C'est plus grand.»

Il se pencha pour l'embrasser. Elle se déroba.

«Mais si jamais tu me mens, j'arrêterai tout. Je te jetterai dehors tellement vite que tu en auras le tournis. Et je ne te laisserai jamais revenir. Tu m'entends?

— Oui, madame, acquiesça-t-il en posant son front contre le sien. Pour rien au monde je ne te mentirai. Je n'oserai jamais.»

Elle hocha la tête, pour signifier qu'elle prenait acte de sa promesse.

Les pas d'Emmett résonnèrent sur le plancher de la terrasse.

«Je les ai trouvées, annonça-t-il en entrant dans le salon. Elles seront bientôt là. Minnie va d'abord faire un crochet par chez elle.

— Merci, Emmett. Comment va Bird?

— Elle est insupportable. Tu veux un peu de thé glacé ?

— Oh, oui, s'il te plaît ! »

Elle mourait de soif. Sol hocha la tête, comme s'il approuvait même sa soif. Elle en fut agacée. L'approbation était le signe avant-coureur des tentatives d'apaisement et elle ne voulait plus qu'on essaie de l'apaiser, jamais. Elle se laissa tomber dans son fauteuil rose en fermant les yeux pour ne plus voir Sol et ne les rouvrit que lorsqu'elle entendit Emmett revenir avec un plateau.

« J'y ai ajouté un petit quelque chose..., commenta-t-il.

— Je croyais que c'était Felix, le trafiquant de la famille, plaisanta-t-elle en prenant le verre.

— J'ai des ressources insoupçonnées », rétorqua Emmett.

Pour la première fois depuis ce qui lui parut une éternité, elle rit de bon cœur.

« Ah, heureusement qu'il en reste à l'un de nous. Dis-moi, est-ce que tu peux rester dormir ici cette nuit ? Je crois que Willa se sentirait un peu mieux, et en ce qui me concerne, j'en suis certaine.

— J'en serai ravi.

— Veux-tu que je reste aussi ? » demanda Sol, plein d'espoir.

Elle se tourna vers lui pour évaluer cet espoir et lut sur ses traits un désir de rendre service, de l'aider dans ce moment difficile et d'accomplir son devoir de fiancé. Alors, se dit-elle, voilà donc à quoi ressemble la sécurité quand elle est dans mon salon. Un objet décoratif. Elle sourit.

« C'est vraiment très gentil de ta part, Sol, mais j'ai déjà assez de choses à expliquer à Minerva et à Bird sans avoir en plus à justifier ta présence ici. – Elle lui tapota la main. – Et puis il y a Willa. Je vais devoir garder un œil sur elle.

— Entendu, acquiesça-t-il, solennel, mais nous devons discuter, tous les trois.

— Non, répondirent Jottie et Emmett, d'une seule voix.

— Attendez un peu, là ! Je comprends vos sentiments. C'est votre frère, bien sûr, je ne parle pas d'aller voir les *autorités*... néanmoins, j'aimerais savoir ce que Tare Russell a pu...

— Laisse Tare tranquille », déclara Jottie en repensant à son visage triste, constellé de taches de rousseur.

Elle espérait que Felix s'était conduit honorablement, qu'il lui avait témoigné sa reconnaissance pour son mensonge avec un minimum de gentillesse.

« Et il y a la question de l'argent, poursuivit Sol. Vous pensez qu'il en a dépensé au fil des années ? Willa a dit qu'il y en avait beaucoup. On devrait peut-être aller jeter un œil dans cette cave.

— Non, répliquèrent-ils à nouveau.

— Mais c'est le seul moyen de savoir ! insista Sol, les fixant tour à tour, indigné. Vous voulez qu'il s'en tire comme ça ? Pensez à Vause ! »

Pensez à Vause ? Il était en train de lui dire à *elle* de penser à Vause ?

Elle le dévisagea, stupéfaite, et lut une tout autre histoire sur son visage. Nulle trace de Vause, dans celle-là. C'était l'histoire de Sol. Celle d'un homme qui avait eu raison depuis le début. Pendant toutes ces années, il avait dû se battre pour déposséder Felix de cette prérogative particulière. Pendant dix-huit ans, la version de Felix, aussi impopulaire fût-elle, avait été la version officielle, la réalité sur laquelle tout le monde s'accordait, tandis que la sienne était jugée fausse. C'était un trou béant dans son existence qui venait d'être comblé : désormais, il était le propriétaire en titre de la vérité sur la mort de Vause. Et c'était ce qui importait pour lui, songea Jottie à voir son attitude détendue. Il ne pensait pas à Vause mais à lui-même. Mon pauvre amour, se dit-elle tristement, ils t'ont bien abandonné. Leur vérité n'est rien comparée à la tienne ; j'accepterais n'importe laquelle des deux versions si cela pouvait te faire revivre. Elle n'avait pas de mots pour exprimer la terrible détresse qu'elle éprouvait à l'idée que les vies de Felix et lui avaient si longtemps tourné autour de la mort de Vause.

« Il va falloir que tu laisses tomber cette histoire, Sol. Si tu veux m'épouser, en tout cas. Je ne veux pas infliger ça à Willa, ni à Tare. Il n'en est pas question. Tu ne dois plus y penser. »

L'incompréhension rida le front de Sol.

« Mais c'est... Bon. D'accord... si tu en es sûre. Parce que, tout de même, tu crois que Tare sait que la valise est chez lui ? Tu ne veux pas aller voir si...

— Si tu crois que cette valise est encore dans la cave de Tare, tu te berces d'illusions, ironisa Emmett. Cela fait... – Il jeta un rapide coup d'œil à sa montre – ... plus de deux heures. Il y a longtemps qu'elle a disparu.

— Et *merde*. »

Quand Sol se résigna enfin à prendre congé, Emmett l'accompagna. À son retour, il trouva sa sœur immobile dans une colonne de lumière, de minuscules grains de poussière dansant autour d'elle. Il l'observa, et décela un petit quelque chose qu'il n'avait plus vu sur son visage depuis des années. La liberté ? L'autorité ? L'amour ? Non, décida-t-il : elle était simplement elle-même.

Elle leva les yeux, soudain consciente de sa présence.

« Emmett, te voilà », dit-elle en lui tendant une main qu'il serra dans la sienne.

Une chance qu'il y ait autant de chambres, songea-t-elle. Une très bonne chose. Il y en avait une pour Emmett. Minerva et Henry (qui, il fallait le reconnaître, s'était fait un réel souci pour Willa) partageraient celle des jumelles. Mae dormirait dans le lit de Willa. Layla dans sa chambre, bien sûr. Et celle de Felix resterait vide. Après avoir vu sa sœur, Bird avait refusé de la quitter. Les deux fillettes dormaient dans le lit de Jottie, blotties l'une contre l'autre malgré la chaleur. Elle pouvait distinguer les boucles cuivrées de Bird derrière la masse de cheveux noirs de Willa.

Elle avait envie d'une cigarette. Elle en mourait d'envie. Mais elle ne voulait pas bouger. Pas question. Willa s'était délibérément agrippée à son poignet, l'enserrant de ses doigts comme une menotte et, bien que sa prise se fût un peu relâchée pendant le sommeil, elle n'avait aucune intention de se libérer. Quand Willa se réveillerait, elle la trouverait là où elle l'avait vue avant de s'endormir. Mais ce ne serait pas avant un moment. Pas avant des heures. Elle fouilla l'obscurité du regard et, tel un plongeur au bord du précipice, contempla l'étendue bleue scintillante. Maintenant. Elle pouvait, maintenant. Avec la prudence qu'enseignent les privations, elle s'autorisa à invoquer Vause. Sa silhouette, lointaine d'abord, puis s'approchant, peu à peu ; ses yeux brillants, ses cheveux dorés, et enfin, le contact de ses mains magnifiques sur son visage. Elle plongea et l'eau se referma sur elle, l'enveloppant de fraîcheur. Ô luxe ! Ô joie enivrante : pouvoir l'assembler, trait après trait, au lieu de le bannir... Elle se laissa happer : son sourire qui naissait au coin de ses lèvres, sa tête qu'il inclinait un peu lorsqu'il se mettait à courir, ses jambes trop longues pour son vélo, l'accordéon qu'il avait trimballé pendant des semaines, sa peur des bébés, cette cravate violette qu'il portait parfois, sa façon de mordre dans les oranges pour les éplucher, et ce jour de février où il l'avait boutonnée avec lui dans son manteau...

« Tu vois comme c'est pratique que j'aie failli mourir de la grippe. Il n'y aurait pas eu assez de place pour toi, avant. »

Tremblante de froid, elle se blottit contre lui et inspira son odeur à pleins poumons.

« Qu'est-ce que tu fais là-dedans ? demanda-t-il, entourant de ses bras cette boule de laine.

— Je te renifle », répondit-elle d'une voix étouffée.

Il y eut un petit silence.

« Ça sent mauvais ?

— Non, non, c'est très agréable. »

Elle enfonça son menton dans sa poitrine.

« Hé là ! Arrête ça. – Il la serra plus fort. – Tu n'as pas froid aux pieds, dis ?

— Non. Si. Mais je m'en fiche. Je suis bien, là-dedans. »

Elle se hissa sur le bout de ses chaussures.

« Aïe.

— Je pense que je vais rester là pour toujours. »

Lovée contre lui, elle guetta les bruits de son cœur, de son esto-mac, de ses os, et, en un geste plein de hardiesse, glissa ses mains glacées sous sa chemise et les posa contre sa peau.

« Ah, bon sang… »

Il se raidit, puis se détendit au fur et à mesure que ses mains se réchauffaient à son contact. Elle lui caressa le dos, explorant du bout des doigts le relief de ses côtes, aplanissant ses épaules, parcourant le ruban crénelé de sa colonne vertébrale.

« Hmm…, soupira-t-il. Je crois que ton papa m'abattrait d'un coup de fusil s'il savait ce que tu fais en ce moment.

— Je ne fais rien de mal », murmura-t-elle.

Elle ne lui avoua pas qu'en réalité, elle jouait à faire semblant d'être lui.

Jottie s'émerveilla devant ce trésor retrouvé, cette merveille qui lui était rendue. À elle. Pour toujours. Personne ne pourrait jamais la lui reprendre. Elle l'attira à elle, tout entier, avide.

Il s'écoula un certain temps avant qu'elle ne remarque qu'elle entendait quelque chose, et même à ce moment-là, elle pensa que c'était un chat, pour retourner à Vause. Mais le bruit persis-tait. Ce devait être un gros chat, se dit-elle. Non, sans doute pas. Un opossum ? Deux ? En train de se battre ? De mourir ? Ou bien, un chien. Une fois, elle avait entendu un chien sans cordes vocales qui essayait d'aboyer : c'était ce son-là qu'elle entendait, à présent, en plus fort. Un chien agonisant ? Combien de temps un chien mettait-il à mourir ? Le bruit ne s'arrêtait pas. Est-ce que cela pouvait être un cheval ? Quelqu'un avait peut-être abattu un cheval, et l'animal s'était réfugié dans son jardin pour y mourir. Ce serait une belle distraction, songea-t-elle. Une carcasse de cheval dans le jardin.

Le bruit continuait, continuait toujours. Les filles dormaient comme si on leur avait jeté un sort. Finalement, n'y tenant plus, Jottie se leva en silence et ouvrit la porte. Elle la rabattit aussitôt en constatant que le bruit était plus fort dans le couloir. Emmett se tenait immobile devant sa chambre.

« C'est un cheval ? » chuchota-t-elle.

La silhouette blanche de Minerva apparut.

« Qu'est-ce que ça peut bien être ? » demanda-t-elle à voix basse.

Henry apparut derrière elle.

« Tout le monde va bien ?

— C'est Layla », répondit Emmett.

Ils se tournèrent tous vers le rectangle sombre de sa porte. Henry se passa la main sur le visage.

« La pauvre enfant... », dit Minerva dans un souffle.

Elle interrogea Jottie du regard. Sa sœur contempla un instant la porte sombre.

« Non, je ne peux pas. Pas ce soir », dit-elle enfin, jetant un coup d'œil par-dessus son épaule, pour leur rappeler Willa.

Minerva acquiesça et se retira avec Henry.

« Demain. Je recommencerai demain, dit Jottie à Emmett. Je m'occuperai d'elle, je te le promets. »

Il hocha la tête. Elle se glissa dans sa chambre. Elle savait qu'il était resté dans le couloir.

49

15 août 1938

Chère Mère,

Je ne pourrai pas venir à votre réception pour Lance.
La date de remise de mon livre est dans moins de deux
semaines et je dois y consacrer chaque minute de mon temps
d'ici là.
Embrassez-les tous les deux pour moi.

Affectueusement,

Layla

17 août

Layla,

Ta mère est sur le sentier de la guerre, mais je suis fier de
toi. Continue comme ça. Il y aura d'autres réceptions.

Père

P.S. : Je te joins un chèque.

En 1898, Charles Canson Huddleston, directeur d'usine chez Columbia Woolens à Dunellen, New Jersey, chercha un site pour une nouvelle manufacture de bonneterie. Au cours de son périple en train vers l'ouest, il soupesa les mérites respectifs de Hagerstown, Moorefield et Cumberland avant de fixer son choix sur Macedonia, une bourgade qui, ainsi qu'il l'écrivit au président de la compagnie, l'impressionnait par « sa modestie, sa sobriété, et son absence de toute souillure nordiste ». L'enthousiasme de Huddleston pour Macedonia fut bientôt...

Layla leva la tête.

« ... mis à l'épreuve, dit Jottie.

— *... mis à l'épreuve*, écrivit Layla avant de lever à nouveau les yeux.

— Ah, donne-moi ça, mon chou. »

Jottie lui prit le stylo des mains et se mit à griffonner. Pendant un moment, on n'entendit plus que le grattement de la plume sur le papier.

Puis, fronçant les sourcils, elle relut ce qu'elle venait d'écrire.

« Tu connais un synonyme de jarretelle ?

— Non, répondit Layla. – Elle jeta un coup d'œil à la lettre de son père. – La seule fois de sa vie où il est fier de moi, et c'est un mensonge.

— Ce n'est pas un mensonge. Tu travailles.

— Non, c'est toi qui travailles. »

Jottie posa sa main sur celle de Layla.

« Tu en as déjà écrit la plus grande partie. Je ne fais que compléter ici et là.

— Il n'empêche : je mens. Je fais semblant d'être un écrivain.

— Allons, ma chérie, je parie que tous les écrivains pensent qu'ils font semblant, même Ernest Q. Hemingway.

— Ben et Père avaient raison. Je suis une idiote. »

Jottie posa son stylo.

« Tu n'es pas une idiote. Ce n'était pas ta faute. Felix a jeté son dévolu sur toi à la seconde où il t'a vue et, si une femme a jamais réussi à résister, je ne l'ai pas encore rencontrée. Tu es loin d'être un cas isolé, si ça peut te consoler. »

Il y eut un silence, puis Layla demanda d'une traite :

« Est-ce qu'il *cherchait* à me ridiculiser ?

— Non, non, ma chérie. C'est juste qu'il n'éprouve pas... de pitié, je dirais. Il n'en a jamais éprouvé. J'ai essayé de te mettre en garde, mais... enfin, je n'ai pas réussi à l'en empêcher.

— Il n'avait aucun sentiment pour moi, pas une seconde, reprit-elle avec amertume. Il n'a de sentiments pour personne.

— Si, il en a, soupira Jottie. Il est attaché aux filles. Il était attaché à Vause. Et même à moi. Simplement, pas autant qu'il l'est à lui-même.

— Oh, Jottie, je suis navrée ! – Layla lui serra doucement la main. – Tu dois me trouver bien égoïste ! Mais, c'est que... j'ai l'impression de ne plus rien savoir, sur personne.

— Oui, Felix a un réel talent pour mettre les gens dans cet état. »

La jeune femme se prit la tête entre les mains.

« On devrait m'enfermer pour ma propre sécurité.

— Ce serait dommage. Un vrai gâchis. »

Jottie regarda la feuille devant elle.

« Crois-tu que ça poserait un problème que je mentionne Papa ? »

Layla soupira.

« C'était le directeur de la compagnie. Il faut que tu en parles.

— Ça paraît un peu prétentieux, mais tu as sans doute raison. »

Jottie se frotta le nez et se pencha de nouveau sur son texte.

«Vingt-huit ans de sa vie, passés là-bas...», murmura-t-elle tandis que Layla regardait par la fenêtre.

Quand Emmett arriva une demi-heure plus tard, sa sœur leva les yeux avec un air absorbé.

«Tu sais en quelle année ils ont commencé à fabriquer des bas pour femmes ?

— Quoi ? Pardon ? s'étonna-t-il, lançant un rapide coup d'œil à Layla.

— Les Inusables Américaines. Quand ont-ils démarré leur production de bas pour femmes ?

— En 1917.

— Tu inventes. – Il sourit. – *1917*, répéta-t-elle en l'écrivant.

— Où sont les filles ? demanda-t-il. J'ai apporté un livre pour Willa.

— Ne t'attends pas à des remerciements.

— Je n'attends rien. Je l'ai apporté, c'est tout.

— Elle parlera quand elle sera prête.

— Je sais, dit-il doucement. Ça te va si j'emmène Bird chez Statler ? – Jottie acquiesça. – Tu penses que je devrais aussi demander à Willa si elle veut venir ?

— Tu peux toujours essayer. Ne te formalise pas si elle ne répond pas.

— Pas de problème, je te l'ai dit.»

Layla le suivit des yeux quand il quitta la pièce à la recherche de ses nièces.

«Et *lui* ?» questionna-t-elle d'un air soupçonneux.

Jottie releva la tête.

«Qui ça ?

— Emmett. Il est comme Felix ?»

— Non», répondit-elle avec un sourire.

*

538

Ils pensaient que j'avais arrêté de parler à cause de Papa. Même Jottie le pensait. Mais ce n'était pas vrai. J'avais arrêté de parler parce que j'étais épuisée. J'avais l'impression de m'éloigner d'eux, un peu plus chaque jour, jusqu'à ce que je ne distingue plus que des dos, dans le lointain, des silhouettes de plus en plus petites, qui me semblaient familières. Je voyais bien que je ne les rattraperais jamais. J'étais trop fatiguée.

Jottie croyait que j'étais devenue muette à cause de ce qu'avait fait Papa : parce qu'il avait volé l'argent de la manufacture, y avait mis le feu, et menti, même à Jottie, jusqu'à lui briser le cœur. C'était horrible, qu'il ait volé et menti. Je le savais. Je le savais. Mais au fond de moi, à l'endroit secret où je gardais les choses dont je ne parlerais jamais, même si je le pouvais, je comprenais pourquoi il avait menti. Je devinais ce qu'il avait dû ressentir en voyant les flammes et en se rendant compte que Vause Hamilton allait mourir par sa faute. Il avait dû se couvrir la bouche pour se retenir de hurler, il n'avait pas su quoi faire, et c'est pour cela qu'il s'était enfui. Le cœur battant à tout rompre, il avait cru mourir lui-même, parce que, en l'espace d'un instant, il avait tout perdu. Je le comprenais, et je savais qu'il avait menti parce qu'il ne supportait pas l'idée que Jottie le haïsse, il ne supportait pas l'idée de perdre la dernière chose qui lui restait. Je le savais parce que, moi aussi, j'avais tout perdu, et parce que j'avais brisé la vie de Papa. Je savais que si j'avais eu une minute de plus, j'aurais menti, j'aurais trouvé un moyen de révéler à Jottie combien Vause Hamilton l'aimait sans avoir à révéler le secret de Papa. Mais j'avais tout gâché, Papa me haïssait, et chaque fois que je repensais à son visage quand j'avais parlé des enveloppes, je me recroquevillais en boule, toute serrée, pour essayer de disparaître.

Je tentais de me consoler en me disant que j'avais au moins sauvé Jottie, qu'elle allait beaucoup mieux maintenant grâce à moi, mais je n'en étais pas sûre. Elle me racontait qu'elle allait épouser M. McKubin, qu'il allait venir habiter chez nous et que tout serait merveilleux. Elle n'arrêtait pas de le répéter. Qu'on allait avoir une nouvelle vie, une vie merveilleuse. Que nous aurions des tas de belles choses, Bird et moi. D'accord, très bien ; ça ne me tentait pas plus que ça, alors je ne répondais rien. Et puis, au bout d'une semaine, Jottie arrêta de parler de notre merveilleuse nouvelle existence. Elle s'activait toujours partout dans la maison, comme à son habitude, mais je la voyais parfois se tenir immobile, le regard dans le vague. Elle pensait peut-être à sa merveilleuse nouvelle existence. Ou peut-être que Vause Hamilton lui manquait. Je ne savais pas. Je ne posais pas de questions.

Une autre chose que je me disais : Mlle Beck n'avait pas Papa non plus, en fin de compte. Mais c'était une mince consolation. Il était parti et je l'avais perdu.

Je haïssais Mlle Beck, à ce moment-là. Oh, comme je la haïssais. Je savais que c'était ma faute s'il était parti, mais il fallait que je partage cette haine avec quelqu'un. J'en avais trop pour moi toute seule. J'imagine que j'aurais pu en vouloir à Jottie, parce que c'était elle qui avait chassé Papa. Mais jamais je n'aurais pu la haïr. Je ne pouvais que l'aimer. Alors je faisais retomber ma haine sur Mlle Beck. Je la détestais tant que je craignais parfois de m'embraser. J'avais lu quelque part que ça pouvait arriver. À table, je gardais les yeux baissés sur mon assiette pour ne pas la voir et ne pas risquer de mourir étouffée par ma haine. Manger aussi était au-dessus de mes forces, seulement Jottie l'ignorait et elle se faisait de plus en plus de souci pour moi. Elle remplissait mon assiette d'épinards, de betteraves et d'autres choses épouvantables.

Je ne pouvais pas l'expliquer. J'étais épuisée, voilà tout.

Le soir du départ de Papa, j'avais fait un rêve qui revenait presque chaque nuit, depuis ; c'est pour cette raison que j'étais si fatiguée. Je restais éveillée pour le chasser et je me réveillais, l'ayant fait malgré tout, le cœur battant à tout rompre. Pas moyen de me rendormir, après. Dans mon rêve, Papa revenait à la maison. J'entendais le bruit feutré de son chapeau atterrissant sur la patère du portemanteau alors que j'étais en haut dans ma chambre. « Je suis rentré ! » lançait-il comme il le faisait toujours. Et tout comme je savais qu'il finissait toujours par revenir, je savais aussi qu'il ne resterait pas longtemps. C'est pourquoi il fallait que je me dépêche, que je descende en vitesse pour le voir avant qu'il ne s'en aille. J'entendais Bird et Jottie, Minerva, Mae et Emmett, qui se précipitaient pour l'accueillir, surpris et heureux. Mais juste au moment où je sortais de ma chambre en courant, je baissais les yeux et remarquais que ma robe était sale ou déchirée – ou une autre chose anormale –, et je ne voulais pas que Papa me voie dans cet état. Il fallait que je me change. J'essayais maladroitement d'ouvrir ma commode, mes doigts glissaient sur les poignées des tiroirs, mes vêtements tombaient des cintres, et je me mettais à quatre pattes pour les ramasser, en criant : « J'arrive ! Attends-moi ! » Quelquefois, je trouvais une robe qui semblait correcte et je l'enfilais, mais il suffisait que je jette un coup d'œil dans la glace pour voir qu'elle s'était transformée en haillons, que mes cheveux étaient emmêlés, que j'avais du rouge à lèvres sur la bouche. Et pendant tout ce temps, je l'entendais en bas – qui riait, en général. C'était toujours la même chose. Lorsque je réussissais enfin à m'habiller, à ouvrir la porte et à dévaler les marches quatre à quatre, je trouvais toute la famille réunie au salon : ils étaient tous là, sauf Papa. « Oh, Felix ? disaient-ils. Il vient juste de partir. »

50

23 août 1938

Mme Judson Chambers
Directrice adjointe du Federal Writers' Project
1013 Quarrier Street
Charleston, Virginie-Occidentale

Chère madame Chambers,

Je vous prie de trouver ci-joint le manuscrit intégral de *L'Histoire de Macedonia*. J'en ai transmis une copie au commanditaire, le conseil municipal de Macedonia, pour approbation.

Avec mes sincères salutations,

Layla Beck

« Je peux aller le poster pour toi, si tu veux, proposa Jottie en regardant la robe chiffonnée de Layla. Un peu de marche à pied ne me fera pas de mal. »

Un moment s'écoula avant que Layla ne relève les yeux.

«Ah. Oui. Merci. Merci. »

Elle lui tendit l'enveloppe contenant le manuscrit et se renfonça dans son fauteuil.

Jottie jeta un coup d'œil à travers la moustiquaire de la véranda de derrière : Willa se dirigeait lentement vers le chêne rouge, au fond du jardin. Elle fronça les sourcils en la voyant poser la main sur le tronc et rester là, immobile. C'est comme si je vivais avec un fantôme, songea-t-elle. Deux fantômes, en fait, se ravisa-t-elle en regardant Layla.

C'était un tel soulagement de quitter cette maison hantée que, malgré la chaleur poisseuse de l'après-midi, Jottie flâna le long d'Academy Street, s'intéressant aux hortensias de la mère Pucks, aux fenêtres vides et inertes de la maison des Casey, et à Sénèque le chien, qui arborait un abcès à l'oreille.

« Tu ne devrais pas te battre avec les chats, vieil idiot que tu es », lui dit Jottie.

Elle s'engagea sur le pont d'Academy Creek, s'accouda au parapet et se pencha vers l'endroit où Felix, Vause et elle déterraient des vers pour pêcher à la ligne.

Trois autres fantômes, en fait.

Pour l'instant, Vause était à nouveau tout à elle. Chaque soir, après avoir embrassé Sol et écouté le bruit de ses pas s'éloigner sur le trottoir, elle montait se coucher en vitesse pour pouvoir le ramener du monde des morts et se remémorer, sans aucune retenue, les choses les plus minuscules, et les plus belles.

C'est de l'adultère.

Non, protesta-t-elle. Ça le serait si nous étions mariés. Et je ne le suis pas. Sans compter qu'il est mort. Ce n'est pas de l'adultère s'il est mort et si je ne suis pas mariée. J'arrêterai quand je serai mariée.

De la tromperie, alors. Ce n'est pas honnête.

Oui.

Sol est un homme honnête, et bon. Il t'aime. Il t'offre une nouvelle existence. Tout ce que tu désirais. Il mérite ton amour et ta loyauté. Tu devrais avoir honte.

Oui, j'ai honte.

Harcelée par sa conscience, elle pressa le pas dans Council Street, puis tourna dans Prince Street pour gagner le bureau de poste. Là, se sentant sur le point de cuire complètement, elle se précipita tête la première à l'intérieur et entra en collision avec une grosse poitrine rose.

« Grands dieux ! se récria Mme John Lansbrough. Qu'est-ce que...

— Oh, désolée ! Je ne vous ai pas fait mal ? s'exclama Jottie au même instant.

— Eh bien ! reprit la dame, recouvrant vite ses esprits. Jottie Romeyn ! Juste ciel ! »

Elle posa une main gantée sur son corsage et émit un rire roucoulant.

« Comme nous sommes drôles, toutes les deux ! Et John qui ne cesse de me répéter, *Regarde bien où tu vas, ma chérie* ; ma foi, il a bien raison ! Ça va, vous êtes en un seul morceau ? »

Stupéfaite, Jottie s'efforça de retrouver ses bonnes manières.

« Euh, oui, je vais très bien, madame John. Je me suis juste un peu cognée. Et vous ?

— Oh, très bien aussi ! chantonna Mme John. – Elle inclina la tête avec un regard malicieux. – J'ai entendu un petit quelque chose à votre sujet », chuchota-t-elle.

Jottie ouvrit de grands yeux.

« Ah, oui ?

— Ma foi, je vous souhaite beaucoup de bonheur. John se joint à moi. Nous sommes de vieux amis de Sol, ajouta-t-elle, lui tapotant le bras, amicale. Il faut absolument que vous veniez dîner à la maison un de ces soirs, après l'heureux événement. Vous savez, pour fêter ça.

544

— Eh bien... ce sera avec grand plaisir. C'est une charmante idée !

— Nous serions plus que ravis. »

Mme John fronça le nez pour mimer le ravissement. Jottie sentit ses lèvres se bloquer sur ses dents quand elle répondit par un sourire.

« Vous êtes au courant de ce qu'Auralee Bowers veut faire lors de la prochaine réunion ? ajouta Mme John, du ton de la confidence.

— La prochaine réunion ?

— La réunion des Filles, expliqua-t-elle devant son air perplexe, les Filles de Macédoine.

— Ah ! – Puis, avec un peu de retard : – Qu'est-ce qu'elle veut faire ?

— Elle veut parler de ce M. Gandhi, répondit Mme John en se trémoussant. Cela me convient tout à fait tant qu'on ne m'oblige pas à le regarder. – Elle gloussa. – Il ne porte pratiquement pas de vêtements ! »

Ne sachant comment réagir, Jottie se retrouva à glousser elle aussi, et sentit une vague de honte l'envahir.

« N'oubliez pas, surtout, chuchota Mme John de sa voix haut perchée, John et moi tenons à être les tout premiers à avoir M. et Mme McKubin à dîner ! »

Les yeux pétillants, elle lui donna un petit coup de coude et s'éloigna, d'un pas majestueux.

« Je m'en fais une joie à l'avance ! » lui lança Jottie, en se détestant encore plus.

Je te verrai en enfer avant, Wanzellen Bucklew, se dit-elle tandis qu'elle s'approchait du comptoir tout en agitant la main. Mais même ces sombres imprécations ne purent la consoler. Elle s'était inclinée devant l'ennemi. Elle se faisait l'effet d'une hypocrite et d'une menteuse. Mais le plus détestable dans l'affaire, c'était qu'elle avait atteint son but. Elle avait été acceptée. Elle était devenue une éminente dame de la société de Macedonia. Le prestige lui avait été accordé, d'office, automatiquement, du simple fait de ses fiançailles avec Sol. Et elle en était piquée au vif. Pourquoi ? Parce qu'elle n'avait pas gagné ce privilège par son propre mérite. Parce qu'on la récompensait pour avoir reconnu ses erreurs, pour avoir changé de monture et choisi un vainqueur, pour s'être affranchie de la loyauté déplacée qu'elle vouait à Felix. Comme si tout ce qu'elle avait été autrefois était honteux.

Tu es quand même incroyable, s'admonesta-t-elle. Tu avais bel et bien honte. Tu *voulais* le prestige de Sol. Tu le voulais désespérément. Et maintenant que tu l'as, tu as honte de l'avoir désiré ? Ça n'a aucun sens.

Mais elle n'était pas dupe : il y avait un sens à cela. Parce qu'elle ne valait pas mieux que Wanzie Bucklew, qui s'était lavée de son passé infamant en épousant John Lansbrough, si bien lavée qu'elle tenait sa mère enfermée à double tour afin que personne ne puisse voir d'où elle venait : un acte qui l'avilissait infiniment plus que son enfance elle-même.

Sol est un homme honnête, se récita Jottie, bon et honnête. Il t'aime. Il t'offre une nouvelle existence. Tout ce que tu désirais. Il mérite ton amour et ta loyauté.

« Mademoiselle Romeyn ? »

L'employé, Harlan Kasebier, lui faisait signe d'approcher de son autel postal. Elle l'avait connu quand il n'avait encore que trois ans et des fossettes aux genoux.

« Eh bien, fit-il avec un large sourire qui éclaira son expression officielle, j'ai entendu une nouvelle bien sympathique à votre sujet. »

Jottie sortit du bureau de poste à pas lents. Déprimée par ses faiblesses de caractère et aveuglée par le reflet du soleil sur le macadam, ce n'est qu'à la dernière seconde qu'elle remarqua les frères Lloyd, assis sur les marches, manquant de trébucher sur eux.

«Mlle Romeyn! glapit Jun. Ça va? – Il se leva d'un bond et tendit la main pour la retenir. – Ah, bon sang, je suis vraiment désolé!»

Elle sourit devant son visage luisant de sueur et sa mine contrite.

«Ça va très bien, Jun. On dirait que je me cogne contre tous les gens que je croise, aujourd'hui.»

Les trois frères étaient revêtus de leurs beaux uniformes de scouts. Leurs cols de chemise étaient si serrés que leur teint virait au bleu.

«Jun», dit Dex d'un air entendu en fixant Jottie des yeux.

Obéissant, Jun fit une nouvelle tentative :

«Vous êtes *sûre* que ça va? Je demande ça parce que sinon, on peut vous aider. Je veux dire, si ça ne va pas.»

Jottie se sentit soudain le cœur plus léger. Pour les frères Lloyd, au moins, elle avait une valeur intrinsèque. Avec beaucoup d'obligeance, elle se tassa.

«Ma foi, Jun, j'ai la tête qui tourne un peu. Ça doit être la chaleur, tu sais. – Il hocha la tête, compréhensif. – Je me sentirais mieux si vous m'aidiez à traverser la rue, conclut-elle prenant un air pitoyable à souhait.

— Je m'en occupe! s'exclama Frank en se levant d'un bond.

— Pas question! s'écria Dex. C'est sur moi qu'elle a buté!

— Oh, ce serait mieux si vous m'aidiez tous», s'empressa d'ajouter Jottie en vacillant.

Jun sourit.

«Merci, lui dit-il à voix basse tout en se redressant dans une attitude militaire. Dex, mets-toi à côté d'elle! aboya-t-il. Alors, qu'est-ce que t'attends? Frank, prends-lui le bras!»

Soutenue par Dex et Frank, Jottie s'engagea en titubant sur la chaussée derrière Jun, qui avançait droit comme la justice pour arrêter la circulation.

Tout à coup, une voiture s'arrêta contre le trottoir. Sol en surgit, le visage crispé. Il se précipita vers elle.

« Jottie ! Que s'est-il passé ? »

Elle vit les Lloyd échanger un regard entendu, comme s'ils s'attendaient à une trahison. Elle fut heureuse d'avoir l'occasion de se racheter.

« Oh, Sol, je ne me sentais pas très bien à cause de la chaleur et ces adorables garçons ont proposé de m'aider à traverser la rue. C'est gentil de leur part, tu ne trouves pas ?

— Si, dit-il, adressant un bref salut de la tête à Frank. Merci, les gars. Je m'occupe d'elle, maintenant. »

Sans tout à fait se rendre compte qu'il l'évinçait, il écarta Dex pour la prendre par le bras.

« Viens, ma chérie, je te ramène tout de suite à la maison. »

Impuissante, Jottie lança un « Merci ! » à Jun, qui hocha la tête, dépité.

« Vous voulez même pas un verre d'eau ? » cria Dex.

Sol lui accorda à peine un regard et lui tourna le dos pour ouvrir la portière.

« Vas-y, installe-toi. »

Une fois assise, Jottie fit un signe aux jeunes Lloyd : la moindre des choses :

« Merci, les garçons ! Désolée ! »

Sol s'installa au volant.

« Tu as la tête qui tourne ? Tu m'as l'air un peu pâle. »

Jottie en doutait.

« Je vais bien, Sol. C'était une... »

Elle se tut devant l'impossibilité d'expliquer la situation. Quand bien même elle aurait trouvé les mots, il n'aurait pas trouvé ça drôle.

« Ce n'était rien.

— Il fait sacrément chaud, convint-il, compatissant. Je te ramène chez toi où tu pourras t'allonger un peu. J'y suis passé te voir, il y a quelques minutes. – Une pause. – Je voulais t'annoncer moi-même la nouvelle, ma chérie. Je voulais que tu sois la première à savoir. »

Elle comprit aussitôt, mais se tourna vers lui d'un air attentif. Il lui prit la main.

« Shank s'en va, annonça-t-il. Devine qui le remplace ?

— Oh, Sol, c'est merveilleux ! Tu le mérites vraiment. Tu seras un directeur formidable. »

Elle en était sûre.

Il poussa un long soupir émerveillé.

« Ma chérie, murmura-t-il, j'ai tout ce que j'ai toujours rêvé d'avoir. »

29 août 1938

Chère Layla,

Bon sang, tu as réussi ! Quand Gray m'a dit que tu refusais d'assister à la réception de ta mère *afin de pouvoir terminer ton manuscrit*, j'ai cru que le retour du Messie sur la Terre était proche – et en plus, à Macedonia, Virginie-Occidentale ! (Tu n'as pas manqué grand-chose, soit dit en passant. On avait l'impression que Lance et Alene auraient préféré subir le supplice du chevalet. Ta mère était dans son élément.) Et puis, j'ai songé que tu étais peut-être couverte de furoncles, de poux, ou atteinte de je ne sais quelle affliction rurale, et que tu n'osais pas te montrer en public. Je suis sûr que tu comprendras que j'aie avant tout pensé à ma propre sécurité. Tu connais suffisamment ton père pour savoir qu'il n'hésiterait pas à m'abattre pour avoir risqué un seul de tes cheveux.

Mais tu *travaillais* pour de bon ! Ursula m'a envoyé le manuscrit, non pas pour que je le corrige, mais pour que je m'en enorgueillisse. Elle est enchantée et je vois pourquoi. Le texte est intéressant, plein d'informations et bien écrit, un excellent exemple de ce que nous espérons retirer de tous ces petits projets commandités. Ursula n'est pas du genre à se livrer à des effusions – c'est contraire à ses principes, je crois –, mais dans sa lettre, elle écrit : « Le manuscrit est bien supérieur à ce que je pensais pouvoir attendre d'une jeune femme sans expérience. C'est d'évidence une personne que nous pourrions, et devrions, employer pour d'autres projets. » En d'autres termes, te voilà prévenue. Ursula m'a parlé de ses problèmes avec l'adjoint régional de Martinsburg – Iliff ou Liffle, je crois. Il semblerait qu'il soit incapable d'aligner deux mots ; elle a été obligée de rédiger elle-même sa contribution au guide de l'État, ce qui, en plus d'être contraire aux règles du Federal Writers' Project, est une grande source d'agacement pour elle. Depuis qu'elle a vu ce dont tu étais capable, elle a eu la brillante idée de t'embaucher pour prendre le relais, non pour rédiger le guide de l'État, qui est presque achevé, mais pour finaliser deux autres projets qui attendent dans un coin de son placard. Ursula est une battante, je t'encourage à donner suite à cette proposition. Tu as vraiment été à la hauteur dans cette affaire, Layla, et je t'adresse mes félicitations les plus sincères, en même temps que quelques excuses pour avoir douté de toi.

Avec toute mon affection,

Ben

P.S. : J'aurais voulu que tu voies la tête de Gray à la réception. Il était partagé entre l'envie de se vanter de ton travail et la honte de devoir avouer que tu étais allocataire de l'État. Il a résolu le dilemme à sa façon habituelle : deux bouteilles de champagne, et il était incapable de parler.

51

« Laisse-moi juste essayer, dit Mae en passant les doigts dans les cheveux d'Emmett.

— Fiche-moi la paix », bougonna-t-il.

Il examinait le fil électrique dénudé de la lampe à côté de lui.

« Mais ça t'irait à ravir. N'est-ce pas que ça lui irait bien ? dit-elle, appelant Minerva à son secours.

— Tu ressemblerais à Tyrone Power. Tu n'as pas envie de ressembler à Tyrone Power ?

— Non. »

Il retourna la lampe pour inspecter le dessous du socle.

Layla passa lentement dans le couloir.

« Et toi, lui lança Mae, tu ne trouves pas que ça lui irait bien d'avoir les cheveux plaqués en arrière ? »

Elle revint sur ses pas et resta un instant sur le seuil du salon, l'air un peu égarée.

« Vous n'êtes pas obligée de répondre », dit Emmett avec un certain embarras.

Elle hésita.

« Ma mère avait l'habitude de me défriser les cheveux quand j'étais enfant, dit-elle d'une voix douce. Je considérais cela comme une violation du quatrième amendement. – Elle chercha le regard d'Emmett. – Saisie non motivée. »

Le visage du jeune homme s'éclaira.

« C'est ça ! Vous avez tout à fait raison ! Tu entends ça, Mae ? Si tu me touches avec ce peigne, j'appelle le procureur général. »

Layla lui adressa un petit sourire avant de disparaître.

Mae la suivit des yeux.

« Ah, ce Felix, je pourrais l'étrangler...

— Moi aussi, approuva Minerva.

— Qu'est-ce qu'il a de si formidable, au fond ? demanda Mae. Rien.

— Rien, confirma sa jumelle. De jolies dents, c'est tout. Il n'y pas de quoi en faire tout un plat. Des tas de gens ont de jolies dents. »

Elles lancèrent un regard furieux à Emmett.

« Qu'ils aillent tous au diable ! » s'emporta Minerva.

Leur frère ouvrit de grands yeux et se replongea dans l'examen de sa lampe.

*

Il faisait chaud partout dans la maison, et c'était encore pire à l'étage, mais ça ne me dérangeait pas. J'aimais bien visiter la chambre de Papa. Je m'y rendais tous les jours – pas pour voir s'il était là, je ne me berçais d'aucune illusion –, juste pour m'assurer que personne n'avait touché à rien ni mis de désordre. Je refermais la porte derrière moi et je jetais un coup d'œil à la ronde. Tout semblait bien propre et net. Il y avait un pan de mur nu entre sa commode et son bureau ; c'est là que j'aimais me blottir. Je ne touchais à rien. Je me contentais de rester assise par terre, adossée au mur, la tête vide. C'était mon coin à moi. Même Papa ne s'était sans doute jamais assis là. Après son départ, j'avais trouvé un penny par terre, sous la commode. Cela m'avait fait plaisir de le remarquer : cette petite chose qu'il avait laissée tomber et qu'il ramasserait un jour. Mais en faisant le

552

ménage un jour, Jottie l'avait ramassé et posé sur son bureau. Je ne sais pas ce qui me contraria le plus, que la pièce ne soit plus à l'endroit où il l'avait laissée, ou le changement sur son bureau.

Un après-midi – l'après-midi le plus étouffant qu'on puisse imaginer –, je me rendis dans sa chambre pour y rester un moment. Je pris bien soin de refermer la porte sans faire de bruit avant de me retourner. Quelque chose avait changé. Je ne vis pas tout de suite quoi, parce que tout semblait identique à la veille, mais au bout d'un moment, je finis par trouver : la fenêtre était un peu plus ouverte que d'ordinaire, une de ses photos avait été déplacée, et le penny avait disparu.

Papa était venu ici. Je vérifiai rapidement le contenu de son placard, de sa commode, des tiroirs de sa table, et fouillai partout pour voir s'il ne manquait rien. Était-il venu prendre des vêtements, de l'argent, autre chose ? Il manquait une paire de chaussures – sa deuxième paire noire –, à part ça, tout était là. Je m'arrêtai au milieu du tapis, respirant très fort, remplie du fol espoir qu'il soit là, dans la maison. Je me ruai hors de la chambre et ouvris toutes les portes du couloir. Je commençai par regarder dans notre chambre, puis j'entrai dans celle de Mlle Beck sans frapper – elle n'était pas là, de toute façon, et lui non plus. Je fonçai ensuite dans la chambre de Jottie – pas besoin de prendre de gants, là – et compris aussitôt pourquoi il était venu. Un paquet enveloppé d'un tissu blanc jauni par le temps trônait sur le dessus-de-lit rose fané. À l'endroit où Papa l'avait déposé. Pour elle.

Cela faisait si longtemps que je n'avais pas souri, que j'eus l'impression que mon visage se craquelait. Je dévalai les marches aussi vite que possible et trouvai Jottie dans la cuisine.

« Viens avec moi, là-haut ! » lançai-je d'une voix rauque.

Je n'avais pas prononcé un mot depuis deux jours. Elle était si heureuse de m'entendre parler qu'elle mit un moment à intégrer ce que j'avais dit. Mais elle me suivit à l'étage sans hésiter.

Une fois dans sa chambre, je lui désignai le tissu jauni.

« C'est de la part de Papa. »

Elle fronça les sourcils.

« Felix est ici ?

— Non, mais il est venu. Ouvre le paquet. »

Elle me lança un coup d'œil inquiet, puis elle prit le paquet et enleva le tissu. La veste de Vause Hamilton glissa dans ses mains, et, tout comme moi dans la cave de Tare Russell, elle la tint un instant à bout de bras, se demandant de quoi il s'agissait. Et puis elle comprit ; ou plutôt, elle la reconnut. Je le lus sur son visage, cette certitude que c'était bien la sienne, celle qu'elle l'avait vu porter, celle qu'il portait la dernière fois qu'elle l'avait vu. Elle pressa le tissu contre son visage et le respira, et alors elle ferma les yeux et sourit, soudain si heureuse et si belle. Je m'assis au bord du lit pour l'admirer. Cela faisait un certain temps que je ne l'avais pas vue aussi comblée.

Au bout d'un moment, elle posa la veste sur le lit et la lissa un peu du plat de la main. Ce n'était pas nécessaire, mais elle tenait à en prendre soin. Elle me jeta un coup d'œil avant de fouiller dans la poche intérieure. La petite photo d'elle était là. Elle l'examina, secoua la tête, incrédule, et reprit son opération de lissage. Après un nouveau regard dans ma direction, elle fouilla dans une des poches latérales. Elle y découvrit la pièce de cinq *cents* avec le bison. De l'autre, elle tira le bout de papier sur lequel Papa lui avait écrit un message. Elle le lut, les lèvres pincées.

« Trop tard, Felix. »

Sentant que je l'observais, elle soupira :

« Maintenant, il veut bien que je la voie. Maintenant. Mais c'est trop tard. On n'efface pas dix-huit ans comme ça. Tu comprends, Willa, n'est-ce pas ? »

Elle hochait la tête, comme pour me soutirer mon accord.

Je lui fis signe que non. J'espérai que la vue de cette veste l'attendrirait, et j'étais presque sûre que Papa l'espérait aussi. Je faillis ouvrir la bouche pour le dire, mais l'idée de devoir rassembler tous ces mots me parut au-dessus de mes forces.

Jottie attendit. Quand elle fut sûre que je ne répondrais pas, elle reprit de sa voix la plus douce :

« Il ne changera jamais, ma chérie. Il ne te dira jamais la vérité sur quoi que ce soit, il ne se comportera jamais comme les autres hommes, et jamais, jamais il ne changera. »

Je réfléchis un instant à ce qu'elle voulait dire. Puis, je me raclai la gorge et murmurai :

« Je ne veux pas qu'il change. »

Elle secoua la tête, la mine grave. Sans vraiment s'en rendre compte, elle se remit à caresser le tissu, à imaginer le pauvre Vause dans cette veste à laquelle elle n'avait sans doute jamais trop prêté attention et qui, désormais, était tout ce qui restait de lui. Avec des gestes très lents, comme pour faire durer le moment, elle la replia en l'aplatissant bien avec le dos de la main. Puis, elle l'examina.

« Elle était comme ça ? Dans la cave de Tare ? Aussi bien pliée ? – J'acquiesçai. – Et enveloppée dans ce tissu ? Mon Dieu... – Elle soupira en l'effleurant du bout du doigt. – Il aurait été plus facile d'aller simplement en prison. »

Je ne savais pas de quoi elle parlait. Elle enveloppa à nouveau la veste dans le tissu, vida le tiroir du bas de sa commode et y rangea le paquet, qu'elle caressa une dernière fois avant de refermer le tiroir. Lorsqu'elle s'approcha de la fenêtre, je repris espoir, songeant qu'elle cherchait Papa. Mais elle poussa alors un petit grognement – un grognement de dégoût –, et elle sortit. J'écoutai le claquement de ses talons dans l'escalier.

Ce soir-là, Jottie parut presque insouciante. Elle joua au rami avec les autres, comme elle aimait le faire, les rideaux bien tirés pour que le chef de la police ne puisse pas les surprendre en train de miser de l'argent, s'il venait à passer. Je ne pris pas part au jeu, bien sûr. Assise sur le canapé, je lus mon livre en me demandant où était Papa. À deux reprises, Jottie monta à l'étage. Elle prétendit d'abord avoir besoin d'un mouchoir, puis fit mine de chercher son stylo, mais je ne fus pas dupe. Elle voulait juste regarder la veste de Vause.

*

« Jottie ?

— Oui ? »

Petite toux embarrassée à l'autre bout du fil.

« C'est... heu, c'est Hank Nole.

— Hank ! »

Elle se redressa, envisageant mentalement tous les motifs possibles de son appel.

« Comment ça va ?

— Bien, merci. »

Elle reconnut le petit bruissement qui suivit : le chef de la police frottait sa grosse moustache.

« Heum... Pourrais-je parler à Felix ?

— Désolée, Hank, il n'est pas là. – Elle raffermit sa voix. – Il n'habite plus ici. »

Il soupira.

« Oui, je sais. Ma véritable question est : sais-tu où il se trouve ?

— Non. – Ah, mon Dieu, qu'avait-il fait ? – Pourquoi le cherches-tu ? »

Comme si elle voulait le savoir.

« Eh bien, Jottie... heum... il a pas mal bu ces quinze derniers jours et hier soir, il causé un trouble à l'ordre public.

— Un trouble à l'ordre public ? »

Ça ne ressemblait pas à Felix. En général, il se donnait au contraire beaucoup de mal pour entretenir l'illusion de l'ordre public.

«Tu l'as arrêté, Hank ? C'est pour ça que tu m'appelles ? Parce que je ne suis pas...

— Non, non ! Je ne l'ai pas arrêté. Mais je serai obligé de le faire si je le trouve. Alors, si jamais, hum... est-ce que tu pourras le lui dire, si tu le vois ?

— Si je le lui dis, Hank, tu n'auras pas le temps de compter jusqu'à trois qu'il aura déjà filé. Dans quel camp es-tu ?

— Allons, Jottie, dit le policier sur un ton de reproche. Felix a toujours eu la délicatesse de mener ses petites affaires hors de ma juridiction. Je lui rends la politesse. Je ne veux même pas avoir à compter jusqu'à trois. »

52

Assise à la table de la cuisine, Layla leva les yeux de son courrier :

« Parker Davies me charge de te transmettre ses respectueux hommages. »

Jottie fit passer sa cigarette d'un coin de sa bouche à l'autre sans la toucher.

« Ses respectueux hommages ? Il a vraiment écrit ça ?

— Oui.

— Hmm... C'est plutôt gentil de sa part, non ?

— Il aimerait passer demain après-midi pour discuter du manuscrit.

— Le vieux Parker lit drôlement vite, dis donc... Il veut venir ici ? » s'étonna-t-elle en haussant les sourcils.

Layla jeta encore un coup d'œil à la lettre.

« Oui, à quinze heures. Il n'a pas l'air précisément emballé. »

Jottie sourit.

« Alors, arrangeons-nous pour que Minerva et Mae soient là aussi.

— Très bien », dit la jeune femme sans enthousiasme en reposant la lettre.

Parker Davies était habillé comme pour se rendre à la banque. En fait, avec son costume et son chapeau gris, on aurait dit un bout de la façade d'une banque parti en promenade. Debout sur le trottoir de la maison, il examinait la véranda d'un air méfiant.

Layla se leva pour ouvrir la moustiquaire.

«Monsieur Davies, je vous en prie, entrez donc et asseyez-vous.

— Mademoiselle Beck.»

Il sourit, les lèvres serrées, et gravit pesamment les marches.

«On dirait qu'il fait un peu plus chaud chaque jour, n'est-ce...»

Il s'interrompit alors que sa vision s'adaptait à la pénombre de la terrasse, révélant la présence de Jottie, Minerva et Mae installées dans leurs fauteuils, vêtues de robes légères.

«Parker, dit Jottie en se levant pour lui serrer la main.

— Jottie. Mae. Minerva, les salua-t-il tour à tour, inclinant la tête. C'est un... plaisir inattendu.

— Pareillement», murmura Mae tandis que Jottie lui retournait son sobre salut et que Minerva lui adressait un sourire.

Il se détourna des trois sœurs.

«Mademoiselle Beck. Pouvons-nous... aborder notre sujet? demanda-t-il en tapotant un dossier qu'il tenait sous le bras.

— Mais oui, répondit Layla. Je vous en prie, prenez un siège.

— Je viens pour une question d'ordre professionnel. Inutile d'ennuyer ces dames avec notre discussion, dit-il, désignant les Romeyn d'un geste vague.

— Oh, Parker, j'attends ce moment depuis ce matin avec impatience, plaida Minerva.

— J'adore les discussions d'ordre professionnel, renchérit Mae.

— Et puis tu sais, ajouta Jottie, nous en sommes venues à éprouver un réel intérêt pour *L'Histoire de Macedonia*. Aimerais-tu un peu de thé glacé?»

Il s'éclaircit la gorge.

« Du thé glacé. Merci. Du thé glacé serait bienvenu. »

Avec raideur, il s'assit dans un fauteuil en rotin et posa son dossier sur ses genoux.

« Mademoiselle Beck, je n'irai pas par quatre chemins... »

Mae dressa un index.

« Attends un peu, Parker, je file chercher le thé. Je ne supporterais pas de manquer ce que tu vas dire. – Elle se leva. – Je n'en ai que pour deux secondes ! »

Jottie et Minerva échangèrent un regard complice mais demeurèrent bouche cousue tandis que Layla contemplait la moustiquaire de la porte.

Le silence s'éternisant, Jottie fit remarquer :

« La partie sur le jardin de Mme Lacey n'était pas mal, tu ne trouves pas ? J'ignorais totalement qu'ils brûlaient les membres amputés. J'en suis restée pantoise !

— Des membres ? répéta-t-il du bout des lèvres. Je n'ai pas apprécié, Jottie. Je suis étonné que ça t'ait plu.

— Tu ne supportes pas l'idée ? demanda Minerva. C'est pour ça que tu n'as pas fait médecine ? – Elle plissa le nez avec un air compatissant. – Je me souviens que tu voulais être médecin, autrefois.

— Cela étant, il n'y a rien de mal à exercer le métier d'avocat », commenta Mae en réapparaissant avec un plateau.

Les verres de thé distribués, Parker Davies ignora l'assiette de cookies qui suivit et se tourna vers Layla avec un léger soupir d'impatience.

« Comme je le disais, mademoiselle Beck, je n'irai pas par quatre chemins. Il y a des passages dans ce manuscrit qu'il faut supprimer. Il contient des inventions et des mensonges patents qui doivent tous être retirés. Je n'arrive pas à comprendre... – Il prit un air sévère. – ... pourquoi vous avez jugé bon d'inventer

560

de telles fables alors que la véritable histoire de Macedonia est une illustration parfaite de ce qu'est l'histoire de l'Amérique ! »

Layla se redressa dans son fauteuil.

« À quels passages faites-vous allusion, monsieur Davies ?

— À ceux qui concernent le général, bien sûr ! Vous... vous avez l'audace de... de le traiter de fou ! Le général n'était pas... en aucune façon on ne peut dire... qu'il était *fou* ! Et là, là... – Il feuilleta précipitamment le document – ... vous dites qu'il a mutilé son fils unique ! Il n'a jamais mutilé personne ! conclut-il en se penchant vers Layla, le souffle court.

— Tu veux dire, à part les Indiens ? » questionna Mae.

Il lui jeta un bref coup d'œil.

« Où êtes-vous allée chercher ces idées ridicules, mademoiselle Beck ? »

Layla se tint encore plus droite.

« Je maintiens mon histoire, monsieur Davies, dit-elle en rosissant. D'après mes sources, il existe de nombreux éléments tendant à prouver que le général avait l'esprit dérangé. En fait, c'est l'explication la plus charitable à son comportement, et quant à votre objection concernant le verbe "mutiler", je ne sais quel autre terme vous utiliseriez pour qualifier l'acte consistant à trancher les orteils de son propre fils.

— Quoi ? Quels orteils ? gronda-t-il.

— Mais oui, intervint Jottie d'une voix suave. Le général a coupé les orteils de son fils. Avec son sabre. Pour l'empêcher de s'enfuir avec une fille. Il lui a planté la lame en plein dans le pied, à travers la botte. Son fils a boité le restant de sa vie. »

Elle but une gorgée de thé.

« C'est Mme Lacey qui me l'a raconté.

— Mme Lacey ! s'écria-t-il. Qu'en sait-elle ?

— J'imagine qu'ayant vécu ici pendant quatre-vingt-sept ans, elle en sait plus que toi sur l'histoire de Macedonia. »

Parker Davies serra les dents.

« J'ai annoté dans ce manuscrit les endroits qui nécessitent une révision. Les éléments concernant le général – un tissu d'absurdités ! Le révérend Goodacre ! Le révérend Goodacre a fondé la première église baptiste de Macedonia ! S'il s'est trouvé en butte aux... aux attentions d'une folle – et je suis convaincu que c'est exactement ce qui s'est passé –, il est inutile que vous propagiez de vieux ragots et des rumeurs anciennes ! Je pense avoir été on ne peut plus clair, mademoiselle Beck, dans la première lettre que je vous ai adressée, en stipulant que *L'Histoire de Macedonia* ne devait pas se cantonner à l'histoire de la ville, mais comprendre celle de ses premiers citoyens. – Il tapota le manuscrit. – Je ne dis pas que vous n'avez pas inclus des descriptions fidèles de nos familles les plus éminentes. Vous l'avez fait, et je suis satisfait, très satisfait, de ces passages-là. Mais le livre... – Il soutint son regard – ... le livre est entaché d'anecdotes révoltantes et d'allégations sordides !

— Ah, au moins, ce ne sont plus des mensonges, fit remarquer Mae.

— La rotonde ! Les pompiers ne l'ont jamais fait sauter !

— Bien sûr que si, s'insurgea Jottie.

— C'est à Mlle Beck que je m'adresse, rétorqua-t-il, furieux.

— Tu t'adresses à nous toutes. Or, nous trouvons que c'est un très bon livre, un livre intéressant que les gens auront envie de lire.

— Moi, je ne veux pas le lire, grommela Parker. Il est sordide !

— Des tas de gens le trouvent excellent, rétorqua Jottie.

— Qui ? Quels *gens* ? ricana-t-il.

— Layla, fit Jottie en se tournant vers elle, tu veux bien me rappeler ce que fait ton oncle ? Je n'arrive jamais à me souvenir de son titre...

— Son oncle ? Je ne vois pas ce que son oncle vient faire là-dedans, l'interrompit Parker.

— Son oncle est le directeur fédéral du FWP à Washington, précisa Mae. Jottie oublie tout le temps son titre. Ma chérie, dit-elle à Layla, tu ne nous parlais pas l'autre jour d'un dîner à la Maison Blanche où il est allé récemment ? Ou était-ce ton papa ? Son papa est sénateur, expliqua-t-elle à Parker.

— C'était Ben, précisa la jeune femme. Mon oncle.

— Et son oncle – le directeur fédéral – a trouvé le livre formidable, poursuivit Jottie en prenant un feuillet glissé sous son coussin. Voyons voir ce qu'il en dit... Ah, voilà : "Ursula m'a envoyé le manuscrit" – Ursula est la directrice du Federal Writers' Project pour la Virginie-Occidentale, Parker, c'est elle qui supervise la rédaction du guide de l'État – "Ursula m'a envoyé le manuscrit, non pas pour que je le corrige, mais pour que je m'en enorgueillisse. Elle est enchantée, et je vois pourquoi. Le texte est intéressant, plein d'informations et bien écrit, un excellent exemple de ce que nous espérons retirer de tous ces petits projets commandités. Ursula n'est pas du genre à se livrer à des effusions – c'est contraire à ses principes, je crois –, mais dans sa lettre, elle écrit : 'Le manuscrit est bien supérieur à ce que je pensais pouvoir attendre d'une jeune femme sans expérience. C'est d'évidence une personne que nous pourrions, et devrions, employer pour d'autres projets.'" – Jottie regarda Parker. – Ils vont s'en servir comme modèle.

— Comme modèle », répéta-t-il.

Il essaya de détendre sa mâchoire, les doigts crispés sur ses feuillets.

« Et elle voudrait que Layla en écrive plus, ajouta Mae. Beaucoup plus, des tas de choses sur notre région. Pas vrai, mon chou ?

— C'est ce que dit Ben, oui.

— Parce qu'elle a une très haute opinion de *L'Histoire de Macedonia* », conclut Jottie.

Parker les regarda toutes les quatre.

«Heu... mais..., commença-t-il, incapable de finir.

— Je trouve qu'elle s'est vraiment bien débrouillée avec l'histoire de la culotte du général », ajouta Minerva, doucereuse.

Parker sursauta comme si on venait de le piquer avec une aiguille.

«Elle a même décrit cette tache de sauce que lui a faite George Washington. – Elle le regarda dans les yeux en souriant. – On jurerait que c'est une histoire vraie.

— Minerva! gronda-t-il.

— Tu penses que j'aurais pu oublier une seule des choses que tu m'as dites, Parker? Non, je me souviens de tout. »

Elle se laissa aller élégamment contre le dossier de son fauteuil avec un petit sourire.

«De chaque mot. »

Deux petites taches roses apparurent sur les joues du premier conseiller. Il y eut un long silence, durant lequel il garda les yeux baissés sur le manuscrit posé sur ses genoux.

«Bon, fit-il enfin en se tournant vers Layla. Mais j'insiste pour que vous vérifiiez vos éléments factuels, mademoiselle Beck. Minutieusement. Vous verrez les endroits que j'ai annotés d'un point d'interrogation. Veillez particulièrement à ceux-là. Je ne suis pas convaincu que vous ayez examiné de près la statue de la Charité. Et votre description du fonctionnement des métiers à tisser des Inusables Américaines est incorrecte : le terme exact est "mécanisme récepteur", à ce que je crois comprendre, bien que, naturellement, M. McKubin soit l'autorité suprême en... »

Il s'interrompit en voyant Layla lever la main.

«Je vais vérifier tout ça, dit-elle.

— Il n'est pas nécessaire d'inclure cette... cette histoire sur Ridell Fox, dit-il à Jottie. M. Fox sera fort mécontent.

— Pas question de l'enlever. Nous l'avons montrée à Belle Fox et elle était ravie. Elle a dit qu'il était grand temps que quelqu'un mette tout ça noir sur blanc. »

Sans un mot, Parker rassembla méthodiquement ses feuillets et les tapota sur ses genoux avant de tendre la liasse à Layla.

« Je vérifierai ces éléments, dit-elle d'une voix claire. Et moyennant cette réserve, puis-je considérer le manuscrit comme dûment approuvé par son commanditaire ? »

Coulant un regard amer à Minerva, Parker répondit :

« Oui.

— Il me faudra une lettre qui le stipule, insista Layla. Si vous voulez, elle pourra être imprimée en première page du livre. Ils le feront si vous le souhaitez.

— Le conseil municipal vous écrira une lettre. Il ne sera pas nécessaire de l'inclure dans l'ouvrage. Lequel, je présume, sera prêt à temps pour les festivités ? demanda-t-il d'un air sévère.

— J'ai toutes les raisons de le penser, bien que, naturellement, l'impression ne dépende pas de moi.

— Le 24 septembre, lui rappela-t-il.

— Est-ce qu'il y aura un défilé ? s'enquit Mae.

— Je ne pense pas. Nous avons opté pour un pique-nique.

— Oh, formidable ! s'exclama Mae. J'adore les pique-niques. Toi aussi, Parker, tu adores les pique-niques, non ? »

Les pas de Parker Davies résonnaient dans l'allée quand la tête de Willa apparut à côté de la véranda. Cachée sous la maison, elle avait tout entendu, pensa Jottie. Les cheveux bruns de la fillette brillaient au soleil tandis qu'elle regardait Parker s'éloigner dans la rue ; elle jeta ensuite un coup d'œil à travers la moustiquaire.

« Allez, entre, lui dit Jottie. Viens boire un peu de thé.

— Il y a aussi des cookies », ajouta Minerva.

Lentement, l'enfant se fraya un chemin au milieu des rhododendrons et gravit les marches du perron. Très pâle, avec des cernes violets sous les yeux, elle les gratifia chacune d'un coup d'œil – même Layla – avant de s'asseoir. Au moins, elle semblait intéressée, songea Jottie en se décalant pour lui faire de la place. En silence, Willa accepta un cookie et un verre de thé, qu'elle posa sur la table devant elle.

«Tu recèles bien des surprises, Minerva, dit Jottie. Vraiment...

— Tu te souviens réellement de chaque mot qu'il t'a dit? questionna Layla.

— Bien sûr que non. La plupart du temps, je dormais.»

Elles riaient encore quand Emmett arriva dans sa camionnette. Elles le regardèrent se garer et s'approcher de la maison, ignorant tout de son public. Quand il ouvrit la porte et les vit toutes les cinq alignées en rang d'oignon, un large sourire aux lèvres, il se figea net.

«Est-ce que vous vous rendez compte du tableau effrayant que vous formez?» demanda-t-il.

Et les rires repartirent de plus belle.

53

«Emmett! – C'était la voix de Sol. – Attends deux secondes!»

Il s'arrêta, la main posée sur la poignée de la porte de la Nouvelle Épicerie, dans Prince Street. Il balaya la rue du regard, perplexe.

«Par ici», dit Sol en ouvrant la porte de chez Statler.

Il tenait à la main une très grosse boîte en forme de cœur, enveloppée de satin rose et estampillée du slogan «Douceurs pour ma Douce».

«Bien content de te voir!»

Il fit passer la boîte dans l'autre main pour donner une tape sur l'épaule de son ami.

«Écoute, j'ai une réunion avec George et le comité de grève, alors je ne vais pas pouvoir passer... passer voir Jottie ce soir, je veux dire. Tu pourrais lui donner ça? demanda-t-il en lui appuyant la boîte sur le ventre.

— Mais oui, bien sûr! Je vais la lui porter tout de suite!

— Ah, merci, je te revaudrai ça. C'est juste un petit cadeau pour Jottie, expliqua Sol, joyeux et fier à la fois. Il faut que je veille à rester dans ses bonnes grâces.

— Tu as parfaitement raison! Des bonbons! Je vais lui dire que tu ne peux pas te libérer ce soir.

— Bon, très bien. – Sol jeta un coup d'œil à sa montre. – Je ferais mieux d'y aller. Merci. Dis-lui... que ce sont des douceurs pour ma douce, déclara-t-il avec un air candide.

— Tu peux compter sur moi ! »

Emmett regarda Sol s'éloigner rapidement, passer devant le salon de coiffure, le café, la quincaillerie, puis, après avoir contemplé la boîte de bonbons avec aversion, il entra dans la Nouvelle Épicerie.

De retour dans Prince Street, il se mit à jongler avec la boîte rose et une boîte de café. Impossible de les tenir ensemble. Il essaya de coincer les bonbons sous son bras et garder le café dans la main, mais c'était idiot. Il finit par prendre le café dans une main et les sucreries dans l'autre. Ah, ce fichu Sol avec ses fichus bonbons... D'un pas décidé, il s'engagea dans Council Street et se retrouva derrière Layla, qu'il allait rapidement rattraper. Il aurait reconnu ce dos n'importe où.

Pas moyen de l'éviter.

« Bonjour », lança-t-il d'une voix trop forte.

Elle se retourna aussitôt, d'abord surprise, et puis visiblement heureuse de le voir.

« Oh, bonjour ! »

Son regard s'arrêta un bref instant sur la boîte en satin rose.

« Vous avez fait des courses ? demanda-t-elle, avant d'ajouter avec un petit rire embarrassé : Oui, manifestement... »

Il brandit la boîte.

« Ceci n'est pas à moi. C'est un cadeau de Sol. Pour Jottie.

— Oh... Aïe... »

Emmett fit une grimace.

« Ouais... »

Il ajusta son pas sur celui de Layla et ils marchèrent un moment côte à côte, en silence.

«Je ne crois pas que Sol comprenne très bien Jottie, finit-il par reprendre.

— Je me faisais la même réflexion, avoua-t-elle. Cela étant... je ne saurais expliquer pourquoi. Après tout, ce ne sont que des bonbons. C'est bien, les bonbons.

— C'est la boîte, dit Emmett en l'examinant. Je crois qu'il y a un problème avec cette boîte. – Layla éclata de rire. – Quoi ? – Il s'arrêta, les sourcils froncés. – Qu'y a-t-il de si drôle ?

— Ce que vous venez de dire. Je pense que vous avez raison. Vous imaginez la tête de Jottie en voyant ça ?» demanda-t-elle, les yeux pétillants.

Il acquiesça en riant. Puis, reprenant son sérieux, il lui confia :

«Je pensais qu'ils seraient heureux ensemble.»

Le sourire de la jeune femme s'effaça.

«Vous vous souvenez de lui ?

— De Vause ?

— Oui. Était-il aussi... aussi... Comment était-il ?

— Ma foi, j'avais neuf ans de moins que lui. Mes souvenirs sont un peu décousus. – Il fit un effort pour se souvenir. – Je les revois tous crier parce que Vause venait de remporter je ne sais quoi : une course ou un match de football. Ou je le revois, lui, allumant le bûcher pour Halloween. Ce genre de choses. Je me souviens surtout de cette impression que l'endroit où il se trouvait, que ce soit avec Felix ou avec Jottie, devenait aussitôt le lieu le plus excitant qui soit. L'endroit où tout le monde était heureux et riait, l'endroit le plus *animé*. – Il s'arrêta un instant sur le trottoir. – Et je revois son sourire : il avait un de ces sourires diaboliques, vous savez. – Elle fit signe que oui. – Je n'avais que huit ans quand ils sont partis. Pour la Grande Guerre. Vause n'est pas rentré avant... quelle année était-ce, déjà... 1919. Il marchait appuyé sur une canne à son retour. Tout le monde s'est fait du souci pour lui. Mais pas moi. – Il sourit. – Je le haïssais.

— Vous le haïssiez ? s'écria Layla. Personne ne haïssait Vause Hamilton.

— Eh bien moi, si. Il m'a volé Jottie.

— Ohhh.

— Oui. Elle était à moi. C'était elle qui m'avait élevé. Bien plus que ma mère. Elle était comme une maman pour moi ; une maman avec qui l'on s'amuse, qui plus est. Elle m'emmenait partout, jouait avec moi, me sortait du pétrin quand j'en avais besoin. Elle avait inventé un code secret et m'écrivait des messages chiffrés. Elle me racontait des choses, aussi ; ce qu'elle pensait, ce qu'elle étudiait. Mais elle ne m'a jamais rien dit sur Vause. Pas un mot. J'ai découvert tout ça quand il est rentré. J'imagine qu'à l'époque, j'étais le seul à ne rien voir. Je n'ai compris que lorsqu'ils ont commencé à se servir de moi comme alibi.

— Un alibi ?

— Oui, vous savez bien : "Ça te dirait d'aller nager dans la rivière avec moi, Emmett ? On emportera un pique-nique, on va bien s'amuser !" Bien entendu, je me faisais avoir à tous les coups. On allait au bord de la False, *tralalalalère*, on s'installait pour le pique-nique, et... Oh surprise ! Qui arrivait là ? Vause Hamilton ! J'imagine que Papa et M. Hamilton essayaient de mettre un terme à tout ça, que c'est la raison pour laquelle ils étaient obligés de se rencontrer en dehors de la ville. Mais ça me mettait dans une de ces colères ! Vause essayait parfois de se faire pardonner, en jouant un peu au ballon avec moi, mais je trouvais ça insupportable. Je le trouvais insupportable. Alors je filais me réfugier sous les arbres pour bouder. – Il secoua la tête avec un petit sourire nostalgique. – On ne peut pas dire que ça calmait beaucoup leurs ardeurs. Bah, ils étaient dans un autre monde. – Il hésita, puis reprit, avec un débit plus lent : – Une fois, je suis revenu en catimini. Je voulais lancer un caillou sur Vause, je crois. Mais même à l'époque, j'avais beau n'être qu'un petit imbécile, en les voyant, là, je... je me suis senti... comment dire... ébranlé, peut-être ? Ils ne faisaient que parler, main dans la main, et néanmoins... je suis content d'avoir eu l'intelligence de m'éloigner et de les laisser tranquilles. »

Layla hocha la tête d'un air rêveur.

« Ça devait être très particulier, ce qu'il y avait entre eux.

— Non, dit-il, le regard perdu dans le lointain. Ils étaient amoureux, c'est tout. »

Layla devint rouge comme une pivoine.

*

Sol retira la cigarette de sa bouche.

« Si j'étais toi, lança-t-il à Bird, je me trouverais une branche un peu plus épaisse qu'un crayon. »

Perchée dans l'érable, la fillette agita la main avec insouciance.

« Je suis un oiseau. C'est mon nom, pas vrai ? dit-elle, testant la fine branche de tout son poids.

— En tout cas, tu as une cervelle d'oiseau, c'est certain !

— Il y a vingt ans, tu aurais grimpé là-haut pour essayer de lui sauver la vie », rétorqua Jottie.

Il la regarda un instant, puis reporta son attention sur Bird.

« J'ai appris deux ou trois choses depuis. »

Elle hocha la tête. Certes.

« Sol ? appela l'enfant.

— Quoi ?

— Je suis coincée.

— Je t'avais prévenue.

— Viens me chercher. »

Il éclata de rire et gratifia sa fiancée d'un petit coup de coude.

« J'arrive ! » lança-t-il en écrasant sa cigarette.

Jottie le regarda traverser la pelouse. Une scène qui deviendrait banale dans le futur, se dit-elle. Le voilà qui tendait les bras, les manches de sa chemise blanche retombant sur ses coudes, son visage plein de bonté levé vers Bird pour l'encourager à descendre. Jottie savait que l'enfant allait se laisser tomber sur lui de tout son poids. Il ne s'y attendait pas et néanmoins, il l'attraperait. Il se ferait peut-être un peu mal au dos, mais il ne se fâcherait pas. Il regarderait Bird blottie dans ses bras et son cœur s'emplirait de tendresse pour elle, parce que c'était le genre de cœur qu'il avait.

Jottie jeta un coup d'œil vers la véranda où Willa se tenait perchée tel un corbeau, dans un état piteux, amaigrie et épuisée, son cœur féroce et indomptable indifférent à ses propres blessures, survivant dans des décombres que n'importe qui d'autre aurait fuis. Immobile sous le regard de sa tante.

Quand Jottie détourna enfin les yeux, elle constata que tout s'était déroulé comme elle l'avait prévu : Sol était là avec Bird dans ses bras, souriant et ravi dans le soleil.

Qu'est-ce que ça vaut si c'est aussi facile ? se demanda-t-elle.

Ça ne vaut pas un clou.

La fin de l'été approchait. On la sentait venir. Il ne faisait pas moins chaud – les après-midi étaient encore une fournaise – mais la chaleur n'était plus aussi écrasante et il y avait comme une saveur piquante de vin frais dans l'air matinal, juste avant que la température ne grimpe. Debout dans l'entrée, Jottie regardait à travers deux épaisseurs de rideaux la rue bordée d'arbres, cherchant des yeux un premier reflet doré dans les feuillages. Rien, pour l'instant. Rien que le vert épuisé de la fin de l'été. La rentrée scolaire était proche. Emmett cesserait bientôt de venir. Il passait tous les jours depuis le départ de Felix et sa présence régulière avait masqué l'absence de ce dernier. Il allait leur manquer à toutes. Au-delà de la véranda, les arbres bruissèrent dans une brise passagère. Elle ouvrit la penderie. Les manteaux allaient bientôt reprendre du service. Elle ne put s'empêcher d'espérer que Felix aurait suffisamment d'argent pour s'en acheter un, où qu'il se trouve. Elle referma le placard et s'y adossa. Son regard tomba alors sur la petite table de l'entrée.

« Une lettre pour toi ! cria-t-elle. Elle vient de Charleston !

— J'arrive », répondit Layla, apparaissant dans le couloir.

Jottie l'examina avec satisfaction. La phase de laisser-aller était terminée. Bientôt, très bientôt, elle irait tout à fait bien, songea-t-elle, tandis que Layla ouvrait l'enveloppe.

« Alors, que dit-elle ? questionna-t-elle, impatiente.

— Elle l'aime.

— Évidemment qu'elle l'aime ! s'exclama Jottie sans pouvoir réprimer une bouffée de fierté.

— Elle veut que j'en écrive un autre.

— Ma foi, ça n'a rien de surprenant. Ton oncle te l'avait bien dit, non ?

— Sur les *pommes*. – Elle fit une grimace. – Elle veut que j'écrive un livre sur la culture des pommes dans l'enclave orientale. »

Elle tendit la lettre à Jottie.

« À mourir d'ennui, tu ne trouves pas ?

— Hum, fit Jottie en lisant. Les pommes, c'est plus intéressant que tu ne l'imagines.

— Ah oui ? fit Layla, dubitative.

— Certainement, répondit Jottie qui se mit à chanter : "Fruit de l'automne, joyau sur la branche, trésor bien plus grand que l'or..." – Layla haussa les sourcils. – Tu ne connais pas cette chanson ? s'étonna Jottie. Je croyais que tout le monde la connaissait. – Puis, devant son silence. – Qu'y a-t-il ?

— Écrivons-le ensemble ! Toi et moi ! Tu pourrais me faire découvrir le merveilleux monde des pommes. On s'amuserait bien.

— Bah, fit Jottie en agitant la main. Je suis incapable d'écrire un livre.

— Bah toi-même, répliqua Layla. Bien sûr que tu en es capable. Tu as écrit la moitié du dernier.

— Pas du tout. Et puis c'est un travail pour la WPA. Il faut avoir droit à l'allocation de chômage.

— Si moi j'y ai droit, tu pourras l'avoir, toi aussi.

— Non, je ne pourrai pas, à cause de mes fermes. Même si elles ne rapportent pas un sou par les temps qui courent... »

Layla plissa les yeux.

«Écoute, Jottie, tu as envie de l'écrire, oui ou non? Ce livre sur les pommes?

— Quand on a vécu ici aussi longtemps que moi, on finit par connaître des tas de choses sur les pommes. – Elle relut la lettre. – J'en sais beaucoup plus qu'elle, manifestement.

— Et tu écris bien mieux qu'elle, ajouta Layla.

— Ma foi... »

C'était indéniable.

«Écoute, reprit Layla avec plus d'assurance, tant pis si tu ne peux pas t'inscrire au chômage. Nous partagerons l'allocation. Ils n'auront pas besoin de le savoir à Charleston. Oui, c'est ça. Nous l'écrirons ensemble, et je te donnerai la moitié de l'argent, et ils n'en sauront jamais rien.

— Mais ce serait abuser de la confiance de Mme Chambers...

— Oh, *elle*. De son point de vue, le livre pourrait aussi bien être écrit par une chèvre, du moment qu'il est remis à temps.

— Ce n'est pas comme si cet argent ne pouvait pas être utile, dit pensivement Jottie. Au minimum, il nous évitera d'aller à l'hospice pour indigents.

— Je doute que M. McKubin laisse sa fiancée aller à l'hospice », répondit Layla en souriant.

Jottie eut une drôle de moue.

«Non, sans doute pas.

— Tu as... toujours l'intention de l'épouser, dis ?

— Oui, bien sûr. Absolument », affirma-t-elle avec un hochement de tête décidé.

Layla hésita.

« Si nous l'écrivons ensemble, ce livre, tu es d'accord... pour moi ?

— D'accord pour quoi ?

— D'accord pour que je reste ? demanda Layla, le regard dans le vague.

— Oh, ma chérie ! Bien sûr que oui. – Elle posa la main sur l'épaule de Layla. – Mais je croyais que ton papa t'avait autorisée à rentrer chez toi, maintenant ?

— Je ne veux pas rentrer chez moi, dit-elle, évitant toujours de croiser le regard de Jottie. Je veux rester ici.

— Je ne vois pas pourquoi, s'étonna Jottie, jetant un coup d'œil à son salon défraîchi. Je suis sûre que ta maison est très jolie.

— À cause de vous toutes, marmonna Layla.

— Nous toutes ?

— Je veux rester avec vous. Quand Parker est venu l'autre jour, vous m'avez toutes soutenue. Minerva, Mae, toi... vous êtes restées assises là, et vous vous êtes battues pour moi, en dépit... de ce qui s'est passé. Malgré tous les ennuis que j'ai causés. »

Jottie écarta une boucle du front de Layla.

« Ma chérie... »

Mais la jeune femme n'en avait pas terminé.

« Vous me traitez comme si j'étais des vôtres, alors que je vous ai attiré des tas d'ennuis, que je me suis conduite comme une idiote. Vous ne me haïssez pas. À part Willa, personne ne me hait.

— Ça lui passera », la rassura Jottie.

Ce n'était pas la première fois.

« Chez moi, ils me haïssent tous, poursuivit Layla.

— Je ne crois pas cela possible.

— Oui, bon, en tout cas, je suis une brebis galeuse.

— Dans ce cas, ils doivent être affreusement pointilleux. Ça, c'est le gros avantage de Felix : comparés à lui, nous passons tous pour des anges, plaisanta Jottie. Écoute, tu peux rester ici aussi longtemps que tu le désires. Je ne sais pas pourquoi tu le veux à ce point, mais tu fais pratiquement partie de la famille. »

Layla lui prit la main et la serra tendrement.

« C'est ce que je veux. »

54

« Jottie ! cria Emmett en gravissant les marches de la terrasse au pas de course. Tu as besoin de beurre ?

— Quoi ? glapit-elle depuis la cave.

— Quoi ? lança-t-il en entrant dans la cuisine. J'ai *dit*... Oh. »

Il s'arrêta net en voyant Layla.

« Elle est à la cave », dit-elle, désignant la porte du doigt, comme si c'était nécessaire.

Jottie apparut en haut des marches, les bras chargés de tomates.

« Me voici. Pourquoi cries-tu comme ça ?

— Je vais à la grande ferme, expliqua Emmett, soudain radouci. Wren a appelé, le DeLaval est tombé en panne, je vais leur apporter le deuxième Reliance que j'ai récupéré à la ferme de la montagne.

— Je me demande bien ce que Wren peut faire avec ces séparateurs.

— Des séparateurs ? demanda Layla. Qu'est-ce ça sépare ? »

Ils la dévisagèrent comme s'il venait de lui pousser des cornes.

« Le bon grain de l'ivraie, répondit Emmett.

— Ah.

— Elle ne se rend pas compte que tu plaisantes, intervint Jottie en secouant la tête. Ah, ces gens de la ville...

— Ils mourraient de faim si on n'était pas là.

— Je posais juste une question. Je n'ai pas droit à un bon point quand je manifeste de l'intérêt ?

— Non, fit Emmett. Si vous voulez un bon point, il faut venir à la ferme et toucher une vache.

— D'accord. Mais ce n'est pas comme cela qu'on attrape la scarlatine ?

— Ah, bon sang ! s'écria-t-il.

— Je plaisante ! » dit-elle en se levant de sa chaise.

Il jeta un œil à sa robe d'été et ses talons hauts.

« Vous voulez vraiment venir ?

— Mais oui. Si... si cela ne pose pas de problème. »

Il rougit un peu.

« Non, bien sûr que non. – Il se tourna vers Jottie. – Je peux t'emprunter une serviette ? »

« Je suis désolée de vous embêter comme ça, dit Layla au bout de quelques minutes.

— Quoi ? fit Emmett, détachant un instant ses yeux de la route.

— Ça », expliqua-t-elle gênée, en tâtant la serviette sur laquelle elle était assise.

Il sourit.

« Vous m'embêtez beaucoup moins que Bird. Elle refuse de monter dans la cabine. À cause de l'odeur. Je dois installer un rocking-chair à l'arrière et elle s'installe dessus comme une reine. »

Layla éclata de rire.

« Vous êtes un tonton gâteau.

— Oui, je crois bien. – Il se tourna vers elle. – Ça sent mauvais, n'est-ce pas ? – Elle acquiesça. – Il y a un tuyau qui fuit. Je baisse les vitres, mais ça estourbit un peu si on n'est pas habitué.

— Hum, c'est assez revigorant.

— Une jolie façon de voir la chose. »

Ils poursuivirent leur trajet en silence au milieu d'un bosquet d'arbres avant d'émerger sur une route dégagée bordée de clôtures et ponctuée, çà et là, de portails et de boîtes aux lettres. Layla contemplait les vastes étendues vertes parsemées de vaches et de rochers. Le moteur de la Model T gémit quand ils attaquèrent une côte, puis ils redescendirent dans une vallée où une large rivière, aux eaux d'un calme trompeur, semblait se reposer d'un côté de la route.

« La False ? demanda Layla.

— Hmm, fit Emmett. Oui. »

Il y eut un nouveau silence. Layla examina le profil tranquille du jeune homme. À quoi pensait-il ? Que pensait-il d'elle ? Il avait toutes les raisons de la mépriser. Elle se méprisait elle-même, et il n'était pas le genre d'homme à vouloir d'une idiote. Il la trouvait sans doute ridicule, et faible. Une fille facile, en plus. Une traînée. Comment pouvait-il en être autrement ? Sauf que... il a parfois une façon de me regarder, avec ses yeux noirs indéchiffrables, comme s'il attendait quelque chose... Non. C'est probablement mon imagination. Il attend sans doute que je m'en aille. Un autre regard à la dérobée. Quoi qu'il pense de moi, ça ne pourra pas être pire. Elle s'humecta les lèvres.

« Vous...

— Vous... » dit-il au même instant.

Ils s'interrompirent tous deux.

« Allez-y, proposa-t-il.

— J'allais dire... que je me sens... eh bien, vous devez me prendre pour une fieffée idiote. Après ce qui s'est passé.

— Une idiote ? répéta-t-il, les sourcils froncés. Non, pas du tout.

— Je voulais dire une traînée, corrigea-t-elle de manière abrupte. C'est ce que je voulais dire. »

Emmett ralentit et se gara sur le bas-côté. Il attendit une seconde, puis coupa le contact. Le moteur toussota, et se tut.

« Ça sent moins mauvais, maintenant, n'est-ce pas ? »

Layla fixait la route.

« D'aussi loin que je me souvienne, reprit Emmett, les filles sont toujours tombées amoureuses de Felix. Presque toutes les filles qu'il regardait devenaient folles de lui en cinq minutes, au grand maximum. Je trouvais ça normal, jusqu'à ce que je commence moi-même à... à m'intéresser aux filles. Un jour, quand j'avais quinze ans, il m'a emmené avec des copains à lui dans une... bon, on pourrait appeler ça un dancing un peu spécial, en dehors de la ville. Strictement illégal. Il prétendait vouloir me montrer les ficelles. Me faire rencontrer des filles. – Il se concentra sur ses souvenirs. – Elles se disputaient pour savoir laquelle l'aurait. Il trouvait ça très drôle. Aucune ne s'intéressait à moi, jusqu'à ce que Felix le leur demande, et alors elles sont venues me chercher pour danser, pour s'attirer ses bonnes grâces. – Il jeta un coup d'œil à Layla. – Ça, c'était des traînées. Ce que j'essaie de vous dire, c'est que j'ai vu un tas de filles qui ... euh..., à qui il plaisait, et je n'en ai jamais entendu une seule lui refuser quoi que ce soit. Mais vous, vous l'avez fait. Vous lui avez dit non. Il s'est déchaîné contre vous, mais vous n'avez pas cédé. Vous lui avez résisté. »

Elle hocha la tête, pensive. C'est vrai, se dit-elle avec une petite pointe de fierté. Je n'ai pas cédé.

« Ça, Layla, c'était vraiment quelque chose. J'ai été... Surpris est un mot trop faible. Stupéfait, voilà qui est plus juste. Vous êtes plus forte que moi. Il y a huit ans, j'ai décidé qu'il vaudrait mieux, sur le long terme, pour Jottie et les filles surtout, que j'essaie de ne pas trop prêter attention aux manigances de Felix. Ça m'a demandé beaucoup d'efforts de feindre de ne rien remarquer, mais... je ne voulais pas le haïr. Je ne voulais pas en venir à souhaiter sa mort. – Il la regarda à nouveau du coin de l'œil. – Et pourtant, j'ai eu envie de le tuer quand il vous a dit toutes ces choses.

— Je suis heureuse que vous ne l'ayez pas fait, murmura-t-elle.

— Pourquoi ? Vous l'aimez encore ? demanda-t-il avec amertume.

— Non, non. Je le crois dangereux. Il aurait pu vous faire du mal... »

Le sourire d'Emmett illumina son visage.

« Oui, c'est assez probable.

— Cette façon qu'il a de se déplacer sans bruit... Vous savez pourquoi il fait ça ? questionna-t-elle, soucieuse.

— Aucune idée. »

Elle frissonna.

« Ça me donne la chair de poule.

— À moi aussi », avoua-t-il.

« Je te présente Mlle Beck, dit Emmett en déroulant une corde à l'arrière de la camionnette. Elle n'a jamais vu de vache de sa vie.

— C'est vrai ? fit Wren, ahuri.

— Ça, reprit-il, en pointant le menton vers la clôture, ce sont des vaches.

— Et là-bas, plaisanta Layla en désignant la porcherie, ce sont des moutons.

— Exactement », approuva-t-il.

Le fermier parut choqué, mais il ne dit rien.

« Bon, toi, tu tires, lui dit Emmett en grimpant sur le plateau de la camionnette. – Il se tourna vers Layla. – Et si vous alliez communier un peu avec la nature ? On en a pour un petit moment. »

Elle acquiesça et s'éloigna du côté des vaches. Quelques-unes levèrent la tête à son approche, mais la plupart ne bougèrent pas. Leur indifférence était rassurante. En faisant bien attention, Layla se retourna et se hissa sur la barrière, en calant ses talons hauts sur le barreau inférieur. Elle défroissa sa jupe et regarda Emmett déposer un tonnelet métallique dans les bras de Wren.

« Ne le laisse pas tomber, surtout », l'entendit-elle dire.

L'homme disparut à l'intérieur de la grange et Emmett se mit à pousser un engin tout en rouages et en leviers jusqu'au hayon du camion, puis le fit glisser tout doucement, jusqu'à terre.

« Hé, Wren ! Pose ton tonnelet et rapplique ici ! lança-t-il, l'air agacé.

— OK. »

Ils soulevèrent la machine. Emmett se baissa un peu pour se mettre à la hauteur de Wren et ils progressèrent pas à pas vers la grange.

Du haut de sa clôture, Layla écoutait le souffle du vent, la mastication des vaches, le bourdonnement des mouches, les légers grognements des cochons, les fracas métalliques dans la grange, les cris des oiseaux au loin.

Emmett ressortit en s'essuyant le visage avec sa manche. Il retourna au camion et enroula la corde. Puis il se retourna en plissant un peu les yeux face au soleil éblouissant, pour voir où était Layla.

Il s'arrêta à quelques pas de la barrière. Elle remarqua la sueur dans ses cheveux, la lueur d'hésitation dans ses yeux.

« Eh bien ? fit-elle en tendant les bras vers lui. Vous allez me laisser perchée là-haut ? »

Il s'approcha pour l'aider à descendre et elle l'entendit retenir son souffle quand ses mains se refermèrent autour de sa taille.

Oh, songea-t-elle. Oh. Finalement, ce n'est pas mon imagination.

7 septembre 1938

Cher Père,

Merci pour votre communication lapidaire du 2. Était-ce une autorisation ou une convocation ? Difficile à dire. Aussi heureuse que je sois de savoir que le pont-levis est abaissé, que l'huile ne bout plus sur le feu et que les flèches sont retournées dans leur carquois, je crains de ne pouvoir répondre à votre demande (invitation ?), car j'ai accepté un autre travail dans le cadre du Federal Writers' Project, qui m'oblige à demeurer à Macedonia tout l'automne, sinon plus. Cette fois, je vais écrire un livre sur la culture des pommes dans l'enclave orientale, un sujet pour lequel j'éprouve un profond intérêt depuis – oh, mettons trois jours. Mais plus sérieusement, j'aimerais que vous puissiez constater l'étendue de ma toute nouvelle expertise en matière de pommes. Je suis sûre que vous seriez terriblement impressionné. Désormais, un simple coup d'œil me suffit pour distinguer une grimes golden d'une golden delicious, et pas plus tard qu'hier, j'ai eu une demi-heure de conversation passionnante à propos de la tavelure du pommier et des rhynchites coupe-bourgeons avec un homme qui m'a promis de m'emmener ce week-end voir un cas particulièrement intéressant d'infestation de mouches à scie.

Vous devriez être fier de moi, Père, car j'ai bien retenu la leçon que vous aviez décidé de m'inculquer cet été : le travail ne me fait plus peur. J'en suis venue à penser qu'il y a très peu de différence entre se soumettre aux exigences d'un travail et se soumettre aux exigences de mon père. Les deux rapportent un salaire. Les deux nécessitent beaucoup d'attention. La grande distinction étant que, dans le premier cas, au moins, je suis libre de choisir mon mari ; ce que je ne peux m'empêcher de considérer comme un avantage, surtout quand je pense à Nelson.

Mon éducation a été plus complète, sans doute, que vous ne l'espériez. En plus de cette nouvelle ardeur pour le travail que j'ai acquise, j'ai élargi ma perspective sociale et compte désormais parmi mes amis des instituteurs, des fermiers, des militants syndicaux et des gens qui n'ont jamais mis le pied dans un country club – ce qui, de mon point de vue, représente un progrès considérable. Et j'ai appris d'autres leçons. J'ai appris que l'histoire est l'autobiographie de l'historien, qu'ignorer le passé est une attitude imbécile, et que la loyauté ne consiste pas à se mettre dans le rang, mais au contraire à s'en écarter pour les êtres qu'on aime.

Si je vous dis tout cela, ce n'est ni par amertume ni par désir de vous punir (ou peut-être un peu quand même...), mais parce que je sais que vous, plus que quiconque, chérissez la liberté – n'avez-vous pas juré par trois fois de la défendre ? –, et que vous comprendrez, et même respecterez mes nouvelles idées. Je plonge mon regard dans l'avenir et je prédis des hurlements de consternation, des condamnations vociférantes, des diatribes indignées contre mes choix, mais je vous connais, Père. Je vous connais, et dans le secret profond de votre cœur, vous m'admirerez d'avoir obtenu ce que je désirais. Et plus profondément encore, vous vous direz : c'est bien mon enfant.

Votre fille toujours aimante,

Layla

Sol s'arrêta un instant dans le hall animé du Sprague Palladium.

« Docteur Averill ! Quel plaisir de vous voir. Et madame Averill. »

Suivit un échange d'exclamations ravies et de sourires aimables.

« Puis-je vous présenter ma fiancée, Mlle Romeyn ? Jottie, voici madame Averill et le docteur Averill. »

Sourires plus aimables encore et manifestations de joie polie.

« Votre fiancée ! Sol ! – Le Dr Averill lui donna le petit coup de coude obligatoire. – Ah, vous cachiez bien votre jeu ! Moi qui vous prenais pour un célibataire endurci ! »

Mme Averill se pencha vers lui, les yeux pétillants.

« Ma foi, Sol ! Je ne me doutais de rien ! Cela fait combien de temps ? »

Sol regarda Jottie avec un sourire plein de fierté.

« À vrai dire, madame Averill, Jottie et moi étions des amours de jeunesse, mais ce n'est que tout récemment que nous nous sommes... hum, trouvés réunis. »

Des amours de jeunesse ? Jottie se retint de manifester son incrédulité. Des amours de jeunesse ? C'est *ça* que tu leur racontes ? Toi qui sais que Vause est le seul homme que j'aie jamais aimé ? L'indignation l'étouffait presque. Comment oses-tu l'évacuer de la sorte ? Comment peux-tu ? Mais elle connaissait la réponse. Elle l'avait entendue des semaines plus tôt. *Une fois Vause neutralisé, Sol aurait ce qu'il n'avait jamais eu de toute sa vie : une chance de le supplanter enfin auprès d'une fille.*

« Comme c'est charmant ! Des amours de jeunesse réunis ! s'exclama Mme Averill dans un élan d'extase sentimentale. Vous n'avez jamais cessé de penser à lui, n'est-ce pas ? C'est *tellement* romantique... »

Jottie la gratifia d'un sourire timide, passant son bras dans celui de Sol.

« Certes, je pensais à lui avec affection, convint-elle, mais ce n'est qu'après mon veuvage que... eh bien, que mes pensées se sont *tournées* vers lui. »

Elle lança un regard plein d'adoration à Sol, dont le visage exprimait la stupéfaction la plus totale.

Quelques heures plus tard, lorsque, toujours ébahi, Sol quitta sa maison, Jottie ôta ses chaussures et ses bas, et sortit marcher dans l'herbe sombre et fraîche. Quelques lucioles attardées, plus résistantes que les autres, voletaient autour d'elle, accomplissant leurs rites impénétrables, inconscientes de leur fin prochaine. Non, conclut-elle, tout compte fait, ce n'est pas un homme honnête. Mais c'est à lui-même qu'il ment. Elle regarda une luciole briller et se consumer, et essaya d'accepter l'idée qui s'imposait progressivement à elle : si Sol avait été à la place de Felix, il en serait venu, au bout d'un certain temps, à croire que ce qu'il avait dit à Jottie était la vérité.

*

N'importe qui d'autre aurait été en colère à la place de Jottie. Furieuse, Bird l'était, en tout cas. Elle disait que ce n'était pas juste qu'elle soit obligée d'aller à l'école et moi pas, que notre tante devrait m'y obliger.

« Tu n'es pas malade. »

Je restai allongée sur le lit, immobile.

Ma sœur se pencha au-dessus de moi pour examiner mon visage. J'admirai ses yeux bleus.

« Bon, tu es peut-être malade, convint-elle, posant un doigt contre ma joue. Willa ? »

Au prix d'un gros effort, je réussis à lui répondre :

« Je suis fatiguée, c'est tout. »

J'avais l'impression que ma voix sortait d'un tuyau.

Elle posa un autre doigt contre ma joue.

« Je serai de retour dans cette foutue école bien plus vite que tu ne crois », ajoutai-je.

Elle pouffa.

« Tu as dit un gros mot. »

Mais elle promit de ne pas me dénoncer.

Mes paupières se refermèrent toutes seules. Je secouai la tête pour rester éveillée. C'était déjà assez pénible de faire ce rêve chaque nuit. Je ne me sentais pas capable de le supporter deux fois de suite.

Jottie m'emmena voir le Dr Ecks : juste pour se rassurer, dit-elle. Il m'examina le fond de la gorge, me donna un coup de marteau sur le genou, me tapota le dos et il écouta mon cœur. Il jeta même un coup d'œil dans mes oreilles avec un petit entonnoir, ce que je trouvai plutôt agréable. Après quoi, il me dévisagea un long moment en donnant des petits coups secs sur la table avec son stylo en or.

« Va te rhabiller et installe-toi dans la salle d'attente, Willa, dit-il enfin. Je vais parler une minute à Jottie. »

Ce qu'il avait à dire ne m'intéressait pas beaucoup, mais c'était devenu un réflexe, à présent : comme ma jambe qui tressautait quand il tapait mon genou avec son maillet en caoutchouc. Après m'être rhabillée, je me postai juste devant la porte de son bureau et tendis l'oreille. C'était pitoyable, cette prétention qu'avaient les grandes personnes de croire qu'elles étaient toujours obéies à la lettre.

« Elle dort ? questionna-t-il.

— Non. Elle se couche, mais elle ne dort pas beaucoup.

— Je pourrais lui prescrire quelque chose, mais ça lui engourdira pas mal l'esprit.

— Il est déjà assez engourdi comme ça. »

587

Il donna encore quelques petits coups avec son stylo.

« Très bien. Laissons-la tranquille, décida-t-il.

— Elle va manquer l'école, fit remarquer Jottie.

— Ce n'est pas un problème. Qu'elle reste à la maison. – J'adorais le Dr Ecks. – Ça offrira aux autres enfants une chance de rattraper leur retard sur elle.

— Je doute qu'ils y parviennent », riposta fièrement Jottie.

Elle se trompait, bien sûr. Toute ma vie, je demeurerais nulle en calcul des angles à cause de cette période-là.

« Elle va très bien se remettre », la rassura le médecin.

Une partie de moi-même fut soulagée d'entendre ça. Je commençais à croire que j'étais peut-être en train de mourir. Je n'avais jamais entendu parler d'une personne qui serait morte de fatigue, mais ça ne signifiait pas que la chose était impossible. La lèpre était la seule maladie que je connaissais vraiment.

Jottie et moi passâmes les deux premières semaines de la rentrée scolaire à parcourir la région en voiture, pour étudier des pommes. Mlle Beck et elle écrivaient un livre pour l'association des cultivateurs de pommes de l'enclave orientale, entièrement consacré aux pommes. Jottie disait qu'elle faisait une enquête de terrain – je crois qu'elle aimait beaucoup cette expression –, si bien que, chaque jour, nous allions visiter un nouveau verger, pour admirer des golden delicious, des grimes golden ou des winesap. En chemin, nous croquions des pommes et elle me parlait des fermes devant lesquelles nous passions, de tous les événements qui s'y étaient déroulés. Des inondations, surtout. Quelquefois, quand le trajet était un peu long, je m'endormais, mais ce n'était pas grave : je ne rêvais jamais dans la voiture. Je m'y sentais en sécurité, ce qui était étrange, parce que Jottie conduisait très mal. J'aimais me réveiller, affaissée contre la portière, pour me rendre compte que nous avions parcouru des kilomètres sans que je m'en aperçoive. Je ne cherchais plus à tout savoir. Je ne voulais plus rien savoir du tout. Une fois, je me réveillai à moitié affalée sur le plancher, et, à travers mes cils collés, surpris Jottie en train de pleurer. Elle essuyait ses larmes d'une main tandis qu'elle agrippait le volant de l'autre puis changeait quand l'autre était trop mouillée. En la voyant ainsi, je songeai qu'un mois plus tôt, j'aurais absolument voulu savoir pourquoi elle pleurait. Mais plus maintenant. Je ne posai aucune question. Je me sentis juste triste. Triste et fatiguée.

Mlle Beck restait à la maison. Elle ne menait pas d'enquêtes de terrain avec nous, et j'étais bien contente. À la place, c'était Emmett qui l'emmenait visiter des pommeraies, même s'il n'avait rien à voir avec tout cela. Ils partaient le week-end, parce qu'il enseignait à l'école le reste du temps. L'*Histoire de Macedonia* était terminée. Cinq exemplaires du livre arrivèrent dans un carton, et Jottie fit un gâteau pour fêter ça. Emmett vint dîner avec nous ce soir-là – il portait encore son costume et sa cravate d'instituteur. Ensuite, sur la véranda, Jottie, Minerva et Mae se relayèrent pour en lire des passages avec des intonations théâtrales, et mon oncle et Mlle Beck applaudirent comme des fous. Bird en glissa un exemplaire sous son bras et partit d'un pas fringant pour le montrer à Jun Lloyd, qui ne se montra pas du tout impressionné. M. McKubin passa nous voir ; il déclara que le livre avait vraiment une allure officielle, mais il ne pouvait pas rester parce qu'il se passait quelque chose à la manufacture. Depuis qu'il en était le directeur, il était très occupé. Harriet passa à son tour et nous informa que Richie aussi était à la manufacture. Puis elle parla, parla, tandis que je regardais le ciel s'assombrir, alors qu'on sortait à peine de table. Marjorie Lanz fit une apparition et se laissa tomber dans un fauteuil qui craqua sous son poids, suivie de Mme Fox.

Je finis par rentrer. Il faisait encore chaud dans la chambre de Papa, mais pas autant que quelques semaines auparavant.

Je m'assis contre le mur et tendis les jambes. Par habitude, je vérifiai si le penny était à sa place et fermai les yeux. La position n'était pas assez confortable pour que je risque de m'endormir. Alors, je me laissai flotter. J'avais tout mon temps. Rien n'allait changer.

55

Layla leva les yeux de son *Manuel pratique de la culture des pommes*, cherchant à trouver l'origine de sa nervosité. D'un regard soupçonneux, elle balaya la zone humide qui s'étendait des grands arbres à la berge boueuse de la rivière. Rien. Elle examina le ciel bleu au-dessus de sa tête, puis l'herbe bosselée sur laquelle elle était assise.

« Ce sont les grillons », murmura Emmett.

Il était allongé sur la couverture à côté d'elle, les yeux fermés, un vieil exemplaire de *Notre Constitution* posé sur la poitrine.

C'étaient bien les grillons. Ils s'étaient tus. Tout autour d'elle, Layla n'entendait que le léger souffle de la brise par moments et le doux clapotis de l'eau. Le son estival, l'orchestre déchaîné qui avait joué à l'arrière-plan de chaque scène, avait cessé. Plus détendue, elle s'adossa de nouveau à l'écorce grise de l'arbre derrière elle. Dans cette atmosphère paisible, elle observa le mouvement de respiration régulier d'Emmett, le très léger battement de ses cils noirs, trahissant qu'il ne dormait pas. Elle s'interrogea sur son immobilité. Ses mains, sa bouche aussi... Comment pouvait-il être si parfaitement immobile ?

Elle se redressa, fascinée par sa sérénité, puis, sans bruit, se glissa vers lui, pour contempler la ligne de son front, les ombres au-dessus de ses yeux profonds, sa bouche ferme et régulière.

Elle effleura ses lèvres du bout des doigts. Quand il ouvrit les yeux, surpris, elle sourit et se pencha sur lui.

Elle se redressa après un moment et, appuyée sur un coude, l'observa.

« Mmm. Non. Pas déjà, protesta-t-il. Allons. Reviens ici.

— Tu crois que tu aurais fini par m'embrasser, un jour ? » demanda-t-elle.

Il plongea la main dans ses boucles.

« Non. »

Elle la saisit et la posa contre sa bouche.

« Pourquoi ? Je te fais peur ? »

Il fronça les sourcils.

« Oui, bien sûr. Je fais tout pour ne pas m'attacher à toi depuis le jour où je t'ai rencontrée.

— Oh », fit-elle, déçue.

Il y eut un silence.

« Je n'ai pas réussi », avoua-t-il en la prenant dans ses bras.

Le soleil rougeoyait à l'horizon quand ils prirent la route pour regagner Academy Street. Emmett lui lança un regard à la dérobée.

« Qu'y a-t-il ? s'enquit-elle, le prenant sur le fait.

— Je m'émerveille. »

Elle rougit.

« Était-ce un rêve ? s'interrogea-t-il tout haut. Je me demande si je n'ai pas dormi tout l'après-midi. Ça pourrait bien être un rêve.

— Tu étais réveillé. Nous étions réveillés tous les deux, dit-elle en posant sa main sur la sienne.

— Tu es tellement belle... Chaque fois que je te regarde, tu es aussi belle que dans mon souvenir. Ce n'est pas juste. J'ai peur de nous envoyer dans le fossé à force de te contempler.

— Et tu te sentirais coupable si tu me tuais, plaisanta-t-elle.

— Je ne vais pas te tuer, je te le promets. Je vais te garder bien en sécurité avec moi. Tu le savais, ça ? Je te l'avais déjà dit ?

— Quoi donc ?

— Que je veux passer ma vie auprès de toi. Est-ce que je te l'ai déjà dit ? Parce que ça fait longtemps que je le pense. Mais je ne suis pas certain de t'en avoir parlé. – Elle fit non de la tête. – Oh, zut ! fit-il en se tapant le front. Ça a dû me sortir de l'esprit. Avec tous ces événements, tu comprends. Je ferais bien de me ranger sur le bas-côté. »

Il arrêta sa camionnette.

« Il vaut mieux se ranger sur le bas-côté pour faire une demande en mariage, lui confia-t-il en coupant le moteur.

— Une demande en mariage ? s'exclama Layla. Tu vas me demander en mariage ?

— Regarde, dit-il en se tournant vers elle, les yeux brillants. Regarde bien. – Il lui prit les mains. – Acceptes-tu d'être mon épouse ? S'il te plaît ? – Il se pencha pour lui embrasser les doigts. – S'il te plaît.

— Mais, Emmett...

— Faut-il que je m'agenouille ? l'interrompit-il. Je le ferai volontiers.

— Non, mon chéri... »

Il recula soudain, ouvrant de grands yeux.

« Et merde.

— Et merde ? répéta-t-elle, sidérée.

— Tu vas refuser, n'est-ce pas ? C'est non, hein ?

— Emmett, s'il te plaît, veux-tu bien me laisser placer un mot ? »

Il tressaillit, la main posée sur le cœur.

« J'étais si heureux. Quel idiot. J'étais si heureux...

— Emmett ! Je ne veux pas refuser !

— Tu ne veux pas refuser ? répéta-t-il, toujours perplexe.

— Non, sincèrement. »

Elle soupira.

« Bien sûr que je vais t'épouser. Je veux juste apprendre à te connaître mieux avant cela.

— Tu acceptes de m'épouser ? Dis-le encore une fois.

— J'accepte de t'épouser, répéta-t-elle, quand je te connaîtrai mieux.

— Tu me connais déjà très bien... Que veux-tu savoir ?

— Tout. Je veux tout savoir.

— Tout quoi ?

— Tout ce qui t'est arrivé. Ce que tu en as pensé.

— Ça va prendre une éternité ! rugit-il. Nous serons morts tous les deux avant d'en avoir fini.

— Dans ce cas, tu ferais bien de commencer tout de suite, répliqua-t-elle. Quel est ton premier souvenir ?

— Oh, pour l'amour du ciel... ! Jottie qui essaie de me fourrer dans un landau de poupée. »

Elle éclata de rire.

« Parfait. C'est exactement le genre de chose qui m'intéresse.

— Mais pourquoi ? Pourquoi veux-tu savoir ces choses-là ?

— Parce qu'elles t'ont fait tel que tu es. Et parce que je t'aime.

— Doux Jésus », murmura-t-il.

Il prit sa main et la serra très fort.

56

Venus de dix lieues à la ronde, les gens affluaient pour assister au cent-cinquantenaire de Macedonia. Je ne comprenais pas trop pourquoi. C'était une belle journée, j'imagine que cela avait quelque chose à voir avec ça. Le ciel était d'un bleu lumineux et même s'il faisait encore bon, on sentait que l'automne approchait. J'aimais bien l'automne. Je pense que tout le monde l'aimait autant que moi, parce que la foule était immense. Dès dix heures et demie du matin, toutes les dames faisaient déjà des crises de nerfs car la nourriture commençait à manquer, alors même qu'elles vendaient leurs assiettes vingt-cinq *cents*. Des centaines de personnes étaient réunies dans Flick Park, une masse grouillante, se restaurant sur les bancs, sur les rochers et même sur les pare-chocs des voitures. J'aperçus Sonny Deal qui mangeait perché sur un arbre. Il me salua d'un petit signe de la main et fit semblant de me jeter un cookie à la figure – semblant seulement. J'étais contente de voir qu'il ne m'en voulait pas.

« Écoutez..., dit Jottie d'une voix tendue. Si jamais nous sommes séparées – et je ne vois pas comment il pourrait en être autrement – je vous retrouve à la maison, c'est d'accord ? Tu m'entends ? » ajouta-t-elle à mon intention.

Je fis oui de la tête.

« Je t'entends, répondit Bird, qui essayait déjà de s'échapper. – Je crois qu'elle avait aperçu Berdetta Ritts au loin. – Est-ce que je peux avoir un peu d'argent ? »

Contre toute attente, Jottie nous donna une pièce de vingt-cinq *cents* à chacune.

« En principe, c'est pour votre déjeuner. Mais faites-en ce que vous voudrez. »

Ma sœur s'élança aussitôt à la poursuite de Berdetta.

« Tu restes avec moi, Willa ? » me cria Jottie alors que la fanfare du Rotary commençait à jouer.

J'acquiesçai et m'accrochai farouchement à sa main. Carleton Lewis avait récupéré son tambour chez le prêteur sur gages : il faisait un vacarme à réveiller les morts.

Nous rejoignîmes les dames derrière les longues tables. Mme Fox, Mme Dews et les autres ressemblaient à des moulins à vent, à force de lever et de baisser les bras pour déposer des cuillerées de salade de pommes de terre, du poulet et des parts de tarte dans des centaines d'assiettes.

« Je crois que j'attendrai d'être à la maison pour manger », me chuchota Jottie à l'oreille.

J'étais d'accord. Cette tarte ne m'avait pas l'air très fraîche. Des gens de la campagne avaient apporté leur propre ravitaillement – n'ayant sans doute pas vingt-cinq *cents* à dépenser – et en paraissaient très satisfaits. Ils mâchonnaient leur pain et leurs pommes ; les femmes avec des bébés sur les genoux, les hommes accroupis dans l'herbe.

« Seigneur, quelle foule ! s'exclama Mme Tapscott, agrippant le bras de ma tante. Je crois que je vais défaillir ! Écoute, Jottie, veux-tu bien dire à cette jeune fille que j'ai adoré son livre ? Je n'aurais jamais cru qu'une étrangère en serait capable, mais elle a vraiment fait un excellent travail. Excellent.

— Je le lui dirai, Inez. Ça lui fera plaisir.

– Je vais en envoyer un exemplaire à mon cousin Cincy, qui vit à Romney. – Elle gloussa. – Il n'a jamais voulu croire que Jackson avait séjourné dans la maison de Maman. Ce livre va lui clouer le bec. »

Jottie éclata de rire, et Mme Tapscott fut emportée par la foule.

« Au revoir, ma chérie ! » me lança-t-elle avant de disparaître.

« On aurait peut-être dû les faire payer pour figurer dans ce livre, hein ? plaisanta Jottie. Bon, allons voir s'il y a moyen de s'acheter une glace. Armine Statler m'a dit qu'il installerait un stand quelque part. »

Comme si je ne voyais pas qu'elle essayait de me faire manger.

« Je n'ai jamais entendu un boucan pareil », marmonna-t-elle en s'éloignant de la fanfare du Rotary.

— Jottie. »

C'était M. McKubin. Il posa la main sur son bras.

« Que penses-tu de ce costume ? »

Il recula un peu pour qu'elle puisse juger de l'effet.

« Quelle prestance, commenta-t-elle, me donnant un coup de coude. Pas vrai, Willa ? »

J'approuvai, même si je ne voyais pas de différence avec sa tenue habituelle.

« Ils n'entendront pas un seul mot de ce que tu vas dire, tant ils seront fascinés par ton costume », affirma-t-elle.

M. McKubin devait prononcer un discours, ce qui ne l'enchantait pas du tout. La veille au soir, il s'était entraîné à le dire sur notre véranda et avait fait plein de grimaces. Le discours s'intitulait « Travail et Honneur », et il expliquait que le travail nous rendait meilleurs ; et que plus on travaillait, meilleur on était. La grève était terminée. M. McKubin avait accepté que les ouvriers créent un syndicat s'ils le désiraient et il avait organisé une grande réception pour fêter ça. Les grévistes étaient venus, ils avaient mangé des gâteaux et tout le monde était très content jusqu'à ce que le TWOC envoie un homme pour demander à ce qu'on paie mieux les ouvriers. M. McKubin avait répondu qu'il n'y aurait plus d'augmentations de salaires. Il a aussi dit, qu'à bien y réfléchir, c'était Emmett qui avait causé tout ce fichu bazar, et qu'il n'arrivait pas à croire qu'en se mariant, il allait se retrouver dans ce repaire de communistes. Mon oncle a répondu qu'il ne savait pas ce qui était préférable pour l'industrie de la chaussette : vivre à genoux ou mourir debout bien campé sur ses deux pieds, et tout le monde a bien ri.

Mais, là, M. McKubin ne riait plus.

« Bon, je crois que je ferais mieux d'y aller, dit-il, l'air morose. Souhaite-moi bonne chance. »

Jottie lui tapota le bras.

« Tu n'as pas besoin de chance, Sol. Tu vas t'en sortir beaucoup mieux que tu ne le crois. »

Ces encouragements lui firent vraiment plaisir. Il souriait en repartant.

« Viens, ma chérie, on va chercher Armine », me dit Jottie.

Nous prenions la direction de Prince Street quand une dame avec un chapeau vert se dressa en travers de notre chemin.

« Jottie, l'interpella-t-elle d'un ton un peu hautain.

— Anna May.

— Cela fait un certain temps que je n'ai pas vu Felix. »

Elle ne regardait pas ma tante dans les yeux, en parlant. Elle fixait le sommet de son crâne.

« Oui, il est en... voyage d'affaires prolongé, répondit Jottie, les lèvres pincées, l'air hautain, elle aussi.

— Ah, fit la dame. Bien. »

Elle tourna les talons et s'éloigna sans ajouter un mot.

« Ah, je te jure... » marmonna Jottie.

Je pris un air interrogateur.

« Bah ! Si tu ne veux pas te donner la peine de parler, ne t'attends pas à apprendre des choses ! » lança-t-elle, agacée.

Je décidai que ça ne m'intéressait pas.

La foule était de plus en plus dense. Jottie rencontra Harriet, puis Mme Sue arriva, et bientôt, le groupe de dames devint suffisamment important pour bloquer la circulation. Mais elles ne remarquèrent rien, trop occupées qu'elles étaient à papoter. J'aperçus Geraldine au loin, du côté de Flick Park, se dirigeant d'un pas décidé vers des buissons de mûres qui poussaient au bord de la rivière, la mine autoritaire et affairée. Ses frères et sœurs trottinaient derrière elle. J'avais l'impression qu'une éternité s'était écoulée depuis la dernière fois que nous avions joué ensemble.

Je bâillai. Jottie et ses amies discutaient du prix des chapeaux. Jun Lloyd passa à côté de nous. Je me demandai s'ils avaient fini par enterrer Neddie, ce fameux jour.

Le nœud compact de dames se desserra pour se transformer en un alignement irrégulier de visages attentifs. Le maire, M. Silver, allait prononcer son discours pour le cent-cinquantième anniversaire de Macedonia. Il y eut tout un tas de couinements et de craquements tandis que Carl Inskeep réglait le micro sur l'estrade. Un rire amplifié résonna à travers le parc, déclenchant une vague de rires dans la foule. Le maire gravit les marches de l'estrade et sourit : il semblait un peu nerveux.

«Merci, dit-il, rappelant ainsi aux spectateurs qu'ils étaient censés applaudir. – Ils s'exécutèrent. – Merci, merci ! » s'écria-t-il.

Je tirai Jottie par la manche.

«Je rentre à la maison », lui dis-je.

Elle était si contente de m'entendre parler qu'elle accepta avec enthousiasme, comme si elle avait hâte que je m'en aille.

«Très bien, ma chérie. Je te rejoindrai dans un moment. Je crois avoir vu Emmett avec Layla, il n'y a donc personne à la maison. Ça ne t'ennuie pas ? »

Je fis signe que non et partis. Je ne voulais plus entendre M. Silver remercier la foule. Je ne voulais plus l'entendre du tout.

Ce micro produisait un écho épouvantable, mais sitôt que je tournai dans Council Street, le silence revint. Ils étaient tous à Flick Park : le reste de Macedonia était désert, ce qui me convenait très bien. J'aimais le calme.

Je m'engageai dans Kanawha Street.

« Mince, qu'est-ce que tu marches vite, dit une voix dans mon dos. Personne ne croira plus que tu es malade si tu te mets à marcher si vite. »

J'eus l'impression que mon cœur allait jaillir de ma poitrine. Je m'arrêtai net, n'osant pas regarder derrière moi.

« À moins que tu n'aies la danse de Saint-Guy.

— Qu'est-ce que c'est ? demandai-je.

— La danse de Saint-Guy ? C'est une maladie. Une maladie effroyable qui provoque une agitation excessive des membres. Mais je pense que tu auras du mal à leur faire avaler ça. Tu n'as pas l'air malade. »

Alors, je me retournai, et je le vis, là, qui me souriait.

« Tu m'as l'air très bien. – Il m'ouvrit les bras et je m'y précipitai. – Salut ma Willa. »

Il m'étreignit avec force.

« Tu m'as manqué, dis-je, étouffant un sanglot. Affreusement. »

Papa hocha la tête sans desserrer son étreinte.

« Toi aussi, tu m'as manqué, ma puce, surtout quand j'ai appris que tu étais malade.

— Je suis juste fatiguée. »

Il n'entendit pas ma réponse parce que j'avais le visage enfoui dans sa chemise. Il m'écarta un peu de lui :

« Quoi ?

— Je... Je suis fatiguée, c'est tout. »

Il examina mon visage.

« Fatiguée ? Et Jottie te laisse t'absenter de l'école pour ça ? »

Je fis oui de la tête. Il avait l'air drôlement fatigué, lui aussi. Ses yeux étaient injectés de sang.

Il secoua la tête d'un air désapprobateur.

« Il fallait que je tombe et que je me fracasse presque le crâne pour qu'on me laisse manquer l'école. Il fallait que je sois à l'article de la mort. Jottie est une vraie poire.

— Tu veux bien venir à la maison, dis ? S'il te plaît ?

— Tu sais que je ne peux pas. Je crois me souvenir que tu étais présente lorsque j'ai été condamné à être pendu haut et court. »

Il essaya de sourire, mais ça n'était pas très réussi.

« S'il te plaît. – Je ne pouvais pas m'empêcher de le supplier. – S'il te plaît, juste un petit peu. Personne n'en saura rien. Ils sont tous à Flick Park. Et je ne le dirai à personne. »

Il haussa un sourcil, et je me souvins qu'il n'avait aucune raison de me faire confiance.

« Je suis désolée ! – Je fourrai à nouveau mon visage dans sa chemise pour cacher ma honte. – Je suis désolée d'avoir tout raconté..., je ne pouvais pas supporter de voir Jottie pleurer comme ça.

— Je sais, dit-il en me caressant les cheveux. Ne t'inquiète pas. C'est mieux qu'elle sache.

— Je ne voulais pas ! Si j'avais eu une minute de plus, j'aurais trouvé autre chose ! J'aurais dû imaginer un moyen... »

Il me souleva le menton.

« Je n'ai jamais réussi à en imaginer un et j'y ai consacré beaucoup plus de temps que toi. – Il me tapota la joue. – Tu as très bien agi. »

Il me pardonnait, mais en même temps, ça ressemblait à un adieu. Je plaquai ma main contre ma bouche pour ne pas sangloter.

Ses épaules s'affaissèrent.

« Non, ma chérie, ne le prends pas comme ça. »

Je ne pus retenir un gémissement. Il allait encore me quitter.

« Ah, nom d'un chien... Écoute, dit-il, retirant ma main de ma bouche pour la prendre dans la sienne. Tu sais ce qu'on va faire ? On va aller s'asseoir sur le toit. Juste un peu. Juste pour cette dernière fois. »

Je me cramponnai à sa main.

« Vraiment ? hoquetai-je. Je ne suis jamais montée sur le toit. »

Il prit un air horrifié.

« Comment ? Tu ne t'es jamais assise sur le toit ?

— Jottie a dit qu'elle nous écorcherait vives.

— Bah, voilà ce qui arrive quand on laisse d'autres gens élever vos enfants.

— Jottie n'est pas d'autres gens.

— Ma foi, si, à l'évidence. Vous interdire de vous asseoir sur le toit ! Elle y a passé la moitié de son enfance, sur ce toit. C'est le meilleur endroit de la maison. »

Nous remontâmes Academy Street, main dans la main. J'essayai de ne pas penser que ça allait bientôt se terminer. Quand on arriva à la maison, au lieu de prendre l'allée, il fit le tour et m'entraîna vers la porte de la cave qu'il ouvrit.

« Allez, viens.

— Pourquoi tu ne passes pas par l'entrée ? demandai-je, obéissant néanmoins.

— Tu m'as dit qu'il n'y avait personne à la maison, mais tu n'en es pas certaine. On n'est jamais trop prudent. »

Une fois dans la cave, il cueillit une pomme dans le cageot, grimpa l'escalier et traversa si vite la cuisine que j'eus du mal à le suivre.

« Attends, dis-je tout essoufflée. Attends-moi.

— J'essaie de rester dans le droit chemin, me lança-t-il par-dessus son épaule. Pour une fois. Allez, dépêche-toi.

— Je me dépêche. »

Je réussis à le rattraper devant la porte de sa chambre.

« Tout est en ordre là-dedans, rien n'a changé », déclarai-je.

Il hocha la tête et traversa la pièce pour ouvrir la fenêtre en grand.

« Vas-y, dit-il.

— Non, après toi. »

Je me sentais un peu nerveuse. Dex Lloyd s'était cassé le bras, juste en tombant d'un arbre.

Papa eut un petit rire, celui que j'aimais tant.

« Comme c'est aimable de ta part, ma chérie. »

Il enjamba le rebord de la fenêtre et me prit par la main pour que je n'aie pas peur. De l'autre côté de la fenêtre, c'était pratiquement plat – en fait, c'était le toit de la véranda. Assis là, face à l'est, nous pouvions voir tout Academy Street. Quelques arbres avaient déjà des feuilles jaunies. Il ôta sa veste et poussa un soupir d'aise.

« Dieu soit loué, ça fait du bien d'être chez soi, dit-il, allongeant les jambes et roulant sa veste en boule pour s'en faire un oreiller. – Il me regarda. – Tu n'as pas de manteau ? »

Je lui fis signe que non. Il se leva.

« Attends deux secondes. »

À le voir marcher, on aurait cru qu'il se trouvait sur le trottoir. Il retourna à l'intérieur et revint avec son couvre-lit, qu'il plia soigneusement et étala sur le toit.

« Voilà.

— Merci.

— Il n'y a pas de quoi. »

Je m'allongeai. Il m'imita. Le silence s'installa. Au bout d'un long moment, je me redressai sur un coude pour voir s'il dormait et s'il fallait que je me mette à le surveiller pour qu'il ne roule pas en bas du toit. Il avait les yeux fermés. Il paraissait un peu négligé, pas aussi pimpant qu'à son habitude. Il y avait une tache sur son pantalon. Je me demandai s'il lavait ses vêtements lui-même. Cela me fit mal au cœur de l'imaginer. Sans ouvrir les yeux, il me demanda :

« Pourquoi as-tu fait ça, Willa ?

— Quoi ? »

Mais je compris de quoi il voulait parler.

« Tu sais bien. – Il agita la main. – La cave de Tare. Fouiller dans les valises. »

Il ouvrit les yeux et contempla le ciel.

« Pourquoi ?

— Je voulais... – Je cherchai mes mots. – Je voulais savoir des choses sur toi. Je pensais que, si je savais ce que tu faisais et où tu allais, je ferais partie de ta vie. Comme si on travaillait ensemble, même si tu n'étais pas au courant. – Ma voix s'érailla un peu. – Quand je suis descendue dans la cave de M. Russell, je m'attendais à y trouver du whisky.

— Doux Jésus...

— Moi aussi, je fais du trafic d'alcool, avouai-je, pour ne rien lui cacher. Mais j'achète mon whisky à M. Houdyshell. »

Il se redressa.

« De quoi veux-tu parler ? »

Je lui racontai l'histoire de Mme Bucklew et de Mme John, du panier et du whisky Four Roses. Il se couvrit le visage d'une main à l'écoute de mes exploits.

« Tu vois, conclus-je, nous sommes tous les deux des hors-la-loi. »

Papa retira sa main de son visage et je vis qu'il riait. De moi. Il secoua la tête, l'air émerveillé :

« Qui l'eût cru... Toi, Willa ? J'aurais parié sur Bird. »

Je me redressai fièrement.

« J'ai un talent naturel pour la dissimulation. Je m'en suis servie pendant tout l'été et je ne me suis pas fait prendre. »

Son sourire s'effaça.

« Et tu crois que c'est un jeu ? »

Ça m'a fait réfléchir.

« Non..., finis-je par répondre. C'est juste que je suis douée pour ça.

— Oui, je sais, convint-il, le visage grave. Moi aussi, je suis doué pour ça. Et c'est une sacrée malédiction d'être doué comme je le suis.

— Pareil pour moi », dis-je, repensant à mon rêve.

Si j'étais allée chez Minerva comme on me l'avait demandé, je n'aurais jamais eu à supporter ce rêve épouvantable. C'était vraiment une malédiction.

« Alors, tu devrais sans doute arrêter, dit Papa.

— J'ai *déjà* arrêté. Je ne veux plus rien savoir du tout.

— Tu es redoutable, Willa.

— C'est parce que je te ressemble. Je tiens ça de toi.

— Non. Ne souhaite pas cela. – Il s'appuya sur les coudes et regarda les arbres. – Comment va Jottie ? demanda-t-il d'une voix douce.

— Je crois que tu lui manques.

— J'en doute fort, dit-il, laissant échapper un soupir entre ses dents serrées. Elle a Sol, le brave et honnête Sol...

— C'est vrai, il est honnête. – Je revis M. McKubin assis sur notre terrasse ; l'attitude de ma tante en sa présence. – Mais je ne crois pas qu'elle va se marier avec lui », déclarai-je.

À la minute où je m'entendis prononcer ces mots, je pensai : Non, elle ne va pas l'épouser.

« Ah oui ? Qui dit ça ?

— Moi. »

Je fis un effort pour rassembler mes idées.

« Il aime tout le monde, M. McKubin, et il est plutôt gentil, mais ce n'est pas ça qui compte pour Jottie, la gentillesse. N'importe qui peut être gentil. Et puis, quand il est là, elle reste silencieuse. Elle n'est plus tout à fait elle-même. On dirait qu'elle préfère se retenir de parler, sachant qu'il ne la comprendra pas. – Papa buvait mes paroles. –Tu sais, je ne l'ai jamais vue aussi heureuse qu'au moment où elle a reçu cette veste. – Je souris, rien qu'en y repensant. – Au début, elle s'est demandé ce que c'était, comme moi. Et puis elle a compris. Elle s'est souvenue. Elle a fermé les yeux et elle a paru si heureuse... Elle m'a semblé plus heureuse avec la veste de Vause Hamilton qu'elle ne l'est avec M. McKubin.

— Oui, je comprends, dit Papa comme si c'était tout à fait raisonnable de préférer la veste d'un mort à la personne que l'on doit épouser. C'était Vause.

— Et c'est Jottie aussi... »

Je m'interrompis en le voyant se redresser d'un coup, la tête tournée vers Academy Street.

Elle arrivait. Elle avançait, seule, le long de la maison des Casey. Je la voyais très bien, avec son médaillon brillant sur son corsage, son chapeau marron clair posé sur ses cheveux bruns, son vieux sac à main pendu au poignet. Des tas de gens l'auraient trouvée parfaitement ordinaire, mais elle ne l'était pas. Ceux qui disent que la plupart des gens sont ainsi – ordinaires – ne peuvent pas comprendre ce qu'elle était.

Papa l'observa, un sourire aux lèvres.

Elle passa devant la maison des Lloyd.

« Lève-toi, lui dis-je. Comme ça, elle pourra nous voir.

— Non, non. Je ferais mieux de filer.

— Non ! »

Mais il était déjà debout et allait bientôt atteindre la fenêtre. Il repartait.

« Non ! »

Oubliant totalement que je risquais de tomber, je bondis sur mes pieds et lui attrapai la main, ce qui l'obligea à se retourner. Pour la première fois de ma vie, j'avais été plus rapide que lui.

« Jottie ! » criai-je.

Elle regarda autour d'elle avant de lever la tête.

« Willa ! Au nom du ciel, que fais-tu... »

Elle s'arrêta net. Elle se mit à respirer lentement, les yeux levés, sans rien dire.

Papa aussi était muet.

«Monte, s'il te plaît, dis-je.

— Salut, Jottie, lança Papa d'une voix rauque. – Il s'éclaircit la gorge. – Bonjour.»

Elle fronça les sourcils.

«Je t'avais interdit de venir ici, Felix.

— Oh, Jottie, *je t'en prie*. Monte nous rejoindre. Juste une minute», insistai-je.

Elle attendit une seconde, puis rentra dans la maison.

Papa se rassit – se laissa pratiquement tomber, plutôt – et nous attendîmes. À un moment, je craignis qu'elle ne vienne pas, mais nous entendîmes enfin un pas du côté de la fenêtre. Je me retournai et vis que ma tante était aussi douée que Papa pour marcher sur les toits : on aurait dit qu'elle avait fait ça toute sa vie, à la voir si calme et gracieuse. Je lui fis une place sur mon couvre-lit et elle s'assit à côté de moi. Papa et elle n'échangèrent ni un mot, ni un regard. Ils demeurèrent ainsi, silencieux, pendant une éternité.

«Comment était le cent-cinquantenaire? demandai-je poliment.

— Ennuyeux comme tout, répondit Jottie. Je remarque que tu as retrouvé l'usage de la parole.»

Je lui fis une grimace et changeai de sujet.

«Tu as mangé une glace?

— Non.»

Une telle réponse venant de Jottie qui nous répétait sans cesse que la conversation était la clé de voûte de la civilisation... Je sentis la peur monter en moi. Et s'ils ne se parlaient pas du tout? Papa s'en irait, et elle ne le laisserait jamais revenir. Folle d'angoisse, je me creusai la tête pour vite trouver une autre idée.

Jottie finit par dire :

«Hank a lancé un mandat d'arrêt contre toi.»

Papa lui jeta un coup d'œil rapide et hocha la tête. Tout à coup, Jottie se mit à trembler de tout son corps, comme un cheval quand on lui met quelque chose sur le dos.

« Non, dit-elle en se relevant. Je suis vraiment navrée, Willa, mais non. C'est trop tard. »

Papa détourna la tête.

Elle s'apprêtait à partir quand je saisis un pan de sa jupe. Si elle s'obstinait, elle la déchirerait.

« Jottie. Attends. Je peux tout expliquer.

— Tu peux expliquer quoi ?

— Ce qui s'est passé. »

Je fermai les yeux pour mieux voir dans ma tête comment tout cela s'était déroulé.

« Il ne s'y attendait pas... Il ne pensait pas que ça se passerait comme ça, que les flammes brûleraient les murs aussi vite. – Papa détournait toujours la tête, mais il écoutait. – Il n'a jamais imaginé qu'ils pourraient se blesser ou qu'un des deux pourrait mourir. Il n'a jamais pensé que ça pourrait arriver, et puis, là, tout à coup, c'est arrivé et il n'a pas su quoi faire. – Jottie se rassit. – Et plus tard, quand il a appris que Vause était mort, il s'est senti si mal qu'il a cru mourir lui-même, parce qu'en une toute petite minute seulement, il avait tout perdu. – Je tirai un peu sur sa jupe. – *Absolument tout*. Et il ne pouvait s'en prendre qu'à lui-même, il était le seul fautif. Tout comme moi. J'ai tout détruit. J'ai brisé la vie de Papa et la mienne par la même occasion, et... – J'avais toute son attention à présent, elle me regardait. – ... si j'avais été capable de réfléchir plus vite, Jottie, j'aurais menti, moi aussi. J'aurais dit n'importe quoi pour que tu ne chasses pas Papa de la maison.

— Oh, ma chérie, dit-elle en serrant ma main, ce n'est pas la même chose. Pas du tout...

— Moi, je trouve que si. Je me sens mal chaque fois que j'y pense. Je me sens tellement mal que je voudrais disparaître.

608

— C'était pareil pour moi, confirma Papa. Comment sais-tu tout ça ?

— J'y ai réfléchi, jusqu'à ce que je puisse tout voir dans ma tête.

— Eh bien, tu as vu juste. – Son ton trahissait une telle lassitude que je pouvais à peine le supporter. – Et comme toi, quand j'y repense, je voudrais disparaître. Ou me fracasser le crâne pour ne plus avoir à m'en souvenir. »

Il se tourna vers Jottie, avec ses yeux rougis, mais elle baissa la tête. Il poussa un profond soupir avant de reprendre :

« La dernière fois que je l'ai vu vivant, la dernière minute, c'est quand nous sommes sortis par la porte du bureau de Parnell et que nous nous sommes aperçus que le couloir entier était en feu. Je n'arrivais pas à croire que l'incendie ait pu se propager à cette vitesse. – Il se passa la main sur le visage. – Un instant plus tôt, il n'y avait presque rien. Juste une demi-heure avant, ce n'était qu'un petit feu de rien du tout. J'ai hurlé qu'on devrait passer par le bureau d'Arlie. Il était en flammes, lui aussi, mais je me disais qu'on pourrait quand même s'en sortir en courant vite. Vause n'a pas répondu. Il tournait sur lui-même, cherchant un moyen de s'échapper. Là, il m'a regardé, et j'ai compris ce qu'il pensait. Il pensait : J'ai gâché ma vie avec toi, Felix. C'était écrit sur son visage. Comme s'il venait enfin de le comprendre, comme si je l'avais tout le temps pris pour une poire. – Papa s'arrêta une seconde, plongé dans ses souvenirs. – Il me regardait comme une chose qu'il lui serait insupportable de toucher. J'ai essayé de le tirer, *Allez, viens, viens, passons par là.* Mais, tu sais bien, il était plus fort que moi : il m'a repoussé et il est parti en courant. Il est retourné vers l'escalier, parce qu'il ne me croyait plus. Il ne croyait pas que j'aurais fait n'importe quoi pour le sauver. – Son dos se voûta. – J'aurais fait n'importe quoi, Jottie. »

Elle gardait la tête baissée. Papa poursuivit :

« Il y avait tellement de fumée. Je ne voyais rien et ça faisait tellement de bruit que je n'entendais rien non plus. Je hurlais et n'entendais même pas ma voix. J'ai rebroussé chemin, pour voir où il était parti, mais je ne le trouvais pas – je ne voyais rien du tout. Et puis je me suis dit qu'il avait peut-être réussi à redescendre, alors j'ai dévalé les marches. Elles se sont à moitié effondrées sous mes pas et j'ai été projeté contre la porte. C'est comme ça que je l'ai trouvée. Je me suis dit, il est dehors, il est en sécurité, c'est pour ça que je suis sorti, et là... – Il gémit. – ... il y avait du monde partout. J'ai couru, j'ai cherché Vause dans les rues. On ne s'était pas donné de point de rendez-vous parce que je pensais qu'on resterait ensemble, alors j'ai couru dans tous les sens, à sa recherche, jusqu'à ce que je sois obligé de me cacher... chez Tare. – Papa se frotta les genoux, d'un geste nerveux. – Pendant quelques heures encore, j'ai cru qu'il s'en était tiré, j'étais persuadé qu'il s'en était tiré et que vous étiez peut-être en train de quitter la ville tous les deux, sans moi. Je l'espérais, tant, je te le jure. »

Il leva les yeux pour voir si elle le croyait. Jottie refusait toujours de le regarder. Elle secoua la tête.

« Je te jure que c'est ce que j'espérais, Jottie », a répété Papa d'un ton suppliant.

Mais elle continuait à dire non de la tête et son visage était un masque de pierre. Elle le haïssait à cause de ce qu'il avait fait, et il n'y avait rien que je puisse dire, rien que je puisse faire, pour changer ça. Je n'étais pas sûre que Dieu s'intéresserait à Papa mais je priai néanmoins, les mains serrées entre mes genoux.

« C'est quand j'ai grimpé jusqu'à ta fenêtre, le lendemain matin, quand j'ai vu que tu t'étais coupé les cheveux, c'est là que j'ai compris qu'il était mort. Et j'aurais voulu l'être aussi. J'étais désespéré. J'aurais voulu mourir. Tout s'était passé si vite,

Jottie, en une heure à peine, peut-être une heure et demie, et jusqu'aux deux ou trois dernières minutes, j'ai cru que ça se terminerait bien, sans problème. Et tout à coup, c'était trop tard, je ne pouvais plus rien faire. Plus rien défaire, plus rien changer. – Il appuya ses deux poings sur ses yeux. – J'ai tué *Vause*. »

Elle acquiesça, les mâchoires serrées.

« Je savais que tu me croirais, poursuivit-il, laissant retomber ses mains. Je savais que si je trouvais les bons mots, tu accepterais de croire que Vause avait fait ça tout seul. Et alors, tu resterais avec moi. Tu ne me quitterais pas, tu ne me haïrais pas comme lui, à la fin, et je n'aurais pas perdu tout ce à quoi je tenais en ce monde. – Il déglutit péniblement. – Je... je n'avais pas le choix, Jottie. »

Il se tut et attendit. Mais sa sœur ne disait toujours rien. Elle regardait les feuilles des arbres, sans bouger, presque sans respirer. Je ne savais pas ce qu'elle allait décider. Je ne savais rien, sauf qu'au bout du compte, j'allais sans doute me retrouver seule pour toujours.

« Jottie ? » dis-je de ma voix la plus douce.

Elle se tourna vers moi.

« Je crois que, tous les trois, nous aimerions pouvoir remonter dans le temps. Que nous donnerions n'importe quoi pour retourner dans le passé et le changer. Mais nous ne pouvons pas, Jottie. Nous ne pouvons pas.

— Comment peux-tu lui pardonner ? lança-t-elle soudain sur le ton du reproche. Comment ? Après ce qu'il t'a fait ? »

Elle voulait sans doute parler de Mlle Beck, des mensonges de Papa, du fait qu'il m'avait rejetée.

« Tu as raison, Jottie, mais à quoi bon ? Avoir raison, ce n'est rien. On ne peut pas s'en nourrir. Autant manger des cendres. »

Je regardai Papa, ses yeux injectés de sang, la tache sur son pantalon. Je l'aimais tellement... Je tentai de lui expliquer, une fois encore :

« C'est tout ce que nous pouvons faire. Nous ne pouvons pas revenir en arrière. La seule chose que nous avons le droit de faire... – Je pris la main de Papa. – ... c'est nous haïr les uns les autres, ou pas. »

Il serra mes doigts très fort, en signe de gratitude. Jottie nous dévisagea tour à tour puis répondit tristement :

« Willa, ma chérie, est-ce qu'il ne vaudrait pas mieux renoncer à lui ? »

Je faillis sourire.

« Comme tu l'as dit, il est beaucoup trop tard pour cela. »

Elle faillit me sourire en retour.

« Voyez-vous ça... Retour direct à l'envoyeur. »

Elle reporta son attention sur Papa, pour estimer ce qu'elle était capable de supporter.

« Non, on ne peut pas se nourrir de cendres », finit-elle par reconnaître.

Il se tourna vers elle, le souffle court. Elle poussa un soupir si profond qu'il avait dû naître au niveau de ses chevilles.

« Pauvre Felix, murmura-t-elle. Pauvre vieux Felix. »

Elle prit mon autre main. – Je tenais toujours celle de Papa. – Ils ne se touchaient pas, mais nous formions une chaîne, tous les trois, et c'était déjà ça. C'était un bon début.

Je me rallongeai, dans le silence, et contemplai le ciel, ou ce que j'en voyais : un cercle de bleu au-dessus de notre maison. Au pourtour du cercle, quelques feuilles vertes s'agitaient un peu et des taches dorées miroitaient et scintillaient tant que je tendis la main pour les toucher. Je finis par fermer les yeux et m'endormir.

À mon réveil, Jottie était toujours à côté de moi. Papa avait disparu. Mais je n'étais pas inquiète. Il reviendrait.

Épilogue

Jottie rompit avec Sol peu après. Il se maria dans le mois qui suivit avec une dame du Maryland que personne ne connaissait, mais ça ne dura pas. L'été suivant, il était de retour sur notre véranda, se débrouillant toujours pour passer quand Papa était en voyage. Bird le soupçonnait de nous espionner, caché dans la conduite d'égout mais, quelle que soit sa méthode, Sol savait quand il pourrait monter les marches et s'installer dans un fauteuil de rotin. Des centaines de soirées passées là, à nous écouter discuter, avant de retourner seul chez lui. Même à l'époque, je me demandais comment cela pouvait lui suffire ; mais j'imagine que c'était déjà plus qu'il n'avait jamais osé espérer – sauf durant ces quelques semaines où il avait cru avoir gagné sa guerre contre mon père.

Papa venait et repartait, comme il l'avait toujours fait. Je n'ai jamais vraiment su en quoi consistaient ses affaires et il était bien sûr inutile de lui poser la question. Je pense qu'il lui arrivait de vendre des produits chimiques mais je n'en ai pas la certitude. Vers la fin de l'année 1940, il rentra de voyage avec une vilaine fracture de la jambe. Il prétendit qu'un dresseur d'animaux enragé l'avait jeté du haut d'un wagon. Jottie répondit qu'elle ne connaissait personne qui ait plus de chances que lui d'être jeté du haut d'un wagon et ajouta que cela ne signifiait pas pour autant qu'elle le croyait. Elle s'agita néanmoins, lui apportant des coussins et ses petits déjeuners sur un plateau, et il se laissa faire en riant. Quant à moi, je ne me rappelle pas avoir été plus satisfaite qu'à cette période, parce que je savais où il était.

Papa ne fut plus jamais aussi rapide après ça. Sa jambe le faisait souffrir et il vieillissait, aussi. Il disparaissait encore, parfois pendant des semaines, mais ne revenait plus avec autant d'argent, et je crois que ce qu'il ramenait était durement gagné. Je me souviens qu'un soir – en 1943 – il rentra à la maison pendant un terrible orage. L'électricité était coupée. Il marmonna quelque chose, laissant entendre qu'il fallait s'estimer heureux, et monta se coucher. Ce n'est que le lendemain que ses paroles prirent tout leur sens, à l'arrivée de Jottie dans la cuisine : elle sembla sur le point de s'évanouir. Je n'eus pas le droit de le voir pendant deux jours. Je suppose qu'il avait été sévèrement battu.

Jottie prit la relève. Elle continua à travailler pour le Federal Writers' Project – sans qu'ils le sachent – jusqu'à ce qu'il soit dissous. Certains livres étaient assez bêtes. Comme celui qui traitait des sports aquatiques sur le Potomac qui faillit lui coûter la vie. Mais elle prit goût à l'écriture et quand elle en eut terminé avec les guides et les ouvrages d'histoire du Federal Writers' Project, elle se mit écrire des romans policiers dont la plupart avaient pour héroïne une bibliothécaire morte qui fourrait son nez de fantôme dans les affaires des autres. Outre le fait qu'elle piquait des fous rires en écrivant ces romans, elle réussit à en faire publier quatre. Elle prétendait vouloir gagner honnêtement sa croûte, sans plus ; mais je sais qu'elle aimait écrire, et qu'elle aimait son statut d'auteur. Jamais je ne l'entendis rire aussi fort que le jour où le Cercle des dames pour le rayonnement de la culture l'invita à s'exprimer sur « La Littérature moderne et le bon goût ». Elle accepta néanmoins et s'acheta même un grand chapeau noir pour les impressionner.

La guerre débuta juste au moment où le Federal Writers' Project rendait son dernier soupir, et alors, bien sûr, les fermes se mirent à prospérer. Jottie passa beaucoup plus de temps à les gérer quand Emmett s'engagea, mais elle s'y attela si bien que Wren Spurling se mit à avoir la tremblote chaque fois qu'il la voyait arriver. Une fois la guerre terminée, quand il fut à nouveau possible d'acheter de l'essence, Jottie et Papa se mirent à voyager. Elle disait qu'elle avait eu une jeunesse confinée, et qu'il était temps qu'elle voie le monde. Papa conduisait. Ils se rendirent à New York, en Californie et dans des tas d'autres endroits. J'espérais en secret qu'ils faisaient de la contrebande d'alcool dans les États prohibitionnistes, parce que ma tante aurait adoré ça, mais je n'en eus jamais la certitude.

Ce furent de belles années, pour l'un comme pour l'autre. Jottie nous avait tous pris sous son aile sur cette terre ; et c'était encore plus vrai pour mon père que pour tout autre. Il en était conscient et lui en était reconnaissant. Quant à elle, je crois qu'elle n'avait jamais douté que la haine était un vilain os à ronger. Elle avait essayé de haïr Vause Hamilton des années durant et quand elle avait enfin cessé, elle avait compris que cette haine l'aurait transformée en poussière si elle était parvenue à ses fins. C'était pareil pour Papa. On ne parvient jamais à se faire une idée de la vérité d'autrui. On s'applique à se forger une idée définitive et on finit par s'étrangler avec le nœud qu'on a tissé soi-même.

Au bout du compte, Jottie et Papa avaient aimé la même personne et chacun savait dans quelle direction leurs rêveries les portaient. Au fil des années qui suivirent le cent-cinquantenaire, Papa et Jottie en vinrent à parler de Vause Hamilton comme s'il venait juste de quitter la pièce. Entre eux, il était toujours un peu vivant, mais ils se gardaient bien d'étouffer ce faible battement de cœur encore perceptible en parlant de lui devant les autres. Ils le gardaient pour eux seuls, et quand je les entendais parler de lui, c'était juste parce que j'étais tellement silencieuse qu'ils avaient oublié ma présence.

En 1940, Minerva surprit tout le monde – et elle la première, je pense – en donnant naissance à une fille : ma cousine Elisabeth. Pour ne pas être en reste, Mae eut un fils, qu'elle décida de pré-nommer Omar. Waldon aurait bien voulu opposer son veto, mais il s'en abstint.

Layla et Emmett se marièrent le jour du nouvel an de 1939, après qu'elle eut terminé de l'interroger sur tout ce qu'il avait pu faire au cours de sa vie, à en croire mon oncle. Il faisait mine d'être exaspéré par cet interrogatoire, mais je n'étais pas dupe. Le mariage eut lieu dans notre salon, fraîchement dépoussiéré pour l'occasion, avec Jottie comme demoiselle d'honneur.

Quelque part en chemin, je finis par pardonner à Layla. Je ne saurais dire quand. Le jour de son mariage, lorsque je la vis s'avancer dans notre entrée, accrochée au bras du sénateur dans son costume chic, ma haine était encore intacte. Je la revoyais, levant son visage vers celui de Papa pour qu'il l'embrasse, dans ce même hall. Elle y pensa, elle aussi, je la vis. Elle me regarda un instant avant d'entrer dans le salon et elle pâlit. J'étais bien contente.

Quelques années plus tard, il ne restait rien de tout cela. Pourquoi ? Je serais incapable de vous le dire. Un jour, juste après la guerre, Bird et moi rendîmes visite à Emmett. Il avait été blessé au cours de la bataille de Kasserine et venait juste de subir une deuxième opération à l'épaule. Il ne pouvait pas conduire ni faire grand-chose et Layla nous avait suppliées de venir le distraire. Nous prîmes donc toutes les deux la route de White Creek dans la voiture toute neuve de Jottie, rassemblant en chemin toutes les anecdotes que nous trouvions amusantes. Mais en voyant Emmett assis sur sa terrasse, avec l'air d'un homme qui vient d'être renversé par une voiture, tout nous sortit de l'esprit et nous restâmes là à le regarder. Lui qui avait toujours été si grand et si fort, voilà qu'il était blanc comme un linge et rapetissé par la douleur. Nous ne savions pas quoi faire. Voyant nos expressions, Layla vint s'asseoir avec nous. Avec une extrême gentillesse, elle nous posa des questions sur le lycée, sur les garçons avec lesquels nous sortions, et nous demanda si Jottie allait bien, si Papa était en voyage d'affaires. Au début, nous lui répondions avec raideur, jetant sans cesse des coups d'œil à notre oncle; et puis, à force d'écouter Layla, nous nous détendîmes assez pour commencer à discuter, à raconter des histoires et des blagues sur les gens, comme d'habitude. Emmett souriait, même s'il ne parlait pas beaucoup. Mais je l'observais. À un moment, il glissa son bras valide sur le côté de son fauteuil jusqu'à ce que l'un de ses doigts touche la peau de Layla, et elle leva les yeux vers lui. Ce jour-là, en retournant à la voiture je confiai à ma sœur : «Je ne la hais plus.» Assez étonnée de m'en apercevoir.

«Oui, dit Bird. On dirait bien que ses jours d'oiseau de mauvais augure sont révolus.»

Remerciements

Au cours du long travail d'écriture du *Secret de la manufacture de chaussettes inusables*, je me suis trouvée à avoir besoin d'expertise – ou du moins de bonnes connaissances – concernant une large gamme de phénomènes des années 1930 : produits, machines, distractions, événements et individus. La recherche d'authenticité est une quête dont l'accomplissement vous échappe toujours, mais qui exerce une fascination constante, et bien que j'aie été obligée à maintes occasions de brider ma curiosité dévorante afin de pouvoir avancer dans mon travail, cette recherche a été l'un des rares plaisirs sans mélange dans mon processus créatif. Il n'y a pas de plus grand frisson que celui qu'on éprouve quand on découvre le nom du fabricant de la plus grande marque de séparateurs-écrémeuses en 1938. Un compte rendu détaillé de mes sources prendrait une cinquantaine de pages, mais j'aimerais mentionner ici quelques-unes de mes dettes les plus importantes.

Comme pratiquement chaque auteur qui a eu à écrire sur le Federal Writers' Project, je me suis reposée sur *The Dream and The Deal* dans lequel Jerre Mangione retrace d'une plume alerte l'histoire de ce projet étonnant. Dans un style plus sobre, le *Federal Relief Administration and the Arts* de William F. McDonald s'est également révélé précieux. Pour des détails spécifiques concernant la Virginie-Occidentale, *An Appalachian New Deal : West Virginia in the Great Depression* de Jerry Bruce Thomas m'a fourni des informations utiles sur la résistance opposée par cet État à Roosevelt et au New Deal. De même, l'article de Jerry Bruce Thomas intitulé « L'État presque parfait », traitant des controverses autour du guide de la Virginie-Occidentale produit par le Federal Writers' Project, m'a fourni de bons éléments pour planter le décor.

L'Histoire de Macedonia est évidemment une publication imaginaire, mais elle s'inspire d'un livre d'histoire datant de 1937, *Historic Romney*, produit par le Federal Writers' Project pour le conseil municipal de Romney, en Virginie-Occidentale. J'ai également utilisé *West Virginia : A Guide to the Mountain State*, le guide d'État rédigé par le Federal Writers' Project, à la fois comme modèle et comme source d'informations. Le comté de Berkeley, situé dans l'enclave orientale de l'État, est le berceau d'une remarquable société historique de niveau professionnel. J'ai eu la grande chance de pouvoir accéder à ses archives dans les premiers temps de mon travail, et plusieurs de ses publications ont constitué des ressources essentielles, en particulier *A Martinsburg Picture Book*, qui a été à la fois une bonne référence visuelle et un stimulant pour l'imagination.

Lorsqu'on enquête sur la Works Progress Administration et sur le Federal Writers' Project, tous les chemins mènent à la bibliothèque du Congrès, qui possède – et de loin – la plus vaste collection de documents et d'articles concernant ces programmes. Alors que la plupart des chercheurs s'intéressent à ce qui touche à de grands auteurs ayant travaillé pour le Federal Writers' Project, j'y ai cherché des manuels d'instruction, des courriers et des règlements administratifs, qui sont plus difficiles à trouver. Je suis donc particulièrement reconnaissante envers ma sœur, Sally Barrows, pour avoir effectué le travail de limier – et commandé les photocopies ! – qui m'a permis d'obtenir ces documents.

Pratiquement toutes les autres recherches se sont déroulées dans la bibliothèque universitaire de l'université de Californie, à Berkeley. Chaque jour, je remercie le ciel qu'elle ne soit pas loin de chez moi. Des historiques des relations syndicales dans l'industrie du textile dans le Sud dans les années 1930, le catalogue de Sears pour l'année 1938, des publicités de 1920 pour des pensionnats de jeunes filles en Virginie-Occidentale, des livres de chansons de la Première Guerre mondiale, des menus de restaurant de 1938, des caractéristiques techniques de coffres-forts fabriqués aux États-Unis en 1919, des numéros du magazine *LIFE*, des publications du Federal Writers' Project d'un manque d'intérêt inimaginable – voilà juste quelques-uns des trésors dont j'avais besoin et que j'ai trouvés dans la bibliothèque universitaire.

Il va de soi que *Le Secret de la manufacture de chaussettes inusables* n'a pas été écrit en se fondant uniquement sur des faits. Même très peu, d'ailleurs. La fiction a été de loin l'ingrédient le plus réfractaire dans le mélange, et j'ai une immense reconnaissance envers mes éditeurs de Random House pour leur contribution à la création de ce roman. Susan Kamil, la première et la plus fidèle avocate de mon travail, a dû supporter quelques affreux brouillons initiaux et elle a œuvré sans compter pour m'aider à faire sortir de terre l'histoire que je voulais raconter. Kara Cesare a joué un rôle inestimable en guidant l'embarcation pendant la dernière partie de son voyage et j'ai une profonde gratitude pour l'attention, l'appréciation et la gentillesse dont elle a fait preuve dans le projet. La réaction positive de Dana Isaacson est venue à point nommé et a été grandement appréciée.

Pendant tout ce long et tortueux processus, mon agente, Liza Dawson, a manifesté la férocité et la détermination des vrais

Macédoniens, et je lui en suis profondément et éternellement reconnaissante. Je ne crois pas que ce livre existerait sans les efforts qu'elle a déployés.

Parmi mes proches, je voudrais adresser mes remerciements à ma mère, Cynthia Barrows, narratrice en chef des histoires familiales, autorité suprême pour tout ce qui touche à la Virginie-Occidentale, et qui fait preuve d'une patience inlassable pour répondre aux questions agaçantes sur le parler régional. Merci également à mon père, John Barrows, pour ses contributions historiques et pour m'avoir autorisée à le tester sur certains points. Quelques personnes ont lu le manuscrit à différents stades, alors qu'il était encore plus ou moins en petite tenue. J'ai une dette envers Alicia Malet Klein, qui l'a lu *deux fois*, et envers Margo Hackett, qui a aimé ce que j'aimais, ce qui m'a permis de ne pas me croire complètement folle. Merci également à Lisa McGuinness et à Tom Klein pour leurs bonnes opinions.

Encore plus proche de moi – en fait, dans la même maison –, il y a mon meilleur lecteur, Jeffrey Goldstein. Il a lu chaque mot de chaque version de ce livre et il a néanmoins réussi à maintenir son intérêt pour les personnages du roman, pour sa substance et sa destinée. Du début à la fin, il a toujours compris l'objectif que je visais, et il a toujours aimé ce qu'il lisait. Quand tous les autres, y compris moi, voulaient jeter le manuscrit du haut d'une falaise, il y a cru. «Reconnaissante» est un mot trop glacial, mais lui, comme d'habitude, saura ce que je veux dire.

*La photocomposition de cet ouvrage
a été réalisée par*
GRAPHIC HAINAUT
59410 Anzin

Impression réalisée par

*La Flèche
en mai 2015*

Dépôt légal : juin 2015
N° d'édition : 54466/01 – N° d'impression : 3011100
Imprimé en France